KB169753

국제바칼로레아
도입과 실행

글로벌 사례에서 배운다

국제 바칼로레아 도입과 실행

이와사키 구미코(岩崎久美子) 엮음
장민주 옮김

교육을바꾸는사람들

책머리에

1. IB(국제바칼로레아)와의 해후

IB(International Baccalaureate, 국제바칼로레아)의 조사연구에 처음 관여한 것은 1999년이었다. 벌써 20년쯤 전이다. 전 직장인 국립교육정책연구원(당시 국립교육연구원)에 문부과학성(당시 문부성)에서 'IB'에 관한 위탁연구 의뢰가 들어와서 사가라 노리아키(相良憲昭)를 대표로 연구조직이 꾸려진 것이 발단이 되었다. 우연이란 신기한 것이다. 이 연구에 관여했다는 이유로 IB와 조금씩 인연을 이어오다 보니 지금에 이르게 되었다. 크룸볼츠(Krumboltz, J,D) 등은 개인의 커리어의 80퍼센트는 예상할 수 없는 우발적 사건에 의해 결정된다는 '계획된 우발성 이론'(Planned Happenstance Theory)을 주장하고 있다[1]. 우발적인 사건이 커리어의 전개에 커다란 영향을 미친다는 의미다. 그야말로 IB는 필자 입장에서 우발적인 주제였다. 우연이 커리어가 되는 데는 '호기심', '유연성', '낙관성', '모험심'이 필요하다고 한다. 필자에게 '지속성'이라는 근기는 원래 없지만, 위탁연구는 수년 이어지는 업무인 만큼 지속적으로 종사하게 되었고, '호기심', '유연성', '낙관성', '모험심'이라는 성격적

특성도 어느 정도 있었을 것이다. 주어진 상황에서 우연히 IB가 필자의 업무 속에서 제 위치를 차지해갔을지도 모른다.

이 책은 필자가 지금까지 20년간 IB 관계자 및 연구자와 함께 실시해온 조사연구의 성과를 정리한 것이다. 크게는 앞서 언급한 문부과학성의 위탁연구, 그리고 필자가 대표 연구자로서 수급한 두 가지 과학연구비 보조금의 연구성과에 기반하고 있다[2]. 이하 각각의 조사연구에 대해 기술하고자 한다.

2. 국내에서 IB를 도입하고 있는 국제학교에 관한 조사

문부과학성의 위탁연구가 있었던 것은 앞서 언급한 대로 1999년이었다. 이 배경에는, 문부과학성에서 IB에 대한 자료를 필요로 했는데 이는 일본이 IBO(International Baccalaureate Organization, 국제바칼로레아 기구)에 매년 소정의 갹출금을 내고 있던 데 따른 일종의 책임의식 같은 것이었다. 당시 연구원 대표였던 사가라 노리아키 선생을 중심으로, 연구원들은 IB의 실태를 파악하는 첫 단계로 IB를 실시하고 있던 국내의 국제학교들을 일제히 조사하게 되었다. 필자는 세인트메리즈 국제학교라는, 도쿄 도내에 있는 남학교를 담당했다.

가을바람이 부는 상쾌한 날 방문해 면담을 가진 IB 코디네이터는 활기 넘치는 미국인이었다. 그는 몇 주 후에 IB의 연례학회가 오스트레일리아의 케언스에서 열리는데 IB에 대해 알고 싶으면 참석해야 한다고 강력히 주장했다. 그의 열정에 압도되어 연구소 내 관계자들의 이해를 구하고 학회에 급히 참석하게 되었다. 이 연례학회는 아시아태평양 지역의 IB 관계자가 모두 참석하는 회의로 'IB월드(IB World)'라는 사회의 분위기를 피부로 느낄 수 있는 자리였다. 그때 IBO 아시아태평양 일본·한국 대표였던 버나드 도모코 씨(당시 요코하마 국제학교 교사)를 알게 되었다. 버나드 도모코 씨에겐 나중에 IBO를 조사하면서 많은 신세를 지게 된다. 그리고 IB프로그램을 시행하고 있는 일본과 기타 아시아, 오스트레일리아의 국제학교와 유나이티드월드칼리지(United World College, UWC)의 교원, 코디네이터와도 만나는 계기가 되었다. 이듬해, 연이어 문부과학성으로부터 연구 위탁을 받아서 버나드 도모코 씨와 함께 IBO산하 일련의 조직들을 방문했다. 카디프에 있었던 커리큘럼/평가센터, 바스대학에 있는 연구조직, 영국의 명문 IB학교(Sevenoaks school)를 방문한 뒤 스위스로 넘어가 IBO본부, IB와 깊은 인연이 있는 제네바 국제학교를 방문했다.

IB와 관련된 업무는 그 이듬해에도 문부과학성의 위탁이라는 형태로 이루어졌다. 그때는 대학과의 연계문제가 테마였다. 멤버별로 연구내용에 대한 재량이 주어졌기 때문에 필자는 IB프로그램을 실시하고 있는 유럽의 국제학교에 일본인학생 수와 일본인학생의 진로 등을 묻는 간단한 조사표를 송부, 답변을 의뢰했다. 이것으로 유럽의 국제학교에 재학 중인 일본인학생 수, IB 코디네이터와 일본인교사의 연락처를 파악할 수 있었다. 더불어 IBDP(Diploma Program, IB학위과정-고등학교프로그램)를 수료하고 일본의 대학에 진학한 대학생과 IB를 잘 알고 있는 대학(교토대학, 게이오기주쿠대학 쇼난후지사와캠퍼스, 국제기독교대학) 입학담당자들의 이야기를 들었다. 당시 IB를 경험한 대학생과 만날 수 있었던 것은, 그때까지 제도 차원에서만 알고 있던 IB를 교육의 내용 측면에서 더 깊이 이해할 수 있는 좋은 기회였다.

3. 국제학교에서 IB를 배우는 일본인 고교생 조사

그 후 문부과학성의 위탁연구를 수행하던 중 직접 유럽의 국제학교를 방문할 기회가 있었다. 앞서 언급한 조사표를 반송해준 학교들 가운데 뒤셀도르프 국제학교, 뮌헨 국제학교, 런던 국제학교, 파리 국제학교를 방문했다. 그때 일본어로 조사하고 정보를 얻을 수 있다는 편의성 때문에 주로 일본인교사와 연락을 취했다. IB에 관한 문부과학성의 위탁연구는 그 후 매년 주제를 바꿔 3년여 동안 이어졌다. 수차례의 위탁연구에서 얻은 식견을 바탕으로 과학연구비 보조금을 수급할 수 있었고, 그 결과 파리 국제학교의 이시무라 기요노리 선생, 뒤셀도르프 국제학교의 요시다 다카시 선생, 메일을 주고받았던 암스테르담 국제학교의 하시모토 야에코(橋本八重子) 선생과 팀을 이룬 조사연구도 현실화될 수 있었다.

특히 이시무라 기요노리 선생에겐 파리 국제학교가 IBDP(학위과정)를 필수로 삼고 있으며, 당시 1학년 학생이 10여 명 있다는 귀중한 정보를 받았다. 아울러 필자가 어린 시절 파리에 체류했던 지역적 인연도 있고 해서 IB를 비롯한 국제학교와 외국인학교 등의 조사차 파리에 갈 때마다 자료와 정보 제공을 부탁해왔다. 그에겐 체류기간 동안 여러 도움을 받았을 뿐 아니라 IB를 수강하는 학생의 추적조사 기획 등과 관련해서도 조언을 받았다. 그때의 조사계획은 다음과 같이 세 가지 연구로 구성되었다.

〈연구1〉 최종학년 조사·질문지(2004년+2005년+2006년 졸업생)

- IB 일본어교사(A1)에게 의뢰하여 인터넷을 통해 배포, 회수

파리 국제학교	35명
뒤셀도르프 국제학교	14명
암스테르담 국제학교	7명
합계	56명

〈연구2〉 동일 코호트 추적조사·인터뷰(2004년 9월에 11학년 학생: IBDP 개시 당시, 1년차 수료 시, 2년차 수료 시까지 3회 청취)

- IB 일본어교사(A1)에게 인터뷰 시간 등의 조율 의뢰, 학생 1명당 40분 × 3회(3년)

파리 국제학교	15명
뒤셀도르프 국제학교	7명
암스테르담 국제학교	3명

〈연구3〉 졸업 후 10년 정도 경과조사·인터뷰/일부 질문지

- 대상자 8명(파리 국제학교 졸업생/여자 3명, 뒤셀도르프 국제학교 졸업생/남자 1명·여자1명, 암스테르담 국제학교 졸업생/남자 2명·여자1명)

〈연구1〉은 연구비 수급기간 3년에 걸쳐 해당연도 졸업생을 대상으로 파리, 뒤셀도르프, 암스테르담 국제학교 교원들에게 메일을 보내 해당 학생에게 배포, 회수를 의뢰하고 그 결과를 분석한 것이다. 3년차 졸업생은 〈연구2〉의 인터뷰 조사자와 동일 집단이다.

〈연구2〉의 추적조사는 IB를 수강하기 전인 11학년 학생을 특정하여 파리, 뒤셀도르프, 암스테르담의 국제학교에 가서 IB 수강 전인 9월, 이듬해 9월의 1년차 수료시점, 그리고 2년차의 프로그램 종료시점인

6월까지 총 3회의 인터뷰를 동일 학생들을 대상으로 실시했다. 프로그램의 시작부터 수료까지를 추적한 셈이다.

〈연구3〉은 IB프로그램을 수강하고 이미 사회인이 된 이들에 대한 인터뷰 조사다. 파리, 뒤셀도르프, 암스테르담 국제학교에서 IBDP를 마친 뒤 10년 정도 경과한 이들을 각각 2~3명씩 추천받아 인터뷰를 실시했다. 이 조사 결과들을 정리해 간행한 것이 『IB: 세계가 인정하는 탁월한 교육프로그램(国際バカロレア：世界が認める卓越した教育プログラム)』(아카시서점, 2007년)이었다.

4. IB를 도입하고 있는 공립고등학교에 관한 국제 비교조사

그 후 일본 내의 국제학교뿐 아니라 사립학교에서도 IB를 도입하게 되었다. 2000년대 후반에는 경제계의 제언을 받아들여 IB인정학교를 200개로 늘린다는 목표가 세워지면서 IB는 큰 주목을 받게 되었다. 국가 차원의 지원이 늘자 일본 내에서 IB를 도입하는 학교들도 늘어갔다. 이런 움직임 속에서 과학연구비 보조금을 다시 수급하여, 공립학교에서 IB를 도입하고 있는 각국의 동향을 조사하게 되었다. 각 지역에 정통한 연구자들에게 의뢰해 미국, 영국, 독일, 중국, 홍콩에서 조사를 진행했다. 당시 도입을 검토하고 있던 도쿄 도, 홋카이도 삿포로 시에서의 준비과정을 가까이에서 지켜볼 기회를 얻어서 일본의 사례와 더불어 비교·고찰하기로 했다. 얼마 전에는 IB의 보급에 힘을 쏟아온 도쿄 국제학교 이사장과 문부과학성 여러 분의 도움을 받아 해외의 IBO 기관을 방문할 수 있었다. 그분들의 호의에 다시 한 번 감사드린다.

그리고 세계 각국의 국제학교에서 IB 과목을 가르치는 일본인교사들이 여름방학을 맞아 일본에 일시 귀국할 때마다 참석하는 연구회에서 이들에 대한 조사를 실시할 수 있었다. IB 연구에 거듭 관여하는 동안 10년 전에 파리, 뒤셀도르프, 암스테르담에서 만났던 학생들의 그 후 모습이 궁금해져 맨 처음 만났던 뒤셀도르프 국제학교의 몇 명에게 연락을 취해봤다. 4명 정도 인터뷰를 했는데 이직 등으로 체계적이고 지속적인 조사가 어려웠다. 졸업 후 사회진출 조사임을 생각하면 매우 안타까운 일이다. 인터뷰에 응해준 4명의 인터뷰 결과는 이전 실시한 사회진출 조사와 함께 수록했다.

5. 이 책의 구성

이 책은 IB에 관한 이상의 조사연구 가운데 『IB: 세계가 인정하는 탁월한 교육프로그램』의 출간 이후에 이루어진 공립학교의 IB 도입 실태조사와 비교, 그리고 국내외에서 IB를 가르치고 있는 일본인교사를 대상으로 한 조사 결과를 중심으로 정리한 것이다. 미리 초고를 써둔 이 원고와 함께 『IB: 세계가 인정하는 탁월한 교육프로그램』의 일부를 가필·수정해 재수록했고, 그때의 원고 일부를 관련 칼럼으로 발췌·삽입했다[3].

이 책의 구성은 다음과 같다.

1장은 IB의 개요다.

2장은 영국, 미국, 독일, 홍콩, 중국, 일본 등 각국 공립학교들의 IB 도입 배경 및 실태에 대한 조사연구 내용을 정리했다. 조사를 실시하고 원고를 집필한 연구자들은 각국에서 장기간의 거주경험이 있는 이들이다.

3장은 일본인교사들에 대한 조사 결과다. IB를 가르치고 있는 교사들에 대한 조사는 전례가 없는 것으로, 지면을 할애해 조사 결과의 집계 내용도 실었다.

4장은 IB 수강자의 졸업 후 이야기로, 이전 실시한 수강자 조사를 재수록하고, 자녀가 IB를 수강한 경험이 있는 학부모의 논고, 그리고 이전 실시한 IB 졸업생 조사에 더해, 앞서 기술한 대로 수강자 조사에 협력해준 학생들의 졸업 후 인터뷰 결과를 추가 수록했다.

5장에는 일본의 글로벌화에 대한 논고 두 편을 게재했다.

지금 IB의 열기는 일본의 교육문화 전반에 대한 도전으로까지 보인다. 이 점이 어떤 결과를 초래할지 아직은 알 수 없다. 그러나 일본 사회는 지금까지도 국내외의 좋은 것들을 적극 흡수하면서 독자적인 문화성장을 이루어왔다. IB가 국내의 교육과 사회에 기여하길 바라며, 지금까지 지원과 협조를 해주신 여러 분께 감사의 마음을 담아 이 책을 세상에 내놓는다.

2018년 초봄

집필자를 대표해

이와사키 구미코

| 차례 |

1장

IB(국제바칼로레아)의 개요

1

국제바칼로레아의 개요

이시무라 기요노리

머리말

문부과학성은 2018년까지 일본 내 200개 학교에 IB를 도입한다는 목표를 내걸고, 2015년 4월부터 국·공·사립학교에서 IB수업을 시작했다. (2019년 11월 현재 일본의 IB인정학교 수는 76개교. 문부과학성 홈페이지-옮긴이) IB는 학교, 학부모, 학생의 3자가 정보를 공유하는 것이 원칙이지만, 지금 상황에선 학교측뿐 아니라 학부모와 학생에게도 IB프로그램의 내용과 목표, 국내 커리큘럼과의 차이 등 정보가 제대로 전달되었다고 단언하기는 어렵다. 프로그램 자체도 수시로 개정된 만큼 적절히 그 내용을 파악하여 자료로 제공하고 널리 이해를 구하는 것이 무엇보다 중요하다. 이 장에서는 IB의 개요와, 일본의 '국어'와는 상당히 다른 내용을 지닌, 제1언어(모어)로서의 일본어, 일본문학의 교육내용 및 평가방법에 대해 살펴본다.

1. IB커리큘럼

IB(International Baccalaureate, 국제바칼로레아)는 1968년 스위스에서 설립된 재단법인 IBO(International Baccalaureate Organization, 국제바칼로레아기구)가 운영하는 국제적인 교육프로그램이다. 처음엔 대학 입학자격 취득을 위한 2년간의 'IB 고등학교프로그램'(IB Diploma Programme, IB DP)뿐이었지만, 1994년에 'IB 중학교프로그램'(IB Middle Years Programme, IB MYP), 1997년에 'IB 초등학교프로그램'(IB Primary Years Programme, IB PYP), 2012년에 'IB 직업 관련 자격과정'(IB Career-related Certificate, IB CC)이 추가로 생겨났다.

IB 초등학교프로그램(PYP)은 3~12세, IB 중학교프로그램(MYP)은 11~16세, IB 고등학교프로그램(DP, IB학위과정)과 IB 직업 관련 자격과정(CC)은 16~19세를 대상으로 하며, 이 네 가지 프로그램이 완결됨에 따라 일관된 초등 및 중등교육의 흐름이 갖추어졌다. 이 프로그램을 2017년 11월 시점에서 전 세계 4,977개교(2019년 11월 기준 5,217개교, 그 중 공립학교는 2,742개다-옮긴이)의 아이들이 배우고 있다. 그중 과반수 이상은 공립학교다.

(1) 글로벌 교육의 정의와 학습자상

IBO는 '글로벌 교육'을 다음과 같이 정의하고 있다.

- 문화, 언어, 공존을 배우고 세계시민을 육성한다.
- 자신의 정체성과 문화의식을 육성한다.
- 보편적인 인간의 가치에 대한 의식을 육성한다.
- 발견의 정신과 학습의 기쁨을 키우기 위한 호기심과 탐구심을 육성한다.
- 개인적으로 혹은 타자와 협력해서 지식을 학습·습득하는 기술을 익히고, 그 지식과 기술을 폭넓은 분야에서 응용할 수 있게 한다.
- 지역의 요구와 기대에 부응하면서도 국제적인 내용을 제공한다.
- 교수법의 다양성과 유연성을 도모한다.
- 적절한 평가방법과 국제적인 기준을 제공한다.

이런 목표를 달성하기 위해 필요한 'IB 학습자상'은 다음과 같다.

- 탐구하는 사람(Inquirers)
- 지식을 갖춘 사람(Knowledgeable)
- 사고하는 사람(Thinkers)
- 소통하는 사람(Communicators)
- 도덕적 신념이 강한 사람(Principled)
- 열린 마음을 갖춘 사람(Open-minded)
- 배려하는 사람(Caring)
- 도전하는 사람(Risk-takers)
- 균형을 갖춘 사람(Balanced)

- 성찰하는 사람(Reflective)

즉 지식 편향에 빠지지 않은 균형 잡힌 전방위 학습(전인교육), 학교를 마치고 사회에 나가서도 항상 학습의욕을 갖고 인생을 풍요롭게 만들어가는 학습(평생교육), 그리고 다른 문화를 이해하고 나와는 다른 사람들을 인정하는 힘을 키우는 학습(국제이해)이다.

(2) MYP(중학교프로그램)와 DP(고등학교프로그램)

네 가지 프로그램 가운데 실제로 일본의 학교에 도입되는 프로그램은 DP(고등학교프로그램-IB학위과정)이지만, 일부 중고일관교(中高一貫校, 중·고등학교를 통합하여 6년제 교육을 실시하는 일본의 학교. 주로 명문 사립학교가 많다-옮긴이)에서는 MYP도 함께 도입된다. 이 두 개의 프로그램은 다음과 같은 내용으로 이루어진다.

① MYP(중학교프로그램)

MYP의 커리큘럼은 2014년 9월에 개정판이 도입되었다. MYP는 PYP와 DP 사이에 위치하는 특성상 1994년 개시 이래 좀 더 원활한 연계를 목표로 전체적인 조화를 꾀하기 위해 여러 면에서 개선이 이루어졌다. PYP는 '교과'에 너무 얽매이지 않고 순수한 눈으로 세상을 보고 다양한 것에 호기심을 가지면서 균형 잡힌 몸과 마음을 키우는 데 역점을 두고 있다. MYP는 '교과'라는 의식은 명확하면서도, 다른 교과와의 조화와 연관성을 중시하며 교과의 틀을 넘어선 학습을 추구한다. 또한 국가와 지역의 요구에도 부응할 수 있도록 커리큘럼에 탄력성을 두고 있다. DP로 올라가면, 고등교육을 의식하여 교과별 심화학습에 중점을 두게 된다. 이러한 '흐름'을 구축하여 전체적으로 통일해가는 것이 앞의 'IB 학습자상'이다.

MYP의 목표는 다음과 같다.

- 지적·사회적·감정적·신체적 측면에서 아이들의 건전한 발달을 목표로 한다.
- 미래에 대해 책임 있는 행동을 하고, 복잡성에 대처하기 위한 지식·태도·스킬을 익힐 기회를 제공한다.
- 8가지 학습교과를 통해 지식을 폭넓고 깊게 이해하고 익힌다.
- 자신과 타자의 문화를 이해하기 위해 최소한 두 가지 언어를 학습한다.
- 고등교육과 취직 준비의 일환으로 사회공헌을 독려한다.

8가지 학습교과는 다음과 같으며 도표1-1에 표시되어 있다.

- 언어와 문학(language and literature)
- 언어습득(language acquisition)
- 개인과 사회(individuals and societies)
- 과학(sciences)
- 수학(mathematics)
- 미술(arts)
- 체육(physical and health education)
- 디자인(design)

도표1-1 **중학교프로그램(MYP)**

출처: IBO 공식사이트

5년에 걸친 MYP 과정에서 처음 3년간은 학습교과 간의 틀을 넘어 교과군을 다룰 수 있다. 여러 교과를 통합하거나, 제2언어 외에는 학기별로 교과를 바꾸는 것도 가능하지만, 1교과당 연간 최소 50시간 이상의 학습시간을 충족시켜야 한다. 후반 2년간은 8교과군 가운데 6개 교과를 선택하면 되고, 1교과당 연간 학습시간은 70시간 이상이다. 이 학습교과군 이외에도 사회공헌(community project)과 개인연구(personal project)가 의무화되어 있는, 탄력적이고 균형 잡힌 커리큘럼이다.

② DP(고등학교프로그램-IB학위과정)

DP는 대학입학자격을 취득하기 위한 고등학교프로그램으로 다음과 같이 구체적인 목표가 명시돼 있다.

- 신체적·지적·감정적·윤리적으로 건전한 발전을 도모한다.
- 6교과군의 학습을 통한 폭넓고 깊은 지식의 이해와 습득을 목표로 한다.
- 고등교육에 대비하기 위한 스킬의 습득과 적극적 태도를 육성한다.
- 최소한 2개 언어를 습득하여 자신 및 타자에 대한 문화 이해를 심화한다.
- '지식론'(Theory of knowledge, TOK)의 학습을 통해 인류의 지적 원류에 대한 이해를 심화하고, 전통적인 교과의 틀을 넘어 생각하는 방법을 배운다.
- '과제논문'(Extended Essay, EE)을 통해 관심 있는 교과의 학습을 심화한다.
- '창조성·활동·봉사'(Creativity·Activity·Service, CAS)를 통해 개인적·대인적 발달을 강화한다.

학습교과로는 6교과군과 세 가지 필수과제가 있다(도표1-2 참조). 대부분의 교과에는 고급레벨(Higher Level, HL)과 표준레벨(Standard Level, SL)이 있고, 그중 3~4교과를 고급레벨로 선택해야 한다. 고급레벨은 2년간 240시간, 표준레벨은 150시간의 수업을 받아야 한다. 6교과군은 다음과 같이 제시되어 있다.

- 그룹1: 어학과 문학(Studies in Language and Literature) – '문학', '언어와 문학', '문학과 퍼포먼스'(표준레벨 한정)의 세 가지 코스가 있다.

- 그룹2: 언어습득(Language Acquisition) – '언어B'와 '초급외국어'(표준레벨 한정)가 있다.
- 그룹3: 개인과 사회(Individuals and Societies) – '비즈니스 경영', '경제', '지리', '역사', '글로벌 사회의 IT', '철학', '심리학', '인간학', '세계의 종교'(표준레벨 한정), '국제정치'가 있다.
- 그룹4: 실험과학(Sciences) – '생물', '컴퓨터과학', '화학', '디자인기술', '물리', '스포츠, 훈련, 건강과학'(표준레벨 한정)이 있다.
  ※ '환경시스템과 사회'(표준레벨 한정)를 그룹3 혹은 그룹4로 선택 가능하다.
- 그룹5: 수학(Mathematics) – '수학연구'(표준레벨), '수학'(표준레벨), '수학'(고급레벨), '고등수학'(고급레벨)이 있다.
- 그룹6: 예술(Arts) – '댄스', '음악', '영화', '연극', '미술'이 있다.
- 과제논문(Extended Essay, EE) – 선택한 6교과군 가운데 좀 더 깊이 연구하고 싶은 과제를 골라 4,000단어(일본어로 8,000자)짜리 논문을 쓴다. 감독관(supervisor)과 주제에 대해 상담하거나, 완성된 초고를 한 번 보여주고 자문을 구할 수도 있다. 논문 완성 후 감독관은 구두인터뷰를 하고 그 내용을 정리해서 보고한다.
- 지식론(Theory of knowledge, TOK) – '우리는 어떻게 배우는가'(How do we know that?)라는 기본적 질문을 토대로 교과의 틀을 넘어선 '지식'에 대해 배워나간다. 2년간 100시간 이상의 수업이 필수이며, 소논문과 구두발표로 평가된다. 소논문은 여섯 가지 주제가 주어지고 그중 한 가지에 대해 1,600단어 이내로 논술한다. 구두발표는 1~3명씩 진행하고(제한시간은 1인당 10분), 지식론의 발상법을 실생활에 적용한 주제가 요구된다.

도표1-2 **고등학교프로그램(DP)**

출처: IBO 공식사이트

- 창조성·활동·봉사(Creativity·Activity·Service, CAS) - 일주일에 반나절 정도(3~4시간) 창조성(창조적 사고를 동반하는 예술 등의 활동, Creativity), 활동(DP커리큘럼의 학습을 보완하고 건강한 생활을 영위하기 위한 신체적 활동, Activity), 봉사(학습에 도움이 되는 무보수의 자발적 교류. 모든 관계자의 권리·존엄·자립성을 존중, Service)에 합계 150시간 이상을 사용한다.

칼럼: 과목의 선택

DP를 이수하는 학생이 먼저 해야 하는 것은 교과의 선택이다. 이과 지망생은 수학과 이과의 2교과 가운데 1교과를 고급레벨로 선택해야 한다. 사실 이과 지망생은 이과 과목으로 2교과를 이수하도록 대학 측이 요구하는 경우가 많다. DP를 수료하기 위해서는 합계 3~4과목을 고급레벨로 선택해야 한다. 그렇기 때문에 수학 및 이과 과목의 2교과 이외에 나머지 1교과가 고급레벨일 필요가 있다. 일본어교사가 있는 학교라면 일본어의 '문학' 혹은 '언어와 문학' 중 하나를 고급레벨로 선택할 수 있으며, 그 외의 경우라면 언어B(영어)와 또 한 교과의 이과 과목을 고급레벨로 선택하면 된다.

한편, 문과 지망생들은 선택이 어려워진다. 학교에 일본어의 '문학'과 '언어와 문학' 수업이 있다면 우선 이것을 고급레벨로 선택한다. 문과 지망생은 수학과 이과 성적이 떨어지는 경우가 많으므로 고급레벨로는 점수를 얻기 힘들다. 필연적으로 제2그룹의 언어B(영어)를 고급레벨로 선택하고, 또 한 교과는 제3그룹 혹은 제6그룹 중에서 선택하게 된다. 그러나 제2그룹과 제3그룹의 과목을 고급레벨로 선택하는 데는 상당한 영어실력이 요구된다. 일본에서 편입해 들어와서 1~2년이 지난 정도의 수준으로는 힘들 것이다.

그렇다면 마지막 가능성은 제6그룹의 예술 과목이 된다. 하지만 모든 학생이 미술과 음악에 관심이 있는 것은 아니다. 게다가 고급레벨은 수준이 상당히 높다. 피아노를 조금 칠 줄 아는 정도로는 겨뤄볼 여지가 없는 것이다. 또 만약 학교에 일본어교사가 없어서, 일본어의 '문학'을 독학으로 해야 한다면 고급레벨의 선택이 더욱 힘들어진다.

이처럼 문과 지망생은 이과 지망생보다 평균적으로 DP의 도전이 힘들다(만약 일본의 IB학교에서 제3그룹을 일본어로 이수할 수 있다면 가장 좋은 선택이 된다).

DP과정에 들어가면 고교 2학년 신학기부터 수업이 시작된다. 학교에 따라 다르지만 2년 동안 3~5회의 모의시험을 치르며 성적에 대해 코디네이터와 의논을 하게 된다. 결과가 좋지 않으면 DP를 그만두는 게 좋겠다는 조언을 들을 수도 있다. 그래서 중간에 포기하고 과목별 평가증명서로 바꾸는 학생도 있다.

11학년 전반기엔 비교적 실감하기 어렵지만, 후반기가 되면 본격적인 과제제출이 시작된다. 일본어 '문학'에서는 세계문학의 논문, 제3그룹의 수업, 제4그룹의 리포트, 제6그룹의 과제, 과제논문, TOK 논문, CAS 등 모든 것을 11학년 후반기부터 12학년 전반기까지 완결지어야 한다. 그것이 끝나면 구두시험이 시작된다.

일본어 '문학'의 구두시험, 제2그룹의 구두시험, TOK의 구두발표 등이 있고, 제6그룹의 발표도 있다. 그것이 끝나면 드디어 5월(라틴아메리카를 중심으로 한 일부 지역은 11월) 필기시험이 시작된다. 약 3주에 걸쳐 선택과목별 필기시험이 오전과 오후에 각각 1교과씩 시행된다. 시험결과가 발표되는 것은 7월 하순(일부 지역은 1월)이다.

2. 일본어·일본문학의 교육내용

DP의 그룹1(어학과 문학)에서 일본어로 배울 수 있는 코스는 '문학', '언어와 문학' 그리고 '문학과 퍼포먼스'이다. 2010년 이전의 프로그램에서는 '문학' 외에 선택지가 없었다. 2011년부터 '언어와 문학' 코스가 도입되었는데(비슷한 것이 그룹2에는 존재했지만) 그 이유는 학생들의 배경이 복잡하고 다양해졌기 때문일 것이다. '일본인'이라고는 하지만, 해외에서만 생활해온 학생들은 일본어가 제1언어가 아닐 가능성이 높다. 부모가 국제결혼을 한 경우라면 그 가능성은 더욱 높아진다. 또 부모의 해외근무가 정해져 어쩔 수 없이 외국에서 살게 됐는데, 현지 학교에 일본어교사가 없거나 외국어로서의 영어수업이 없어서 제1언어로 영어를 선택할 수밖에 없는 경우가 있다. 이런 경우 그룹1에 '문학' 외의 선택지가 없으면 장벽이 높아진다. 또한 급변하는 미디어와 IT세계에 대응하기 위한 지식도 필요해질 것이다. 이런 사정으로 '언어와 문학' 코스가 도입되었다.

하지만 일본에서 그룹1의 교과를 선택할 때는 상황이 조금 달라진다. 많은 학생들은 일본어가 제1언어일 것이고 영어 등 외국어의 보강이 필요할 것이다. 이 경우 외국어 실력을 키우기 위해서는 제1언어의 실력을 키우는 것이 매우 중요하다. 그러기 위해서는 고도의 문학작품을 이해하고 해석하고 분석하고 해설하는 학습이 효과적이다. 따라서 일본에서 그룹1을 취급할 때는 '문학' 코스의 도입이 중심이 될 것으로 여겨지는 바, 이 코스의 교육내용을 자세히 살펴보겠다.

그룹1의 목표는 다음과 같다.

- 다른 시대, 문체, 장르의 다양한 작품을 소개한다.
- 개개의 작품을 면밀하고 상세하게 분석해서 서로 연관 짓는 능력을 갖춘다.

- 구어 및 문어에서의 표현력을 키운다.
- 작품이 쓰이고 수용되는 문맥의 중요성을 인식한다.
- 작품의 공부를 통해 문화가 다른 사람들이 사물을 보는 방식과, 그 방식이 어떤 의미를 갖는가에 대한 인식을 촉진한다.
- 문학비평에 사용되는 기법을 이해한다(문학코스 한정).
- 독자적으로 문학적 판단을 내릴 수 있는 능력과 그 생각에 설득력을 입히는 능력을 키운다(문학코스 한정).

이상의 목표에 도달하기 위해 다음과 같은 학습내용이 의무화되어 있다. 먼저 구체적인 학습에 쓰이는 자료로서 모든 언어에 공통되는 '지정번역작품목록'(the prescribed list of literature in translation, PLT)과, 언어별로 작성된 '지정작가목록'(the prescribed list of authors, PLA)의 두 가지가 주어진다. PLT(지정번역작품목록)는 영어, 프랑스어, 스페인어 등의 IB 공통언어로 번역된 전 세계의 대표적인 작품이다. PLA(지정작가목록)는 '이야기·소설', '수필·평론', '시가문학', '극작품'의 네 장르로 나뉘어 있고, 각 장르마다 대표적인 일본인 작가명이 올라 있다. 고급레벨은 2년간 13권(표준레벨은 10권, 이하 별도의 언급이 없으면 해설은 고급레벨에 관한 것임)의 문학작품을 배워야 하는데, 아래와 같이 4개의 파트로 나뉘어 있다.

파트1: 번역작품(works in translation) 65시간(표준레벨은 40시간)

PLT에서 3권(표준레벨은 2권)을 선택한다. 각기 다른 문화의 작품을 배우면서 다른 생각, 시대와 장소의 영향 등에 대해 고찰한다. 교사는 다음과 같은 점을 고려한다.

- 작품의 내용 및 문학으로서 작품의 수준을 이해한다.
- 개인적·문화적 체험과 작품을 연결시킴으로써 작품에 대한 독자적 견해를 표현한다.
- 문학작품에서 문화적·문맥적 요소가 담당하는 역할을 인식한다.

파트2: 정독학습(detailed study) **65시간**(표준레벨은 40시간)

PLA에서 서로 다른 장르와 작가의 작품을 3권(표준레벨은 2권) 선택한다. 고급레벨은 반드시 시(詩)를 포함시켜야 한다. 여기서는 작품의 내용뿐 아니라 작가의 문학적 기법과 그 효과에 대해 자세히 학습한다. 다양한 각도에서 작품을 분석한 후 설득력 있는 개인의 해석과 의견을 지니는 것이 중요하다. 교사는 다음과 같은 점을 고려한다.

- 학습하는 작품에 관한 상세한 지식과 이해를 체득한다.
- 특정 장르에 대한 적절하고 분석적인 생각을 표현한다.
- 사용 언어에 따라 어떤 특정 효과가 나타나는지 이해하고, 등장인물·테마·설정 등의 요소를 분석한다.
- 정보에 근거를 두고 깊이 숙고하는 법을 함양하기 위해 작품을 정독한다.

파트3: 장르별 학습(literary genres) **65시간**(표준레벨은 40시간)

PLA에서 동일 장르의 작품을 4권(표준레벨은 3권) 선택한다. 여기서는 작품을 서로 비교·검토하면서 동일 장르이면서도 작가의 문학적 기법(literary convention)에 따라 어떤 차이가 나는지 배운다. 선택한 장르의 특징을 파악하는 것도 중요하다. 교사는 다음과 같은 점을 고려한다.

- 학습하는 작품에 관한 상세한 지식과 이해를 체득한다.

- 선택한 장르의 문학적 기법에 대해 명확히 이해한다.
- 선택한 장르에서, 문학적 기법을 통해 내용이 전달되는 방식에 대해 이해한다.
- 학습하는 작품과 관련해 유사점과 차이점을 비교한다.

파트4: 자유선택(options) 45시간(표준레벨은 30시간)

학습할 작품 3권(표준레벨도 동일)은 교사가 자유롭게 선택할 수 있으며, 반드시 위의 두 가지 목록 가운데 고를 필요도 없다. 이 파트는 교사와 학생의 관심사나 국가 및 지역의 사정 등에 맞춘 선택이 가능하다. 예를 들어, 홋카이도라면 해당 지역을 무대로 한 작품을 선택할 수도 있고, 이와테 현이라면 미야자와 겐지 및 관련 작품을 선택하는 것도 가능하다. 다만, 어디까지나 문학적으로 분석할 가치가 있는 양질의 작품이어야 한다. 목표는 다음과 같다.

- 학습하는 작품에 대한 지식과 이해를 체득한다.
- 학습하는 작품에 대한 개인적·독자적 생각을 표현한다.
- 구두발표를 통해 표현력을 키운다.
- 청중의 흥미를 끌고 관심을 모으는 방법을 배운다.

이 파트에 관해 IB가 추천하는 3가지 옵션이 있다.

옵션1: 픽션 외 산문의 학습(다양한 형식의 문장을 쓰는 능력을 키운다)

여기서 취급하는 것은 기행문, 자서전, 서간문, 수필, 연설문과 전위적인 '창작 논픽션' 등이다. 학생 자신이 다양한 형식의 작품을 써보면서 이해를 심화시키는데, 특별히 아래와 같은 점을 목표로 한다.

- 쓰는 행위를 통해 픽션이 아닌 산문의 기법을 이해한다.
- 다양한 형식에 대해 작가가 어떤 식으로 효과적인 선택을 하는지 이해한다.
- 작품에 대한 자신의 비평을 구두발표의 기반으로 활용한다.

옵션2: 새로운 텍스트

스토리성이 있는 만화와 모바일 소설, 노블라이즈(영화나 만화 등을 소설화한 작품-편집자) 등 기존의 문학범주로는 쉽게 규정할 수 없는 작품을 가리킨다. 다만, 이미 존재하는 작품의 번안이 아니면서 문학적 분석에 상응하는 것이어야 한다. 특히 아래의 요소가 요구된다.

- 새로운 텍스트를 비평의 틀 안에서 배운다.
- 이런 형식의 작품들이 전통적인 작품과 어떤 식으로 연관되는지 숙고한다.
- 이런 형식의 작품들이 급격히 변화하는 언어의 표현방식과 어떤 식으로 연관되어 있는지 숙고한다.

옵션3: 문학과 영화

이 옵션은 미디어에 대해 배우는 게 아니라 문학작품을 토대로 그것이 어떤 기법을 통해 영화화되는지, 그 과정에서 어떤 연출이 이루어지는지 등을 배운다. 현대는 모든 장소에서 '영상'과 접속할 기회가 많다. 문학작품의 영화화에 대해 배움으로써 문학과 영상의 관계를 깊이 이해할 수 있다. 다음과 같은 능력을 키우는 것이 요구된다.

- 영화와 그 문학적 뿌리를 비평적 관점에서 비교한다.
- 문학작품을 영화화할 때 채택된 기법과 그 이유에 대해 분석한다.

- 특정 시대와 공간에 따라 등장인물이 어떤 식으로 변화했는지 이해한다.
- 상징주의(symbolism)의 효과와 그것이 하나의 미디어에서 다른 미디어로 어떤 식으로 대체되는지 이해한다.
- 영화 속 음악·음향·삽입화면 등 요소의 중요성을 이해한다.

학습내용에는 IB의 교육철학이 명확히 구현되어 있다. 번역문학을 통해 다른 문화와 생각을 깊이 이해하고(국제이해), 문학을 가깝게 느끼며, 일상생활과 문학의 관계를 생각하고, 졸업 후에도 문학에 대한 관심을 계속 유지하는 것(평생교육)을 목표로 한다. 단지 문학작품을 읽는 것이 아니라 작품을 이해·해석하고, 말이나 글의 표현력을 키우고, 자기 생각을 전달하기 위해 온몸으로 작품과 마주하는 자세까지도 요구되는 것이다(전인교육).

3. 일본어·일본문학으로 살펴보는 평가방법

단순한 지식이 아닌 문학작품을 어느 정도 이해했는지 정확히 평가하는 것은 쉬운 일이 아니다. 문학에서 배운 역량을 IB가 어떤 식으로 평가하는지 상세히 살펴보자.

'문학' 코스에서 추구하는 세 가지 목표는 '지식과 이해', '분석과 통합 및 평가', '적절한 언어 사용 및 프레젠테이션 기술의 선택과 사용'이다. 그것을 다음과 같이 평가하도록 외부평가와 내부평가가 명시돼 있다.

(1) 외부평가

IB가 인정한 외부 시험관에 의한 평가

- **필기시험1:** 문학평론(commentary) 2시간(표준레벨은 설문이 주어지고 1시간 30분) - 산문과 시가(詩歌)의 두 가지 과제문이 출제되고, 그중 하나를 선택해 문학평론을 쓴다.(20점)
- **필기시험2:** 소논문(essay) 2시간(표준레벨은 1시간 30분) - 장르별 문제가 출제되는데, 파트3에서 학습한 장르에 관한 세 가지 설문이 나온다. 그중 하나를 선택, 파트3의 작품 가운데 최소 2개 이상을 언급하면서 설문에 답한다.(25점)
- **주제탐구 에세이:** 파트1의 번역작품에 대한 '감상문'(reflective statement)과 소논문(written assignment) - '감상문'은 300~400단어(일본어로 600~800자)이고, 소논문은 1,200~1,500단어(일본어로 2,400~3,000자)다.(25점)

(2) 내부평가

담당 교사가 평가하고, 일부 샘플을 외부 시험관이 다시 채점하여 조정한다.

- **개인평가 및 토론:** 파트2(정독학습)에서 학습한 시(詩)에 대한 구두논평과 질의응답(10분) 후, 파트2의 나머지 두 작품 가운데 하나에 대해 10분간 토론한다(표준레벨은 반드시 시일 필요가 없으며, 토론도 하지 않는다).(30점)
- **개별 발표:** 파트4(자유선택)에서 학습한 작품에 대해 개별 발표를 한다.(30점)

(3) 평가기준

위에서 평가방법의 개요를 살펴봤는데 이런 시험과 과제를 평가하는 데 사용하는 '평가기준'(criterion)이라는 게 있다. 이 평가기준은 무엇이며 실제로 어떻게 적용되는지 구체적으로 살펴보자.

필기시험1: 문학평론

여기서는 두 종류(산문과 운문)의 생소한 문장이 출제되는데 그중 하나를 선택하여 주제, 기교(레토릭) 등을 분석해서 문학평론을 작성한다. 그것을 다음 기준에 따라 채점한다.

[기준A: 이해와 해석](5점)

- 학생의 해석은 과제문의 생각과 감정에 대한 이해를 얼마나 표현하고 있는가.
- 학생의 생각은 과제문에 대한 참조에 의해 얼마나 뒷받침되고 있는가.

0: 답안은 이하의 기준에 못 미친다.

1: 과제문에 대한 초보적인 이해가 엿보이지만, 해석이 거의 시도되지 않았고, 참조도 거의 하지 않았다.

2: 과제문을 일부 이해하고 있다. 해석은 피상적이지만, 일부 적절한 참조가 보인다.

3: 과제문을 충분히 이해하고 있다. 이는 적절한 참조에 의해 뒷받침된, 해석을 통해 드러난다.

4: 과제문을 매우 잘 이해하고 있다. 이는 엄선된 참조에 의해 뒷받침된, 설득력 있는 해석을 통해 드러난다.

5: 과제문에 대한 훌륭한 이해가 엿보인다. 이는 효과적인 참조에 의해 뒷받침된, 매우 설득력 있는 해석을 통해 드러난다.

[기준B: 작가의 선택에 대한 인식](5점)

- 작가의 언어, 구성, 기법, 문체의 선택이 어떤 식으로 의미를 이루는지, 이에 대한 이해도가 어느 정도인가.

0: 답안은 이하의 기준에 못 미친다.

1: 언어, 구성, 기법, 문체가 어떤 식으로 의미를 이루는지에 대한 참조가 거의 없고, 분석도 이해도 보이지 않는다.

2: 언어, 구성, 기법, 문체가 어떤 식으로 의미를 이루는지에 대해 어느 정도 서술하고 있지만, 분석과 이해는 거의 보이지 않는다.

3: 언어, 구성, 기법, 문체가 어떤 식으로 의미를 이루는지에 대해 적절한 분석과 이해가 보인다.

4: 언어, 구성, 기법, 문체가 어떤 식으로 의미를 이루는지에 대해 우수한 분석과 이해가 보인다.

5: 언어, 구성, 기법, 문체가 어떤 식으로 의미를 이루는지에 대해 매우 훌륭한 분석과 이해가 보인다.

[기준C: 구성과 전개](5점)

- 생각의 전개가 얼마나 논리적이고, 일관성 있게 표현되고 있는가.

0: 답안은 이하의 기준에 못 미친다.

1: 생각의 전개가 논리적이지 않다. 표면적인 구성은 엿보일지 모르나 일관성과 발전성이 보이지 않는다.

2: 생각의 전개는 일부 논리적이지만 일관성과 발전성이 결여되어 있다.

3: 생각의 전개가 적절히 논리적이고 일관성과 발전성에도 어느 정도 주의를 기울이고 있다.
4: 생각의 전개가 상당히 논리적이면서 일관성과 발전성도 드러나 있다.
5: 생각의 전개가 설득력이 있고 논리적이며 일관성과 발전성이 탁월하게 드러나 있다.

[기준D: 언어](5점)

- 언어 사용이 얼마나 명확하고 다양한 변주를 보이며 정확한가.
- 언어의 사용역(使用域, register), 문체, 전문용어의 선택 등의 정도가 적절한가(여기서는 평론에 상응하는 어휘, 어조, 문장의 구성, 전문용어의 사용을 '사용역'이라 부른다).

0: 답안은 이하의 기준에 못 미친다.
1: 언어는 명확하지도 적절하지도 않다. 문법, 어휘 및 문장 구성에 수많은 오류가 있고, 사용역과 문체에 대한 인식이 거의 없다.
2: 언어는 때때로 명확하고 적절하게 선택되어 있다. 문법, 어휘 및 문장 구성은 상당 부분 정확하지만, 오류와 모순이 눈에 띈다. 사용역과 문체는 일부 적절하다.
3: 언어는 명확하고 주의 깊게 선택되어 있다. 문법, 어휘 및 문장 구성은 정확하지만, 다소 오류가 있다. 사용역과 문체는 논평에 상응한다.
4: 언어는 명확하고 주의 깊게 선택되어 있다. 문법, 어휘 및 문장 구성은 훌륭하다. 사용역과 문체는 일관되게 논평에 상응한다.
5: 언어는 매우 명확하고 효과적이며, 주의 깊고 적확하게 선택되어 있다. 문법, 어휘 및 문장 구성은 매우 정확하다. 사용역과 문체는 효과적이고 일관되게 논평에 상응한다.

그렇다면 이 기준을 어떤 식으로 적용하는가. 예를 들면 한 가지 답안에 대해 '기준A: 이해와 해석'을 사용한다고 하자. 답안을 숙독한 후 우선 하위레벨부터 차례로 살펴본다. 0은 말할 것도 없고, 레벨3까지는 완벽하게 충족한다고 하자. 그러나 레벨4를 완전히 충족하지 못했다면 이 답안의 채점은 3 혹은 4가 된다. 레벨4의 요소 전부는 아니더라도 절반 이상의 요소를 충족시켜 4가 적합하다고 판단되면, 4점을 줘도 상관없다. 답안을 잘 읽고 3 혹은 4 가운데 어느 쪽이 더 답안에 상응하는가를 잘 생각해서 결정한다. 어려운 점은 3.5나 4.5 같은 중간점수가 인정되지 않는다는 것이다.

한자나 문법의 채점이라면 정확하고 명확할 수 있지만, 이 평가는 간단히 흑백을 가르기 힘든 면이 있기 때문에 교사도 훈련이 필요하다. 교사는 워크숍이라 불리는 연수회에 출석해서(온라인 연수회도 있다) 과제를 받아 실제로 채점을 해보고, 시험관의 채점과 자신의 채점을 비교한다. 이것은 매우 중요한 훈련이며, 이 경험을 통해 교사의 평가는 표준화되어 간다. 내부평가는 상당수 교사가 담당하기 때문에 교사의 훈련은 필수요소다.

그 밖의 시험 및 과제의 평가기준은 다음과 같다.

필기시험2: 소논문

여기서는 장르별로 세 가지 과제가 주어지고 그중 하나를 선택해 파트3의 문학작품을 언급하면서 답을 한다. 예를 들면 '이야기·소설'이라는 장르에서 자주 등장하는 과제는 다음과 같다.

- '당신이 배운 문학작품에서 서두와 결말의 관계에는 어떤 연출이 이루

어졌으며, 그것은 어떤 효과를 낳았습니까. 파트3의 작품을 두 개 이상 비교·대조하면서 논하시오.'

- '당신이 배운 문학작품에서 등장인물의 성격에는 어떤 특징이 있으며, 그것은 어떤 효과를 낳았습니까. 파트3의 작품을 두 개 이상 비교·대조하면서 논하시오.'
- '당신이 배운 문학작품의 화자에겐 어떤 특징이 있으며, 그것은 작품의 주제와 어떤 관계가 있습니까. 파트3의 작품을 두 개 이상 비교·대조하면서 논하시오.'

이 소논문의 평가기준은 다음과 같다.

[기준A: 지식과 이해](5점)

[기준B: 설문에 대한 답안](5점)

[기준C: 선택한 장르의 문학적 기법에 대한 인식](5점)

[기준D: 구성과 전개](5점)

[기준E: 언어](5점)

주제탐구 에세이

여기서는 한 권의 문학작품이 끝날 때마다 토론회(interactive oral)를 열고, 그 결과를 정리해서 감상문 형식으로 기술하고(reflective statement), 교사가 출제하는 주제 중에서 골라 '시험 형식의 산문'(supervised writing)을 작성한다. 마지막으로 '시험 형식의 산문' 중 하나를 선택해 최종 소논문(written assignment)을 완성하는데, 그 평가기준은 다음과 같다.

[기준A: '감상문'의 요건 충족](3점)

[기준B: 지식과 이해](6점)

[기준C: 작가의 선택에 대한 인식](6점)

[기준D: 구성과 전개](5점)

[기준E: 언어](5점)

개인평가 및 토론

구두상의 문학논평과 토론의 평가기준은 다음과 같다.

[기준A: 시(詩)에 대한 지식과 이해](5점)

[기준B: 작가의 선택에 대한 인식](5점)

[기준C: 논평의 구성과 발표방법](5점)

[기준D: 토론에서 사용한 작품에 대한 지식과 이해](5점)

[기준E: 토론에서 질문에 대한 답변](5점)

[기준F: 언어](5점)

개인의 구두발표

구두발표의 평가기준은 다음과 같다.

[기준A: 과제작품에 대한 지식과 이해](10점)

[기준B: 발표방법](10점)

[기준C: 언어](10점)

칼럼: DP와 대학입시

DP를 이수하는 학생은 거의 전원이 대학진학을 희망한다. 많은 경우 일본의 대학에 진학하지만 해외 대학에 진학하는 학생들도 있다. 그

과정은 다음과 같다.

일본의 대학에 진학하는 학생은 일부 가을학기 입학을 제외하면 DP의 최종시험이 끝나고 7월에 성적발표가 나온 다음 원서를 제출한다. 사립대학의 입시는 9~11월, 국공립은 12~3월에 실시되며 4월에 입학한다. 일본에서 IB 도입이 진척됨에 따라 'IB 입시'를 실시하는 대학과 가을학기 입학을 수용하는 대학이 점점 늘고 있다. IB 점수만으로 합격 여부를 판단하거나, 교사가 제출하는 IB 예상점수로 조건부 합격을 시키는 경우도 있다.

해외 대학에 진학을 희망하는 학생들은 11학년부터 칼리지 카운슬러(College Counselor) 등과 상담을 하며 준비한다. IB 이외의 인증시험(SAT, 토플 등) 점수가 필요하다면 수시로 시험을 쳐서 필요한 점수를 미리 확보하고, 12학년 12월경에는 원서, 성적표, 추천장 등 필요한 서류를 발송한다. 그러나 이 시점에서는 DP의 성적을 알 수 없으므로 담당 교사의 예상 점수를 대학 측에 제출한다. 이듬해 1월부터 4월에 걸쳐 대학입시 결과가 나오는데, 조건부 합격이 많다. 대학에 따라서는 졸업생에 의한 면접이나 대학에서의 면접시험이 부과되는 경우도 있다. 5월에 실시되는(일부 지역은 11월) 최종시험 전에는 조건부 합격 결과가 나오고, 이 학생들의 대학입시는 IB 최종점수가 발표되는 7월 초순(11월 수험의 경우는 1월)이면 종료된다.

맺음말

IB의 커리큘럼 및 교육내용은 상당히 높은 수준이지만 그렇다고 해서 엘리트 양성을 목적으로 하는 것은 아니다. 처음부터 학력이 우수해서 45점(만점)을 받은 학생보다 학습 면에서 뒤떨어져도 2년간 노력해서 24점(최저합격점)에 도달한 학생이 본인도, 대학 입장에서도 교육적으로 성공했다[1]고 간주한다. 일본에서 IB를 도입할 때 잊어서는 안 되는 부분이 바로 이런 정신이 아닐까. 앞으로 DP 수험을 위한, 일본어로 쓰인 참고서와 보조교재 등도 늘어갈 것이다. 그러나 IBO는 수업을 교과서와 보조교재에 맞춰 지도하는 것은 바람직하지도 않고 효과적이지도 않다[2]고 여긴다. '교과서대로 수업을 진행하는 것은 IB프로그램의 이념에 반(反)한다'[3]라고까지 잘라 말한다. 이것은 일본의 전통적 교육에 정면으로 반기를 드는 명제가 아닐까. 교과서 검정과 선택의 문제가 있고, 새로운 대학입학자격통일시험으로 시행착오를 겪고 있는 일본사회에 IB는 새로운 시점을 제공해줄 것이 틀림없다.

2장

외국 공립학교들의 IB 도입 시도

2-1

영국: 공립학교의 교육개혁과 IBDP의 도입

니시고리 요시코

머리말

2014년 현재 영국에서 IB프로그램을 제공하는 사립 및 공립학교는 총 134개교다. 프로그램별로 보면 초등학교프로그램(Primary Years Programme, PYP) 13개교, 중학교프로그램(Middle Years Programme, MYP) 12개교, 고등학교프로그램(Diploma Programme, DP, IB학위과정이라고도 함) 134개교와 직업 관련 자격과정(Career-related Programme, CP) 12개교다. 2013년의 IBDP 수험생은 전 세계 137개국, 12만 7,330명에 이르렀다. 그중 영국에서 시험을 본 학생은 4,770명으로 세계에서 세 번째로 많았다[1]. 여기서는 영국[2] 공립학교의 IBDP 도입 배경과 경위,

나아가 최신 동향까지 소개한다.

1. 영국 공립학교의 IBDP 도입과 사회적 배경

(1) 영국의 교육시스템과 IBDP의 위치

영국의 교육시스템은 유아교육(Early Years), 초등교육(Primary), 중등교육(Secondary), 심화교육(Further Education, FE), 고등교육(Higher Education, HE)의 5단계로 나뉜다. 이 중 의무교육은 초등교육이 시작되는 5세부터 중등교육이 끝나는 16세까지다[3]. 영국의 교육시스템 안에서 IBDP는 의무교육 수료 후 2년간에 해당하는 심화교육 기간에 포함된다.

의무교육은 교육부가 관할하며 교육제도의 기본적인 짜임새, 교육과정의 기준, 재정 등이 정해져 있다. 각 지역의 공립학교 설립과 유지 등의 구체적인 운영은 지역교육청(Local Educational Authority, LEA)이 담당한다. 한편으로 공립학교는 자주적인 운영이 추진되고 있어서 교육방침과 예산의 사용방식, 교원의 인선·채용 등의 결정은 교장과 학부모와 지역대표로 이루어진 학교이사회에 권한이 주어져 있다[4]. 의무교육과정의 필수과목과 학습내용은 '공립학교교육과정'(National Curriculum)에 의해 2~3학년을 하나로 묶은 4단계의 주요 단계(Key Stage)별로 정해져 있다. 16세 때 중등교육자격시험(General Certificate of Secondary Education, GCSE)을 치르면 종료된다.

심화교육은 2009년 6월부터 비즈니스혁신기술부(Department for

Business, Innovation and Skills)의 관할이지만, 14~19세의 교육 및 훈련은 교육부가 맡고 있다. 심화교육기관은 고등교육(대학진학)을 목적으로 하는 식스폼 칼리지(Sixth form colleges)와 직업교육 중심의 심화교육 칼리지[5]로 크게 나뉜다. 식스폼 칼리지에는 2년간의 과정을 독립적으로 제공하는 식스폼 학교와 중등학교에 병설된 식스폼 과정이 있다. IBDP는 이들 심화교육기관에서 제공하고 있다.

(2) 영국의 교육개혁

전후(戰後) 영국의 중등교육은 1944년 교육법에 따라 학생의 능력과 적성에 맞춰 3단계로 나뉘어 있었지만[6], 노동당 집권 당시인 1965년에 종합학교(Comprehensive School)를 도입하면서 교육기회의 균등을 도모하게 된다. 이전과 달리 종합학교에서는 기본적으로 모든 학생을 받아들이고, 개별적 니즈를 충족시키기 위해 많은 선택과목을 마련하여 능력·적성·진로에 맞는 교육을 실시한다. 일부 지역에서는 학력에 따라 학생을 선발하는 기존의 그래머스쿨(Grammar School)이 현재도 유지되고 있지만 종합학교가 가장 일반적인 형태로 자리 잡았다(잉글랜드에서는 90퍼센트의 학생이 종합학교에 다닌다).

1980년대 대처(Thatcher) 정권은 교육수준의 향상을 목표로 전국공통교육과정기준을 도입하는 한편, 학부모에게 지역별 학구에 관계없이 자유롭게 학교를 선택할 권리를 주는 등 다양한 교육개혁을 단행했다. 1997~2010년의 노동당 정권은 교육을 가장 중요한 과제로 삼아 특색 있는 중등학교[7]들을 키우고, 성적이 불량한 학교들을 구제할 방안으로 외부 단체를 학교운영에 참가시키는 아카데미(Academy) 프로그램을 도입했다. 또한 공립학교의 다양화를 통해 학부모의 선택의 폭을 더욱 확대하는 등 여러 개혁을 단행했다. 2010년 5월에 발족한 보수당-자유민주당의 연립정부도 교육수준 향상과 교육기회 격차의 시정을 목표로, 불리한 입장에 있는 아동 및 학생에 대한 교육 효과를 끌어올리기 위해 각 학교가 자유로이 사용처를 정할 수 있는 특별보조금(pupil premium)을 지급하는 등의 정책을 폈다. 그리고 2010년에 제정된 아카데미법에 의거하여 아카데미프로그램의 적용 범위를 확대하고 더욱 자율적인 학교운영의 선택지를 모든 학교에 제공하고 있다.

교육개혁의 영향으로 영국의 공립학교들은 좀 더 자율적인 학교운영이 가능해졌지만, 학부모가 직접 공립학교를 선택할 수 있게 되면서 그때까지 없던 경쟁의 원리가 생겨나기도 했다. 또한 공립학교는 교육부로부터 독립적인 입장에 있는 정부기관인 교육기준청(Office for Standards in Education, Ofsted)의 정기 감사를 통해 운영상황, 교원, 학생의 성적 등에 대한 평가를 받는다. 각 학교는 다양한 학내개혁을 단행하며 교육수준 개선에 힘쓰고 있지만, 입학 희망자가 없는 저평가 학교는 폐교되는 운명에 처하기도 한다. 이런 상황에서 공립학교에서 IBDP를 도입하는 것은 타 학교와의 차별화를 도모하기 위한 매력적인 요인이 되지 않을까 생각된다.

(3) 영국의 커리큘럼과 IBDP

영국에서는 기본적으로 16세 이상의 교육에 관해서는 특정 커리큘럼의 실시가 의무화되어 있지 않다. 대신 각 심화교육기관이 그 학생에게 가장 적합하다고 판단한 커리큘럼을 자유롭게 선택해서 시행할 수 있다. 국내 커리큘럼에는 진학 목적의 학술적인 내용부터 기술 습득을 목적으로 한 실무적인 내용 등 몇 종류가 마련되어 있다. 국내외의 자격을 불문하고 공립학교에서 커리큘럼으로 제공할 수 있으려면 정부의 외부 단체로서 자격과 시험의 인정·감독을 맡고 있는 자격시험감사원(Office of Qualifications and Examinations Regulation, Ofqual)의 심사를 거쳐 자격으로서 인정을 받아야 한다. IBDP도 과목별로 상세 학습내용에 대한 심사를 거쳐 정식 인정을 받았다.

IBDP에 상당하는 영국의 대학입학자격 가운데 가장 일반적인 커리큘럼은 GCE의 A레벨(General Certificate of Education Advanced Level, 이하 A레벨)이라 불리는 것인데 1년차의 AS레벨(Advanced Subsidiary Level)과 2년차의 A2레벨로 구성돼 있다. 통상 AS레벨에서 5과목을 학습하고, A2레벨로 3과목을 선택 학습한다. 성적은 A*~E의 6단계로 평가되며 최종적으로 A레벨의 3과목 성적이 대학에 지원할 때 입학기준이 된다. 원래 A레벨은 대학에서 배울 전문과목에 대한 준비로서 소수의 과목으로 압축해서 '심화'학습시키는 것을 목적으로 해왔다. 그러나 기존의 A레벨은 2년간 3단위(모듈)씩 시험을 본 총점이 최종 성적으로 간주되기 때문에 학습내용이 조각조각 분산되어 종합적 지식 축적으로 이어지지 않는다는 문제가 있었다. 또한 1년에 몇 차례든 시험을 볼 수 있어서 재시험이 너무 많은 것도 문제였다(좀 더 좋은 성적을 위해 재시험을 보는 경우가 다수 나타났다). 이런 문제점이 발견되면서 A레벨의 개혁이 단행되었고, 2015년 9월부터 새로운 커리큘럼이 도입되었다. 새로운 A레벨에선 단위별 시험이 철폐되고 2년간의 전체 학습을 마무리하는 최종시험으로 성적이 정해진다. 또한 소논문(essay) 집필의 요소가 강화되고, 과목별 내용 면에서도 전문가와 협의한 결과를 반영해 대학 준비과정으로서의 전문성이 강화되었다.

기존 커리큘럼의 개혁이 단행되는 한편 새로운 커리큘럼도 등장했다. 대표적인 것이 2008년에 캠브리지대학 조직인 캠브리지국제시험(Cambridge International Examinations, CIE)이 개시한 캠브리지프리유학위과정(Cambridge Pre-U Diploma)이다. 캠브리지프리유학위과정은 기본 이수과목이 A레벨과 마찬가지로 3과목이지만, 독립연구프로젝트(Independent Research Project)나 글로벌한 과제를 통해 이론적 사고력을 키우는 글로벌 퍼스펙티브(Global Perspectives)처럼 IBDP와 유사한 요소가 포함돼 있다. 또한 성적이 최종시험으로 결정되는 점도 IB와 동일하다. 당초 캠브리지프리유는 사립 명문교를 중심으로 도입되었지만, 공립 그래머스쿨과 종합학교 등에도 서서히 침투해 들어가 2012년에는 사립 중등학교 74개교, 공립 중등학교 64개교, 심화교육 칼리지 8개교에서 제공되었다[8]. 2012년에 캠브리지프리유로 대학입시를 치른 학생은 2,005명(국내 155개 대학에 지원해 1,615명 합격)으로 2011년과 비교하면 58퍼센트의 증가율을 보인다[9].

이처럼 이미 다양한 커리큘럼이 존재하는 영국의 공립학교에서는 IB를 도입할 때 국내 커리큘럼과의 비교·조사의 필요성이 특별히 제기되지 않았기 때문에 비교적 IB를 받아들이기 쉽지 않았을까 추측된다. 또한 국내 대학입학자격인 A레벨은 학생의 학력 저하가 우려되는 상황에서 개혁이 단행되긴 했지만, 정권이 바뀔 때마다 좌우되는 국내 커리큘럼에 대한 불신의 목소리도 적지 않다[10]. 캠브리지프리유 같은 학위과정이 등장해 두각을 나타내는 것도 국내 커리큘럼에 대한 교육현장의 불안이 반영된 것으로 볼 수 있다. 이와 같은 배경을 숙지하고, 공립학교에서 IB 도입이 어떤 식으로 변화해왔는지, 어떤 학교들이 도입하고 있는지, 어떤 식으로 운영되고 있는지, 그리고 대학입시에서 IB가 어떤 위상을 차지하고 있는지 다음 파트에서 상세히 알아보기로 하자.

2. 영국의 IBDP 도입 상황

(1) IBDP 도입 학교들의 변천

도표2-1-1은 영국의 공립학교, 사립학교별 IBDP의 도입 추이를 나타낸다. 영국에서 처음으로 IB를 도입한 것은 1971년으로, 독일인 교육자 커트 한(Hahn, Kurt)의 교육이념을 기반으로 1962년에 설립된 기숙형 사립학교인 유나이티드월드칼리지(United World College, UWC)의 애틀랜틱교였다. 그 후 1976년에 사립학교로는 두 번째 학교가 등록되었고, 2000년대 전반까지 매년 1~2개교씩 증가했다. 한편 공립학교에서는 1977년에 에식스(Essex) 주의 앵글로유러피언스쿨에 처음으로 IBDP가 도입되었다. 1990년까지는 그 뒤를 잇는 학교가 나타나지 않았지만, 그 후 서서히 증가해 2002년에는 사립과 같은 수인 21개교에 이르렀고, 2003년에 사립(23개교)과 공립(25개교)의 수가 역전됐다. 2004년에는 11개의 공립학교가 IBDP를 추가 도입했다(도표2-1-2).

IB의 도입에 박차가 가해진 것은 노동당 정권 하였던 2006년에 당시 블레어 총리가 "모든 지역의 최소 1개 학교에서 IB를 제공할 수 있게 한다."라고 선언하고 공립학교를 대상으로 2006년부터 2009년까지 재정 지원을 단행한 덕분이다. 이 시기에 IB를 도입하는 공립학교

도표2-1-1 **영국의 IBDP 도입학교 추이[사립학교/공립학교별]**

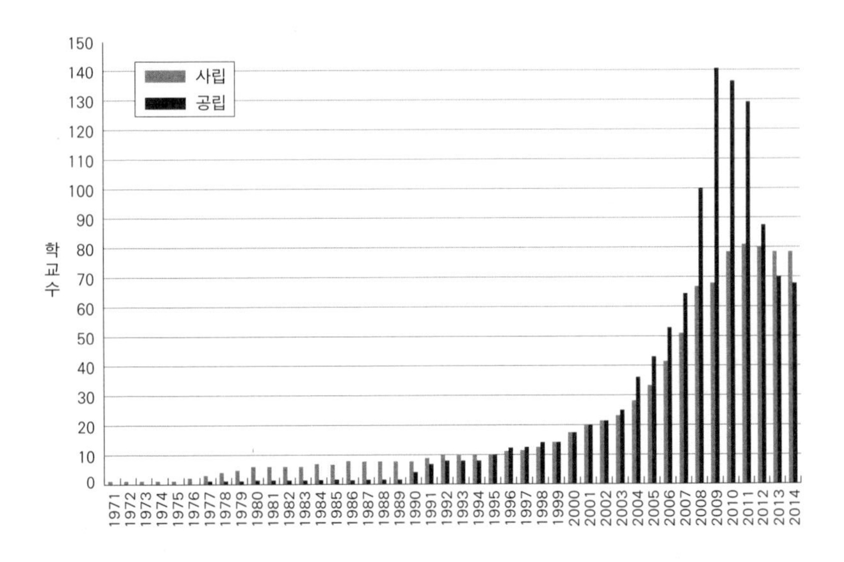

도표2-1-2 **사립/공립별 IBDP 도입학교 수(1971~2014년)**

	1971	1972	1973	1974	1975	1976	1977	1978	1979	1980	1981	1982	1983	1984
사립	1	1	1	1	1	2	3	4	5	6	6	6	6	7
공립	0	0	0	0	0	0	1	1	1	1	1	1	1	1
1985	1986	1987	1988	1989	1990	1991	1992	1993	1994	1995	1996	1997	1998	1999
7	8	8	8	8	8	9	9	9	9	10	11	11	12	14
1	1	1	1	1	4	7	8	8	8	10	12	12	14	14
2000	2001	2002	2003	2004	2005	2006	2007	2008	2009	2010	2011	2012	2013	2014
17	19	21	23	28	33	41	51	66	68	78	81	80	78	78
17	19	21	25	36	43	53	64	100	140	136	129	87	70	68

출처: 도표2-1-1/도표2-1-2 모두 IBO에서 입수한 데이터를 토대로 작성[11]

가 급증해 2009년에는 최고치인 140개교에 이르렀다. 같은 시기에 사립의 IB학교도 증가세를 보여 연간 최대 15개교(2008년)가 등록했다(도표2-1-2). 이런 현상을 볼 때 공립학교의 IBDP 도입이 사립학교의 경영 전략에 영향을 미친 것으로 추측된다. 말하자면, 무료로 IBDP를 제공하는 공립학교와의 경쟁을 의식하게 되지 않았을까 하는 것이다. 또한 총리가 추천하는 민간프로그램이라는 점에서, 국내 커리큘럼을 대체할 우수한 커리큘럼으로서 IBDP를 인식하게 되었을 가능성도 있다.

그 후 2010년 5월 총선에서 보수-자유민주당 연립정권이 들어섰다. 이 해부터 공립 IB학교 수는 줄어들기 시작해 2011년에서 2012년 사이에 129개교에서 단번에 87개교로 감소했다(도표2-1-2). 2014년 공립 IB학교로 등록된 곳은 68개교(실제로 시행하는 곳은 56개교[12])다. 한편, 사립은 2011년에 정점을 맞아 81개교에 달했지만 그 후 탈락한 학교는 거의 없고 2014년 현재 78개교가 유지중이다. 다음 파트에서는 현재 IBDP를 제공하는 공립학교의 특징에 대해 고찰한다.

(2) IBDP 도입 학교들의 특징

2013년에는 70개의 공립학교가 IB학교로 등록되어 있었지만(도표 2-1-2), 그중 실제로 IBDP를 운영한 곳은 66개교다. 교육기관별로 보면 중등학교(부속 식스폼 과정)가 47개교, 심화교육기관(식스폼 칼리지와 심화교육 칼리지 포함)이 19개교였다(도표2-1-3).

47개 중등학교들을 설치 형태별로 살펴보면 지방자치단체 관할 학교가 14개교, 아카데미가 33개교였다. 공립 중등학교는 지방자치단체

도표2-1-3 **2013년도에 IBDP를 제공한 공립학교 내역**

중등학교(부속 식스폼 과정)	**47**
지역자치단체 관할 중등학교	14
아카데미(후원자 있는 아카데미 포함)	33
심화교육기관	**19**
심화교육 칼리지	13
식스폼 칼리지	6
합계	**66**

출처: 교육부에서 입수한 데이터를 토대로 작성

의 관할 아래 있는 기존 학교(관리 주체에 따라 4종류로 분류)[13]와 교육부가 직할하는 아카데미[14]로 크게 나뉜다. 지방자치단체 관할 학교가 기본적으로는 지역교육청의 교육정책에 입각해 운영되는 반면, 아카데미는 완전히 독립된 기관으로 교원의 급여와 고용조건 설정, 커리큘럼의 선택, 수업시간 변경 등을 자유롭게 할 수 있다. 학교 예산도 지방자치단체 관할 학교는 교육부에서 지방자치단체로 일괄 지급되어, 지역 전체에 필요한 서비스 비용을 뺀 다음 각 학교에 분배되지만 아카데미에는 교육부에서 직접 전액이 지급된다. 아카데미는 외부 단체로부터 자금을 확보하는 것도 인정된다. 이와 같이 학교운영과 예산운용이 좀 더 자유로운 아카데미로 전환한 학교가 IBDP를 운영하는 중등학교의 3분의 2 이상을 차지한다는 것은 눈여겨볼 만하다.

도표2-1-3에는 표시돼 있지 않지만 중등학교의 형식별로 살펴보면 종합학교가 36개교, 그래머스쿨이 11개교였다. 그래머스쿨은 초등교육 수료 시점인 11세에 학력테스트를 실시해 우수한 학생을 선발하고 대학진학을 목표로 중·고교 일관교육을 실시하는 학교다. 1970년대

중반 거의 모든 지역에서 폐지되어 2013년경에는 잉글랜드 일부 지역에만 남아 있으며(전체 163개교), 재적(在籍) 학생은 잉글랜드 전체 학생 수의 5.1퍼센트에 불과하다[15]. 상대적으로 그래머스쿨에서 IBDP를 많이 도입하는 것이 특이점이다. 또한 그래머스쿨 11개교 가운데 9개교가 아카데미로 전환한 것도 눈에 띈다. 그래머스쿨에서 IBDP를 제공하게 된 배경과, 커리큘럼의 선택 및 교직원의 급여를 포함한 예산 사용에 비교적 자유가 주어지는 아카데미로 전환했다는 것이 서로 무관하진 않을 것이다.

(3) 공립학교의 IBDP 수업료에 대해

영국에서는 원칙적으로 18세까지의 공립학교교육이 무상이다. 일반적 커리큘럼의 일부로 여겨지는 교육(정규수업, 보충수업과 같은 방과후수업 등)의 비용을 학부모에게 청구하는 것은 법으로 금지되어 있다. 학부모에 대한 청구가 인정되는 것은 수학여행과 서클활동 등 커리큘럼 외의 활동뿐이다. 따라서 공립학교에서 제공되는 IBDP는 국내 자격과 동등하게 취급되어 수업료 및 최종 시험비용까지 전액 무료다.

(4) 정부의 공적자금 투입

2006년부터 2009년까지 정부는 공립학교의 IB 도입을 촉진하기 위해 250만 파운드의 예산을 투입했다. 이 지원금은 IB를 제공하는 공립학교가 없는 지역을 대상으로, 도입 희망 의사를 밝힌 지방자치단체에 제공되었다. 각 지방자치단체에 지급된 액수는 2만 7,000파운드(한화 약 4,000만 원)로, 지역 내의 공립학교 1개교가 IB학교 인정 신청을 하는 비용으로 충당되었다. 잉글랜드에는 152개의 지방자치단체가 존재하는데, 공립 IB학교의 등록이 정점을 맞이한 2009년에는 140개교에 이르렀다. 단순 계산을 해보면 90퍼센트의 지방자치단체에서 IB의 제공이 가능해졌다고 할 수 있다(등록 후 실제로 제공했는지 여부는 명확하지 않음).

그러나 2009년 이후에는 정부의 재정 지원이 일절 이뤄지지 않았다. 또한 등록 후 실제로 IBDP를 운영하는 비용에 대해서는 보조금조차 제공되지 않아서 공립학교들은 통상 예산에서 필요한 비용을 충당해야 했다. 2010년 이후에 공립의 IB 등록학교 수가 극감한 이유 가운데 하나로 재정적 문제가 큰 영향을 미친 것으로 보인다.

(5) 공립학교의 IB 운영비에 대해

공립학교에서 16~19세 교육에 필요한 경비는 교육부 소관의 교육기금조달청(Education Funding Agency, EFA)에서 각 학교 및 기관에 직접 제공한다. 교육기금조달청(EFA)이 제공하는 학교 경비의 기본금은 ①학생 수 ②학생 1인당 교부금액 ③입학 시 학생 수를 졸업 시 학생 수로

도표2-1-4 **학교 경비의 기본금**

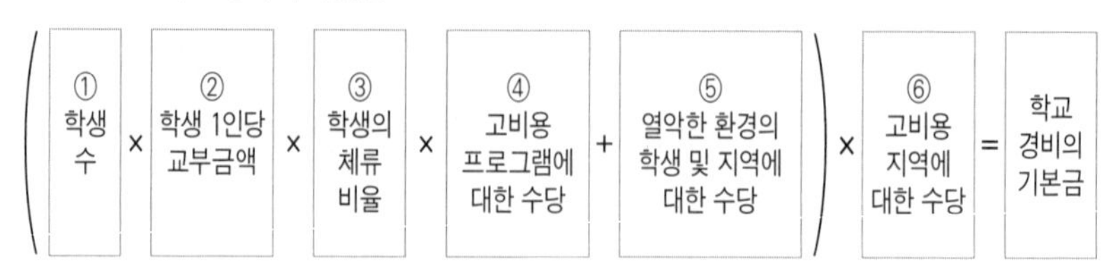

출처: 교육기금조달청 「EFA 지원금의 비율과 계산식: 2013~2014년」을 토대로 작성[17]

도표2-1-5 **학생 1인당 교부금 비율**

단계	수업시간 수	교부금 액수
5	540시간 이상	4,000파운드
4	450~539시간	4,000파운드
3	360~449시간	2,700파운드
2	280~359시간	2,133파운드
1	280시간 이하	4,000파운드의 퍼센트(%)

주: 280시간 이하는 600시간 기준 비율로 계산(예: 150시간이면 600시간의 25퍼센트로 지급금은 1,000파운드)

출처: 교육기금조달청 「EFA 조성금의 비율과 계산식: 2013~2014」를 토대로 작성

나눈 학생의 학교 체류 비율 ④고비용 프로그램에 대한 수당 ⑤열악한 환경의 학생 및 지역에 대한 수당 ⑥수도권 등 고비용 지역에 대한 수당, 이렇게 6개 요소를 합산해 계산된다(도표2-1-4). 이 기본금에 더해 추가로 니즈가 큰 학생을 위한 지원금, 장학금, 기타 재정지원이 이루어진다[16].

학생 1인당 할당되는 교부금 액수는 프로그램의 내용에 상관없이 연간 수업시간 수에 따라 5단계로 비율이 정해져 있다(도표2-1-5). A레벨의 3과목을 이수한 경우의 540~600시간이 최대이며 이때의 교부금은 4,000파운드(한화 약 750만 원)[18]이다. 2014년 시점에서 교육부는 IBDP 이수 학생에 대해, 수업시간 675시간에다 30시간의 보충수업(개별지도 등)을 더해 결과적으로 A레벨보다 많은 수업시간 수를 인정하고 있다. 그럼에도 IBDP의 실제 수업시간 수(150시간×6과목)에는 못 미치는 만큼 현장에서는 예산의 부족이 예상된다. 참고로 네 번째 요소인 '고비용 프로그램에 대한 수당'은 직업훈련 목적의 프로그램(건설,

케이터링, 농업 등)만을 대상으로 하며 IBDP와 같은 학술적 프로그램에는 적용이 안 된다.

(6) 대학입시에서 IBDP의 위상

영국의 대학입학수속은 대학입학지원처(Universities and Colleges Admissions Service, 이하 UCAS)라는 기관이 일괄 진행한다. UCAS에서는 국내외의 여러 대학입학자격을 일원화한 UCAS 평점(Tariff Points)이라는 기준에 따라 입학시험의 표준화를 꾀하고 있다. 현행 UCAS 평점은 2002년 9월에 도입된 것으로 국내외의 다양한 자격을 망라하고 있다.

IB에도 UCAS 평점이 부여되어 있으며, 국내 약 150개 대학 가운데 105개 대학에서 수험자격으로 인정되고 있다. 대학들은 UCAS 평점을 참고해 IB 입시의 입학기준을 설정, 발표한다. 예를 들면 캠브리지대학에서는 경제학부의 합격자 기준을 필요득점 40~42점에 고급레벨 3과목의 성적을 7-7-6 혹은 7-7-7로 정하고 있다. 런던정경대(LSE)의 국제학부는 필요득점 38점에 '수학 7점을 포함한 7-6-6'이 필요하다.

IBDP의 현재 UCAS 평점은 2004년 9월 전문가그룹이 협의하여 책정한 것으로 처음엔 IBDP 수료자를 대상으로 총득점에 대한 평점만 부여되었다(도표2-1-7[1][20]). 그러다 2008년 재검토 이후 2010년도 입학부터 IB 평가증명서(Certificate)를 받은 개별과목에 대해서도 평점이 부여되어 인정을 받을 수 있게 되었다(도표2-1-7[2]). 이로써 IBDP를 중간에 포기한 학생과 처음부터 개별 과목만 수강한 학생이라도 단독과목을 대학입학자격으로 이용할 수 있게 되었다. 핵심과목(EE, TOK,

도표2-1-6 **A레벨의 UCAS 평점**

A레벨의 성적	평점	A레벨의 성적	평점
A*	140	A	120
B	100	C	80
D	60	E	40

출처: UCAS 웹사이트를 토대로 작성

도표2-1-7[1] **IBDP의 UCAS 평점**

IBDP 종합득점	평점	IBDP 종합득점	평점
45	720	44	698
43	676	42	654
41	632	40	611
39	589	38	567
37	545	36	523
35	501	34	479
33	457	32	435
31	413	30	392
29	370	28	348
27	326	26	304
25	282	24	260

CAS)에 관해서는 IBDP 수료자(그리고 중도탈락자)에 한해 가산점이 인정된다.

UCAS 평점은 2012년에 전체적인 수정을 거쳐 2014년 6월에 새로운 평점이 승인되었다. 새로운 평점제는 2017년도 입시부터 도입된다. IB의 경우, 총점에 대한 평점이 폐지되고 과목별 평점으로 통일

도표2-1-7[2] **IB 과목별 UCAS 평점**

고급레벨 과목		표준레벨 과목		핵심과목	
IB점수	평점	IB점수	평점	IB점수	평점
7	130	7	70	3	120
6	110	6	59	2	80
5	80	5	43	1	40
4	50	4	27	0	10
3	20	3	11	-	-

출처: 도표2-1-7[1], 도표2-1-7[2] 모두 UCAS(대학입학지원처)의 자료를 토대로 작성

되었다. 핵심과목에 대해서는 과제논문(EE)과 지식론(TOK)의 5단계(A~E) 평가에 대응하여 평점이 부여된다(창의성·활동·봉사(CAS)는 포함되지 않는다)[21].

2012년도의 대입응시자는 전체 65만 3,600명이고 합격자 수는 46만 4,900명이었다. 응시자 대비 합격률이 71.1퍼센트였던 것에 비해, IB로 대학입시를 치른 영국 주재 학생의 합격률은 87퍼센트였다[22]. 대학입학자격으로서 IB에 관해서는 "IB의 성적에는 인플레이션이 없다(1990년 이후 A레벨의 성적이 30퍼센트 상승한 것에 반해 IB는 4퍼센트 상승)"(대학관계자 발언)[23], 그리고 "A레벨 학생과 IB 학생 가운데 어느 한 쪽을 선택해야 할 경우 IB 쪽이 뛰어나기 때문에 IB 학생으로 결정되는 경향이 있다"(캠브리지대학 입학과장 발언)[24] 등 호의적 의견이 들린다. 참고로 영국에서는 IBDP에서 취득한 과목의 단위는 어디까지나 대학입학자격이며 대학 학부의 단위로는 인정되지 않는다.

3. 공립학교의 IBDP 도입 상황: 켄트 주의 사례

켄트 주는 북서쪽으로 런던과 인접해 있고, 남동쪽으론 도버해협과 영국해협에 면해 있는 잉글랜드 남동부의 주다. 전체인구는 163만 여명으로 영국에서 일곱 번째로 인구가 많다(인구밀도는 1위). 특히 런던과 인접한 북서부는 런던으로 출퇴근하는 사람들의 베드타운이 형성돼 있다. 인구 구성을 보면 백인이 93.67퍼센트, 다음으로 많은 아시아계(인도, 방글라데시, 중국 등)가 3.25퍼센트[25]다. 전국적으로 볼 때 백인의 비율이 높은 지역이라 할 수 있다. 주민의 평균소득은 주당 540.70파운드(한화 약 80만 원)로 전국 평균인 518.10파운드보다 높다[26]. 총 면적은 3,736평방킬로미터로 지리적으로 넓게 분포돼 있으며 공립학교는 4개 학구로 나뉘어 관리된다. 켄트 주에는 사립 명문교도 다수 존재한다. 여기서는 청취조사의 결과를 중심으로 켄트 주 공립학교들의 IB 도입 배경과 경위, 그리고 두 가지 사례연구를 통해 그 실태와 현상에 대해 살펴본다.

(1) 켄트 주의 공립학교에 대해

켄트 주의 공립학교는 설립 형태에 따라 지방자치단체 관할 학교와 아카데미로 크게 나뉜다. 초등학교의 경우 전체 454개교 가운데 70개교가 아카데미다. 중등교육기관(11~16세 혹은 18세)은 전체 94개교 가운데 60개교가 아카데미다. 중등교육기관은 교육 목적에 따라 그래머스쿨(32개교)과 하이스쿨(62개교)로 나뉘기도 한다. 그래머스쿨의 대다수인 31개교가 아카데미로 전환한 상태다. 켄트 주에서는 초등교육 수료 시점(11세)에 학력이 우수한 아동을 대상으로 학력테스트를 실시한다. 그래머스쿨 입학은 이 테스트에서 일정 성적을 거둔 아동만 허용된다. 하이스쿨은 이른바 종합중등학교로서 모든 학생을 받고 있으며 학술적 과목 외에 직업훈련의 요소가 높은 과목도 폭넓게 제공한다.

(2) 켄트 주 공립학교의 IBDP 도입 경위

켄트 주의 공립학교 중에서는 다트포드그래머스쿨(Dartford Grammar School, DGS)이 1998년에 처음으로 IBDP를 도입했다. 2013년 시점에서 IBDP를 제공하는 켄트 주의 공립학교는 전부 5개교(도표2-1-8)로, 하나의 지방자치단체에서 이렇게 많은 공립학교가 IB를 제공하는 것은 유례가 없는 일이다(런던은 전체 9개 학교지만 구별로 지자체가 다르다).

켄트 주 교육청은 블레어 총리의 2006년도 재정 지원이 실시되기 전에 정부의 특별보조금계획을 통해 3만 파운드(한화 약 4,500만 원)의 자금을 확보, 주에서 IB 도입을 희망하는 공립학교들을 지원했다. 먼저 도입한 DGS(다트포드그래머스쿨)의 성공 사례와, 당시 주 교육청장이 IB 도입에 적극적이었던 점이 그 배경에 있었다. 이 보조금은 DGS에 이양되어 IB 신청 수속 및 자문 비용으로 활용되었다.

도표2-1-8에서 보는 것처럼 5개 학교가 전부 학력에 따른 선발제 입학 방침을 갖고 있으며, 설립 형태는 아카데미다. 아카데미에서는 의무교육과정도 커리큘럼을 자유롭게 구성할 수 있다. 그런 이유로 DGS에는 MYP(IB중학교프로그램)도 도입돼 있다. 식스폼 과정의 커리큘럼을 보면, 다트포드그래머스쿨(DGS)과 톤브리지그래머스쿨(Tonbridge

도표2-1-8 **켄트 주에서 IBDP를 제공하는 공립학교**

학교명	설치형태 (등록일)	입학 방침	A레벨 병설	등록 시기	특기 사항
다트포드그래머스쿨 (Dartford Grammar School)	아카데미 전환 (2010/12/01)	선발제	×	1995년 12월	MYP도 시행
톤브리지그래머스쿨 (Tonbridge Grammar School)	아카데미 전환 (2011/01/01)	선발제	×	2004년 4월	-
노튼크나치불스쿨 (Thc Norton Knatchbull School)	아카데미 전환 (2012/04/01)	선발제	○	2006년 4월	2014년부터 IBDP 폐지
바튼코트그래머스쿨 (Barton Court Grammar School)	아카데미 전환 (2011/09/01)	선발제	○	2006년 10월	-
데인코트그래머스쿨 (Dane Court Grammar School)	아카데미 전환 (2014/04/01)	선발제	×	2008년 4월	IBCC도 시행

출처: 교육부로부터 입수한 자료, IBO 웹사이트, 교육부의 학교정보 웹사이트 'EduBase2' 및 각 학교 웹사이트의 내용을 토대로 작성[27]. IBDP 등록 연도순으로 기재

Grammar School, TGS), 그리고 데인코트그래머스쿨(Dane Court Grammar School, DCGS)은 IBDP 도입 초기엔 A레벨을 병설 운영했지만, 최근 수년 사이 A레벨을 폐지하고 IBDP로 일원화했다. DCGS(데인코트그래머스쿨)에는 IBCC(IB 직업 관련 자격과정)도 도입돼 있다. 바튼코트그래머스쿨(Barton Court Grammar School)에선 2014년에도 계속 A레벨과의 병설을 유지했다. 2013년까지 A레벨과의 병설을 유지해온 노튼크나치불스쿨(Thc Norton Knatchbull School)은 2014년부터 IBDP를 폐지하기로 결정했다.

(3) 사례연구: 다트포드그래머스쿨(DGS)과 톤브리지그래머스쿨(TGS)

① 학교의 개요

1576년에 설립된 다트포드그래머스쿨(DGS)은 영국에서 가장 오래된 공립학교 가운데 하나로 11세(7학년)부터 18세(13학년)까지의 학생들이 재학 중이다(전교생 1,314명). 중등부(7~11학년)는 남학생만 있으며 2004년에 MYP가 도입되었다. 식스폼 과정은 남녀공학이며, IBDP는 1998년에 A레벨과 병설 형태로 도입되었다. 첫해의 IBDP 이수자는 13명이었지만 서서히 희망자가 늘어갔고 대다수가 이수하게 된 2009년에 A레벨을 폐지, IBDP로 일원화했다. 2014년에 IBDP 이수자 수는 12학년 277명(남자 156명, 여자 121명), 13학년 261명(남자 159명, 여자 102명)이다[28].

톤브리지그래머스쿨(TGS)은 1905년에 설립된 여자학교로 전국 학교순위에서 상위권을 차지하는 입시 명문교다. 7학년부터 13학년까지의 학생들이 재학 중이다(전교생 995명). 식스폼 과정만 2002년부터 남녀공학으로 바뀌었고, 2004년에 켄트 주 공립학교 가운데 두 번째로 IBDP를 도입했다. 2012년에는 A레벨을 폐지하고 IBDP로 일원화했다. 2014년에 IBDP를 이수한 학생은 12학년 106명(남자 12명, 여자 94명), 13학년 106명(남자 16명, 여자 90명)이다[29].

② 학교의 입학조건

두 학교 모두 학력으로 학생을 선발한다. 7학년(11세) 입학은 의무교육과정이기 때문에 지방자치단체를 통해 수속이 이뤄진다. 합격 여부는 켄트 주의 선발테스트 성적으로 결정된다. 입학희망자가 선발 인원

(DGS: 남학생만 180명, TGS: 여학생만 150명)보다 많을 때는 주에서 정한 다음의 우선순위가 적용된다. ㉠지방자치단체의 보호 아래 있는 자(해당자 전원) ㉡지정된 학구에 거주하는 자(DGS: 90명, TGS: 115명) ㉢지정 학구 이외(잔여 수).

식스폼 과정(12학년)의 입학 수속은 각 학교가 직접 진행한다. DGS의 선발 인원은 남녀 80명이고, 입학 조건은 GCSE(중등교육자격시험)의 최소 4과목에서 'A', 그리고 3과목에서 'B'를 취득해야 한다. 수학의 고급레벨을 희망할 경우에는 GCSE의 수학에서 'A*'를 취득하는 것이 조건이 된다. 우선순위는, ㉠지방자치단체의 보호 아래 있는 자 ㉡GCSE의 외국어에서 'C' 이상을 받은 자 ㉢희망하는 IB 과목의 잔여 수에 따름, 이라고 되어 있다. TGS의 정원은 남녀 40명으로 입학 조건은 GCSE의 최소 3과목에서 'A' 이상 그리고 3과목에서 'B' 이상을 받을 것, '영어'와 '수학' '과학 과목 가운데 하나'는 'B' 이상일 것, 이라고 되어 있다. IBDP에서 고급레벨을 희망하는 과목은 'A' 이상, 표준레벨을 희망하는 과목은 'B' 이상이라는 조건도 붙어 있다. 우선순위는 '지방자치단체의 보호 아래 있는 아동'으로 되어 있다. 이와 같이 두 학교의 입학 조건이 높게 설정돼 있어서 IBDP를 이수하는 데는 상당한 수준의 학력이 필요할 것으로 예상된다.

③ IBDP의 도입 이유

두 학교 모두 IBDP의 도입은 지방자치단체로부터의 제안이 아닌, 학교 상층부의 자발적 결정이었다고 한다. 구체적인 도입 이유는 IB의 교육이념과 커리큘럼의 수준 때문이라고 말한다. 상세 내용은 다음과 같다.

- 학생의 전인적 성장을 목적으로 하며 일관성이 있다.
- 6과목군의 종합적 학습내용으로 이루어져 있으며 각 과목의 학문적 수준도 높다.
- 커리큘럼이 안정적이다.
- 학생의 호기심을 자극하는 내용이다.
- 국제적이고, 학생의 마음을 주변 세계에서 더 넓은 세계를 향해 열게 할 수 있다.
- 학생의 자립심을 촉진하여 자기주도적 학습자로 육성할 수 있다.

이와 같이 IB를 평가하고 도입을 결정했지만, TGS는 도입 전 2년에 걸쳐 학교이사회와 교직원을 설득하고, 학부모와 학생들을 대상으로 설명회를 반복하는 등의 과정을 거쳤다고 한다. A레벨을 대체할 대학 입학자격으로서 일반적으로 그다지 익숙하지 않았던 IBDP를 도입하는 데 어려움이 많았다는 것을 알 수 있다. 참고로, 두 학교와 가까운 곳에 사립과 공립 입시 명문교가 있기 때문에 그 학교들과의 차별화를 도모한다는 측면에서 IB의 도입이 매력적인 요인으로 작용하지 않았을까 생각된다.

④ IBDP의 운영에 대해

두 학교 모두 A레벨을 함께 운영했을 때는 2중 자격으로 양쪽을 취득하게 한 게 아니라, 어느 한 쪽을 학생에게 선택하게 했다. 그렇다고 수업이 전혀 다르게 진행된 게 아니라, 같은 교직원이 분담하는 형태였다. 이수자가 많은 과목은 코스별로 반이 편성되었지만, 이수자가 적은 과목은 한 반에 A레벨 학생과 IBDP의 고급레벨과 표준레벨

학생이 함께 앉아 있는 일도 있었다. 학습내용이 다르고 평가기준이 상이한 두 코스를 동시에 가르치는 일은 교직원 입장에서 부담이 되었다. 또한 A레벨의 학생과 IBDP의 학생이라는 그룹의식이 생겨나 학교 전체적으로 조화와 일체감이 떨어질 우려도 제기되었다.

A레벨을 폐지하고 IB로의 일원화를 택한 결정적 이유는 두 학교 모두 재정적 부담 때문이다. 병설을 유지하면 각각에 필요한 교원과 자원을 확보해야 하는데, 단순히 이수자 수로 예산을 배분할 수는 없는 만큼 학교운영에 압박이 가해진다. 공립학교의 제한된 예산으로 운영하기 위해서는 어느 한 쪽을 폐지하지 않으면 비용 효율성을 높일 수 없었다는 말이다. 그리고 두 학교 모두 2010년의 아카데미법에 따라 지방자치단체의 관할에서 떨어져 나와 아카데미교로 전환했다. 그 이유는 아카데미에는 학교운영비가 지방자치단체를 거치지 않고 직접 지급되는 만큼 실질 수령액이 늘어나는데다, 사용처도 전혀 제약을 받지 않고 학교 자체적으로 결정할 수 있기 때문이다.

DGS에서는 IBDP를 선택하는 학생이 자연스럽게 늘어난 결과 A레벨의 폐지 수순을 밟았지만, TGS는 A레벨을 선택하는 학생 수가 많은 가운데 IB로의 일원화를 결정했다. 그 이유는 IB에 대한 학교 상층부의 강한 신념 때문이라고 한다.

⑤ 교원에 대해: 채용조건, 대우 등

영국의 공립학교에서 교원의 채용은 기본적으로 학교 단위로 실시한다. 일본의 공립학교처럼 다른 학교로의 전근도 없다. 게다가 아카데미에서는 학교가 고용주이며, 채용과 고용조건도 독자적으로 정할 수 있다. 교원의 급여 또한 최소한의 기준을 충족시키는 한 자유롭게 정할 수 있다.

DGS와 TGS의 교직원 수는 도표2-1-9에서 보는 대로이며, 학생과 교원의 비율은 영국의 평균과 거의 같다. 두 학교 모두 IBDP만 운영하기 때문에 새로 고용하는 교원에 관해서는 IB 과목을 가르칠 수 있어야 한다는 것을 전제로 하고 있다. 따라서 A레벨과 병설했을 때와 비교해 교원 프로필은 상당히 달라졌다. 현재는 전 세계에서 교원을 모집하고 있으며, TGS에서는 IBO 웹사이트를 통해서도 교원을 뽑고 있다.

채용조건은 두 학교 모두 영국의 교원면허가 필수는 아니지만 동등자격 혹은 IB프로그램을 가르쳤던 경험을 고려한다고 명시되어 있다. 또한 IB의 교육이념을 이해하고, 학생들에게 풍부한 체험을 제공할 수 있으며, 학습을 즐겁고 흥미로운 것으로 만들 수 있고, 문화적 차이를 이해하고 행동할 수 있는 자 등 교원으로서의 개인적 자질도 중시한다.

급여는 국적과 관계없이 경력에 따라 결정된다. 고용시장은 사립학

도표2-1-9 **DGS과 TGS의 교직원 수 및 풀타임 교원의 평균연봉**

	영국	DGS	TGS
교원 수	228,864명	91명	71명
보조교사의 수	69,301명	8명	7명
지원부서의 직원(교원 외 직원) 수	88,470명	55명	28명
학생과 교원의 비율	1:15.5	1:15.0	1:16.0
교원자격이 있는 정규직 교원의 평균연봉	38,513파운드	35,057파운드	38,848파운드

출처: 교육부 「학교실적표: 2012~2013」를 토대로 작성[30]

교나 국제학교와 동일하기 때문에 공립학교로서는 재정적으로 불리한 입장에 있다. 두 학교의 풀타임 교원의 평균연봉은 영국의 공립학교 평균과 거의 같으며(도표2-1-9), 다른 공립학교와 비교해도 결코 높다고는 할 수 없다. 참고로 정부가 설정해놓은 공립학교의 교원 급여는 최소 2만 2,023파운드, 최고 5만 8,096파운드, 런던 시내에서는 2만 7,543파운드에서 6만 5,324파운드다(1파운드 1500원 환율로 환산하면 대략 3,300만 원에서 8,700만 원, 런던 시내는 4,000만 원에서 1억 원 정도-옮긴이)[31].

우수한 교원을 확보하는 데는 매력적인 급여와 근무환경 모두 중요하다. 공립학교가 제공 가능한 급여에는 한계가 있는 만큼, 두 학교에서는 근무환경을 정비함으로써 우수한 교원을 유치하기 위해 노력하고 있다. 예를 들면, 두 학교 모두 채용 후의 연수와 지원에 충실을 기하고 있다. 학내 세미나와 워크숍을 개최해 IB 과목을 가르치는 데 필요한 노하우와 기술을 선배 교원이 지도하거나, 교직원들 간에 상담이나 피드백이 가능한 환경을 정비하는 등 정신적 차원의 지원을 하는 것이다. 또한 주내의 공립 IB학교들과 협력해 연수를 비롯한 여러 지원도 실시하고 있다.

⑥ 커리큘럼의 특징

DGS에서는 중등교육 단계부터 IBDP를 염두에 두고 커리큘럼을 편성하고 있다. 중등부에서는 MYP를 커리큘럼의 큰 틀로 삼고, 국내자격시험인 GCSE를 채용해 16세가 되면 모든 학생이 GCSE 시험을 치른다. 이 학교는 1995년에 교육부로부터 '언어에 특화된 특별학교' 인정을 받아 외국어 학습에 힘을 쏟고 있다. 중등부 1년차에 전체 학생이 일본어 혹은 중국어를 배우고, 2년차부터 유럽의 언어를 추가(5개

국어 가운데 하나 선택), 전원 GCSE에서 두 가지 외국어 시험을 본다. 국내에서 외국어 학습이 쇠퇴하는 가운데, 이 학교에서는 언어학습이야말로 훌륭한 교육적 기둥이 된다고 여긴다. 특히 남학생들은 언어학습을 힘들어하는 경향이 있기 때문에 일본어와 중국어처럼, 언어적으로나 문화적으로 동떨어진 언어를 접하면서 외국어 학습의 즐거움을 발견하게 하는 것을 목표로 삼고 있다(사진1). 새로운 언어를 학습하는 데는 엄청난 노력이 필요한데, 언어학습을 통해 IBDP를 끝까지 해내는 데 필요한 회복탄력성(resilience, 역경에 굴하지 않고 다시 일어서는 힘)을 키우는 게 주요 목적이다. IBDP에서는 30과목 이상을 제공하며, 언어교육에 특화된 학교답게 그룹2의 외국어 선택지가 많다. 사진2는 지식론(TOK)의 수업 풍경으로 해당 교원은 일본어와 지식론을 담당하고 있다.

TGS는 '수학·컴퓨터 및 언어에 특화된 특별학교' 인정을 받아 이들 과목의 교육에 특히 힘을 쏟고 있다. TGS는 중등부 단계부터 IB의 준비과정이 될 수 있도록 커리큘럼을 편성한다. 특히 10학년과 11학년의 커리큘럼으로는 국내의 GCSE와 비교해 학술적으로 좀 더 고난이도

사진1 일본어 클래스(7학년)의 수업 풍경

사진2 지식론(12학년)의 수업 풍경

의 내용으로 구성된 인터내셔널 GCSE(I-GCSE)를 도입하고 있다. 실무 및 예술계의 과목만 GCSE로 제공한다.

IBDP를 이수하는 학생은 이과와 문과 과목, 거기에 외국어까지 학습해야 한다. 그 부담감으로 인해 IB를 꺼릴 우려가 있기 때문에, 식스폼 과정에 진급할 때는 학생 개개인에 대해 입학을 희망하는 학교에 맞는 과목 선택을 위해 필요한 조언을 하고 있다(예를 들면, 수학 과목에는 '표준레벨' 외에도 '수학연구'가 있다는 것, 외국어 과목 중에는 '초급외국어'가 있다는 것 등).

⑦ 학생의 속성

도표2-1-10은 교육부의 데이터베이스에서 얻은 11~18세 학생들의 속성에 관한 데이터다. DGS 및 TGS의 남녀 비율은, 남녀공학인 식스폼 과정만을 놓고 보면 DGS는 남자 60.1퍼센트, 여자 39.9퍼센트, TGS는 남자 15.0퍼센트, 여자 85.0퍼센트다. 영어가 모어(母語)가 아닌 학생의 비율은 잉글랜드 전체가 13.6퍼센트, 켄트 주에선 약 절반인 7.0퍼센트, DGS는 18.7퍼센트, TGS는 4.6퍼센트다. DGS의 경우 잉글랜드 및 켄트 주의 평균보다 높은 이유는, 당시 청취조사 대상자 중 런던 남부의 이민자 가정의 학생들이 많았는데 그것이 반영된 수치로 보인다. 저소득층 가정을 나타내는 지표로 여겨지는 '무상급식을 받을 권리가 있는 학생'의 비율은 잉글랜드 전체에서 16.3퍼센트, 켄트 주가 13.5퍼센트, DGS 1.5퍼센트, TGS 1.4퍼센트다. 두 학교의 학생들 대부분이 최소한 경제적으로 '불리한 입장에 있는 학생'은 아니라는 것을 알 수 있다. TGS의 청취조사에서는 7학년 입학생 중에 사립초등학교 출신이 많았다. 영국에서 사립초등학교에 아

도표2-1-10 **학생(11~18세)의 속성**

	잉글랜드	켄트 주	DGS	TGS
학생 수(11~18세)	3,210,119	99,390	1,306	1,004
식스폼 선택 학생 수(16~18세)	-	-	531	242
남학생 수(비율)	1,616,335 (50.4%)	49,615 (49.9%)	1,094 (83.8%)	36 (3.6%)
여학생 수(비율)	1,593,785 (49.6%)	49,775 (50.1%)	212 (16.2%)	968 (96.4%)
식스폼을 선택하는 남녀 학생의 비율	-	-	남: 60.1% 여: 39.9%	남: 15.0% 여: 85.0%
영어가 모어가 아닌 학생의 비율	13.6%	7.0%	18.7%	4.6%
무상급식을 받을 권리가 있는 학생의 비율	16.3%	13.5%	1.5%	1.4%
'특수교육에 대한 니즈'가 있는 학생의 비율	7.7%	8.1%	2.3%	-

출처: 교육부 「학교실적표: 2012~2013」의 '아동의 속성에 관한 데이터', '학교의 특색', '아동의 모집단'을 토대로 작성.[32] 잉글랜드와 켄트 주는 공립학교 데이터에 한함

이를 보낼 수 있는 학부모는 사회적으로 중산층 이상이며, TGS의 학생은 사회경제적으로 상당한 수혜를 받는 가정의 아이들이라는 것을 추측할 수 있다. '특수교육에 대한 니즈'(special educational needs, SEN)에는 신체장애와 난독증, 주의력결핍과잉행동장애(ADHD), 자폐증 등이 포함되며, 일반 학교에서 교육을 받을 때 별도의 지원이 필요한 아동 및 학생을 인정하고 지원하는 제도다. 이 비율은 잉글랜드 전체에서 7.7퍼센트, 켄트 주가 8.1퍼센트인 데 반해, DGS는 2.3퍼센트로(TGS는 해당자가 적어서 데이터화 불가), 전국 및 주 평균과 비교할 때 매우 낮다고 할 수 있다.

도표2-1-11 **중학교 졸업 시 성적 조사(2013년) 결과와 해당 학생의 중학교 입학 당시 학력 수준**

n=	잉글랜드 571,325	켄트 주 16,698	DGS 152	TGS 149
GCSE(혹은 동등 자격)의 영어 및 수학을 포함한 5과목 이상에서 A*~C의 성적을 거둔 학생의 비율	60.6%	63.1%	99.0%	100%
중학교 입학 당시 수준				
상위 성적 학생(비율)	85,354 (15.7%)	2,739 (17.4%)	0 (0%)	0 (0%)
중위 성적 학생(비율)	282,211 (51.9%)	7,868 (50.0%)	17 (12.0%)	0 (0%)
하위 성적 학생(비율)	175,797 (32.4%)	5,139 (32.6%)	128 (88.0%)	122 (100%)

출처: 교육부 「학교실적표: 2013년도 KS4 성적결과, 코호트 정보」를 토대로 작성.[33] 잉글랜드와 켄트 주는 공립학교 데이터에 한함

다음으로 학생들의 학력을 살펴보자. 중학교 입학 당시의 성적은, 학력으로 학생을 선발하는 두 학교의 대다수 학생이 성적 우수자다(도표2-1-11, DGS: 88.0퍼센트, TGS: 100퍼센트). 중학교 졸업 시(16세) 성적을 보면, 'GCSE(혹은 동등 자격)의 영어 및 수학을 포함한 5과목 이상에서 A*~C를 받은 학생의 비율'은 잉글랜드 전체가 60.6퍼센트, 켄트 주가 63.1퍼센트인 데 반해 두 학교는 거의 전원이 해당 성적을 거두었다(도표2-1-11, DGS: 99.0퍼센트, TGS: 100퍼센트). 다시 말해서 두 학교에서 IBDP를 이수하는 학생들은 전국적으로 봐도 성적이 우수한 학생들이라고 할 수 있다.

⑧ IB 합격률과 졸업 후의 진로

도표2-1-12는 2011~2013년의 3년 동안 두 학교의 IB 합격률과 성적의 상세 내역이다. 두 학교 모두 국내의 공립 IB학교 순위에서 꾸준히 상위권을 차지하고 있다(도표2-1-12. DGS는 10위내. TGS는 3년 연속 1위). 2013년 국내 공립학교 학생들의 IB 평균점수는 31.6점이었다. DGS에서는 264명의 학생이 IBDP 시험에 응시했고 합격률은 99.2퍼센트, 평균점수는 34.7점이었다. TGS에서는 IB 수험생 전원이 합격했고, 평균점수는 37.2점이었다. TGS에서는 2013년에 A레벨 시험에 응시한 학생도 있었는데 80퍼센트 이상이 적어도 1과목에서 'A*' 혹은 'A'를 취득했다.

2013년 졸업생의 진로를 보면, DGS에서는 269명 가운데 252명(93.6퍼센트)이 대학에 진학했다(도표2-1-13). 진학 대학은 전부 국내이며, 그중 55.0퍼센트는 옥스퍼드와 캠브리지를 포함한 러셀그룹의 대학[35]에 입학했다. 학부별로는 이과학부(의학부와 치의학부 포함) 96명, 경

도표2-1-12 **과거 3년간의 IB 합격률과 상세**

	DGS			TGS		
	2011	2012	2013	2011	2012	2013
IB 합격률(%)	-	98.6%	99.2%	-	100%	100%
1과목 득점: 7점 혹은 6점의 비율(%)	-	47.0%	50.9%	68.9%	75.0%	74.5%
1과목 득점: 7점~5점의 비율(%)	87.0%	82.9%	86.9%	90.5%	96.7%	92.8%
IB 종합득점의 평균점수	34.0	34.1	34.7	37.7	38.5	37.2
국내 공립 IB학교 순위	7위	10위	6위	1위	1위	1위

출처: 선데이타임스 「선데이타임스스쿨가이드」를 토대로 작성[34]

도표2-1-13 **2013년 DGS 졸업생의 진로**

진로	인원 수
고등교육기관	252
심화교육기관	0
취직	7
갭이어	5
재수	5
합계	**269**

출처: DGS학교 안내「DGS: 인포메이션, 2014년 6월」을 토대로 작성

제학부 46명, 법학부 13명 등이다. 기타 진로는 취직(7명), 갭이어[36](5명), 그리고 재수 준비(5명) 등이다.

TGS에서는 2013년도 졸업생 가운데 122명(전체의 95퍼센트 이상)이 대학에 진학했다. 그중 82.4퍼센트의 학생은 1지망 대학에 진학했고, 전체의 73.0퍼센트는 러셀그룹의 대학(캠브리지 3명, 옥스퍼드 3명 포함)에 진학했다. 미국 프린스턴대학에 진학한 1명을 제외하고 모두 국내 대학 진학이다.

(4) 결론

켄트 주 공립학교는 학력우수자들이 모여 있는 그래머스쿨에서 IBDP를 도입하는 경우가 많았다. 전부 2010년 이후에 아카데미로 전환한 학교라는 점도 특징적이다. 또한 2014년에도 IBDP를 계속 유지하고 있는 4개교 가운데 3개교는 IBDP만 선택 운영하며, A레벨을 병행 운

영하는 곳은 1개교뿐이다.

사례연구에서 제시한 DGS와 TGS는 공립학교로서 IBDP의 도입에 성공했다고 할 수 있을 것이다. 두 학교에서는 각각 특별학교라는 특징을 살린 IB커리큘럼을 제공했고, 결과적으로 학생들의 IB합격률과 대학진학률이 매우 높았다. 거기에 아카데미라는 형태를 취함으로써 중등교육 단계부터 IBDP를 염두에 둔 커리큘럼을 구성하고, 국내 교원자격에 관계없이 자유롭게 교원을 채용할 수 있는 조건을 마련하여 전 세계에서 우수한 인재를 영입했다. 그러나 청취조사를 통해 몇 가지 과제도 부각되었다.

맺음말: 공립학교의 IBDP 운영에 따른 과제와 향후 전망

최근 영국에서는 PISA(Programme for International Student Assessment, 국제학업성취도평가)의 결과에서 나타난 대로, 아동 및 학생의 학력저하가 우려되는 상황에서 국내 커리큘럼의 개혁과 동시에 새로운 커리큘럼들도 등장하고 있다. IB의 교육수준에 대해서는 그간 전문가들 사이에서 높이 평가되어 왔는데, 특별히 IB졸업생의 진학 후 성과를 높이 평가하는 대학 관계자들의 목소리도 들린다[37]. 현재 IBDP가 영국의 많은 공립·사립학교에서 시행되는 배경에는 A레벨을 대체할 대학입학자격이라는 인식이 교육현장과 학부모들한테까지 침투해 있는 점, 그리고 IB의 국제성과 학습내용의 보편적 가치에 대한 평가가 표면화된 결과로 보인다. 다만, 청취조사를 통해 드러난, 공립학교의 IB 도입에 따른 몇 가지 문제점은 짚고 넘어갈 필요가 있겠다.

첫 번째, 재정이다. 공립학교에서는 학부모에게 비용을 청구할 수 없기 때문에 기본적으로 정부로부터 지급되는 통상 학교예산 외에 재원이 없다. 사례연구에서 제시된 DGS와 TGS는 A레벨을 폐지하고 IBDP만을 운영함으로써 한정된 예산과 자원을 효과적으로 활용하고 있었다. 또한 두 학교는 '아카데미'라는, 교육부의 직접적인 관할 아래 있으면서 지방자치단체의 간섭을 받지 않는 학교형태로 전환한 상태다. 아카데미에서는 학교예산이 교육부에서 직접 지급되기 때문에 실질적으로 수령 가능한 액수가 많아져서, 학생들에게 필요한 교육예산을 100퍼센트 쓸 수 있다. 또한 두 학교에서는 지방자치단체가 제공하는 서비스(교원연수 등)를 필요에 따라 요금을 지불하고 이용함으로써 비용의 효율성을 높이고 있었다. 이처럼 공립학교의 제한된 예산으로 IB를 계속 운영하는 데는 IB에 대한 열의와 신념은 물론이고, 경영 면에서의 창의적 궁리도 필요하다고 할 수 있다.

두 번째로, 교원 확보의 어려움도 지적되었다. 사례연구에서 거론한 두 학교에서는 교원을 뽑을 때 국내 교원면허를 필수로 하지 않고, 그에 준하는 동등 자격과 IB프로그램에 대한 경험을 고려하고 있었다. 그리고 IB의 교육이념을 이해하고, 풍부한 경험을 제공할 수 있으며, 학습을 즐겁고 흥미로운 것으로 만들 수 있는 자질 등을 중시했다. 고용시장은 국제학교와 동일하기 때문에 예산에 제약이 있는 공립학교는 급여 면에서 불리한 입장에 있다. 거기서 채용 후 연수 등에 충실을 기해 IB 과목을 가르치는 데 필요한 지원, 교직원 간 상담과 피드백이 오갈 수 있는 환경 조성 등을 통해 매력적인 직장 만들기에 힘쓰고 있었다. 그러나 실력을 쌓은 교원들이 사립학교나 국제학교로 전직하는 경우도 있어서 교원 확보 및 유지는 계속해서 IB를 제공하는 공립학교의 과제로 남을 전망이다.

세 번째로, 학력에 따른 선발제를 통해 소수의 학생들에게만 학습 기회가 주어지는 점이 거론되었다. 사례연구에서 제시한 켄트 주 이외의 학교에서도 성적별로 선발을 하는지 어떤지는 불명확하지만, 학력에 따른 선발은 교육기회의 균등이라는 가치에 역행할 위험성을 내포하고 있다. 특히 그래머스쿨 진학생은 사회경제적으로 혜택 받은 가정의 아이들이 대다수를 차지한다는[38] 점을 고려하면 더더욱 그러하다. IBDP에 대해서는 "학술적 요구수준이 높아서 모든 학생에겐 적합하지 않다."라는 의견도 있다[39]. 그러나 이것은 잠재력을 가진 학생들이 우수한 교육프로그램을 학습할 기회를 차단 당하는 것에 대한 합당한 이유는 될 수 없다.

영국에서는 점점 공립학교의 시장화가 진행되고 있다. 교육기준청의 감사를 통해 학교의 실적을 평가받고 그 보고서가 웹상에 공개되는 엄중한 현실 앞에서, 각 학교는 다양한 대책을 강구하며 교육수준 향상을 위해 애쓰고 있다. 이와 같은 상황에서 IBDP를 운영하는 것은 다른 학교와의 차별화를 도모하고 좀 더 우수한 학생을 확보, 학교 전체의 평가를 끌어올리는 데 매력적인 요인으로 작용한다고 볼 수 있다. 그러나 앞서 기술한 대로, 공립학교가 IBDP를 제공하는 데는 여러 가지 어려움이 따르며, 지속성을 확보하려면 좀 더 전략적인 학교 경영이 요구된다. 긍정적으로 보면, DGS나 TGS처럼 여러 어려움을 극복하면서까지 IB를 제공하고자 하는 열의와 열정이 있고, 우수한 경영 수완을 갖춘 학교가 살아남았다고도 해석할 수 있다. 향후 이들 공립학교가 어떤 행보를 보일지 기대가 크다.

2-2

미국: 공립교육의 질적 보장에 대해

오쿠데 게이코

머리말

2014년 12월 현재, IB학교는 145개국에 3,963개교가 존재한다. 학교 수로 보면, 나라별로는 미국이 1,573개교로 약 40퍼센트를 차지하고 있다. 두 번째는 캐나다인데, 그 수치인 347개교를 합치면 북미의 두 나라만 50퍼센트 이상이 된다. 이하 세 번째인 오스트레일리아가 155개교, 네 번째인 에콰도르[1] 150개교, 다섯 번째인 영국 142개교, 여섯 번째인 인도 113개교다. IBDP(IB학위과정)의 인정학교 수를 보면 전체 2,641개교 가운데 미국은 830개교로 30퍼센트를 차지하고 있다. 2위인 캐나다가 155개교, 3위 에콰도르 150개교, 4위 영국이 134개교, 5위인 인도가 100개교다. 이하 스페인 74개교, 중국 67개교, 멕시코 65개교, 오스트레일리아 63개교로 이어진다. 특히 미국은 IB를 도입한 학교 수가 많을 뿐 아니라, 그 대부분이 공립학교라는 점에 주목할 필요가 있다. 전체 830개교 가운데 727개, 약 90퍼센트가 공립학교다. 여기서는 2012년 9월에 실시된 워싱턴 교외의 공립학교 방문조사를 토대로, 미국에서는 IB를 공립교육에 어떤 방식으로 도입하고 있는지, IBDP를 중심으로 고찰해본다.

1. 미국 교육제도의 개요

(1) 지방분권형 공교육

미국의 교육행정은 지방분권식으로 국가(연방정부) 차원이 아니라, 각 주의 주 헌법과 주 교육법에 따라 시행된다. 의무교육도 18세까지가 일반적이지만, 일리노이 주처럼 주에 따라선 16세까지인 곳도 있다. 공립학교의 운영은 시(city) 와 카운티(county, 군)의 교육위원회가 관할한다. 주와 연방정부로부터 일부 보조금은 나오지만 학구 내에서의 교육비는 기본적으로 시와 카운티의 세금으로 충당되며, 공립학교의 수업료는 무상이다.

도표2-2-1은 이번 조사에서 방문한 워싱턴D.C. 교외의 4개 고등학교가 속해 있는 시와 카운티의 개요를 정리한 것이다. 교육비는 전체 예산의 46퍼센트에서 53퍼센트를 차지하며, 학생 1인당 공교육 지출액은 일본 엔으로 환산해서 연간 135만 엔에서 167만 엔(조사 당시 환

도표2-2-1 **방문한 시와 카운티의 개요**

주(州)	버지니아	버지니아	메릴랜드
시(市), 카운티	펄스처치 시	페어팩스 카운티	몽고메리 카운티
공립학교 시스템	FCCPS	FCPS	MCPS
시, 카운티 면적	5.7평방킬로미터	1,054평방킬로미터	1,313평방킬로미터
시, 카운티 인구	1.1만 명 (2013년 현재)	111.9만 명 (2012년 현재)	97.2만 명 (2010년 현재)
시, 카운티 예산총액	약 7,500만 달러	약 36억 달러	약 48억 달러
학구 교육비 예산총액	약 4,000만 달러	약 19억 달러	약 22억 달러 (2015년도)
교육예산 출자 구조	시 82.3% 주 8.1% 연방정부 1.2%	카운티 71.9% 주 14.9% 연방정부 1.7%	카운티 65.0% 주 27.0% 연방정부 3.0%
시, 카운티 내 공립학교 학생 수	2,415명 (2013년 9월 현재)	18만 7,994명 (2015년 예상치)	15만 4,178명 (2015년 예상치)
학생 일인당 공교육 지출	1만 6,670달러	1만 3,472달러	1만 4,142달러
공립고등학교 수	1개교	31개교	24개교
IBDP 도입학교 수	1개교	8개교	8개교

율: 1달러=100엔)(한화로 1,400~1,700만 원 정도)이다. 교육예산 출자 구조를 보면 연방정부의 보조금이 1퍼센트에서 3퍼센트, 시 혹은 카운티가 65퍼센트에서 82퍼센트, 주가 8퍼센트에서 27퍼센트다. 지역의 경제력에 따라 예산 출자 구조는 다소 차이가 있다.

(2) 다양한 학교제도

미국에서는 K-12라 불리는, 유치원부터 12학년(고교 3학년에 해당)까지의 초등 및 중등교육을 수료하면 4년제 대학, 2년제 대학(커뮤니티 칼리지, 단기대), 전문학교 등의 고등교육기관에 진학할 수 있다. 미국 전역에는 유치원부터 고등학교까지의 초등 및 중등교육을 실시하는 공립학교가 약 9만 6,000개, 고등교육기관은 약 4,200개가 있다[2].

K-12라 불리는 유치원부터 12학년까지의 과정을 가르치는 학교의 형태는 다양하며, 초등교육에는 유치원부터 6학년까지(5세부터 12세)와, 유치원부터 5학년까지(5세부터 11세)의 두 종류가 있다. 그리고 중등교육기관으로는 '미들스쿨(중학교)+하이스쿨(고등학교)'과 세컨더리스쿨(미들스쿨과 하이스쿨 일관학교)의 두 종류가 있다. 예를 들어 이번에 조사를 실시한 워싱턴D.C. 교외의 버지니아 주 페어팩스 카운티에는 초등학교가 139개 있는데, 유치원부터 6학년까지(5세부터 12세)와 유치원부터 5학년까지(5세부터 11세)가 혼재돼 있다. 미들스쿨은 23개 학교가 있는데, 7학년부터 8학년(13세부터 14세까지)의 미들스쿨이 19개, 6학년부터 8학년까지(12세부터 14세까지)의 미들스쿨이 4개다. 미들스쿨에서 올라가는 9학년부터 12학년(15세부터 18세까지)의 하이스쿨은 28개다. 이 외에 7학년부터 12학년(13세부터 18세까지)의 세컨더리스쿨이 3개 있다. 이처럼 페어팩스 카운티에는 6-2-4제(초등학교 6년+미들스쿨 2년+하이스쿨 4년)로 배우는 학생들이 다수이고, 5-3-4제(초등학교 5년+미들스쿨 3년+ 하이스쿨 4년), 6-6제(초등학교 6년+세컨더리스쿨 6년)라는 선택지도 있다는 결론에 이른다.

(3) 교육위원회와 공립학교의 관계

앞서 언급한 대로, 미국의 교육행정은 각 학구, 즉 시 혹은 카운티 단위로 이루어지기 때문에 교육위원회도 시 혹은 카운티별로 존재하며, 주의 법률에 따라 공립학교 운영, 커리큘럼의 선택, 교원채용 등을 진행한다. 여기서는 교육위원회와 공립학교의 관계에 대해, 이번 조사를 실시한 버지니아 주 페어팩스 카운티를 예로 들어 소개한다(4개 학교의 기본 데이터는 도표2-2-2 참조).

2012년 9월 버지니아 주 페어팩스 카운티의 조지마셜 고등학교(George C. Marshall High School)를 방문했을 때 페어팩스카운티교육위원회(FCPS, Fairfax County Public School)로부터 IB의 도입 상황에 대한 프레젠테이션을 들었다. 페어팩스 카운티는 인구가 약 110만 명에, 전체 학생 수가 18만 1,536명(2012년 9월 시점)에 이르는 전미 11위의 학구다. 학구 내 모든 공립학교를 관할하는 것이 FCPS다. FCPS는 주민들의 직접선거를 통해 선발된 이사들로 구성되는 카운티학교이사회가 지명한 교육장(Division Superintendent)을 정점으로 하는 공립학교 운영 조직이다.

카운티학교이사회는 버지니아 주법과 버니지아주교육위원회(Virginia Board of Education)의 규칙에 준하여 카운티 내 공립학교들의 교육이념과 가이드라인을 설정하고 있다. FCPS 홈페이지(www.fcps.edu)에 실린 '거버넌스 매뉴얼'(Governance Manual)에 따르면, 이사 임기는 4년, 연봉은 2만 달러다. FCPS의 이사는 12명인데, 그중 3명은 카운티 전체의 대표, 9명은 카운티 내 9개 지구(District)의 대표이다. 의장과 부의장은 이 12명의 이사들 가운데 선출된다. 매뉴얼에는 카운티학교이사회가 정한 신조, 이념, 미션, 역할, 학생의 학력목표 등이 상세히 기재돼 있다. 참고로 FCPS의 미션은 "학생이 높은 수준의 학력을 달성하고, 윤리적인 생활을 영위하며, 책임감을 갖춘 혁신적인 글로벌 시

도표2-2-2 **방문조사 학교**

	조지메이슨 고교	조지마셜 고교	리처드몽고메리 고교	록빌 고교
소재지	버지니아 주 펄스처치 시	버지니아 주 페어팩스 카운티	메릴랜드 주 몽고메리 카운티	메릴랜드 주 몽고메리 카운티
순위 (전미)	19위	55위	187위	356위
(카운티 내)	2위	3위	7위	18위
학교의 특징	• 고학력·고수입 학부모가 많고, 학구가 작음 • 주 1위의 공립학교 • IBDP를 초기 단계에서 도입	• 다양한 나라의 다양한 문화권 학생들이 모여 있음 • 주 내 최상위권	• IB 마그넷프로그램 (9학년, 10학년)과 MYP 병설 • 학구가 큰 매머드급 학교	• IBDP 도입으로 침체되어 있던 학교 재건에 성공
학생 수	833	1,458	2,049	1,219
9학년	170	395	525	284
10학년	175	386	519	320
11학년	142	352	477	342
12학년	172	325	528	273
저소득 가정 비율	8%	22%	18%	25%
비주류 비율	27%	43%	61%	58%
백인	73%	53%	39%	42%
흑인	6%	7%	17%	18%
아시아계	11%	20%	26%	13%
히스패닉	10%	15%	18%	27%
IBDP 도입연도	1981년	1999년	1987년	2007년
IB 이수생 비율	100%	99%	48%	26%
IB 이수생의 IB시험 합격률	88%	83%	96%	97%
2012년 IBDP 시험 결과				
평균점	비공개	32	비공개	30
최고점	비공개	42	비공개	40
SAT 점수	2011년 졸업생 평균	2011년 졸업생 평균	2012년 졸업생 중 IBDP 학생 평균	
SAT Critical Reading	599	562	780	비공개
SAT Math	592	575	760	비공개
SAT Writing	583	553	720	비공개

민이 되도록 동기를 부여하고 격려하는 것"이라고 되어 있다.

2. IB 도입의 목적

(1) 사회적 배경

미국에는 일본처럼 국가가 제정한 공통 커리큘럼이 존재하지 않는다. 민간기관이 개발한 커리큘럼을 각 학교와 지역이 필요와 목적, 학교의 특색에 맞춰 선택하고, 사용할 교과서를 정한다. 현재 대부분의 주에서 '주 테스트'라 불리는 학력테스트를 실시하고 있으며, 고교의 졸업요건으로 주 테스트를 부과하는 곳도 늘고 있다[3]. 그러나 주 테스트는 어디까지나 고등학교 졸업요건으로 취급되며, 대학입학심사의 평가기준은 아니다.

여러 커리큘럼 가운데 IB는 난이도 높은 선택지 가운데 하나로 여겨진다. 1977년 미국에서 IB를 최초로 도입한 공립학교는 뉴욕 시 퀸즈에 있는 프랜시스루이스 고등학교(Francis Lewis High School)다. 당시 멜 세리스키 교장이 미국 최초로 IB학교 인정을 받은 UN국제학교(United Nations International School, UNIS)의 수업을 견학한 뒤, 공립고등학교에 입학하는 우수학생이 좋은 대학에 진학하기 위한 절호의 프로그램이라고 판단해 도입을 결정했다고 한다[4]. 당시의 프랜시스루이스 고교에는 특정 인종이나 문해력(literacy, 읽기쓰기능력)에 문제가 있는 학생을 위한 프로그램은 있었지만, 학력수준이 높은 학생이나 잠재력 있는 학생을 위한 프로그램은 없었다.

프랜시스루이스 고교처럼 문화적 다양성이 두드러지는 것도 미국 공립학교의 특징이다. 이번에 조사한 지역에도 다양한 인종과 문화적·경제적 배경을 지닌 학생이 모여 있다는 걸 알 수 있었다. 예를 들어, FCPS의 자료에 따르면 페어팩스 카운티의 공립학교 학생들의 인종 구성은 백인이 43퍼센트, 흑인 10퍼센트, 히스패닉 22퍼센트, 아시아태평양제도 19퍼센트, 기타 6퍼센트다. 가계수입이 일정 수준 이하임을 의미하는 '무상 혹은 감액 급식 제공 대상 학생'은 25퍼센트, 특별교육 지원을 받고 있는 학생은 14퍼센트이고, 영어가 모어인 학생은 13퍼센트에 불과하다.

(2) 선발 아카데믹 프로그램으로서의 IB

이런 다양한 아동과 학생들이 다니는 공립학교에서 좀 더 나은 교육 서비스를 제공하기 위해 마련해놓은 것이 FCPS의 '선발 아카데믹프로그램'(Advanced Academic Programs, AAP)이며 초등학교, 중학교, 고등학교별로 복수의 프로그램이 있다. 중등교육 단계의 선발 아카데믹 프로그램에는 성적 우수반에 해당하는 '아너스 클래스'(Honors Class)와 '대학과목선이수제'(Advanced Placement Program, AP), IB학위과정(IBDP)이 있다. 이들 프로그램은 일반 코스에 비해 내용의 난이도가 높아서 상당한 학습시간과 노력이 요구되지만, 기본적으로 모든 학생에게 문이 열려 있다. 그 외에 이과계의 우수학생을 대상으로 입학선발을 실시하는 이과 특별학교인 토머스제퍼슨 고등학교(Thomas Jefferson School of Science and Technology)가 있다. '아너스 클래스' 프로그램은 대학준비단계의 코스, AP와 IB는 대학수준의 코스로 여겨진다. FCPS

는 선발 아카데믹프로그램(AAP)의 이점으로 다음 세 가지를 들고 있다. 첫째, 학생의 문해력과 비판적 사고력을 끌어올리고, 분석력과 문제해결능력 및 21세기를 살아가는 데 필요한 스킬을 익힐 수 있다. 둘째, IB와 AP는 학업성적을 강화하여 대학합격률을 높일 수 있다. 셋째, IB와 AP의 최종 성적에서 일정 점수 이상을 받은 학생에겐 대학에 따라 단위가 부여된다.

(3) AP와 IB의 비교

지금까지 미국에서는 대학입학준비프로그램 가운데 난이도가 높은 코스로는 AP의 커리큘럼이 주류였지만, 최근 IB에 대한 관심도 높아지고 있다. AP와 IB를 비교해보자.

① 운영 단체

AP는 대학입학자격시험인 SAT(Scholastic Assessment Test)를 운영·실시하는 비영리단체인 칼리지보드(College Board)가, IB는 IBO(International Baccalaureate Organization, 국제바칼로레아기구)가 관리·운영한다. 둘 다 최종시험을 치르며 그 결과는 미국 대학의 단위 인정 기준으로도 사용된다.

② 커리큘럼

AP에서는 영어, 제2언어, 사회과학, 이과, 수학, 예술의 6개 영역 가운데 대학수준의 고난이도 코스를 개별적으로 이수할 수 있다. 한편 IB는 일부 과목을 개별적으로 이수하여 평가증명서를 받는 것도 가능하지만, IB학위과정(IBDP) 전체를 수료하기 위해서는 6개 교과그룹, 즉 언어A(영어), 언어B(언어습득), 역사·사회과학, 자연과학, 수학, 예술 혹은 선택과목 중에서 한 과목씩 이수해서 합격해야 하고, 덧붙여 지식론(TOK), 창조성·활동·봉사(CAS), 과제논문(Extended Essay)이 부과된다.

③ 평가

AP는 실러버스(syllabus, 교수요목)를 칼리지보드가 감독하고 최종시험을 외부에서 채점하는 반면, IB시험은 학내점수와 학외점수가 있고 IBO에 의한 추출평가(모델레이션)와 심사도 실시된다.

페어팩스 카운티에서는 16개 학교가 AP를, 8개 학교가 IB학위과정(Diploma Program, DP)을 커리큘럼으로 채택하고 있다. 또한 2012/13년도부터 4개 학교가 'IB 직업 관련 자격과정'(Career-related Certificate, IBCC)을 도입했다. IBCC에는 IBDP에서 2과목, 직업 관련 코스에서 2과목을 이수하고, 학생의 직업 관련 분야에 대한 윤리적 이슈를 탐구하는 성찰프로젝트(Reflective Project)를 진행하며, 실제 사회에서 응용 가능한 스킬에 초점을 맞춘 학습법 코스와 CAS, 외국어 습득이 부과돼 있다.

3. 경비

IB프로그램에는 카운티의 예산이 쓰이며, FCPS가 IB의 연수비용을 부담한다. 중학교프로그램(MYP)의 연수비용은 FCPS의 '선발 아카데믹프로그램'(AAP) 예산이지만, 고등학교프로그램(IBDP)의 연수비용은 각 학교의 IB 코디네이터가 관리한다. IB프로그램의 연회비, IB 인정에 드는 비용은 학구 부담으로, 학생의 IB 시험등록비, 테스트 대금, 우편요금은 전부 학구에서 일괄 지불한다. 이 외에 학구의 지원으로는 연 1회의 IB 대표자회의, FCPS 아카데미코스, FCPS 교원워크숍 등이 진행된다. 카운티의 교육예산은 2012~2013년에 약 17억 달러(한화 약 2조 원)로, 카운티 전체 예산의 50퍼센트 가까이를 차지하고 있다. 이번에 함께 조사한 메릴랜드 주 몽고메리 카운티의 경우, IB 시험등록비는 학부모가 부담하도록 돼 있다. 어디까지를 무상으로 하느냐는 시와 카운티와 주에 따라 다르다.

4. 교원 채용방법 및 연수

이번에 조사한 버지니아 주 페어팩스 카운티, 버지니아 주 펄스처치시, 메릴랜드 주 몽고메리 카운티의 IB 교원 채용 및 연수는 다음과 같이 이루어진다.

(1) 교원 채용

공립학교에서는 시 혹은 카운티의 교육위원회가 교원을 채용하여 각 학교에 임명·배치한다. 원칙적으로 학교가 직접 채용하는 것은 불가능하지만, 교장이 후보자를 추천하는 것은 가능하다. 이번에 조사한 학교에서는 IB코스를 수강하고 우수한 성적을 거둔 졸업생을 IB 교원으로 채용한 예도 있었던 만큼(조지메이슨 고교), 실제로는 교장의 재량이 많이 작용하는 것으로 보인다. 채용조건으로는 주의 교원면허를 취득하는 것이 필수다. 따라서 다른 주에서 교직을 구하기 위해서는 먼저 그 주의 교원면허를 취득할 필요가 있다.

(2) IB 연수

IB에서는 공식워크숍에 참석하는 것이 IB 과목을 가르치기 위한 조건이지만, 예산문제 때문에 모든 교원을 매년 공식워크숍에 파견하긴 어렵다. 그래서 필요한 최소한의 워크숍에 참석시키고, 참석한 교원이 다른 교원에게 자체적으로 워크숍을 열어 연수에 일조하고 있다. 이와 같은 자체 워크숍은 학교 안에서 뿐 아니라 근처 학교와 카운티교육위원회에서 개최되는 경우도 많다. 이번에 방문한 학교들은 버지니아대학, 메릴랜드대학처럼 IB교육에 관심이 많은 주립대학과 인접하고 있어서 대학과의 교류가 활발하고, 교원에겐 대학에서 받는 재교육(특별연수코스를 밟거나 대학원 석사과정을 이수하는 등)의 기회를 적극적으로 제공, 장려하고 있다.

(3) 교원의 처우(급여 및 수당, 수업시간 수)

교원의 급여는 학위, 경험, 교원경력 등으로 정해지며, IB 과목을 가르친다고 해서 특별수당을 받는 것은 아니다. 다만, IB 코디네이터에겐 업무수당이 주어진다.

(4) 이동(국내 시스템, 특별)

시와 카운티의 교육위원회가 인사권을 갖고 있기 때문에 시, 카운티 내에서의 이동 가능성도 있지만, 교원이 원하는 근무지를 제시하는 것도 가능하다. 실적이 좋고 평판이 높은 교원은 다른 지자체(시, 카운티, 주)로부터 헤드헌팅 제안을 받기도 한다. 다만, 앞서 언급한 대로 다른 주로 나갈 경우에 그 주의 교원면허를 먼저 취득해야 한다.

5. 학생, 학부모

(1) 선발 방법

기본적으로 IB학위과정(IBDP)을 공부할 학생을 따로 선발하지는 않지만, 미리 습득해야 할 과목 등의 제약은 있다. 그리고 IB학위과정에 들어가기 위해 8학년 때 선발을 하고, 합격한 학생만 특별코스에 들어갈 수 있는 마그넷스쿨 방식을 채택하는 곳도 있다(뒤에 나오는 6 'IB마그넷 프로그램[선발 IB준비과정]의 예' 참조).

(2) 학부모의 의식

이번에 조사한 4개교 가운데 조지메이슨 고교는 인구 1만 2,000명 정도의 펄스처치 시에 있는 유일한 공립고등학교다. 소재지의 특성상 워싱턴D.C.와 그 주변에 있는 관공서, 정부기관, 연구소, 대학, 대기업 등에 근무하는 고학력, 고수입의 학부모가 많다. 학부모들은 자녀교육에 매우 열성적이며, 이 학교에 아이를 보내기 위해 일부러 이사 온 가족도 많다고 한다. 미국의 대학평가전문매체(US News & World Report)의 2012년도 순위를 보면 조지메이슨 고교는 전미 19위, 버지니아 주내 2위다(참고로 주 1위는 토머스제퍼슨 고교). 공립학교는 지역의 기업이나 주민의 세금으로 충당되기 때문에 직접적인 이해당사자로서 학부모의 영향력이 크며, 학교운영이나 커리큘럼의 내용, 가르치는 방식까지 학부모의 의견을 무시할 수 없다고 학교 관계자는 말했다.

나머지 3개교의 경우는 학구가 광범위하고, 카운티 내에 저소득층과 비주류그룹도 많고, 영어가 모어가 아닌 학부모도 많다. IB교육의 장점 등을 학부모에게 설명할 기회를 자주 마련해서 IB에 대한 인식을 높이고자 하지만 쉬운 일은 아니다. 굳이 비용이 많이 들고 공부도 힘든 IB학위를 취득하지 않아도 많은 대학에서 이미 폭넓게 인정받고 있고, 대학 단위로도 활용할 수 있는 AP과목을 몇 개 수강하는 편이 낫다고 생각하는 학부모도 여전히 많다고 한다. 그런 이유로 이번 조사 지역에서 IB학교가 더 이상 늘어나는 일은 없지 않을까 하는 게 각 학교 관계자의 생각이다.

(3) 중간에 그만둘 경우

만에 하나 IB학위를 취득하지 못해도 과목별 평가증명서를 받을 수 있다. 고교를 졸업하는 데는 주에서 정한 요건과 규정의 단위 수만 채우면 되기 때문에 문제될 게 없다.

(4) 자국의 대학입시와 단위 인정 등의 상황

미국의 대학에 입학하려면 원서제출 기간 안에 지원사유서와 에세이, 교사추천서, 과외활동 기록 등의 서류 외에 학교성적표와 SAT, ACT(American College Test) 등 대학입시를 위한 공통시험 점수, IB 예상점수 등을 제출해야 한다. 각 대학의 입학사무처에서는 매년 방대한 양의 지원서류를 분류해서 읽고, 그것을 심사위원회에 보내면 여러 명의 심사위원이 그 대학과 프로그램에 맞는 후보자를 선별해간다. 성적뿐 아니라 인물상과 그 학생이 입학 후 대학에 어떤 공헌을 해줄지 등의 관점에서 종합적으로 판단한다. SAT 등의 점수와 학교성적(Grade Point Average, GPA), 반 순위도 고려하지만, 점수만으로 평가하는 게 아니라 얼마나 난이도 높은 과목에 도전했는가 하는 점도 중시된다. IB는 AP와 마찬가지로 고교 커리큘럼 중에서도 어려운 프로그램으로 여겨지고 있다.

IBDP의 일부 과목은 대학에서 배우는 입문수준 과목으로도 인지되고 있어서 AP과목과 동등한 취급을 받는다. 대학의 코스 종류와 전공에 따라서는 IB의 특정 과목을 고교 졸업 시까지 이수해야 한다고 정해놓는 경우도 있다(특히 이공학부 계열). 어느 과목을 몇 점 이상 받으면 대학 단위로 인정하는가는 대학마다 다르다. 단위로 인정받으면 학사학위를 받을 때까지의 시간을 단축(4년을 3년에서 3년 반으로 줄일 수도 있다)할 수 있고 그만큼 학비도 절약할 수 있다는 이점이 있다.

6. IB마그넷프로그램(IB준비과정)의 예

(1) 리처드몽고메리 고등학교

이번에 조사한 4개의 공립학교 가운데 한 곳만 IB마그넷프로그램(International Baccalaureate Magnet Program)을 운영하고 있었다. 즉, IBDP(IB학위과정)에 들어가기 전에 8학년 때 선발한 학생들을 대상으로 9학년부터 2년간의 특별 준비과정(IB마그넷프로그램)을 운영하는 것이다. 이하, 조사 때 입수한 자료를 토대로 그 상세내용을 소개한다.

리처드몽고메리 고등학교(Richard Montgomery High School)는 메릴랜드 주 몽고메리 카운티에 위치한, 9학년부터 12학년까지 전교생이 2,000명 규모에 이르는 초대형 학교다. 2012년 고교 순위는 미국에서 187위, 메릴랜드 주 232개교 가운데 7위(2014년엔 전미 163위, 주 4위로 순위가 상승)였다. 이 학교에서 2010년, 2011년, 2012년 졸업 당시 IBDP를 수료한 학생의 대학입시 현황을 보면 매년 예일, 프린스턴, 스탠포드, 시카고 등의 명문대학에 여러 명의 학생이 합격했고, 학교마다 1~3명이 진학했다. 가장 많은 학생이 진학한 대학은 그 지방의 주립대학인 메릴랜드대학 칼리지파크교다. 100명 합격에 42명이 진학했고, 동 대학의 볼티모어교에는 15명이 합격하고 6명이 진학했다.

리처드몽고메리 고교가 위치한 록빌(Rockville) 학구는 워싱턴D.C.의 북쪽에 인접해 있고, 인구는 97만 1,600명(2012년)이다. 이 학교는 몽고메리 카운티가 관할하는 교육위원회(Montgomery County Public Schools, MCPS)에 속해 있는데, MCPS는 미국에서 가장 우수한 공립학교 시스템을 갖추고 있다고 자료에 명시하고 있다.

리처드몽고메리 고교의 IB마그넷프로그램은 1987년에 시작된, 몽고메리 카운티의 유일한 특별프로그램이다. 카운티 전역에 거주하는 학생을 대상으로 하지만, 8학년 때 실시되는 선발시험에 합격한 학생만 들어갈 수 있다. 정원 약 110명에 매년 800명에서 900명의 응시자가 몰린다고 한다. 참고로 2008년에는 700명이 응시해 115명이 합격했다. 수치로 봐도 상당히 좁은 문임을 알 수 있다.

이 학교는 MYP(중학교프로그램)도 제공하며, MYP에서 DP(고등학교프로그램-IB학위과정)로 올라가는 것도 가능하다. 학교 담당자의 설명에 따르면 MYP에서 DP로 올라가는 학생은 매년 50여 명 정도다. 마그넷프로그램 진학생까지 합친 DP 이수자는 약 150명으로, MYP와 마그넷프로그램의 진학생 비율은 1대2 정도다.

(2) 커리큘럼 구성

마그넷프로그램의 구체적인 커리큘럼은 다음과 같다.

과목은 DP의 교과그룹과 마찬가지로 그룹1(영어), 그룹2(외국어), 그룹3(개인과 사회), 그룹4(과학), 그룹5(수학)와 여섯 번째 선택과목으로 구성된다. 9학년은 영어(IB마그넷 영어 9), 외국어(IB마그넷 레벨2 혹은 3), 개인과 사회(IB마그넷 정부), 과학(IB마그넷 생물)과 수학(중학교 수학 레벨에 맞춰 IB마그넷 기하, IB마그넷 함수의 분석과 응용, IB 미적분 예비과정 가운데 선택)을 이수한다. 10학년은 영어(IB마그넷 영어 10), 외국어(IB마그넷 레벨3 혹은 4), 개인과 사회(IB마그넷 미국사), 과학(IB마그넷 화학), 수학(진도별 코스)과 여섯 번째 선택과목으로 IB마그넷 예술과 문화, IB마그넷 제작 & 공연, AP 음악이론(10학년부터 11학년), 컴퓨터프로그래밍

(1 and/or 2)을 이수할 수 있다. 외국어는 중국어, 프랑스어, 스페인어가 수강 가능하다.

(3) 대상 학생 및 선발 방법

이 학교의 소개자료에 따르면 마그넷프로그램에 응시하는 8학년 학생은 다음 조건을 충족시켜야 한다.

- 몽고메리 카운티 학구 내 거주자일 것
- 수학은 대수1 이상의 과정을 이수 완료할 것
- 외국어는 스페인어, 프랑스어, 이탈리아어, 중국어 가운데 최소 한 가지 언어의 레벨1을 이수했거나, 2중언어(bilingual) 사용자일 것
- 최소한 두 개 이상의 우등 혹은 상급 코스를 이수중이거나 수료한 상태일 것

(4) DP와의 연계

리처드몽고메리 고교의 2012년 마그넷프로그램 안내서에 따르면 11학년부터 시작되는 DP 과목은 도표2-2-3과 같다. 영어와 역사는 전원 고급레벨을 수강해야 한다. 고급레벨 시험은 12학년 5월에만 응시할 수 있지만, 표준레벨 과목은 11학년 5월에 2과목까지 시험을 치를 수 있다. 즉 표준레벨에 한해 원래 2년 프로그램인 것을 1년 만에 마칠 수 있는 것이다.

도표2-2-4는 이 학교에서 입수한 IB학위과정(IBDP) 학생의 구체적 예시다. 9학년부터 12학년까지 어떤 과목을 선택하고 어떤 과외활동

도표2-2-3 **리처드몽고메리 고교의 DP 과목**

	제공 과목	레벨
그룹1	영어	고급
그룹2	중국어, 프랑스어, 스페인어	표준 또는 고급
그룹3	역사	고급
그룹4	생물 화학 물리 환경시스템과 사회	고급 표준 표준 또는 고급 표준
그룹5	수학연구(수학연구와 미적분, 응용 혹은 미적분 AB) 수학(미적분 AB 혹은 BC) 수학(고등수학)	표준 표준 고급
그룹6	미술과 디자인 컴퓨터과학 연극 영화 음악 심리학 경제 사회 철학 제2과학	표준 또는 고급 표준 또는 고급 표준 또는 고급 표준 또는 고급 표준 또는 고급 표준 표준 표준 표준 표준

을 해왔는지 알 수 있다. IB학위과정의 최종 성적이나 진학 대학은 명시돼 있지 않지만, 대략 최상위권의 학생들인 걸 알 수 있다. 네 학생의 공통점은 9학년 때부터 IB준비과정 과목과 AP과목을 선택하고, 최종 학년까지 IB뿐 아니라 복수의 AP과목 시험을 치렀다는 것이다. 또한 IB의 고급레벨 과목을 IB학위과정 수료 규정인 3과목이 아니라 1과목 더 늘려 4과목 응시한 학생이 있다는 점도 주목할 만하다.

도표2-2-4 **과목 선택의 예(리처드몽고메리 고교)**

	9학년	10학년	11학년	12학년	졸업 때까지의 AP 시험과목	졸업 때까지의 IB 시험과목	주요 과외활동 (4년간)
학생 A (여자 17세)	Pre-IB 영어 9	Pre-IB 영어 10	IB 영어 1	IB 영어 2	AP 정부	IB 환경(SL)	〈Fine Lines〉 문예지
	Pre-IB 정부	AP 미국사	IB 역사 1	IB 역사 2	AP 미국사	IB 프랑스어(SL)	Black Maskers 드라마
	Pre-IB 생물	IB 수학연구	AP 미적분 AB	AP 통계	AP 프랑스어	IB 수학(SL)	Quizmaster 도전
	Pre-IB 미적분의 분석과 응용	Pre-IB 화학	IB 환경	IB 인류학	AP 환경	IB 역사(HL)	예술 우등생 그룹
	기초예술	Pre-IB 예술	IB 예술 1	IB 예술 2	AP 미적분 AB	IB 영어(HL)	스미소니안 인턴십
	Pre-IB 프랑스어 3	IB 프랑스어 4	IB 프랑스어 5	IB 지식론/ Office Aide	AP 영문학	IB 예술(HL)	자원봉사
	체육	연주회 합창단	IB 지식론	법률/ 동아시아 역사	AP 통계		
학생 B (남자 18세)	Pre-IB 영어 9	Pre-IB 영어 10	IB 영어 1	IB 영어 2	AP 미적분 BC	IB 화학(SL)	고교 대표 테니스팀 주장
	IB AN/APP 함수	Pre-IB 미적분 예비과정	AP 미적분 BC	IB 수학(HL)	AP 화학	IB 스페인어 B (SL)	젊은 예술가상 피아니스트
	Pre-IB 생물	Pre-IB 화학	IB 물리	IB 물리	AP 영문학	IB 수학(HL)	과학과 공학 인턴십
	Pre-IB 정부	AP 미국사	IB 역사 1	IB 역사 2	AP 유럽사	IB 영어(HL)	마드리갈풍의 곡 가수와 반주자
	실내악 가수	실내악 가수	IB 화학	실내악 가수	AP 물리 C	IB 물리(HL)	또래끼리 튜터링
	Pre-IB 스페인어 3	Pre-IB 스페인어 4	IB 지식론	AP 음악이론	AP 통계		과학 우등생 그룹
	일반 체육	기초 공학 및 디자인	IB 스페인어 5	IB 경제	AP 미국사		

학생 C (여자 17세)	Pre-IB 함수의 분석과 응용	IB 미적분 예비과정	AP 미적분 AB	IB 인류학	AP 정부	IB 화학(SL)	Black Maskers 드라마
	Pre-IB 영어 9	Pre-IB 영어 10	IB 영어 1	IB 영어 2	AP 미국사	IB 수학(SL)	피아노, 플루트, 성악 수업
	AP 정부	AP 미국사	IB 역사 1	IB 역사 2	AP 음악이론	IB 영어(HL)	우등생 그룹
	Pre-IB 프랑스어 3	Pre-IB 프랑스어 4	IB 프랑스어 5	IB 프랑스어 6	AP 미적분 AB	IB 역사(HL)	영어 우등생 그룹
	Pre-IB 생물	Pre-IB 화학	IB 화학	IB 음악		IB 프랑스어(HL)	시(詩)낭송
	체육	AP 음악이론	IB 지식론	IB 지식론/ Office Aide		IB 연극(HL)	동아리/ 전문 극단
	관악합주	소프트웨어 앱(Apps)	IB 연극 1	IB 연극 2			
학생 D (남자 17세)	Pre-IB 함수의 분석과 응용	IB 미적분 예비과정	AP 미적분 BC	IB 수학(HL)	AP 정부	IB 컴퓨터과학	〈Fine Lines〉 문예지
	Pre-IB 영어 9	Pre-IB 영어 10	IB 영어 1	IB 영어 2	AP 미국사	IB 물리(SL)	〈The Tide〉 편집자
	AP 정부	AP 미국사	IB 역사 1	IB 역사 2	AP 컴퓨터 프로그래밍	IB 영어(HL)	Black Maskers 드라마
	사진 1	IB 스페인어 4	IB 스페인어 5	IB 스페인어 7	AP 미적분 BC	IB 역사(HL)	우등생 그룹
	Pre-IB 생물	Pre-IB 화학	IB 물리 1	IB 물리 2	AP 유럽사	IB 수학(HL)	스페인어 우등생 그룹
	체육	사진 2	IB 지식론	IB 지식론/ Photo Aide	AP 스페인어	IB 스페인어 A2	수학 우등생 그룹
	컴퓨터 프로그래밍 1	컴퓨터 프로그래밍 2	컴퓨터 프로그래밍 3	사진 3	AP 스페인 문학		사진
					AP 영문학		

- SL- Standard Level(표준레벨), HL-Higher Level(고급레벨)

맺음말: 과제와 향후 전망

이와 같이 미국에서는 IBDP를 대학입학준비자격 가운데서도 고난이도의 프로그램으로 인지하고, 공립학교에서의 도입을 적극 추진해 왔다. 마지막으로 이번에 방문한 학교와 교육위원회의 청취조사 과정에서 부상한 과제와 향후 전망에 대해 언급하고자 한다.

(1) 공립의 공평성과 국내 교육제도 안에서의 위치

IB처럼 국내용이 아닌 해외의 외부 단체가 운영하는 커리큘럼을 공립학교에 도입하는 것은 어떤 의미가 있을까. 마침 사전조사 때, 뉴햄프셔 주 의회에서 IB를 공립학교에서 가르치는 것에 대한 타당성을 조사하는 법안이 제출되어 통과했다는 정보를 얻은 김에, 학교 관계자에게 의견을 물었다. 그런데 의외로 영국이나 오스트레일리아 등 여러 나라의 프로그램을 비교·검토한 후 자기 학교에 맞는 IB를 선택했다는 담백한 설명이 돌아왔다. 그러면서 앞으로의 세계는 더더욱 국제적 시야가 요구되는 만큼 IB를 도입하는 의의가 크다고 덧붙였다. 이는 수도인 워싱턴D.C. 근교의 다민족 지역의 특징으로, 지방이나 시골의 보수적인 지역과는 생각이 다를지도 모른다.

(2) 국내 커리큘럼과의 유기적 연계

미국에서 IB는 AP와 동일한 수준의 고난이도 프로그램으로 많은 공립학교에 도입되었고, 최근에는 거의 모든 대학이 입학 후에 단위 인정을 하는 등 AP와 비슷한 대접을 받고 있다. 그러나 AP에 비해 IB는 과목 수가 적고, 수업시간 수나 공부할 양이 많고, 시험준비에 비용이 많이 들고, 가르치는 교원들의 연수비 또한 고비용이다. 그런 점에서 학생, 학부모, 교원, 학교측의 경제적 부담이 크다는 게 관계자들의 공통된 의견이다. 이번에 조사한 지역에서는 IB는 이미 포화상태로, 더 이상 늘어나지 않을 거라는 의견이 많았다. 그렇다고 해도 IB의 도입이 지역 내에서 학교의 순위 향상과 인기 회복의 도구가 되었다는 것은 확실하다. 미국 공립학교의 IB 도입과 인지도 향상이, 국제화의 요구가 확산되는 공교육 현장의 질을 보증하는 데 공헌했다는 점은 부인할 수 없는 사실이라고 할 수 있다.

2-3

독일
: 유럽화에 대비해

요시다 다카시

머리말: 독일 교육제도의 특징

전통적인 독일의 교육제도에서는 초등학교에 해당하는 4년제 기초학교(그룬트슐레, Grundschule, 베를린과 브란덴부르크는 6년제)를 수료한 후 대학진학코스로 8년제 혹은 9년제의 김나지움(Gymnasium), 사무·전문직 취업을 위한 6년제 실과학교(레알슐레, Realschule), 기술직을 양성하기 위한 6년제(주에 따라서는 5년제) 기간학교(하우프트슐레, Hauptschule) 가운데 한 곳에 진학한다. 그러나 기초학교 4년을 수료한 후 김나지움, 실과학교 혹은 기간학교로 나누는 것은 시기상조라는 의견이 많아서 김나지움, 실과학교, 기관학교를 합친 종합중등학교(게잠트슐레,

Gesamtschule)가 30년 전에 도입되었다. 종합중등학교는 10학년에 수료 가능하지만, 대학진학을 원하는 학생은 11학년부터 고교졸업자격시험인 아비투어(Abitur) 취득을 목표로 학업을 계속 이어갈 수도 있다. 그리고 실과학교와 기간학교의 코스선택은 9학년과 10학년 때

도표2-3-1 **독일 각 주의 교육제도**

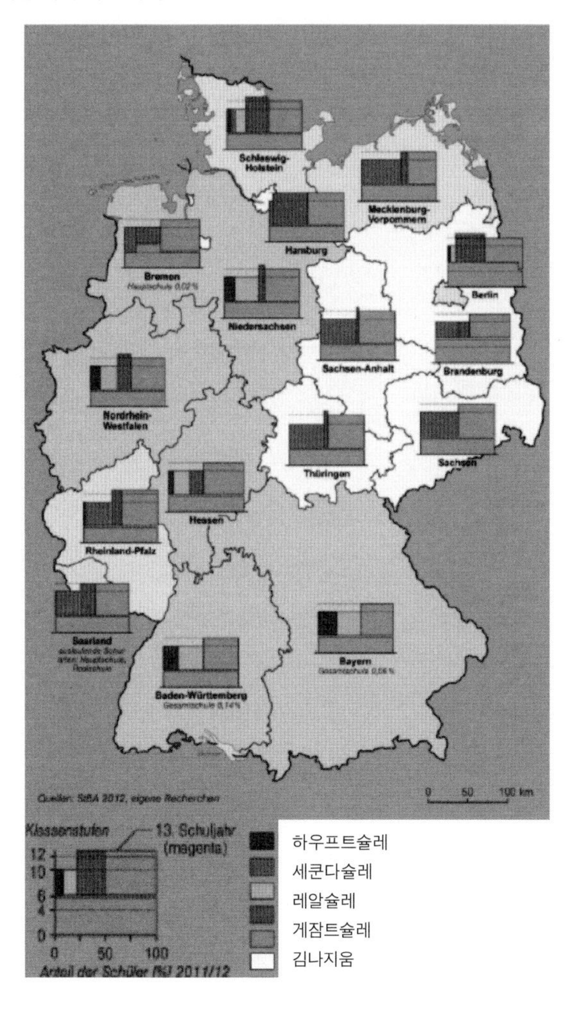

수학과 영어의 고급레벨에 의해 정해진다. 또한 종합중등학교와는 별도로 실과학교와 기간학교를 합친 세쿤다슐레(Sekundarschule)라는, 새롭게 시도된 학교형태도 있다.

학교의 조합을 어떻게 할 것이냐는 주의 집권정당 방침에 따른다(도표2-3-1). 남쪽 바이에른(Bayern) 주, 바덴뷔르템베르크(Baden-Württemberg) 주에서는 김나지움, 실과학교, 기간학교의 세 가지로 나누는 전통적·보수적 학교체계를 따르고 있다. 한편 노르트라인베스트팔렌(Nordrhein-Westfalen) 주에서는 이 3개 학교에 더해 종합중등학교, 작센 주에서는 세쿤다슐레와 김나지움, 브란덴부르크 주에서는 세쿤다슐레와 종합중등학교와 김나지움을 채용하고 있다. 주별로 학교체계가 달라지지만 북쪽 주일수록 좀 더 사회민주적 교육제도를 채용하고 있다고 할 수 있다.

1. 독일의 IBDP

(1) IBDP를 도입한 학교 수 추이

2014년 독일 국내의 IB인정학교는 57개교다. 그 내역을 보면 공립학교(김나지움)가 22개교, 사립학교(주로 국제학교)가 35개교다. 공립학교와 사립학교의 IBDP(IB학위과정) 도입 시기는 도표2-3-2에서 보는 대로다. 독일에서 최초로 IB를 도입한 것은 1971년 프랑크푸르트 국제학교(Frankfurt International School)이며, 공립학교 중에서는 1972년 괴테 김나지움(Goethe Gymnasium)이 최초다.

도표2-3-2 **독일 IB학교의 추이**

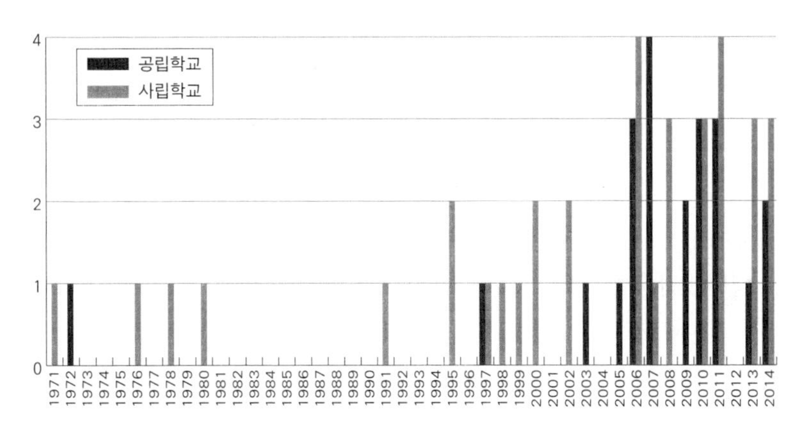

출처: IBO 홈페이지에서 작성

(2) IBDP의 증가 배경

도표2-3-2에 나타난 것처럼 공립학교와 사립학교 모두 2000년 이후 IBDP의 도입이 늘어나고 있다. 그 배경으로 생각할 수 있는 것이 세계경제의 글로벌화라는 사회적 동향, 그리고 독일 국내에서 IBDP를 수료한 경우에도 독일 내 대학진학이 가능해졌다는 점이다.

다만, 독일에서 대학입학자격으로 IBDP 점수를 제출하는 경우에는 다음과 같은 과목선택의 규정이 있으므로 주의할 필요가 있다.

- 언어A 혹은 언어B에서 두 가지 언어를 선택하며, 언어B는 고급레벨만 선택한다.
- 과학은 생물, 화학, 물리의 3과목 가운데 선택한다.
- 수학 과목 중 '수학연구'는 인정하지 않는다.
- 사회과학은 역사, 지리, 경제의 3과목 가운데 선택한다.

위의 과목에 더해, 제6교과는 다음 중에서 선택한다.

- 미술, 음악, 연극, 영화, 문학과 연극, 외국어, 라틴어, 고전 그리스어, 일반화학, 응용화학, 환경시스템, 컴퓨터과학, 디자인테크놀로지, 세계종교, 철학, 심리학, 문화인류학, 비즈니스와 조직, 스포츠과학과 건강과학

[요건]

- IBDP의 고급레벨 3교과 가운데 하나는 수학 혹은 과학의 3과목 중에서 선택할 것
- 전체 교과를 IBDP 2년 이내에 이수할 것
- 6교과의 최하점이 4 이상일 것. 3이 있을 경우 다른 동일 레벨(표준레벨 혹은 고급레벨)의 교과에서 5 이상을 받고, 합계 24 이상일 것
- IBDP의 독일인 이수자로서 선택교과 중에 독일어가 들어 있지 않은 외국학교 출신 지원자는 독일어능력시험 성적표를 제출할 것

2000년 3월 대학입학자격 인정 기준이 개정되기 전까지 독일에서 IBDP를 이수한 독일인 학생은 독일 내 대학에 진학할 수 없었다. 그 이유는 IBDP를 아비투어의 대용으로 고려할 때 학습수준의 호환성, 그리고 김나지움 수료가 13학년인 데 반해 사립학교와 국제학교는 12학년인 점 등 검토해야 할 과제가 있었기 때문이다. 하지만 경제의 글로벌화와 더불어 유럽 내에서의 국가 간 이동이 활발해지면서 대학입학자격 및 교육제도도 국제표준에 따를 필요성이 제기됐다. 이렇게 해서 대학은 IBDP를 대학입학자격으로 인정하게 되었고, 김나지움도 9년제에서 8년제로 이행해가고 있다. 이러한 제도개혁을 등에 업고 최근 IBDP를 도입하는 공립학교와 사립학교가 증가한 것이다.

(3) 수업료

공립학교의 수업료는 무료다. 반면 사립학교(뒤셀도르프 국제학교의 경우)의 수업료는 연간 1만 9,000유로(한화 약 2,500만 원)다. 그런 이유로 필자가 근무하는 뒤셀도르프 국제학교 같은 사립학교에서 독일인 학생이 IBDP를 이수할 수 있는 것은 부유층 자제로 한정될 수밖에 없다. 그런 부분을 보완하기 위해 본교에서는 장학제도를 마련하여 6명의 학생을 공립학교로부터 받아들이고 있다.

(4) 커리큘럼(국내 커리큘럼과의 상관성)

이번에 조사한 공립학교인 괴테슐레(Goetheschule Essen)의 경우를 가지고 아비투어와 IBDP 커리큘럼의 상관성을 검토해보자.

도표2-3-3 혹은 도표2-3-4에서 알 수 있듯이 아비투어 코스에는 IBDP와 마찬가지로 교과별로 LK(고급레벨)와 GK(표준레벨)가 있다. 아비투어 코스는 사회 2과목(예를 들면 지리와 역사)이 필수지만, IBDP에서는 한 과목만 선택하는데 고급레벨의 경우엔 해당 과목 중 부족한 부분을 보충수업(최종학년 중 주 2시간)을 통해 학습하게 된다. 수학과 이과에 대해서도 마찬가지다. 그리고 지식론(TOK)과 과제논문(Extended Essay)은 각각 아비투어 코스의 철학(Philosophie)과 논문(Facharbeit)으로 대체할 수 있다. 이와 같이 김나지움에서는 아비투어 코스의 커리큘럼을 가지고 IBDP에서 요구하는 특정 과제와 범위를 쉽게 보완할 수 있다.

다음으로 아비투어 코스와 IBDP의 차이점을 보자. 아비투어 코스

도표2-3-3 **물리를 이수한 경우의 과목 선택 예**(Wahlzettel für IBDP)

Modell: PHYSIK 물리

IBDP 그룹	IB Kurs (HL-고급레벨: SL-표준레벨)	Abiturkurs	Muss	Kann
그룹1: 언어 A1	독일어(HL)	독일어(GK)	X	
그룹2: 언어 B	영어(HL)	영어(LK)	X	
언어 B	프랑스어(SL)	프랑스어(GK)		X*
언어기초	스페인어(SL)	스페인어1(GK)		X*
고전				
그룹3: 개인과 사회	역사(SL)	역사(GK)	X	
	생물(SL)	생물(GK)		X*
그룹4: 실험과학	화학(SL)	화학(GK)		X*
	물리(HL)	물리(LK)		
그룹5: 수학과 컴퓨터과학	수학(SL)	수학(GK)	X	
그룹6: 예술	음악(SL)	음악(GK)		X*
지식론	지식론	철학(GK)	X	
스포츠		스포츠(GK)	X	

GK SWZ wird ersetzt durch GE IB Z

*Group 6: Die SchülerInnen können Spanisch, Italienisch, Französisch, Biologie, Chemie oder Musik wählen

Die SchülerInnen werden gebeten, die von ihnen ausgewählten Kurse zu markieren

- Abiturkurs는 아비투어 코스의 교과
- Muss는 IBDP에서 필수
- Kann은 IBDP에서 선택 가능
- GK는 Grundkurs의 줄임말로 SL(표준레벨), LK는 Leistungskurs의 줄임말로 HL(고급레벨)을 의미함

도표2-3-4 **역사를 이수한 경우의 과목 선택 예**(Wahlzettel für IBDP)

Modell: GESCHICHTE 역사

IBDP 그룹	IB Kurs	Abiturkurs	Muss	Kann
그룹1: 언어 A1				
	독일어(HL)	독일어(GK)	X	
그룹2: 언어 B	영어(HL)	영어(LK)	X	
언어 B	프랑스어(SL)	프랑스어(GK)		X**
언어기초	스페인어(SL)	스페인어1(GK)		X**
고전				
그룹3: 개인과 사회				
	역사(SL)	역사(GK)	X	
그룹4: 실험과학	생물(SL)	생물(GK)		X*
	화학(SL)	화학(GK)		X*
	물리(HL)	물리(LK)		
그룹5: 수학과 컴퓨터과학				
	수학(SL)	수학(GK)	X	
그룹6: 예술	음악(SL)	음악(GK)		X**
지식론	지식론	철학(GK)	X	
스포츠		스포츠(GK)	X	

GK SWZ wird ersetzt durch GE IB Z

*Group 4: Die SchülerInnen können Biologie oder Chemie wählen

**Group 6: Die SchülerInnen können Spanisch, Italienisch, Französisch, Biologie, Chemie oder Musik wählen

Die SchülorInnen werden gebeten, die von ihnen ausgäwahlten Kurse zu markieren

와 비교할 때 IBDP의 특징적인 부분은 대학에서의 학습방법과 비슷하다는 것이다. 대학에서는 스스로 과제를 발견하여 자료와 정보를 수집하고 분석하는 능력이 필요한데, IBDP에서는 이와 같은 자기주도형 학습형태를 평소 수업에서 채용하고 있다. 그런 이유로 IBDP를 이수하는 데는 학습의욕과 학습습관이 중요해진다.

학생들은 모든 수업이 종료한 후(2014년의 경우는 4월 11일) 아비투어 시험(4월 14일부터 4월 27일까지)을 치르고 나서 5월에 IBDP 시험을 치른다. 시험일정은 아비투어(도표2-3-5)와 IBDP(도표2-3-6)를 비교해 보면 알 수 있듯이 거의 동일하다. 다만 아비투어의 시험은 4과목으로 2과목은 수학, 독일어, 외국어 중에서 선택할 필요가 있다. 그리고 고급레벨이 2과목, 표준레벨이 2과목인데 고급레벨은 필기시험, 표준레벨은 필기시험과 구두시험을 실시한다. 고급레벨의 필기시험은 4시간 15분, 표준레벨은 필기시험 3시간에 구두시험이 30분이다. 시험 최고점수는 300점이고, 학교성적(11학년과 12학년)의 최고점수는 600점이다. 즉 아비투어의 총점은 시험성적과 학교성적에 의해 종합적으로 산출된다. 이와 같이 아비투어는 학교성적의 비중이 높은 데 반해 IBDP는 언어A(고급레벨)의 경우 외부평가가 70퍼센트(최종시험 45퍼센트, 세계문학 25퍼센트), 내부평가가 30퍼센트(구두시험=외부 추출평가[모델레이션]가 실시된다)다. 즉 IBDP는 최종시험을 포함한 외부평가의 비중이 아비투어에 비해 높은 편이다.

그런데 이 시험일정을 통해 알 수 있듯이 아비투어와 IBDP의 시험기간이 겹치는 때가 있다. 이 경우엔 주 교육청이 일정 조정을 해서 IBDP시험에 지장이 없도록 배려하고 있다. 참고로, IBDP는 역사와 생물 두 과목의 시험을 독일어로 볼 수 있다. 그런데 흥미롭게도 이

도표2-3-5 **아비투어 시험일정**(Fachprüfungstermine schriftliche Abiturprüfungen 2015)

Datum	Fach	LK (고급)	GK (표준)
Dienstag, 14.04.2015	Deutsch	X	X
Mitwoch, 15.04.2015	Informatik, Technik, Ernährungslehre	X	X
Donnerstag, 16.04.2015	Englisch	X	X
	Kunst,Musik	X	
	Geographie	X	
	Erzehungswissenschaft	X	
	Geschichte,Geschichte/Sozialwissensch	X	
	Philosophie	X	
	Psychologie	X	
	Recht	X	
	Sozialwissenschaften(mitSW/Wirtschaft)	X	
	Soziologie		
	Volkswirtschaftslehre	X	
	Ev.,Kath,Religionslehre	X	
	Sport	X	
Montag,20.04.2015	Spanisch,Portugiesisch	X	X
Dienstag,20.04.2015	Mathematik	X	X
Mittwoch,20.04.2015	Französisch	X	X
Donnerstag,20.04.2015	Biologie,Chemie,Physik	X	X
Freitag,20.04.2015	Chinesisch,Japanisch		X
	Hebräisch		X
	Kunst,Musik		X
	Geographie		X
	Erziehungswissenschaft		X
	Geschichte,Geschichte/Sozialwissensch		X
	Philosophie		X
	Psychologie		X
	Recht		X
	Sozialwissenschaften(mitSW/Wirtschaft)		X
	Soziologie		X
	Volkswirtschaftslehre		X
	Ev.,Kath,und Jüd.Religionslehre		X
Montag,27.04.2015	Griechisch(einschl,Erw,pr)	X	X
	Lateinischl(einschl,Erw,pr)	X	X
	Italienisch	X	X
	Niderländisch	X	X
	Russisch	X	X
	Türkisch	X	X

도표2-3-6 **IBDP 시험일정**(2015년 5월 시험일정 *4월 30일부터 5월 7일까지만 게재)

<table>
<tr><th>DATE</th><th>MORNING</th><th>HL</th><th>SL</th><th>AFTERNOON</th><th>HL</th><th>SL</th></tr>
<tr><td rowspan="2">Thursday
30 April</td><td>School-based syllabus paper 1</td><td></td><td>X</td><td rowspan="2"></td><td rowspan="2"></td><td rowspan="2"></td></tr>
<tr><td>School-based syllabus paper 2</td><td></td><td>X</td></tr>
<tr><td rowspan="5">Monday
4 May</td><td>English A Literature paper 1</td><td>X</td><td>X</td><td>Economics paper 1</td><td>X</td><td>X</td></tr>
<tr><td>English A Language & Literature paper 1</td><td>X</td><td>X</td><td rowspan="4">Latin paper 1</td><td rowspan="4">X</td><td rowspan="4">X</td></tr>
<tr><td>English B paper 1</td><td>X</td><td>X</td></tr>
<tr><td>English AB Initio paper 1</td><td>X</td><td></td></tr>
<tr><td>Literature & Performance paper 1</td><td>X</td><td></td></tr>
<tr><td rowspan="5">Tuesday
5 May</td><td>Economics Paper 2</td><td>X</td><td>X</td><td>English A Literature paper 2</td><td>X</td><td>X</td></tr>
<tr><td rowspan="4">Latin paper 2</td><td rowspan="4">X</td><td rowspan="4">X</td><td>English A Language & Literature paper 2</td><td>X</td><td>X</td></tr>
<tr><td>English B paper 2</td><td>X</td><td>X</td></tr>
<tr><td>English AB initio paper 2</td><td></td><td>X</td></tr>
<tr><td>Literature & Performance paper 2</td><td></td><td>X</td></tr>
<tr><td rowspan="3">Wednesday
6 May</td><td>Biology paper 1</td><td>X</td><td>X</td><td>Philosophy paper 1</td><td>X</td><td>X</td></tr>
<tr><td rowspan="2">Biology paper 2</td><td rowspan="2">X</td><td rowspan="2">X</td><td>Psychology paper 1</td><td>X</td><td>X</td></tr>
<tr><td>World religions paper 1</td><td></td><td></td></tr>
<tr><td rowspan="5">Thursday
7 May</td><td>Philosophy paper 2</td><td>X</td><td>X</td><td rowspan="5">Biology paper 3</td><td rowspan="5">X</td><td rowspan="5"></td></tr>
<tr><td>Philosophy paper 3</td><td>X</td><td></td></tr>
<tr><td>Psychology paper 2</td><td>X</td><td>X</td></tr>
<tr><td>Psychology paper 3</td><td>X</td><td></td></tr>
<tr><td>World religions paper 2</td><td>X</td><td></td></tr>
</table>

두 과목의 시험을 독일어로 치르는 학생은 모두 외국인이다. 예를 들면 독일어 생물시험은 2002년에 시작되어 수험생이 매년 110명 정도인데, 학생들의 출신국을 보면 콜롬비아, 멕시코, 터키, 에티오피아, 엘살바도르 등이다. 참고로, 역사와 생물 과목의 시험을 독일어로 볼 수

있게 된 것은 노르트라인베스트팔렌 주의 공립학교에서 역사와 생물을 2개 언어로 가르치기 시작하면서다.

2. IBDP 도입의 목적: 괴테슐레의 사례

(1) 괴테슐레의 IB

독일의 공립학교에서 IBDP를 도입하고 있는 곳은 22개교다. 이 숫자는 2012~2013년도 통계에 의하면 전체 김나지움 3,122개교 가운데 0.7퍼센트에 불과하다. 여기서는 글로벌화가 공립학교의 개혁에 어떤 식으로 불을 지폈는지 언급하고자 한다.

독일에서 IBDP를 도입하고 있는 공립학교 22개 가운데 노르트라인베스트팔렌 주에는 상트레온하르트 김나지움(St Leonhard Gymnasium), 프리드리히에베르트 김나지움(Friedrich-Ebert-Gymnasium), 라이프니츠 김나지움(Leibniz-Gymnasium), 프리드리히빌헬름 김나지움(Friedrich-Wilhelm-Gymnasium), 레싱 김나지움(Lessing-Gymnasium), 베르너하이젠베르크 김나지움(Werner-Heisenberg-Gymnasium), 괴테슐레(Goethe schule), 에반겔리쉬스티프시즈 김나지움 구테르슬로(Evangelisch Stiftisches Gymnasium Guetersloh), 헬름홀츠 김나지움 본(Helmholtz-Gymnasium Bonn)의 9개교가 있다. 그중 하나인 괴테슐레는 에센 시에 있으며 김나지움 중에서도 명문교로 알려져 있다. 창립은 1899년으로 100년 이상의 역사를 갖고 있으며 시대의 동향을 반영한 혁신적인 커리큘럼을 제공해온 것으로 정평이 나 있다. 이과교육, 음악교육, 국제교육을 커리큘럼의 핵심 축으로 삼고 있다. 또한 환경의식이 높아서 에너지 관련 주제도 커리큘럼에 도입하고 있다.

괴테슐레가 IBDP를 도입한 것은 2007년으로, 주된 이유는 다른 김나지움과의 차별화를 위해서였다. EU에서는 경제력 강화와 가맹국 간의 결속 확대를 위해 에라스무스(ERASMUS, 유럽 국가 간 대학생들의 교환학생프로그램-옮긴이)를 실시, 대학생들의 활발한 이동과 인적자원의 육성 및 확보를 도모하고 있다. 중등학교과정에도 코메니우스(COMENIUS)프로그램을 비롯해 많은 교환유학프로그램이 있다. 노르트라인베스트팔렌 주에는 장래에 학생들이 외국에서 학업과 취업을 경험하게 될 것에 대비해 2중언어 교육을 실시하는 학교가 252개교에 이른다. 그리고 두 가지 외국어와 아비투어 수준의 사회과 혹은 이과의 2중언어 수업을 이수하고 유럽인으로서 국제적 감각을 체득한 학생에겐 자격증서(CertiLingua)를 수여한다(독일 외에 18개국 가맹). 주 교육청으로부터 이 증서의 수여를 인가받은 학교는 83개교에 이른다. 그리고 아비바크(AbiBac)라는, 독일의 아비투어와 프랑스 대학입학자격시험인 바칼로레아(Baccalauréat)의 2중학위도 있는데 그 수여가 인가된 학교는 10개교다. 이런 상황에서 괴테슐레는 IBDP의 도입을 결정하게 된 것이다(도표2-3-7 참조).

에라스무스 프로그램에 대해 말하자면 2014년에 EU의회는 '에라스무스 플러스'로 명칭을 바꿔 에라스무스, 코메니우스, 레오나르도다빈치(Leonardo da Vinci, 외국에서 직업훈련을 실시하는 프로그램), 그리고 유겐트인악치온(Jugend in Aktion, 청소년 프로그램)을 한 우산 아래 묶기로 결정했다. 그리고 그때까지 10억 유로였던 예산을 40퍼센트 늘려서 15억 유로까지 끌어올렸다. 이로써 2020년까지 독일에서 27만

도표2-3-7 **괴테슐레에 설치된 IBDP 전체 과목**

독일어(Deutsch)-고급HL (Grundkurs+Weltliteratur)
영어(Englisch)-고급HL (Leistungskurs)
스페인어(Spanisch)-기초(Spanish AB Initio)
이탈리아어(Italienische)-기초(Italian AB Initio)
프랑스어(Franzoesisch)-표준SL (Grundkurs)
역사(Geschichte)-고급HL (Leistungskurs)
역사(Geschichte)-표준SL (Grundkurs)
지리(Geographie)-고급HL (Leistungskurs)
생물(Biologie)-표준SL (Grundkurs)
화학(Chemie)-표준SL (Grundkurs)
물리(Physik)-표준SL (Grundkurs)
물리(Physik)-고급HL (Leistungskurs)
수학(Mathematik)-표준SL (Grundkurs)
수학(Mathematik)-고급HL (Leistungskurs)
지식론(TOK), 과제논문(EE), 창조성·활동·봉사(CAS)
음악(Musik)-표준SL (Grundkurs)

5,000명의 대학생, 15만 명의 연수생, 13만 명의 학생이 이 이동장려 프로그램(Mobilitätsprogramme)에 참가할 것으로 기대된다.

에라스무스 프로그램이 에라스무스 플러스로 강화된 것은 더욱 많은 청년이 이 프로그램을 통해 외국어를 습득하고 다문화 체험을 쌓아서 장래에 좀 더 자유롭게 이동할 수 있도록 여건을 만들어주기 위해서다. 즉 학생들의 취업기회 확장, 다문화에 대한 관용의 정신 함양이 주요 목적인 것이다. 현재 독일 대학생에게 유학 대상국으로 인기가 있는 곳은 스페인, 다음으로 프랑스, 그리고 영국이다. 그리고 연수생들에게 인기 있는 나라는 영국, 이탈리아, 핀란드, 오스트리아, 아일랜드 순이다.

(2) 경비

괴테슐레에서 IBDP 이수자의 보충수업비는 월 100유로(한화 약 130만원)이고, 거기에 시험비용이 가산되면 연간 3,000유로(한화 약 4,000만원)에 이른다. IBDP 도입은 에센 시의 요청에 따른 것이지만 공적자금은 받고 있지 않다. 대신 괴테슐레는 인스콜라(INSCOLA)라는, 공립학교의 국제교육에 필요한 자금을 원조하는 단체로부터 금전적 지원이 필요한 학생들에 대한 장학금을 받고 있다. 덧붙여 교사들의 IBDP 워크숍 참가비도 여기서 지급된다. 인스콜라의 설립은 에센 시와 뒤셀도르프 시에 있는 주 행정부가 추천하고 에센 시, 뮐하임(MülheÎm) 시, 오버하우젠(Oberhausen) 시의 국제상공회의소가 협력해서 이루어졌다. 그리고 사업에 필요한 자금은 각 시의 기업들이 출자하고 있다. 단체의 목적은 공립학교의 국제교육 진흥이지만, 지역경제의 활성화도 염두에 두고 있으며, 기업 입장에서는 인스콜라를 지원함으로써 기업 이미지 향상을 기대한다.

(3) 교원

독일(노르트라인베스트팔렌 주)에서 교원이 되려면 아비투어 취득 후 대학에서 교원양성코스(4년간=석사자격)를 이수하고 주의 교원자격인정시

도표2-3-8 **공무원 봉급표**(급여표A 기본금(월 금액/유로) 2013년 1월부터 유효)

BesGr	2-Jahres-Rhythmus					3-Jahres-Rhythmus				4-Jahres-Rhythmus		
	(Erfhrugs) -Stufe											
	1	2	3	4	5	6	7	8	9	10	11	12
A2	1,718.78	1,759.33	1,799.90	1,840.44	1,880.99	1,921.58	1,962.13					
A3	1,788.83	1,831.98	1,875.12	1,918.27	1,961.44	2,004.60	2,047.75					
A4	1,828.56	1,879.38	1,930.15	1,980.98	2,031.78	2,082.58	2,133.36					
A5	1,843.01	1,908.06	1,958.61	2,009.14	2,059.69	2,110.23	2,160.78	2,211.34				
A6	1,885.72	1,941.21	1,996.71	2,052.21	2,107.70	2,163.22	2,218.71	2,274.21	2,329.69			
A7	1,966.85	2,016.13	2,086.56	2,156.39	2,226.23	2,296.05	2,365.91	2,415.75	2,465.64	2,515.54		
A8		2,087.59	2,147.25	2,236.73	2,326.24	2,415.71	2,505.25	2,564.90	2,624.54	2,684.23	2,743.88	
A9		2,221.56	2,280.26	2,375.77	2,471.29	2,566.80	2,662.32	2,727.96	2,793.66	2,859.31	2,924.97	
A10		2,390.67	2,472.25	2,594.60	2,717.00	2,839.38	2,961.76	3,043.34	3,124.92	3,206.50	3,288.07	
A11			2,705.57	2,828.94	2,952.32	3,075.70	3,199.08	3,281.33	3,363.58	3,445.85	3,528.10	3,610.36
A12			2,906.78	3,053.88	3,200.97	3,348.07	3,495.16	3,593.22	3,691.29	3,789.35	3,887.42	3,985.47
A13			3,234.59	3,391.86	3,549.14	3,706.40	3,863.66	3,968.51	4,073.35	4,178.20	4,283.06	4,387.91
A14			3,364.87	3,368.85	3,772.78	3,976.72	4,180.64	4,316.60	4,452.57	4,588.53	4,724.49	4,860.46
A15						4,369.26	4,593.48	4,772.86	4,952.23	5,131.63	5,311.01	5,490.39
A16						4,821.68	5,080.98	5,288.47	5,495.93	5,703.37	5,910.85	6,118.30

*노르트라인베스트팔렌 주의 김나지움 교원인 경우, 초봉은 A13=3,234.59유로이며 처음엔 2년마다, 나중엔 3~4년마다 승급한다.

험을 치른다. 그 후 18개월의 교원연수를 받고, 재차 주의 교원자격인정시험을 봐야 한다. 이 교원자격인정시험에는 초등학교교원자격, 중등교육교원자격1(10학년까지), 중등교육교원자격2(13학년까지)가 있다. 공립학교의 교원이 되려면 주 교육청의 웹사이트 구인란에서 학교와 과목을 확인하고 이력서 및 그 사본을 학교와 주 교육청에 송부하면, 그것을 학교의 선고위원회가 심사해서 채용하는 것이 일반적이다. 교원의 급여는 공무원 봉급표(도표2-3-8)의 A12(초등학교교원)~A14(중등교육교원자격2)에 실린 대로다.

괴테슐레의 경우이긴 하나, IBDP는 교원 본인이 원하면 담당할 수 있다. 급여 및 수당, 수업시간 수 등의 처우는 일반 교원과 동일하다.

(4) 아비투어와 병행

괴테슐레가 IBDP를 도입한 첫해에는 선발기준이 없어서 이수자들 중엔 학력이 떨어지는 학생도 있었지만, 2009년 5월의 첫 시험에선 전원이 IB졸업학위를 취득했다. 현재는 IBDP를 이수하려면 2.5(6단계 평가의 최고점은 1), 즉 평균 이상의 성적이 요구된다. 또한 이 학교는 공립학교이면서 아비투어 취득이 필수이기 때문에 IBDP까지 이수하려면 절대적인 학습의 양이 증가한다. 따라서 당연히 IBDP를 이수하는 데는 학술적인 역량뿐 아니라 학습의욕과 학습습관도 중요하다.

괴테슐레에서는 아비투어와 IB의 2중학위를 취득하기 때문에 국내 대학 진학을 확정짓고, 동시에 해외 대학도 도전할 수 있다. 이 2중학위라는 점은 앞서 언급한 아비바크와 동일하지만, 아비바크는 어디까지나 독일과 프랑스 대학의 입학자격이고, IBDP는 세계 각국에서 대학입학자격으로 인정받고 있다는 점에서 다르다. 참고로 괴테슐레에선 IBDP 이수자의 절반 이상이 해외 대학 진학을 고려하고 있어서, 외국어 습득과 새로운 문화 체험에 적극적이다. 이처럼 많은 학생이 국내 대학에 국한되지 않고 해외 대학을 염두에 두게 된 배경으로는 앞서 언급한 유럽 내에서의 인적 이동 활성화를 들 수 있다.

(5) 습득 가능한 능력: IBDP 이수자 대상 설문결과 비교

괴테슐레와 뒤셀도르프 국제학교(독일인 학생)의 IBDP 이수자를 대상으로 한 설문지 답변 결과(도표2-3-9)를 보자. 괴테슐레에서 '그렇게 생각한다'라는 답변이 많은 것은 '새로운 지식을 습득하고자 하는 능력', '정보를 수집하는 능력', '상황의 변화에 유연하게 대처하는 능력', '시간관리'에 관한 설문이다. 이 내용이 의미하는 바는 자기주도형 학습능력이다. 이는 교실에서의 학습방식이 교사에 의한 지식주입형이 아니라, 학생 스스로가 과제를 발견하고 해결하는 능력을 요구한다는 의미다. 즉 정답을 기억하는 식의 학습이 아니다. 그리고 이 능력이 단적으로 발휘되는 것이 과제논문(Extended Essay)이다. 과제논문은 수업의 틀 안에서 이루어지기 때문에 교과를 스스로 선택하고 주체적으로 과제에 임할 필요가 있다. 이렇게 해서 습득한 능력이 대학에서의 학습에 활용되는 것은 더 말할 것도 없다. 이 자기주도형 학습에 대한 뒤셀도르프 국제학교 12학년생의 답변내용(도표2-3-9)을 봐도, '새로운 지식을 습득하고자 하는 능력', '정보를 수집하는 능력', '과제해결능력'을 묻는 질문에 '그렇게 생각한다'고 답변한 학생이 많다. 이처럼 IBDP에서는 자기주도형 학습이 얼마나 중요한지 알 수 있다.

그런데 괴테슐레에서는 뒤셀도르프 국제학교에 비해 '상황변화에 유연하게 대처하는 능력', '시간관리' 항목에 '그렇게 생각한다'는 답변이 많은데, 이것은 아비투어 코스에 더해 IBDP까지 학습하기 때문이라고 여겨진다. 덧붙여 뒤셀도르프 국제학교에서는 '다문화를 수용하는 능력'에 '그렇게 생각한다'가 많은데, 이는 괴테슐레에 비해 학생들이 다양한 국적과 문화적 배경을 갖고 있기 때문일 것이다. 그리고 두

도표2-3-9 IBDP를 통해 습득한 능력

	괴테슐레(응답 학생 31명)			뒤셀도르프 국제학교 (응답 학생 19명)		
	그렇게 생각한다	어느 쪽도 아니다	맞지 않다	그렇게 생각한다	어느 쪽도 아니다	맞지 않다
1) 과제를 발견하는 능력*	16 (51.6%)	11 (35.5%)	3 (9.7%)	13 (68.4%)	5 (26.3%)	1 (5.3%)
2) 논리적으로 생각하는 능력	18 (58.1%)	8 (25.8%)	5 (16.1%)	13 (68.4%)	4 (21.1%)	2 (10.5%)
3) 새로운 지식을 습득하고자 하는 능력**	28 (90.3%)	2 (6.5%)	1 (3.2%)	17 (89.5%)	1 (5.3%)	0 (0.0%)
4) 정보를 수집하는 능력	26 (83.9%)	5 (16.1%)	0 (0.0%)	14 (73.7%)	4 (21.1%)	1 (5.3%)
5) 인간관계를 원활하게 하는 능력	7 (22.6%)	19 (61.3%)	5 (16.1%)	4 (21.1%)	10 (52.6%)	5 (26.3%)
6) 자기를 표현하는 능력	15 (48.4%)	11 (35.5%)	5 (16.1%)	11 (57.9%)	3 (15.8%)	5 (26.3%)
7) 교섭능력	15 (48.4%)	14 (45.2%)	2 (6.5%)	5 (26.3%)	8 (42.1%)	6 (31.6%)
8) 상황변화에 유연하게 대처하는 능력*	22 (71.0%)	6 (19.4%)	2 (6.5%)	9 (47.4%)	6 (31.6%)	4 (21.1%)
9) 다문화를 수용하는 능력	6 (19.4%)	17 (54.8%)	8 (25.8%)	13 (68.4%)	3 (15.8%)	3 (15.8%)
10) 어학능력	16 (51.6%)	8 (25.8%)	7 (22.6%)	15 (78.9%)	2 (10.5%)	2 (10.5%)
11) 컴퓨터 활용능력	13 (41.9%)	8 (25.8%)	10 (32.3%)	10 (52.6%)	5 (26.3%)	4 (21.1%)
12) 열의와 의욕을 유지하는 능력	9 (29.0%)	10 (32.3%)	12 (38.7%)	3 (15.8%)	8 (42.1%)	8 (42.1%)
13) 행동력·실행력	10 (32.3%)	16 (51.6%)	5 (16.1%)	7 (36.8%)	9 (47.4%)	3 (15.8%)
14) 의견이나 이해의 대립을 조정하는 능력	11 (35.5%)	18 (58.1%)	2 (6.5%)	12 (63.2%)	6 (31.6%)	1 (5.3%)
15) 전문능력	15 (48.4%)	12 (38.7%)	4 (12.9%)	3 (15.8%)	12 (63.2%)	4 (21.1%)
16) 시간관리	20 (64.5%)	4 (12.9%)	7 (22.6%)	10 (52.6%)	6 (31.6%)	3 (15.8%)
17) 과제해결능력*	18 (58.1%)	12 (38.7%)	0 (0.0%)	15 (78.9%)	2 (10.5%)	2 (10.5%)
18) 국적을 토대로 한 글로벌 감각과 관점	10 (32.3%)	15 (48.4%)	6 (19.4%)	10 (52.6%)	3 (15.8%)	6 (31.6%)

*1, 8, 17: 괴테슐레 무응답자 1
**3: 뒤셀도르프 국제학교 무응답자 1

학교 모두 '어학능력' 항목에 '그렇게 생각한다'는 답변이 많다. 괴테슐레의 경우 IBDP의 수업은 영어로 이루어지고, 과제나 에세이 등도 영어로 써야 하며, 뒤셀도르프 국제학교의 경우 수업지도 언어가 영어여서 당연히 영어에 대한 높은 활용능력이 요구되기 때문인 것으로 보인다.

(6) 진로(국내, 해외)

아비투어와 IBDP는 독일 내에서의 대학입학자격으로서 어떤 차이가 있을까. 먼저 사립학교에서 독일의 대학에 진학할 때 고교졸업증명서만으로는 입학자격으로 인정되지 않는다. 여기서 IB졸업학위의 취득이 필수가 되는데, 이미 언급한 대로 과목선택에 주의할 필요가 있다.

한편 김나지움의 학생이 자국의 대학에 지원할 때 IB졸업학위를 아비투어 대신 제출하는 경우는 적을 것으로 생각된다. IBDP의 이수점수를 아비투어 점수로 환산하는 방법은 도표2-3-10을 참조하라. IBDP의 최고점인 45는 아비투어의 1.0으로 환산되는데, 이 표에서는 명확하게 드러나지 않지만 사실 아비투어에는 1.0보다 더 높은 점수가 있다. 예를 들어 독일의 대학 의학부를 목표로 할 경우, IBDP의 점수로는 불리해질 가능성이 높다. 그렇기 때문에 김나지움에서 IBDP까지 이수한 학생이 독일 내의 어려운 학부에 응시할 경우엔 아비투어를 제출하게 된다. 그렇다면 왜 김나지움의 학생이 IBDP에 도전할까. 우선 2중학위를 취득했다는 실적을 보여주기 위해서다. 그리고 영국에서는 IBDP에 대한 평가가 높은 점 등 해외 대학 진학을 위해 취득하는 것이 주요 동기다.

도표2-3-10 **IBDP 점수를 아비투어 평점으로 환산한 표**

IBDP 점수	아비투어 평점	IBDP 점수	아비투어 평점
45	1.0	44	1.0
43	1.0	42	1.0
41	1.1	40	1.3
39	1.5	38	1.6
37	1.8	36	2.0
35	2.1	34	2.3
33	2.5	32	2.6
31	2.8	30	3.0
29	3.1	28	3.3
27	3.5	26	3.6
25	3.8	24	4.0

다만 유럽과 미국의 대학들도 아비투어로 지원 가능하기 때문에, 아비투어만으로 충분하다고 생각하는 학생들이 있는 것도 사실이다. 괴테슐레에서 IBDP를 도입할 당시 일반 학생들 사이에서 IB를 이수하는 학생들에 대한 시기와 질투도 있었지만, 이해도가 높아지면서 점차 해소됐다고 한다.

거두절미하고, IBDP가 아비투어에 비해 대학입학자격으로서 낮은 평가를 받고 있는 것은 아니다. 앞서 말한 것과 중복되지만, 예를 들어 미국이나 일본의 고등학교를 졸업한 학생이 자국의 졸업증서만으로 독일의 대학에 지원했을 경우, 독일 대학은 이것을 대학입학자격으로 인정하지 않는다. 그렇기 때문에 독일의 대학에 진학하기 위해서는 먼저 자국의 대학에 입학해서 독일의 대학 입학에 필요한 자격

괴테슐레에서 개최된 IB 관련 회의 모습

을 갖출 필요가 있다. 그러나 IBDP를 수료하면 독일의 대학에 바로 입학이 가능하다.

맺음말: 과제와 향후 전망

괴테슐레에서 12학년에 재학 중인 학생에게 아비투어 코스와 IBDP의 차이에 대해 의견을 구했더니 다음과 같은 점을 지적했다. IBDP는 아비투어 코스에 비해 주제가 여러 갈래로 나뉘어 폭넓은 학습이 이뤄지는 반면, 아비투어는 주제를 좁혀 그것에 대해 깊이 학습한다. 예를 들면 세계사의 경우, IB에서는 세계 역사에 초점을 맞춰 폭넓은 주제를 다루지만, 아비투어에서는 독일과 유럽 역사에 초점을 맞춰, 그것을 독일의 관점에서 학습한다는 것이다. 또한 학습에 대한 접근법에서 IB는 아비투어에 비해 스스로 과제를 발견하고 해결책을 강구하는 자기주도형 학습이기 때문에 대학에서의 학습 준비로서 유효하다는 점을 들었다. 이 점은 뒤셀도르프 국제학교의 IB 코디네이터도 지적했던 바, 학생에게 IBDP를 이수시키는 주된 이유는 무엇보다 IB의 학습이념과 지도법이 유익하기 때문이라는 것이었다.

IB의 사명선언문(Mission Statement)은 다음과 같다.

"IB는 다양한 문화에 대한 이해와 존중의 정신을 바탕으로 좀 더 나은, 좀 더 평화로운 세계를 구축하는 데 공헌할 수 있는 호기심·지식·배려심을 지닌 청년의 육성을 목적으로 합니다. (중략) IB프로그램은 세계 각지에서 배우는 아동 및 학생들에게 인간이 가진 차이를 차이로서 이해하고, 자신과 다른 생각을 가진 사람들에게도 나름의 옳음이 존재할 수 있음을 인정하는 사람으로서, 적극적으로 그리고 공감의 마음을 가지고 평생에 걸쳐 학습을 지속하도록 독려하고 있습니다."

IBDP에서는 이러한 사명을 바탕으로 학생들의 유연한 지성을 키워주고, 국제이해의 폭을 넓히는 교육을 강화하고 있다. 이것은 또한 에라스무스 플러스의 성공에 유럽의 미래가 달려 있다는 EU의회의 교육철학과도 상통한다.

이번에 공립학교의 IB 도입상황을 조사하면서 명확해진 사실은 IBDP와 아비투어, 이 두 코스는 서로 명칭은 다르지만 차이점보다 오히려 공통점이 많다는 것이다. 그리고 무엇보다 경제의 글로벌화와 그에 따른 인적 이동이 더없이 활발해진 지금, 각각의 교육프로그램이 목표하는 지점이 매우 비슷하다는 것을 확인할 수 있었다.

2-4

중국: 서구(西歐)대학 진학 붐에 대비해

황 단청

머리말

1991년 중국에 IB가 도입된 이래 IB학교는 2014년 12월 시점에서 82개까지 늘어났다[1]. 이런 확산 양상은 양적인 부분에 국한된 것이 아니다. 도입하는 학교들의 형태도 애초 국제학교에서 현지 학교로 퍼지고 있으며, 최근 IB는 학생과 학부모가 학교를 선택하는 기준 가운데 하나로 여겨지고 있다. 왜 중국에서 IB를 도입하는 학교가 늘고 있으며, 그것이 가능했던 요인은 무엇인가. IB의 높은 교육의 질을 현실에서 구현하기 위해 도입 학교들은 입학생 선발기준을 어떤 식으로 정하고, 졸업생의 진로 선택은 어떻게 이루어지는가. 이 원고에서는 이와 같은 물음에 대해 주로 현지 공립학교들의 IB 도입에 초점을 맞춰 교육정책과 학교제도의 관점에서 IB의 도입 추이를 살펴보고, 확산 요인을 분석한다. 더 나아가 졸업생의 진로와, IB를 도입한 학교들의 성격을 명확히 함으로써 중국 내 IB 확산의 작동원리를 구명하고자 한다.

1. IB 도입 학교의 확산과 그 배경

(1) IB를 도입한 학교 개요

중국에서 IB프로그램이 최초로 도입된 것은 1991년 5월로, 국제학교[2]인 북경순의 국제학교가 IBDP(IB학위과정-고등학교프로그램)를 개설했다. 그 후 한동안 움직임이 없다가 1995년에는 현지 사립학교와 공립학교에도 도입되었다. 그때부터 1996년을 빼고 매년 새롭게 도입하는 학교가 등장해 2014년 12월 시점에선 82개까지 늘어났다(도표2-4-1). 프로그램별로 보면, 고등학교프로그램(IBDP, 이하 DP)이 가장 많은 65, 이어서 초등학교프로그램(이하 PYP)이 32, 중학교프로그램(이하 MYP)이 23, IB 직업 관련 자격과정(IBCC, 이하 CC)이 2, 합계 122개 프로그램[3]이 운영되고 있다.

IB 도입 학교를 지역별로 살펴보면 도표2-4-2에 나타난 것처럼 상해가 가장 많은 26개교로, 2위인 북경의 15개교를 크게 앞지르고 있다. 전체적으로는 서쪽보다 동쪽, 북쪽보다 남쪽에 많이 도입되었고, 그중에서도 양자강 금삼각(金三角, 지리적으로 경제가 발달한 지역-옮긴이)으로 불리는 상해, 강소, 절강의 세 곳을 합친 학교 수가 41개로 전체

도표2-4-1 **중국의 연도별 IB 도입 학교 수**

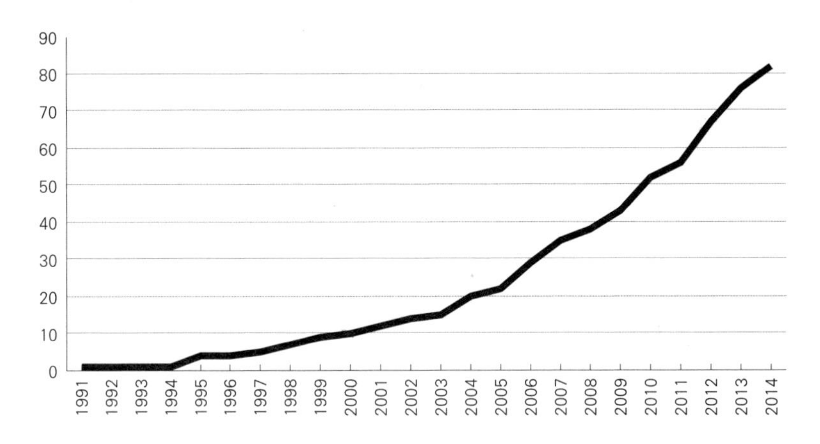

출처: IBO 홈페이지(http://www.ibo.org) 「Find an IB World School」에서 발췌

도표2-4-2 **지역별 IB 도입 학교 수**

지역	북경	상해	천진	광동	복건	절강	강소
학교수	15	26	3	10	2	4	11
지역	산동	길림	호남	호북	협서	사천	
학교수	1	2	1	1	2	4	

출처: IBO 홈페이지(http://www.ibo.org) 「Find an IB World School」에서 발췌

의 절반을 차지한다. 그 외에 홍콩과 가까운 광동이 네 번째로 많은데 총 10개 학교가 도입한 상태다[4]. 말하자면, 경제가 더 발전하고 세계를 향해 좀 더 열려 있는 지역일수록 IB 도입 학교 수가 많다는 결론을 내릴 수 있다.

원래 중국 학교의 수업체계와 평가시스템은 IB와 전혀 다르다. 그렇다면 IB를 도입하고 있는 곳은 IB에 대한 친화성이 높은 국제학교

도표2-4-3 **학교 형태별, 코스별 도입 학교 수**

	국제학교	현지 사립학교	현지 공립학교
학교수	**47**	**18**	**17**
PYP	24	8	0
MYP	14	5	4
DP	37	13	15
CC	2	0	0
합계	**77**	**26**	**19**

출처: IBO 홈페이지(http://www.ibo.org) 「Find an IB World School」에서 발췌

인가, 아니면 도입에 많은 장벽이 있을 걸로 추측되는 현지 학교인가. 그중에서도 특히 진입장벽이 높은 공립학교인가. 도표2-4-3은 중국의 학교 형태별, 코스별 IB 도입 현황이다.

IB를 도입한 82개 학교 가운데 국제학교는 약 60퍼센트인 47개교로 가장 많다. 현지 사립학교가 18개교, 현지 공립학교는 17개교로 그 차이는 1개에 불과하다. 프로그램별로 보면 모든 학교에서 가장 많이 도입한 것이 DP이다. PYP에 대해 살펴보면, 현지 공립학교 중에는 PYP를 도입한 곳이 없지만, 국제학교와 현지 사립학교에서는 DP 다음으로 PYP를 개설한 곳이 많다. 국제학교와 현지 사립학교는 비슷한 경향을 보인다[5]. 왜 학교형태에 따라 도입 프로그램의 종류에 차이가 나는가. 애초에 현지 학교, 그중에서도 공립학교가 어떻게 IB를 도입할 수 있게 되었는가. 다음 파트에서는 학교제도의 측면에서 중국의 IB 도입 경위를 살펴본다.

2. 국제학교와 현지 학교 국제부

(1) 국제학교

중국의 국제학교 역사는 1970년대로 거슬러 올라간다. 1972년에 일본, 그리고 1979년에 미국과의 국교 정상화에 따라 대사관 근무자들의 자녀교육을 위해 설립된 각국의 대사관부속학교가 국제학교의 시작이다. 그 후 개혁개방정책 아래 중국에서 장기체류하는 외국인이 늘어나면서 대사관 외에 상사와 보도관계 주재원 등의 자녀들도 수용할 필요가 생겨나자, 대사관부속학교들은 발전적 변화를 거쳐 국제학교로 성장하게 된다[6]. 2012년 11월 현재, 그 수는 116개교에 이른다[7].

(2) 현지 학교 국제부

현지 학교에 있는 국제부는 국제학교의 역할을 담당하는 현지 학교의 특별 섹터로서, 외국인 자녀를 대상으로 한다[8]. 그 시작도 국제학교와 마찬가지로, 대사관 직원 자녀들의 교육 수요에 맞춰 생겨난 것이다. 1975년에 대사관부속학교가 없는 나라의 대사관 자녀들을 위한 국제부가 북경제55중학[9]에 설치되었다. 그 후 1993년에 상해중학, 이어서 1994년에 천진실험중학에 국제부가 생겼다. 이로써 3개의 직할시에 외국인 자녀를 대상으로 한 공립학교 국제부가 갖추어지게 되었다.

1990년대 이후 급격한 경제성장과 경제 글로벌화로 인해 외국인 자녀들뿐 아니라, 중국어 학습과 중국 내 대학 진학을 원하는 홍콩, 마카오, 타이완(이하 홍마타)과 재외중국인들의 자녀들까지 늘어나면서 국제부의 수요도 커졌다. 그때까지 국제부엔 영어를 교수언어로 하는 영문부만 있었지만, 새로운 수요에 따라 중국어를 교수언어로 하는 중문부를 병설 운영하는 국제부가 다른 공립학교와 사립학교에까지 확대되었다. 외국인과 홍마타, 재외중국인 자녀를 대상으로 한다고는 하나 현지 학교 국제부라는, 교육내용과 평가 등의 면에서 기존의 학교시스템과는 전혀 다른 제도적 틀이 완성된 것이다.

(3) 상해의 국제학교와 국제부

국제부에 관한 중국 전체의 데이터는 찾을 수 없는 관계로 여기서는 IB 도입 학교가 가장 많은 상해시의 경우를 살펴보기로 한다. 야마토 요코와 마크 브레이의 2006년도 조사[10]에 따르면 상해에 생겨난 최초의 국제학교 유형은 각국이 설립한 상해영사관부속학교다. 예를 들면 일본은 1976년, 미국은 1980년에 영사관부속학교를 설립했다. 그 후 이들 각국 학교는 국제학교로 등록된다. 아메리칸스쿨은 1989년, 상해일본인학교는 1993년에 국제학교로 등록되었다. 동일한 성격의 상해독일학교와 상해프랑스학교는 각각 1995년과 1996년에, 그리고 한국학교는 한국상회(韓國商會)에 의해 1999년에 설립되었다. 그 외에 1990년대에 4개, 2000년부터 2004년에 걸쳐 5개의 국제학교가 신설되었는데, 전부 교육단체 혹은 종교단체가 만든 것이다. 대사관 직원과 상사, 미디어 관련 주재원 자녀들의 교육이라는 초기 단계를 지나, 계속 증가하는 외국인 자녀를 대상으로 하는 국제학교가 교육시장에서 주목을 받게 된 것으로 볼 수 있다.

이런 사회적 동향은 국제부에도 영향을 미쳤다. 1993년에 국제부가 설립된 상해중학 이외에 1999년부터 2004년 사이에 4개의 공립중학에 국제부가 신설되었다[11]. 국제부는 중학교까지밖에 없는 일본인학교의 졸업생과 학부모를 대상으로 설명회를 열거나, 일본에서 발행되는 중국어신문에 광고를 싣는 등 교육시장에서 학생들을 확보하기 위해 다양한 대책을 강구하게 된다. 현지 공립학교 국제부가 국제학교와 다른 점 한 가지는 홍마타를 비롯해 주로 한국인과 일본인 그리고 재외중국인 자녀들을 대상으로 중국어 교육을 실시한다는 점이다. 앞서 언급한 대로 이는 국제부가 영문부와 중문부의 2개 부문으로 나뉘어 있기 때문에 가능하다. 2012년 시점에서 상해시교육위원회에 정식 등록된 현지 학교 국제부 5개는 전부 공립학교다[12]. 상해에는 이미 2004년 4월에 시교육위원회의 허가를 받고 외국인 자녀를 받아들이는 유치원과 초·중학교가 150개교(원)[13]에 이르렀으며, 정식 등록하지 않은 '국제부'도 다수 존재하는 것으로 추정된다[14]. 이와 같은 국제학교와 국제부에서 미국의 AP, 영국의 A레벨 등의 교육프로그램과 병행해 IB프로그램도 선택하게 되었고[15], IB 도입 학교 수도 계속 증가하는 추세다.

3. 교육의 글로벌화와 정책에 따른 촉진

그렇다면 중국에서 IB 도입이 늘어나는 이유는 어디에 있는가. 여기서는 교육의 글로벌화 및 그와 관련된 정책의 추진이라는 두 가지 관점에서 살펴보겠다.

1970년대 말부터 중국에서는 개혁개방정책이 추진되었고 교육도 예외는 아니었다. 폐쇄 상태에서 독자노선을 걸어온 중국의 교육이 세계를 향해 열리고, 제도적 정비도 한 걸음씩 서서히 진행되었다. 그 중 한 가지 형태는 앞서 언급한 국제학교와 현지 학교의 국제부 개설로, 외국인 자녀와 재외중국인 자녀들의 교육에 대한 수요에 부응해 생겨난 것이다. 이것이 세계로부터 중국의 교육에 대한 접속이라고 한다면, 중국의 교육으로부터 세계를 향한 접속, 이른바 교육의 글로벌화는 더욱 다면적이고 강렬한 것이었다. 여기서는 IB의 도입과 특히 관련이 깊은, 교육기관과 교육프로그램을 외국의 업체와 공동 운영하는 학교들의 현황, '고용외국인' 교원의 초청, 그리고 유학에 관해 살펴보자.

외국의 교육자원을 이용하는 형태 가운데 하나는 교육기관과 교육프로그램을 외국과 공동 운영하는 것이다. 그 시작은 남경대학-존스홉킨스대학 중미문화연구센터(The Johns Hopkins University - Nanjing University Center for Chinese American Studies)의 설립(1986년)으로 거슬러 올라간다. 처음엔 1년 간의 연구 후 두 대학의 공동수료증이 발급되는 형태였다가, 2006년부터는 석사과정이 개설되었다. 이후 교육기관과 교육프로그램을 외국과 공동 운영하는 형태는 고등교육기관의 학부와 학과, 연구센터에 국한되지 않고 직업교육과 유아교육의 영역까지 확대되었다. 관련하여 학력과 직업에 대한 자격증, 수료증 교부 등 다양한 형태가 생겨나게 되었다. 그중에서 가장 규모가 크고 수준이 높은 것은 법인 자격을 가진 대학의 운영이다. 중국에는 영파노팅엄대학(2004년~), 서안교통리버풀대학(2006년~), 상해뉴욕대학(2011년

~)의 세 대학이 있으며, 이들 대학에서는 양쪽의 2중학위가 교부된다. 입학 대상도 중국인으로 한정돼 있지 않다.

2012년의 시점에서 외국과 공동 운영되는 상해의 교육기관은 39개, 프로그램은 181개다. 39개 기관의 내역을 보면, 대학원 2개, 학부 6개, 전문학교 1개, 중등직업학교 2개, 유치원 6개, 비학력 교육기관이 22개다. 181개 프로그램의 내역을 보면 대학원 레벨 28개, 학부 레벨 57개, 전문학교 레벨 42개, 중등직업학교 레벨 22개, 비학력 교육기관 레벨 32개다[16]. 전공분야는 문학, 경영학, 공학, 경제학, 의학, 교육학, 법학, 농학 등 다방면에 걸쳐 있으며, 공동 운영 상대도 서구의 여러 나라부터 일본, 타이완, 홍콩까지 17개국과 지역에 걸쳐 있다.

이와 같이 유아교육, 직업교육, 고등교육의 영역에서는 외국과의 공동 운영이 폭넓게 이루어지고 있다. 이는 초·중·고교의 학교교육에 직접적인 영향을 미치진 않았다고 해도 외국의 교육프로그램에 대한 심리적 저항을 없애는 데 크게 공헌했을 것으로 추측할 수 있다. 더불어 교육기관에 근무하는 외국인 교원들도 늘어났다. 물론 개혁개방 초기부터 최첨단 지식과 기술을 도입하기 위한 목적으로 '고용외국인'이 고등교육기관에 배치되긴 했지만 교육기관의 공동 운영으로 증가세가 더욱 확산됐고, 이는 국제부 설치의 영향으로 초·중·고교까지 확대됐다. 또한 외국인 구직자의 증가와 더불어 그 고용과정도 관할기관의 초청에서 사용기관의 모집·심사·채용이라는 흐름으로 바뀌었다. 물론 외국인 교원은 '외국인 전문가'로서 정부의 '전문가국'에 의한 서류심사와 허가를 받아야 한다. 교육의 글로벌화에 따른 또 하나의 흐름은 유학의 증가다. 근대화의 추진에 필요한 인재를 키우기 위해 1978년부터 국비유학생이 파견되었고, 유학생의 수와 배우는 영역도 점차 확대됐다. 그 후 사비유학이 가능해지면서 유학의 단계도 대학원에서 대학으로, 그리고 고등학교로 저연령화되었다.

한편, 유학준비와 관련된 교육을 살펴보자. 거의 대학원 유학이었던 초기에는 학교교육과 무관했던 것이, 학부단계의 유학이 늘어나면서 고교단계에서 학생들의 수요에 부응하여 SAT나 A레벨 등의 커리큘럼을 도입하게 된 것은 자연스런 흐름이었다. 그 실태를 파악하기 위해 다시 한 번 상해의 경우를 예로 들어보자.

2012년 현재 상해시의 사립 8개교와 공립 13개교의 국제부에서 3,128명의 학생들이 국제교육프로그램을 학습하고 있다. 학생 수가 가장 많은 A레벨은 1,200명(2개교), 이어서 IB가 892명(5개교)으로 두 번째로 많다. 영어 외에 독일의 DSD(주 문부대신회의에서 정해진 독일어 자격과정)도 130명(3개교)에 이른다[17]. 이런 데이터를 통해 알 수 있는 사실은, 현지 고등학교에서 IB를 단독으로 도입하는 게 아니라 그 가치가 인정된 외국의 여러 교육프로그램 가운데 하나로서 도입한다는 것이다. 다만 학교교육 안에서 운영되는 외국의 교육프로그램에 관해서는 국가 차원의 규정이 없기 때문에 운영에 따른 법적 근거가 반드시 명확한 것은 아니다.

국제학교에 관해서는 외교부 국가교육위원회에서 '중국 주재 외국대사관원자녀학교의 개설에 관한 연정 규정'(1987년 9월 시행), 그리고 1995년 4월에 국가교육위원회에서 '외국인자녀학교의 개설에 관한 연정 관리법'이 제정되었지만, 국제학교에 준하여 설립된 현지 학교 국제부에 관한 규정은 보이지 않는다. 그렇기 때문에 국제학교와 똑같이 외국인 자녀들만 받는 학교와, 현지 학생들의 니즈(needs)에 부응해 중국인 자녀까지 받아들이는 학교가 공존한다.

IB교육을 지지하는 국가정책으로 '국가중장기교육개혁과 발전에 관한 계획요강(2010~2020)'(이하 '중장기계획요강')이 종종 거론된다. 2012년부터 2014년 즈음까지 현지 학교 국제부의 홈페이지를 열람해 보면 IB프로그램 모집요강에 '중장기계획요강'을 언급한 곳이 적지 않았다. 관련 내용을 살펴보면 '중장기계획요강'의 제16장에서는 '교육개방 확대'라는 제목 아래 '국제교류와 국제협력 강화'(제48절), '우수한 교육자원 도입'(제49절), '교육협력과 국제교류의 질적 향상'(제50절)의 세 가지로 나누어 교육 글로벌화의 향후 방향성을 명확히 밝히고 있다. 구체적으로 "경제사회적 대외 개방의 수요에 부응하여 국제적 시야를 지니고, 국제적 룰(rule)에 정통하며, 국제적 실무와 국제경쟁에 참여 가능한 국제적 인재를 다수 양성한다."라는 목표를 명시했다. IB와 관련해 특별히 주목할 만한 부분이 제49절의 다음 부분이다. "해외의 유명 대학, 교육·연구기관 및 기업과 더불어, 교학(教學), 현지 훈련센터, 연구기구 혹은 프로그램을 합동으로 개설한다. 각 단계, 각 종류의 학교 차원에서 이루어지는 다양한 국제교류와 협력을 장려하며, 일부 중외합동설립학교 및 프로그램을 모델로서 운영하고, 다양한 방법으로 외국의 우수한 교육자원의 활용을 모색한다."

그렇다면 이런 교육정책은 교육현장에 어떤 영향을 미쳤는가. 여기서는 우선 학교 유형별, 연도별 IB 도입 상황을 살펴보자(도표2-4-4 참조).

도표2-4-4에서 알 수 있듯이 IB 도입 학교 중에는 국제학교가 가장 많고, 이어서 현지 사립학교 순인데 양쪽 다 계속 늘어나고 있다. 반면에 현지 공립학교는 2011년까지는 1995년을 제외하고 해마다 1개 학교가 추가 도입하거나 도입 학교가 전혀 없다가, 2012년 전후로 도입 학교가 늘어났고, 2012년에는 한꺼번에 6개 학교가 도입했다.

도표2-4-4 **학교 유형별, 연도별 IB 도입 학교 수**

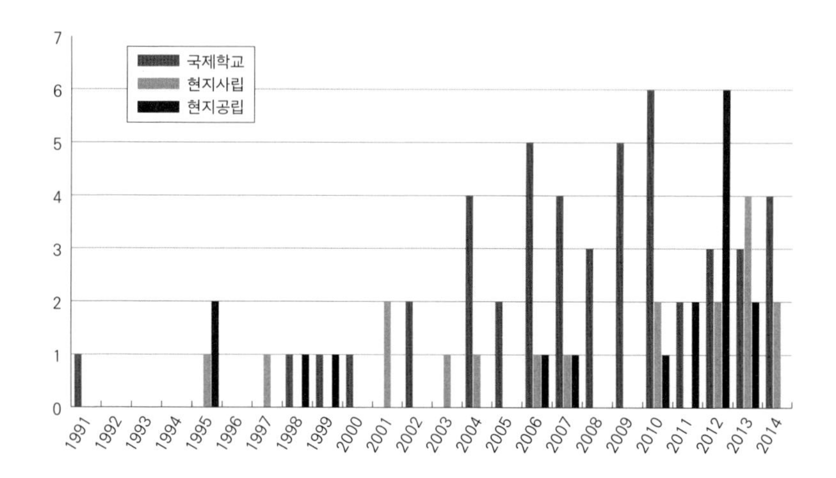

2008년부터 '중장기계획요강'에 대한 공개토론이 시작된 것을 감안하면 공립학교에서의 IB 도입이 급증한 것은 그 영향과 무관하지 않을 것으로 추측된다.

이와 같이 외국인 자녀들과 재외중국인 자녀들의 교육수요 확대에 부응해 국제학교의 아류라 할 수 있는 현지 학교 국제부가 설립되었고, 거기서 중국 내 대학 진학을 목적으로 하는 중문교육과, 영어를 교수언어로 하는 국제교육이 함께 실시되고 있는 것이다. 동시에 중국인 학생들을 대상으로 하는 유학준비교육의 일환으로 미국의 AP, 영국의 A레벨과 더불어 국제부에 도입된 IB는 정부의 '중장기계획요강'을 배경으로 확산돼왔다. 이제 IB와 관련된 측면으로 눈을 돌려보자.

4. IB 도입과 관련된 제반 요인

(1) IB를 도입한 현지 공립학교의 개요

언어의 차이뿐 아니라 교육내용과 방법, 그 평가체계까지 IB교육은 중국의 학교교육과 전혀 다르다. 그렇다면 이 프로그램은 어떤 식으로 시행되고 있는가. 여기서는 주로 IBDP를 도입한 현지 공립학교에 초점을 맞춰 학교 홈페이지에 있는 정보[18]를 토대로 IB 도입이 가능했던 제반 요인을 분석하기로 한다.

2014년 현재 IB를 도입하고 있는 17개 현지 공립학교 가운데 MYP만 도입한 2개교, MYP와 DP를 모두 도입한 2개교를 제외하고, DP만 도입한 곳은 13개교다. 지역별로 보면 동북 1개, 북경·천진지구 4개, 상해·강소·절강의 양자강지구 10개, 중부와 서남부에 각각 1개씩이다. 이하, DP를 도입한 15개의 공립학교를 대상으로 우선 전체 상황을 살펴보자(도표2-4-5).

도표2-4-5 **IBDP를 도입한 공립학교 상황**

국적	입시			교원	수업료		병설과정		
중국	현지입시	필기	면접	외국인	최저	최고	IB만	AP 등	유학생
12	7	12	10	14	6.5	12.7	2	10	7

주1: 2013년과 2014년의 데이터
주2: '입시'는 1개 학교가 무응답인 이유로 14개교의 데이터임
'현지입시'는 해당 시의 고교졸업자격시험 성적을 가리킴
주3: 교원은 1개 학교가 무응답인 이유로 14개교의 데이터임
주4: 수업료는 2개 학교가 무응답인 이유로 13개교의 데이터임. 단위는 만 위안

① 입학시험

우선 학생들의 속성을 살펴보면, 중국국적 학생의 입학을 허용하는 학교가 12개교다. 앞서 언급한 국제부의 유래와 규정으로 볼 때 당초 성격에서 크게 바뀌었는데, 2010년의 '중장기계획요강'이 수립된 이래 국제적 인재의 육성이라는 정책목표를 변화의 근거로 삼고 있는 경향이 엿보인다. 여러 학교의 국제부 홈페이지 맨 첫 줄에 "국제적 인재의 육성이라는 정책을 실현하기 위해서"라는 한 문장이 올라와 있는 것이 그 점을 말해주고 있다. 중국에는 '의무교육법'은 있지만 '학교교육법'이 제정돼 있지 않기 때문에 그때그때의 정책에 따라 학교운영이 좌우되기 쉽다. 시(市)와 성(省)에서 우수한 국제적 커리큘럼을 실시하는 실험학교로 지정되어 IB를 도입했다는 학교도 여러 곳 보인다.

정책적 배경 외에도 교원과 시설을 제대로 갖추어 많은 학생이 입학을 희망하는 대규모 학교를 제외하면, 일정 수준 이상의 높은 학력을 가진 외국국적 학생을 확보하기 어렵다는 현실적 문제도 있다. IB의 원활한 운영을 목표로 한다면 국내의 우수한 학생을 받아들일 필요가 있다. 현재 입수 가능한 자료에서는 기존의 도입 학교들이 언제 어떤 경위로 모집학생의 국적조건을 변경했는지 불명확하지만, 2012년 이후에 도입한 학교 중에서는 처음부터 현지 중국국적 학생들을 모집하는 학교가 많다. 특히 외국인이 적은 지방도시에서 그런 경향이 강하게 나타난다. 결과적으로 현재 외국국적 학생으로 입학을 제한하는 곳은 북경55중학, 상해중학, 복단대학부속중학의 3개교뿐이다.

선발시험에 대한 설명을 보면 학생들의 국적과 관련성이 엿보인다. 홈페이지를 보면, 외국국적만 받아들이는 3개 학교 가운데 북경55중학은 구체적인 내용을 적지 않았고, 복단대학부속중학은 간단한 시험이라고만 적혀 있다. 상대적으로 규모가 크고 유명한 상해중학은 수학, 국어, 영어, 과학 시험을 실시하고 있다. 나머지 12개 학교 가운데 필기시험을 실시하는 곳은 11개교다. 수학과 영어 시험을 보는 곳이 가장 많은 8개 학교인데, 그중 5개 학교는 국어와 과학 시험도 본다. 그 외에 영어시험만 부과하는 학교가 2개교, 영어와 중국어 자기소개서를 요구하는 곳이 1개교다. 나머지 1개교는 학교 자체적으로 독자적인 시험을 실시하지 않는 대신 해당 지구의 졸업자격시험 결과를 통해 선발한다.

중국의 고교 입시제도는 해당 시와 지구의 졸업자격시험을 치른 다음 공립, 사립을 막론하고 성적순으로 응모자 가운데 합격자를 배출하는 구조다. 현재 입학 때 졸업자격시험 결과를 제출하는 공립 IB학교는 8개교에 이르는데 성적순 혹은 100점 만점에 80~90점 이상을 커트라인으로 하고 있다. 그 외에 시내 출신 지원자에겐 졸업자격시험 성적만 제출하게 하고, 시외 출신의 응모자에 한해 필기시험을 부과하는 학교가 1개교다. 서류와 필기시험, 졸업자격시험 성적으로 1차합격생을 선발하고 그들을 대상으로 면접을 실시하는 학교는 10개교이며, 이때 영어와 중국어의 두 가지 언어에 의한 면접이 많다. 모집요강에 면접을 명기하지 않은 5개교 가운데 3개교는 입시정보를 싣지 않은 북경55중학, 1개교는 입학 시부터 높은 영어 수준을 요구하는 외국어학교이며, 나머지 1개교는 영문 자기소개서의 제출을 조건으로 하고 있다.

② 교원

외국국적의 교원과 교수언어에 관해서 각 학교 홈페이지에 상세 내용이 명기돼 있는 건 아니지만, 정보를 싣지 않은 1개교를 제외하면 외국국적 교원이 14개 학교에 전부 채용돼 있다. 다만 전체 교원 가운데 이들이 차지하는 비율은 중국국적 교원이 대다수인 학교(NS교)부터 중국어 이외의 수업을 거의 외국국적 교원이 담당하는 학교까지 다양하다.

여기서 JF교의 예를 살펴보자. 21명 교원들의 국적을 보면, 중국인 6명, 영국인 8명, 캐나다인 4명, 미국인 1명, 뉴질랜드인 1명, 인도인 1명이다. 뉴질랜드 국적의 수학 담당 교원은 중국 출신으로 중국에서 대학을 졸업한 후 1990년대에 해외유학을 한 사람이다. 그리고 중국국적 교원 6명 중 5명이 중국어 담당자이며, 나머지 1명은 수학 교원으로서 전문 과목을 담당하는 유일한 중국국적 교원이다.

교원들의 교육 관련 경력을 보면 중국국적 교원은 1년에서 6년 사이, 외국국적 교원은 4년에서 18년 사이가 많고, 해외에서 경험을 쌓은 경우가 대다수다. 외국국적 교원들의 교육 경력을 5년 간격으로 나눠서 살펴보면 5년 이하가 1명, 6년에서 10년 사이가 7명, 11년에서 15년 사이가 6명, 16년 이상이 1명이다.

출신학교와 학력별로 보면, 중국국적 교원의 경우 복단대학 2명, 화동사범대학 3명, 광서대학 1명이며 전원 석사학위 취득자다. 외국국적 교원의 출신학교 및 담당과목(괄호 안)은 아래와 같으며, 이 중 석사학위를 가진 교원은 4명에 그친다.

- 영국: 스털링대학(비즈니스), 더럼대학(화학), 에든버러대학(물리), 버밍엄대학(물리), 엑시터대학(수학), 노팅엄대학(수학), 셰필드대학(영어), 이스트앵글리아대학(영어)
- 캐나다: 멜버른대학(경제학), 캘거리대학(생물), 세인트메리즈대학 캐나다교(영어), 라이어슨대학(영어)

- 미국: 펜실베이니아 웨스트체스터대학(예술·음악)
- 인도: 마두라이카라마지대학(수학, 도서관관리원, IB 코디네이터)
- 뉴질랜드: 중국산동대학(수학)

중국에서 IB학위과정(IBDP)은 고2와 고3에 해당하지만 고1은 그 기초과정으로 영국의 IGCSE를 도입하는 학교가 많기 때문에, 자연스럽게 영국 출신의 교원들도 많다.

다음으로 RF교의 교원 현황을 살펴보자. 이 학교는 사진과 이력서를 첨부한 교원명단을 홈페이지에 공개하고 있다. RF교 국제부의 교육프로그램으로는 IB 외에 AP와 A레벨 클래스도 개설돼 있고 교원의 병용도 엿보인다. 게재된 60명의 교원 가운데 외국국적 교원은 34명이다. 영국인 13명, 미국인 9명, 필리핀인 2명 외에 캐나다, 오스트레일리아, 뉴질랜드, 덴마크, 네팔, 스리랑카, 인도, 싱가포르, 케냐, 르완다 출신이 각각 1명씩이다. 중국국적 교원은 전체의 약 40퍼센트인 26명인데, 거의 모든 과목을 담당한다는 점에서 JF교와 많이 다르다. 교과별 중국국적 교원 수는 중국어 6명, 영어 1명, 수학 4명, 물리 2명, 화학 4명, 생물 2명, 경제 2명, 컴퓨터 3명, 미술 1명, 음악 1명이다. 학력을 보면 26명 가운데 박사학위 소지자가 10명이고, 나머지 16명은 전원 석사다. 출신학교를 보면 북경사범대학 10명, 북경대학 7명, 청화대학 3명, 중국인민대학 2명, 북경항천항공대학과 중국과학원 출신이 각각 1명, 경제학 담당 교원 2명의 출신학교는 스탠포드대학과 뉴욕대학이다. 이 외에 북경항천항공대학과 퍼듀대학, 청화대학과 MIT의 공동학위제 출신 박사가 각각 1명, 조지아 공과대학의 객원연구원 1명까지 총 3명의 교원이 미국에서의 연구경험을 갖고 있다. 또 외국에서의 장기적인 연구경험은 없어도 박사학위를 취득하고 세계적인 저널에 영문논문이 게재된 교원들도 다수 눈에 띈다.

이처럼 교원들의 출신국과 경력을 통해 어느 정도 교수언어를 유추해볼 수 있다. 앞에서 언급한 2개 학교 이외에 모집요강에 “교수언어는 영어”(BW교), “모든 교과는 국어를 제외하고 전부 외국인 교원이 담당”(DS교), “외국국적의 학술교장이 교학관리, 교학계획 수립 및 교학질의 감독...... 전체 외국인 교원 수업”(WD교) 등의 문구가 적혀 있는 학교가 5개교다.

외국국적 교원의 채용과 관련한 자격 규정은 어떻게 되어 있을까. 중국에서 전문직 외국인에게 취업허가를 내주는 것은 ‘외국전문가국’이라는 관할부서이며, 교원인 경우 학력과 교육 분야 경력이 주요 심사항목이 된다. 기준을 충족하면 ‘외국전문가증서’와 ‘교육자격증서’가 교부된다. 한편 학교측도 외국전문가국으로부터 발행되는 ‘외국전문가 초청에 관한 자격허가증서’가 필요하다. IB를 비롯해 외국의 교육프로그램을 가르치는 교원이라면 중국의 교원면허는 특별히 필요 없으며, 그보다 IB 관련 연수 유무와 소유하고 있는 자격증의 내역이 중요하다.

외국국적 교원의 수는 학교에 따라 차이가 있지만 모든 학교에 필수적인 존재다. 수업료는 도표2-4-5에서 보는 대로 무응답인 2개교를 제외하면 연간 6.5만 위안에서 12.7만 위안 사이(한화로 약 1,000만 원에서 2,000만 원 사이)다. 12.7만 위안은 기숙사비와 통학버스 등의 기타비용을 포함한 것으로 기타비용을 제외한 수업료는 학교 간에 그다지 차이가 없는 10만 위안(한화로 1,500만 원 정도) 전후다. 그에 비해 일반고교의 수업료는 2,000위안(한화로 30만 원 정도)이 채 안 된다. 학교

수업료는 소재지 물가국의 허가가 필요하기 때문에 50배의 차이도 결코 위법은 아니다. 국제부라는 특별한 섹터에서 서구의 교육프로그램을 실시하기 때문에, 고액의 수업료에 대해 특별히 의문시하는 경향은 없는 듯하다.

이와 같이 국제부를 발판 삼아 높은 장벽을 넘어선 일부 현지 학교 학생들이 고액의 수업료를 내고 여러 외국국적 교원들의 지도 아래 IB라는 국제적인 교육프로그램을 학습하는 것은, 아직 소수이긴 하지만 이미 중국의 학교교육 현장에서 하나의 풍경으로 자리 잡았다고 할 수 있다[19].

(2) 교육 에이전트와 IB 패키지

이번에는 IB교육을 도입할 수 있었던 요인에 대해 생각해보자. 중국에서 IB를 도입하는 데는 교수언어와 내용은 말할 것도 없고 교육방법과 평가방법까지 교원과 관계자들의 높은 역량이 요구된다. 국제부가 설립됐다고는 하나 아직 IB 도입의 초기단계에 있는 현지 공립학교에서는 어떤 식으로 프로그램이 운영될까.

① 운영을 일임하는 형태

15개 학교의 홈페이지를 보면 2개 학교의 IB프로그램은 학교 단독이 아니라 유학·훈련·이민 에이전트와 교육 관련 회사가 깊이 관여하고 있는 것을 알 수 있다. 그중 하나인 CS교는 학교와 에이전트의 공동 투자로 설립되었으며, 국제부 홈페이지는 학교가 아니라 에이전트의 일부로서 개설되어 있고, 첫 페이지에 국제부 유일의 공식 홈페이지라고 적혀 있다. 또 한 군데 ZX교는 대규모 개발구에서 IB 도입 국제학교를 운영하는 교육업체와 현지 교육국의 합병에 의한 것이다. ZX교는 국제부가 아닌 외국어학교로서 중국어, 영어, 한국어를 교수언어로 하며 유치원부터 12학년까지 IB류의 커리큘럼을 채택하고 있지만 현재 IBO로부터 인정을 받은 것은 IBDP뿐이다.

앞서 언급한 CS교의 에이전트[20](이하 에이전트A라 한다)에 대해 살펴보자. 에이전트A는 1992년에 설립되어 처음엔 일본인 대상의 연수훈련센터만 운영하다가 1996년부터 캐나다 이민, 1997년부터 서구 유학, 2000년부터 해외 여름캠프 운영 등의 업무를 전개하게 된다. CS교와 공동으로 국제부를 개설한 것은 2002년이다. 같은 해 미국에서 개발된 해외 대학입학프로그램인 GAC(국제평가자격)를 개시한 후 2004년에 오스트레일리아의 VCE(빅토리아 주 학교수료자격)를 도입하고, 2008년에는 SAT 훈련프로그램도 시작했다. IB학교가 된 것은 2012년이며, 현재 IBDP와 더불어 VCE와 AP가 국제부에 개설되어 있다. 홈페이지에는 "유학, 국제교육, 외국어, 이민, 커리어플랜이 일체화된 교육서비스 전문업체"라고 소개되어 있다. 국제교육에 관해서는 CS교가 주요 서비스를 제공하는 학교인 듯하며, 국제부 홈페이지에는 모집공고부터 코스소개, 교원소개와 진학상담 스태프 소개, 진학대학 등의 항목이 있고 장학금 공지도 올라와 있다.

ZX교의 설립에 참가한 교육 관련 회사는 중국과 싱가포르 양쪽 정부의 협정에 의해 1994년 시작된 개발구에 있다. 그곳의 개발업무를 맡고 있는 모회사가 소주싱가포르 국제학교를 설립했고, 해당 학교의 자문 및 관리를 위해 2006년에 교육 관련 회사를 세운 것이다. 그 후 이 회사는 싱가포르 자본의 WES교육그룹과 업무제휴를 맺고 호남성장사경제기술개발구와 강서성 남창시교육국과 합병으로 2009년에 장사WES 국제학교와 남창WES 국제학교를 설립했다. 이어서 2010년에 개발구에서 중국국적 학생을 대상으로 하는 WES외국어학교, 2012년에는 남통 국제학교를 설립했다. 이 회사의 IB 제휴업무는 다음과 같은 형태를 취한다. 즉 학교 대지와 건물, 자금을 제공하는 지방정부의 파트너로서 교원과 프로그램 운영을 비롯해 기숙사와 식당 운영까지 총괄업무를 전담하는 식이다.

다른 IB학교 중에는 합병이라는 직접적인 방법을 쓰지 않고 교육 에이전트가 제공하는 서비스만 받는 경우가 많다. 또 하나의 에이전트(이하 에이전트B) 사례를 살펴보자.

② 교학(敎學)과 관리를 맡는 형태

에이전트B[21]는 1990년 오스트레일리아에서 설립되어 1994년 광동성 심천에서의 등록을 시작으로 중국에 진출했다. 현재 본부는 상해에 있으며 중국 내 18개 도시에 지사가 있고, 미국과 캐나다에도 사무소를 두고 있다. 업무는 고교단계의 국제교육, 교육문화 교류와 해외 진학지도로 나뉜다. 2014년 현재 중국국적 교원과 스태프 500명, 외국국적 교원 470명이 에이전트B에 등록돼 있다. 에이전트B가 국제교육 업무를 시작한 것은 2002년이며 2014년에는 28개 중학교를 대상으로 AP, A레벨, IB의 세 가지 교육프로그램으로 이루어진 약 27개 코스를 운영했고, 여기서 학습한 학생이 6,000여 명에 이른다.

에이전트B는 제휴학교들의 학습품질을 담보하기 위해 '국제프로그램품질관리센터'라는 조직을 통해 교원과 교육활동에 대한 평가 및 관리를 실시하고 있다. 국제프로그램품질관리센터는 총 교육감독 1명,

경제학과 비즈니스, 수학과 통계학, 영어의 세 분야에 교학품질감독을 1명씩, 그리고 인력관리 총감독 1명과 인사 관련 스태프 5명으로 구성된 그룹으로 외국국적 교원의 채용, 평가 및 지원을 맡고 있다. 교원은 교육교장과 일반 교원의 두 종류로 나뉘며, 교육교장은 제휴학교에 파견되는 교원그룹의 책임자다. 교원과 교육교장은 다음과 같이 취업 전 사전연수와 사후지원, 관리를 받는다.

- 교원: ①면접 ②중국의 관련 법률, 생활습관, 학교에서의 습관, 학생들의 특징에 관한 3일간의 연수 ③7주간의 실습기간 ④해당 분야의 교학품질감독과 교육교장에 의한 4회의 수업견학과 그 평가 ⑤교육교장과 함께 목표 설정 ⑥교학품질감독이 에이전트에서 조사한 '연간 시험성적 및 진학상황에 관한 학교 간 비교내역'을 참고자료로 교원에게 제공
- 교육교장: ①총 교육감독이 연간 목표와 대조, 비교해 평가 ②파견그룹 내의 교원평가 ③제휴학교 국제부 담당 책임자의 평가

학교운영의 경험을 축적하고 계속 개선해나가기 위해 에이전트B는 2010년부터 매년 학교측과 함께 '교육프로그램운영교류회의', '교육교장대회', '외국국적교원연례대회', 그리고 재학생과 졸업생이 참가하는 '여름캠프'를 열고 있다. 동시에 AP, A레벨 등의 교육프로그램을 운영·관리하는 학교의 관계자로서, 졸업생들이 진학하는 대학들과 관계를 맺고 진학 관련 정보를 수집·분석하며 진학 예정자와 학부모들에게 대학을 소개하는 교육박람회 등도 주최하고 있다.

에이전트B가 서비스를 제공하는 방식은, 먼저 학교측의 요구에 맞는 교육프로그램을 제안한다. 그리고 그에 필요한 교원그룹과 교원들

의 업무와 생활을 지원하는 스태프를 함께 학교에 파견한다. 서비스를 제공받는 학교측 입장에선 파견되는 교원그룹과 의견 교환 및 조정이 가능하다면 학교에 해당 프로그램을 숙지하고 있는 교원과 스태프가 없어도 프로그램 운영에 별 무리가 없다. 참고로 에이전트B의 제휴학교 28개교 안에는 IB를 도입하고 있는 현지 공립학교 15개교 중 7개교가 포함돼 있다. 이처럼 IB교육 및 그 주변업무 혹은 IB프로그램 자체의 운영을 맡는 것을 필자는 'IB교육패키지'라고 이름 붙였다. IBDP를 도입한 공립학교 15개교 가운데 'IB교육패키지'를 이용하는 학교는 9개교에 이른다. 다른 학교의 경우에도 홈페이지를 보면 교원모집을 에이전트에 의뢰하고 있음을 추측할 수 있다.

5. IB 도입의 목표와 졸업생의 진로

(1) 모집요강으로 보는 IB 도입의 목표

현지 공립학교의 국제부는 어떠한 목표 아래 IBDP를 도입했는가. 그리고 어떤 학생을 선호하는가. 주로 2014년 모집요강(3개 학교는 2013년)을 통해 그 부분을 추론해보자.

대부분의 학교가 내세운 교육목표의 첫머리에 '국제적 인재 양성 및 글로벌 마인드, 지구를 보호하는 책임감, 세계평화' 등 IB의 교육이념이 거론되어 있다. 그렇다면 학생의 모집기준은 어떨까. 모집요강을 보면 특별히 언급하지 않는 유형, 국적을 지정하는 유형, 그 외의 조건을 붙이는 유형의 세 가지로 나눌 수 있다. 앞서 언급한 대로 3개 학교는 외국국적의 학생밖에 받지 않는다. 외국어학교인 ZX교와 북경의 명문교인 RF교 및 전액 자비부담인 NS교는 특별히 조건을 달지 않았다. 나머지 9개 학교는 조건이 달려 있다. 그 조건을 다섯 가지로 분류하면 복수답변 결과이긴 하나 "학업우수, 특히 영어실력이 뛰어나야 한다"는 언급이 9개교, "해외 유명대학 진학을 목표로 한다"가 8개교, "성적뿐 아니라 전인적 발달"이 5개교, "건강"이 2개교, 수업료를 지불할 수 있는 "경제적 능력을 갖춘 가정"을 언급한 학교가 3개교다. 9개 학교가 전부 '해외유학'을 언급하고 있으며, 그중 1개교는 "국내의 대학에 응시하지 않는다"라고 명시하고 있다. 구체적으로 어떻게 적혀 있는지 TS교의 응모조건을 예로 살펴보자.

> IB의 이념과 양성 목표에 따라 본 시(市)의 각 구와 현의 중학교 졸업예정자 및 외국국적자, 홍마타 출신자 가운데 다음 조건에 맞는 학생이라면 응모 가능하다. '9학년 학업을 마친다. 심신이 건강하다. 학업성적이 우수하다. 영어실력이 출중하다. 해외유학 의향이 있다. 학비를 지급하는 데 충분한 경제력을 갖추고 있다.' 2014년 중학교 졸업예정자는 공통의 졸업자격시험을 반드시 치러야 하며, 종합적 소질 평가 결과에 따라 순차적으로 합격자를 배출한다.

또한 SW교는 모집요강에 필요한 최소한의 정보 외에 설문에 대한 답변의 형식으로 학교가 IBDP를 운영하는 이유, 그 방법, 졸업 후의 진로 및 IBDP의 이념, 외국에서의 위상, AP와 A레벨과의 차이 등을 상당한 분량을 할애해 설명하고 있다. '모집설명'에는 "상해시와 기타 성, 시의 중학교 졸업예정자를 대상으로 하며, 호적과 학적을 묻지 않는다"라는 한 문장에 이어 다음 6개 항목이 적혀 있다.

1) IBDP에 응모하는 학생은 해외유학 희망자로서 노력하는 태도를 갖추며, 영어성적이 양호하고, 수학·물리·화학의 기초가 확실하며, 건전한 심신을 지니고, 가정은 충분한 경제력이 있어야 한다.
2) 입학생은 전원 해외 대학(홍콩지구 포함)에 응시하며, 국내 대학에 응시하지 않는다.
3) 학제는 3년이며 1년의 예비과정과 2년의 본과정으로 이루어진다. 세계 공통의 시험에 합격한 후 IB졸업학위를 취득한다. 국내의 고교졸업증서는 나오지 않는다.
4) IBDP는 본교 국제부가 관리·운영하며, 기숙사제로서 SW교의 시설설비와 교육자원을 이용할 수 있다.
5) 해외유학의 경우 국가에 따라 대학입시 때 ITES, 토플, SAT 성적 등이 필요하다.
6) 유학비자의 취득은 현지의 정책과 신청자료의 준비 여하에 의거한다.

그리고 요강의 마지막 부분엔 다음과 같이 적혀 있다.

"세계적인 명문대학 입학을 희망하는 우수한 중학교 졸업예정자의 응모를 환영합니다!"

- 권위 있는 국제학위과정 운영. 세계적으로 입증된 국제프로그램 개설
- 우수한 학업환경. 수준 높은 국제 교원들의 영어수업
- 눈부신 발전과정. 풍요롭고 다채로운, 개성적이고 자주적인 엘리트 양성방식

• 해외로 나가는 효율적인 길. 글로벌 유명대학으로 가는 직행편

즉, 해외 대학 진학을 강하게 의식하며, 그 목표에 도달할 수 있는 학생들의 입학을 원한다는 뜻이다.

(2) 졸업생의 진로

모집설명에서 특별한 조건을 붙이지 않은 3개교는 졸업생의 진로에 관해서도 홈페이지에 정보를 게시하지 않았다. 나머지 학교는 모두 진학정보를 공개하고 있는데, 그 방법은 세 가지로 나뉜다.
첫 번째는 대학이름과 합격통지 수를 보여주는 방식이다. 구체적으로 살펴보면 국가별로 모든 대학 리스트를 공개하는 유형과, 세계 순위 1~30위, 30~60위 혹은 종합대학(University), 리버럴아트칼리지(Liberal Art College, 교양과목에 중점을 둔 학부 중심의 4년제 대학-옮긴이)별로 인지도 높은 순으로 일부 대학만 공개하는 유형의 두 가지로 나뉜다. 이런 유형은 전부 6개 학교로 가장 많다.

두 번째는 학생의 성 또는 이름의 병음(중국어 발음을 로마자로 표기-옮긴이)을 올리거나, 아니면 영문이름을 적고 학생별로 받은 합격통지서의 대학 명을 게시하는 유형으로 전체 3개 학교다. 그중 CS교는 전체적으로 첫 번째에 속하지만 특별히 유명대학에 합격한 몇 명에 관해서는 이름만 공개하고 있다. 또 한 학교는 속보(速報) 형태로 병음만 공개한다. 나머지 1개교는 영문이름을 적고, 1월초 시점에서 학생이 받은 모든 합격통지서의 학교 이름을 게시한다.

세 번째는 실명으로 공개하는 유형으로 총 4개교인데, 그중 3개교

도표2-4-6 **졸업생의 진로**

학생	전공	국가	대학명	인원 수	비고
이름	물리	영국	Imperial College London	5	과학기술과 의학 분야가 뛰어나며 MIT와 동등한 명성
		미국	UCLA	23	미국의 상업금융, 하이테크 산업, 영화 등을 전공하는 인재들의 집합소. 전미에서 가장 다양한 분야에 걸쳐 최첨단 인재를 양성하는 대학
		독일	Jacobs Uni. Bremen	1	장학금 1만 유로/년. 미국식 대학. 독일에서 직접 중국의 고교졸업자를 받는 유일한 종합대학

는 사진첨부 공개다. 다만, 사진이 첨부된 3개 학교의 학생들은 일부 지명도가 특별히 높은 대학의 합격자인 듯하며, 그중 1개 학교는 병음으로 속보를 내는 CS교다. 나머지 1개교는 AP와 A레벨로 대학에 진학한 학생들까지 포함한 공개인데, 15페이지에 걸쳐 147명의 졸업생 이름, 전공, 대학 이름, 같은 대학의 합격통지서를 받은 졸업생 수, 대학의 특징과 장학금 목록까지 실려 있다. 모집 인원으로 추산해볼 때 아마도 전체 졸업생 명단인 듯하다. 예를 들면 다음과 같은 형태다(도표 2-4-6).

공표 형식에 차이는 있지만 진학대학 명단으로 볼 때 공통점은 명확하다. 즉, 거의 서구의 대학, 특히 미국, 영국, 캐나다에 집중되어 있으며 몇몇 호주와 유럽 대륙도 눈에 띈다. 아시아는 극소수로 싱가포르, 홍콩에 국한돼 있고, 일본이 1~2개교, 중국 본토는 전무하다. 예를 들면, 2014년 12월 19일에 업데이트된 TS교의 2015년 졸업생의 진로에 관한 데이터는 다음과 같다. 국가별로는 미국 52개교, 영국 24개

도표2-4-7 **SW교 졸업생의 진학 대학의 국가별 학교 수**

연도	통계일	졸업생 수	합격자 수	미국	영국	캐나다	오스트레일리아	서구 기타	홍콩
2013	5.5	18	91	37	3	11	2	0	0
2014	4.22	39	162	51	12	15	7	3	0
2015	4.20	42	199	74	20	11	3	3	1

교, 캐나다 27개교, 오스트레일리아 2개교, 스위스 1개교, 일본 1개교, 홍콩 4개교다.

다음으로 비교적 데이터가 충실한 SW교에서 진학하는 대학의 변화 추이를 연도별로 살펴보자(도표2-4-7).

재학생 수가 늘어갈수록 합격통지서 수도 늘어났다. 그 결과 원래 많았던 미국과 영국 대학의 진학자가 더욱 늘어남과 동시에 아시아의 대학들도 선택지에 들어온 걸 알 수 있다. 반면에 캐나다, 오스트레일리아와 유럽의 대학 수는 늘지 않았다.

많은 경우, 합격상황만 공개돼 있어서 실제 진학 여부는 명확하지 않지만 NW교의 2014년 IBDP 졸업생의 진학 현황은 다음과 같다. 졸업생 56명 가운데 미국 대학 47명, 영국 3명, 캐나다와 오스트레일리아에 각각 2명, 그리고 2명이 진학을 늦추고 있다. 합격단계에서는 IBDP만의 데이터가 없어서 A레벨을 포함한 대학 합격자 현황을 살펴보면, 합계 105명의 졸업생이 전원 해외 대학에 합격했고, 그중 84명이 미국 대학에 입학신청을 했다. 학생들이 받은 합격증서를 합치면 종합대학 300통, 리버럴아트칼리지가 22통으로 나타난다. 이 외에 영국 대학에 20명, 오스트레일리아, 캐나다, 홍콩 대학에 16명이 입학신청을 했다고 한다. 미국 대학이 절대적 우세를 보이며, 그쪽 진학생이 두드러지게 많다는 걸 알 수 있다[22].

대학 졸업생의 진로와 관련해 현재 IBDP 졸업생에 대한 정보는 적은 편이다. NW교는 A레벨 졸업생 23명의 진로를 공개했는데 그중 19명은 2008년도 졸업생이다. 내역을 보면 미국 대학 15명, 영국 3명, 캐나다 1명이다. 그중 13명이 대학원에 진학했고, 아직 재학 중인 학생을 제외하면 취업한 졸업생 11명이 취업한 나라는 미국 5명, 영국 3명, 캐나다와 홍콩과 중국이 각각 1명씩이다. 서구 대학에 진학하는 학생은 졸업 후 외국에 머무는 선택지도 고려한다는 점을 추측해볼 수 있다.

맺음말

중국은 1970년대 말까지 오랜 기간 세계로부터 격리되어 있었지만 개혁개방 이후 국제화·글로벌화를 향해 발 빠르게 움직여왔다. 그것은 교육분야도 마찬가지였다. '고용외국인' 초청과 국비유학생 파견부터, 사비유학생 제한 철회, 국제학교와 국제부 설립, 전문학교와 대학 등 교육기관의 외국과의 공동설립 등으로 세계와의 접점은 더욱 긴밀해졌다. IB학교의 확대는 그런 흐름의 한 단편이다.

그렇다면 중국의 IB 도입에는 어떠한 특징이 있는가. 간략하게나마 다음과 같이 정리할 수 있겠다.

1) 도입 학교는 경제개발이 진행되는 지구에 집중되어 있으며, 서서히 내

륙부로 퍼져가는 경향을 보인다.

2) 현지 공립학교에서 도입한다고 해도 IB교육은 국제부라는 별도 조직에 의해 이루어지며, 현지 학교의 20~40배의 수업료를 청구한다. 공립학교의 시설을 이용하고 교원의 일부도 공립학교 소속이지만, 사적인 성격을 띤다는 점을 부인할 수 없다. 그와 관련해, 민간 에이전트가 활약할 여지가 클수록 과연 공립학교에서 IB를 도입하는 의미가 있는가, 그 점을 명확히 할 필요가 있다.

3) 졸업생은 홍콩을 포함한 해외 대학에 진학하며, 중국 본토 대학에 진학하는 경우는 없다. 학생과 학부모 입장에서는 서구의 유명대학 진학이 궁극적인 목표다. IB를 도입하는 공립학교는 IB의 교육이념에 공감하면서도 해외 대학 진학준비기관으로서 기능을 다해야 한다.

2017년 11월 중국에서 처음으로 IBO에 의한 교육포럼이 개최되었는데, 주제는 전인교육과 IB프로그램의 중국에서의 융합·발전·응용이었다. 기조강연과 리포트를 들으면서 느낀 점은 중국은 IB교육에 관한 정보를 모으고 그것을 이해하여 프로그램으로 구현하는 단계를 지나, 기존 교육과 IB교육을 어떻게 융합해나갈까 하는 쪽으로 관심이 옮겨갔다는 것이다. 이로써 중국의 IB교육은 새로운 국면을 맞이했다는 인상을 강하게 받았다.

2-5

홍콩: 왜 공립학교에서 IBDP를 도입하지 않는가

야마토 요코

머리말

홍콩의 공립학교에서는 초·중·고교의 어느 단계에서도 IB교육과정을 도입하고 있지 않다. 반면에 사립학교 부문에서는 그 수요가 점점 커져서 IB교육과정을 제공하는 전체 사립학교 수는 매년 늘고 있다. 이 원고에서는 왜 홍콩에서 IB교육과정의 도입이 공립학교를 제외한 사립학교에 국한되어 늘어나고 있는가를 역사적 배경 속에서 고찰한다.

1. 홍콩의 역사적 배경 및 국제학교의 수요

홍콩은 영국의 통치시절, 중국이 혼란을 겪을 때마다 대륙으로부터의 피난처, 더 나아가 해외로 나가는 출구로서 기능해왔다. 1984년에 중영공동성명이 체결되고 1997년에 홍콩의 주권이 중화인민공화국으로 반환된다는 결정이 나자 해외 이주의 붐이 시작되었다. 구체적으로 1987년에 3만 명, 1988년에는 4만 5,800명에 이르는 홍콩인이 해외로 이주했다(도표2-5-1 참조). 그런 와중에 1989년 천안문사건이 일어나자 중국 반환에 불안을 느낀 홍콩인들의 출국 붐에 박차가 가해졌다. 1992년에는 이민자 수가 정점을 찍어 6만 6,200명의 홍콩인이 해외로 이주했다. 결과적으로 1990년부터 1994년까지 5년간 30만 명 이상의 홍콩인이 해외로 이주하면서 인재유출 문제가 대두될 정도였다. 아이들을 데리고 나가는 만큼, 아이들이 해외 교육에 익숙해지도록 우선 떠나기 전에 영어교육을 시키려는 부모가 늘면서 국제학교에 대한 수요도 커졌다(Bray and Ieong, 1996). 그리고 1990년대 후반에는 이주한 나라에서 외국 여권과 그린카드 등의 해외 영주권을 취득한 홍콩인의 재입국이 시작된다. 해외로부터의 재입국은 다시 해외에서 받던 교육을 유지하기 위한 국제학교의 수요 증가를 초래했다(Yamato, 2003).

반환을 앞두고 해외 이주민들의 귀국 붐과 더불어, 대중국 투자의 창구이기도 한 홍콩에 외국기업들이 적극적으로 진출하면서 국제학교의 수요는 더욱 커졌다. 홍콩정부는 반환 전부터 이미 국제학교의 수요가 커질 것을 예상하고 있었다. 1995년 7월에 발표한 「국제학교 입학자 예비조사위원회보고서(Report of the Working Group on the

도표2-5-1 **홍콩에서 해외로 이주한 인구의 추이**

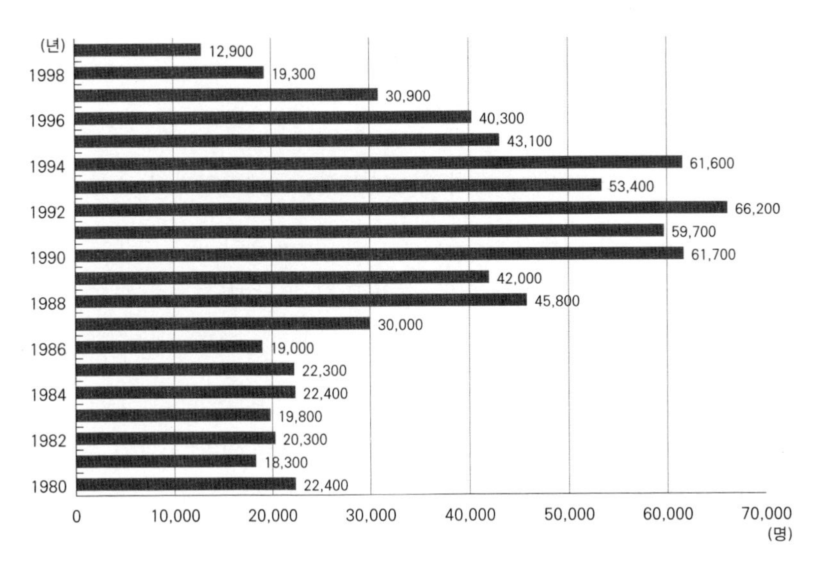

출처: (Yamato, 2003)에서 재수록

Provision of International School Places)」에서는 2000년까지 새롭게 5개 국제학교가 필요해질 것으로 추산했다(Yamato, 2005, p.135). 이러한 추산을 근거로 홍콩정부는 기존 국제학교의 규모 확충과 새로운 국제학교의 유치 등 국제교육기관의 확대를 위해 적극적으로 움직였다. 앞서 언급한 대로 홍콩의 국제학교는 외국인자녀와, 중국어(광동어)가 모어가 아닌 홍콩 출신 귀국자녀뿐 아니라, 원래 홍콩인자녀를 위한 것이기도 하다. 앞의 보고서에 따르면 1994년 조사 당시, 국제학교 재적(在籍) 학생의 비율은 외국인자녀 47퍼센트, 귀국자녀 26퍼센트, 원래 홍콩인자녀가 27퍼센트였다.

2. 홍콩의 교육에 대한 개관

(1) 홍콩의 학교 분류

위와 같은 경위를 보면, 홍콩에 있는 학교는 국제학교까지 포함해 전부 홍콩인을 위한 학교라는 결론에 이른다. 홍콩의 중등학교는 현지학교와 현지시스템 외, 이렇게 두 가지로 크게 나뉜다(도표2-5-2 참조). 현지 학교는 일본의 국립에 해당하는 관립학교(31개교), 정부지원금으로 운영되는 민설민영학교(362개교), 그리고 사립학교(83개교)로 분류된다. 한편 현지시스템 외의 학교로는 영국 통치시절의 유산인 영국학교군(English Schools Foundation Schools, ESF스쿨 5개교[1])과, 국제학교 및 일본인학교 같은 외국인학교(25개교)로 분류된다. 홍콩에는 전 세계 주요 교육제도를 갖춘 외국인학교가 모여 있고, 국제학교의 수 역시 초등학교까지 포함한 학교 수로 보면 관립학교와 거의 같은 수준으로 전체 학교의 6퍼센트[2]를 차지한다. 이런 현지시스템 외 학교들의 운영은 각 학교에 맡겨지지만, 역사적 경위에서 현지 학교와 동등한 위상을 차지하며, 일본처럼 각종학교(各種学校, 학교교육법상 정규학교, 즉 1조교에 해당하지 않는 학교-옮긴이) 식의 취급은 하지 않는다. 홍콩특별행정구 정부는 홍콩인[3]의 학교 선택에 대해 어떤 제약도 두지 않는다. 자녀를 둔 홍콩의 부모들은 개인의 역량에 따라 현지시스템 외 학교에도 자유롭게 아이를 입학시킬 수 있다. 홍콩에 있는 국제학교를 포함한 모든 학교가 홍콩인의 교육을 맡고 있는 것이다.

도표2-5-2에서 보는 바와 같이 엄밀한 의미에서의 공립학교(관립학교, Government School)는 31개교로, 전체 학교의 6퍼센트 정도밖에 안

도표2-5-2 **홍콩의 중등학교**

전일제 중등학교 506개교(특수학교 제외) 학생 수 35만 2,609명(2015년 9월 15일 현재)					
현지 학교 476개교				현지시스템 외 학교 30개교	
관립학교 Government 31개교(6%)	민영 (정부지원학교) Aided/Caput 360개교/2개교 (72%)	사립학교 DSS 61개교 (12%)	사립학교 PIS 22개교 (4%)	영국학교군 ESF 5개교(1%)	국제학교/외국인학교 International/ Foreign 25개교(5%)

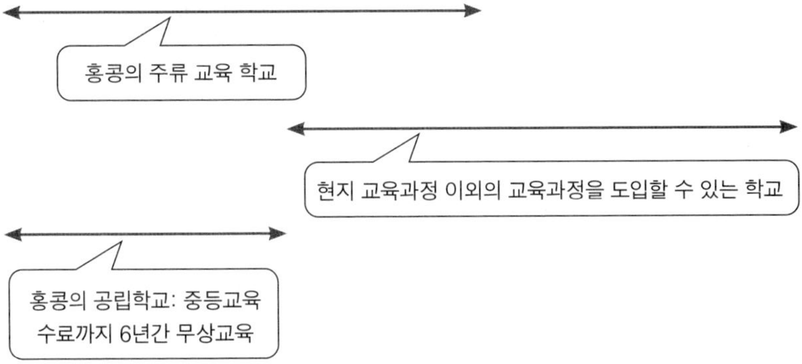

홍콩의 주류 교육 학교

현지 교육과정 이외의 교육과정을 도입할 수 있는 학교

홍콩의 공립학교: 중등교육 수료까지 6년간 무상교육

DSS: Direct Subsidy Scheme (직접보조금을 받는 사립학교)
PIS: Private Independent School (사립학교로 2000년 이후 국제학교로 분류)
ESF: English Schools Foundation (영국국제학교협회)
Caput: 민설민영학교 중에 정부가 필요한 재적(在籍) 정원을 사들이는 학교
각 학교의 %는 전체 중등학교 재학생 대비 학생 수 비율

출처: 교육부 학교교육통계반 「2015/16학년 학생수통계」(2016년 6월) 및 교육부 자료를 토대로 필자 작성, 야마토(2017a)에서 약간의 수정 후 재수록

된다. 그 외에 많은 수의 홍콩 학교들이 기독교와 불교 등의 종교단체, 자선단체, 개인 등이 설립한 민영학교다. 홍콩정부는 이런 민영학교들에 대해 운영에 필요한 충분한 지원금을 부여하여 수업료를 따로 받지 않게 하는 방식으로 공립학교 취급을 한다. 민영학교는 원어로 자

조학교(Aided School. 이 원고에선 '정부지원학교'라는 명칭을 사용하기로 한다)라고 부르는데 정부지원금을 받는 대신에 정부가 학교교육에 관해 제시하는 세칙을 따르지 않으면 안 된다. 이와 같이 홍콩의 공립학교는 몇 개 안 되는 관립학교와 민영의 정부지원학교로 구성되며, 전체 중등학교의 약 80퍼센트를 차지한다. 일부 정부지원을 받는 현지 학교인 사립 DSS(Direct Subsidy Scheme, 직접보조금계획) 학교는 정부의 세칙에 대한 구속이 적은 편으로 독자적 학교운영이 허가돼 있다.

세계의 많은 나라에서 공립학교에 IB커리큘럼의 도입을 검토하고 실제로 도입하고 있는 가운데, 왜 홍콩에서는 공립학교에서 현지 교육과정만을 제공하는지, 역사적 배경과 고교-대학 연계시스템을 축으로 고찰해보자.

(2) 홍콩의 고교-대학 연계 구조

우선 홍콩의 대학입시 구조를 살펴보자. 홍콩에는 현재 8개의 공립대학이 있다. 이 8개 공립대학 외에 사립대학과 학위수여를 하지 않는 고등교육기관이 27개 있는데, 후자는 전부 21세기 들어 생겨난 교육기관으로 규모가 작다. 1980년대 초반까지 홍콩에는 1910년에 설립된 홍콩대학과 1963년에 설립된 홍콩중문대학의 2개 대학밖에 없었고, 당시 입학자 정원은 해당 인구의 3퍼센트밖에 안 되었다. 1980년대 들어 신설 대학의 개교, 기존 교육기관의 공립대학 승격, 교원양성 칼리지의 통합 등이 진행되어 1990년대부터 현재의 8개 공립대학 체제가 갖추어졌다. 이 8개의 공립대학을 '대학교육기금위원회'(University Grants Committee, UGC)가 총괄하여, 공적자금을 효율적이고 유용하게

도표2-5-3 **홍콩의 고교-대학 연계시스템**(공립대학)

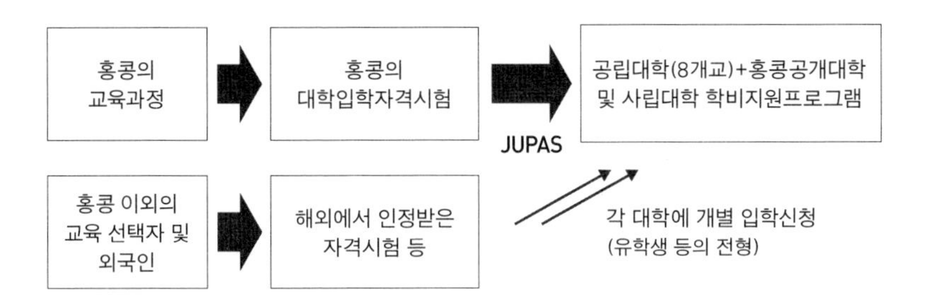

공립대학 학비 2014/2015년도 학사과정

홍콩인학생	HK$ 42,100(8개 대학 공통)
외국인학생	HK$ 146,000 (HKU) HK$ 120,000 (e.g. CUHK, HKUST)

JUPAS(Joint University Programmes Admissions System): 홍콩대학배분시스템

1) 홍콩인학생이 학비부담이 적은 공립대학에 입학하려면 원칙적으로 JUPAS를 경유해야 하며, JUPAS를 통해 대학입학 신청을 하는 데는 홍콩 대학입학자격시험의 성적 제출이 필수임
2) JUPAS에 공립대학의 입학신청을 할 때 최종적으로 희망 대학 및 학과를 6개까지 제출할 수 있지만, 대학입학 허가는 원칙적으로 그중 한 군데만 내줌
3) JUPAS를 통한 2014년도 학사과정 입학자는 신청자 수 6만 3,915명 가운데 1만 6,083명 준(準) 학위과정 입학자를 포함하면 1만 9,657명으로 신청자의 30퍼센트임
4) HKU: 홍콩대학, CHUK: 홍콩중문대학, HKUST: 홍콩이과대학

출처: JUPAS 공식사이트 및 각 대학 공식사이트를 참고해 필자 작성, 야마토(2017 b)에서 재수록

활용하고 있다. 즉 홍콩의 고등교육은 공립대학을 중심으로 발전하고 있으며, 공립대학이 대학교육의 중추를 담당하고 있다고 할 수 있다. 이들 공립대학과 규모가 작은 사립대학에 학위프로그램이 있는데, 학생 정원이 전부 합쳐도 2만 명 정도밖에 안 된다. 이 좁은 문을 두고 7만 명 전후의 중등교육 수료자와 해외에서 온 유학생까지 포함해 경쟁하는 것이 홍콩의 대학입시 구도다. 대학의 수가 늘어나긴 했지만,

홍콩 내에는 아직도 대학입학 희망자 전원을 받아들일 수 있는 틀이 없기 때문에 예전만큼은 아니더라도 홍콩에서 대학생은 엘리트로 여겨진다.

그리고 공립대학에 한정된 대학입학자 규모에 적절하게 진학 희망자를 배당하기 위해 JUPAS(홍콩대학배분시스템)가 1990년에 만들어졌다. 이후 홍콩인 공립대학 진학 희망자는 기본적으로 모두 JUPAS를 통해 대학입학 신청을 해야 한다. 진학을 희망하는 대학 순으로 6개 대학·학과까지 신청 가능하지만 입학정원이 한정돼 있기 때문에 최종적으로 대학으로부터 나오는 입학허가는 1인당 1대학·학과로, 과부족 없이 대학입학자 정원이 채워지는 구조다. 그리고 이 JUPAS에 반드시 제출해야 하는 것이 홍콩의 대학입학자격시험 결과다. 대학입학자격시험은 차세대를 짊어질 '홍콩인' 인재육성[4]을 목표로 내걸고 정부당국이 심혈을 기울여 개발한 것이기 때문에 범용성 있는 IBDP나 GCE[5]라는 대체시험은 인정하고 있지 않다. 여기서 말하는 대학입학자격시험이란 2012년부터 구(舊)시험 대신에 실시하고 있는 '홍콩중등교육수료증서시험(Hong Kong Diploma of Secondary Education, HKDSE[6], 이하 '증서시험')이다. 대학입학자격시험의 개혁은 홍콩정부가 중국 반환 이후 단계를 밟아 착실히 진행해온 대대적인 교육개혁에서 하나의 기둥이 되고 있다. 그리고 이 증서시험은 IBDP와 어딘가 닮은 부분이 있다.

(3) 홍콩의 대학입학자격시험

홍콩의 예전 대학입학자격시험은 영국 GCE의 A레벨을 모델로 한 홍콩A레벨시험(Hong Kong Advanced Level Examination, HKALE)이었다. 홍

도표2-5-4 **홍콩의 증등교육수료증서시험(HKDSE) 시험과목 일람**

카테고리			
카테고리A:	**〈필수과목〉**		
	중국어, 영어, 수학(필수부분+전개부분[2가지 중 선택]), 일반교양과정		
	〈선택과목〉		
	중문학	생물	비즈니스·회계 및 재무개론
	영문학	화학	디자인·응용공학
	중국사	물리	건강관리·사회복지
	경제	과학: 일반과학	통신과학기술(ICT)
	윤리·종교	과학: 종합과학	과학기술과 생활
	지리		음악
	역사		미술
	관광·접대업		체육
카테고리B: 응용과목	**〈창의학습〉**		
	컴퓨터게임과 애니메이션	디자인 패션과 이미지디자인	인테리어디자인
	보석디자인#	장식품 디자인*	상업영화디자인#
	댄스	월극입문 (粵極: 광동성 지방의 전통극-옮긴이)	연극예술기초
	〈미디어/커뮤니케이션〉		
	영화·영상연구#	필름 비디오*	라디오방송제작#
	잡지편집과 제작	뉴미디어통신기능	
	〈비즈니스/관리/법규〉		
	금융과 관리#	실용컴퓨터회계#	실용회계*
	응용상업연구#	중소기업 창업	마케팅과 온라인광고
	홍콩의 법 규제 강화		
	〈서비스〉		
	식품/음료의 취급#	파티시에와 카페 영업*	서양요리
	호텔서비스 실무	호텔영업	유아보육·교육
	미용기초		
	〈응용과학〉		
	동물 케어*	중의학기초	건강관리기초#
	건강관리실무	의료실험과학	응용심리학
	심리학탐색#	실용심리학	운동과학과 건강관리
	스포츠와 피트니스관리		
	〈공학·생산〉		
	차량기술	전기와 에너지공학	
	컴퓨터감식기술	모바일·온라인 앱 개발#	항공학
	건축공학		
	〈(비중국어모어사용자를 위한) 응용중국어〉		
	서비스업 중국어	실용중국어	
카테고리C	프랑스어	독일어	힌두어
	일본어	스페인어	우르두어

#2017년 시험까지 *2018년 시험부터 도입. (야마토, 2017a)에서 업데이트 후 재수록

콩A레벨시험은 영국의 A레벨과 구조가 같고, 시험언어가 중국어와 중국 관련 교과를 제외하고 전부 영어[7]였다. 그렇기 때문에 영어권에서는 영국의 A레벨과 동등하다는 인식이 있었다. 즉 홍콩A레벨시험 결과를 가지고 영국은 물론 다른 영어권 국가에도 유학이 가능했던 것이다. 대학입학 정원이 제한적인 홍콩에서는 해외 진학이 가능해야 한다는 것이 대학입학자격시험의 필수 요건이다. 그런 편리한 시험이었음에도 불구하고 개혁을 시도한다면 새로운 시험이 기존 시험을 능가하는 장점을 지녀야 한다. 또한 해외유학에도 통용되는 시험이어야 한다는 것은 홍콩의 상황을 고려할 때 결코 포기할 수 없는 조건이었다. 새로운 증서시험의 시험과목은 도표2-5-4에서 확인 가능하다.

그렇다면 증서시험이 어떤 시험인지, IBDP 시험과 비교하면서 논해보자. 증서시험은 IBDP와 마찬가지로 교내 성적평가도 시험결과에 반영되기 때문에 고등학교 과정을 이수하지 않고 시험만 보는 것은 불가능하다. 필수과목은 영어, 중국어, 수학 그리고 '일반교양과정'이라는 새로운 과목까지 4과목이고, 이 외에 선택과목을 2~3과목 이수한다. 증서시험이 영어와 중국어, 수학을 필수로 하는 점은 IBDP가 2개 언어와 수학을 필수로 하는 부분과 동일하다. 차이점은 증서시험의 영어와 중국어가 둘 다 제1언어 과목이며, 문학까지 포함해 높은 수준의 학력을 요구한다는 것이다.

이것은 IBDP의 2중언어프로그램에 해당한다. 그리고 증서시험의 일반교양과정은 IBDP의 지식론(Theory of Knowledge, TOK)과 과제논문(Extended Essay, EE)을 합친 것 같은 교과다. 즉 일반교양과정은 교과서가 없고 교실 밖의 실제 사회에서 폭넓게 배우는 것을 목표로 하며, 고등학교 단계의 마지막 2년간 스스로 정한 주제에 대해 논문을 쓰는 과제가 주어진다. 이처럼 수험생에 대한 요구수준이 높은 교과와 시험이 홍콩의 중등교육수료자 전원에게 부과되는 것이다.

한편 선택과목은 학술적인 교과군과 직업에 직결되는 응용과목군으로 나뉜다. 진학 희망자는 학술적인 교과의 카테고리A(그리고 카테고리C)에서 과목을 선택하며, 취업 희망자가 선택하는 코스는 IB가 2006년에 새롭게 개발한 IBCC(Career-related Certificate, IB 직업 관련 자격과정)와 공통점이 엿보인다. IBCC는 IBDP(Diploma Progran, IB학위과정)의 여섯 가지 핵심교과 가운데 두 가지를 선택하고 그 외에 직업 관련 과목을 이수하면 된다. 홍콩의 증서시험은 설사 선택과목을 응용과목군에서 선택한다고 해도 4개의 필수과목을 빠뜨릴 수 없다. 이 4과목 가운데 2과목인 영어와 중국어는 많은 홍콩인들에게 모어[9]가 아니기 때문에 상당히 어려울 것이라는 점을 쉽게 짐작할 수 있다. 특히 중국어의 듣기 및 구두시험은 표준중국어인 보통어(普通話)다. 이처럼 모어 수준의 중국어를, 비중국어모어 화자한테까지 요구하는 것은 너무 어렵다는 의견에 따라 2015년부터 비중국어모어 화자용 대체시험으로 카테고리B에 '응용중국어'를 새롭게 2과목 개설했다. 다만, 모어가 중국어가 아니라고 해서 누구나 응용중국어로 변경 가능한 것은 아니다.

증서시험은 '5'부터 '1'까지, IBDP는 '7'부터 '1'까지 단계별 평가가 이루어진다. 증서시험은 5단계 평가이긴 하지만 '5' 이상으로 특별히 우수한 경우에 5*, 더 우수한 경우엔 5**이 부여되므로 결과적으로는 IBDP와 동일한 7단계 평가가 된다.

여기서 홍콩정부의 가장 큰 고민은 새로운 시험이 해외에서 승인되는 것이어야 한다는 점이었다. 새로운 시험제도를 도입하는 과정에서 홍콩 당국은 영국의 대학입학지원처(Universities and Colleges Admissions Service, UCAS) 및 교육부와 절충을 거듭해서 새로운 시험 개시(2012년) 전인 2010년에 증서시험 인증을 받는 데 성공했다. 그 후 UCAS 평점(UCAS Tariff Point)은 여러 차례 수정·보완을 거쳤다. 2017년 현재 증서시험의 UCAS 평점은 도표2-5-5 ①, ②에서 보는 대로 HKDSE의 최고평가가 IBDP 고급레벨의 최고평가와 동등한 평점을 받고 있다.

이상과 같이 개혁 후에도 현지 교육을 받고 현지 대학입학자격시험

도표2-5-5 **①증서시험의 UCAS 평점과 기타 국제시험과의 비교**

2017년 UCAS 평점	HKDSE (증서시험)	GCE A Level (영국 A레벨)	IB (고급레벨)	AP (미국)
56	5**	A*	7	
52	5*			
48	5	A	6	
44				
40		B		
36				
32	4	C	5	
28				5
24		D	4	4
20				3
16	3	E		2
12			3	1

A레벨은 영국의 대학입학자격시험/ AP는 미국의 대학과목선이수제
참고로, HKDSE의 수학은 필수부분만으로는 다른 국제시험과 동등한 것으로 간주되지 않으며, 선택한 전개부분과 합해서 수학 1과목으로 계산됨

도표2-5-5 **②증서시험의 UCAS 평점: 수학**

HKDSE 선택A 교과	평가	2017년 UCAS 평점
수학필수부분	5**	28
	5*	26
	5	24
	4	16
	3	8
수학전개부분(M1/M2)	5**	28
	5*	26
	5	24
	4	16
	3	8

출처: 도표2-5-5 ①, ② 모두 홍콩시험평가국(考試及評核局) UCAS 평점에서 필자 작성
http://www.hkeaa.edu.hk/en/recognition/benchmarking/hkdsc/ucas/ (야마토, 2017 b)에서 재수록

을 치르면 홍콩 내 공립대학에 입학이 가능할 뿐 아니라 해외유학도 이전 시험과 마찬가지로 가능해졌다.

3. 홍콩의 IB학교

이처럼 홍콩에는 IBDP와 비슷한 교육과정 및 대학입학자격시험이 이미 마련돼 있지만, 한편으로 현지시스템 외의 학교 군에서는 IBDP의 도입이 급속히 늘어나고 있다. IB프로그램에는 초등학교프로그램(Primary Years Programme, PYP), 중학교프로그램(Middle Years Programme,

도표2-5-6 **홍콩의 IB학교의 종류와 수**

유치원/어린이집	초등학교	중학교	고등학교	
PYP				9개교
	PYP			14개교
PYP	PYP	MYP	DP	4개교(전부 일관교육학교)*
		MYP	DP	4개교
			DP	20개교
	PYP	MYP	DP CC	1개교(일관교육학교)

*유치원 과정도 있는 일관교육학교는 유치원 단계부터 PYP

출처: IBO 홈페이지 및 홍콩의 각 학교 홈페이지 내용을 토대로 필자 작성(2015년 5월)

MYP), 고등학교프로그램(Diploma Programme, DP), 직업 관련 자격과정(Career-Related Certificate, CC)이 있다. 이 중 어느 한 가지 혹은 몇 가지 조합을 제공하면서 'IB학교'(World IB School)로 인정을 받은 곳이 2015년 5월 현재 54개교[10]에 이른다. 2002년 당시 IB프로그램 중 어느 한 가지라도 도입한 학교가 3개교밖에 없었던 점을 감안하면 IB의 확대 양상에는 눈이 휘둥그레질 정도다.

여기서 홍콩에서 IBDP 코스를 운영하는 학교의 종류를 살펴보자. 공립학교에서는 IB를 도입할 수 없지만, 본 원고의 맨 처음에 제시한 도표2-5-2의 현지 교육시스템의 사립(DSS)학교와 국제학교로 분류되는 학교군은 자체의 독자적인 교육프로그램을 운영할 수 있다. 제공하는 IB커리큘럼의 종류에 따라 학교 수를 집계해보면 도표2-5-6과 같다.

취학 전 단계의 교육을 하는 유치원과 어린이집에서 PYP학교로 이름을 올린 곳(원 포함)이 9개나 되는데, 유치원이 초등학교 과정까지 운영하고 있다는 의미는 아니니다. PYP는 대상 연령이 3세부터이며, 취학 전 3년간을 포함하여 9년간의 유치원-초등학교 일관교육을 고려한 과정임을 환기하기 바란다. 따라서 PYP를 제공하는 유치원과 어린이집을 마치면 자연스럽게 PYP를 제공하는 초등학교에 진학하게 될 것이라 추측할 수 있다. 다만, 본 원고는 IBDP가 주제이므로 IBDP를 제공하는 29개교에 한해서 살펴보기로 한다.

(1) ESF스쿨

ESF(English Schools Foundation)스쿨이란, 영국 통치시절에 원래 영국인 자녀들의 교육을 담당하기 위해 설립된 영국학교에 뿌리를 두고 있다. 그렇기 때문에 2000년까지는 수업료를 징수하긴 했지만, 홍콩의 공립학교로 분류돼[11] 있었다. ESF스쿨은 현재 유치원 5개, 초등학교 9개, 중등학교 5개, 초중등일관학교 2개, 특수교육일관학교 1개까지 합해 총 22개교다. 특수교육일관학교 1개를 제외한 모든 학교가 IB학교로서 IBO의 인정을 받았다.

중등학교에서는 GCE의 A레벨과 병행해, IBDP를 중등교육의 마지막 단계인 12학년과 13학년 때 이수한다. 또한 영국의 직업계 코스인 BTEC(Business and Technology Education Council)도 4개 학교에서 제공된다. 특히 중국 반환 후 홍콩의 국제학교에 대한 과도한 수요 증가에 따라 ESF기금은 초중등일관학교 두 곳(도표2-5-7의 7과 8: 도표2-5-2에서는 현지 사립학교 PIS 안에 포함)을 개교했다. 이 두 학교는 초등교육부터 일관되게 전체 IB프로그램(PYP, MYP, DP)만으로 구성된 완전한 IB학교다. 두 학교 가운데 르네상스칼리지(Renaissance College)는 세계적으

도표2-5-7 **IBDP 제공 학교 일람**

	종류/설립	학교명
1	DSS	Li Po Chung United World College
2	ESF	Island School
3		King George V School
4		Sha Tin College
5		South Island School
6		West Island School
7	ESF-PIS	Discovery College
8		Renaissance College
9	FS	Australian International School (오스트레일리아: NSW 주)
10	FS	Canadian International School (캐나다: 온타리오 주)
11	ICS*	Carmel School (미국/히브리어)
12	FS	Singapore International School (싱가포르)
13	CSF	Chinese International School (영·중 2중언어)
14	FS	French International School (프랑스)
15	FS	German-Swiss International School (독일)
16	YCF	Yew Chung International School - Hong Kong (국제)
17	PIS	Hong Kong Academy (국제)
18	PIS	International College Hong Kong (국제)
19	PIS*	Kiangsu-Chekiang College, International Section (국제)
20	PIS	Po Leung Kuk Choi Kai Yau School (국제)
21	PIS	The Independent Schools Foundation Academy (국제)
22	VSF	Victoria Shanghai Academy (국제)

23	DSS 현지시스템 사립학교	Creative Secondary School
24		Diocesan Boy's School
25		ELCHK Lutheran Academy
26		Po Leung Kuk Ngan Po Ling School
27		St. Paul's Co-educational College
28		St. Stephen's College
29		The Hong Kong Chinese Christian Churches Union Logos Academy

DSS: Direct Subsidy Scheme(일부 정부보조금을 받는 사립학교)
ESF: English Schools Foundation(영국국제학교협회)
PIS: Private Independent Schools(2000년대 초반부터 새로운 국제학교로 구분)
ICS: Independent (Jewish) Community School
CSF: Chinese Schools Foundation (중국국제학교협회)
YCEF: Yew Cheung Eucation Foundation (홍콩, 중국, 미국에서 국제학교 사업 전개)
VSF: Victoria Schools Foundation (홍콩, 중국에서 국제학교 사업 전개)

주: 1) 위의 학교 중 1, 7, 8을 제외한 나머지 학교들은 IB 외의 교육과정도 병설 운영 중이다. 1은 IBDP만 운영하는 전원기숙사제 학교로 홍콩 교육부의 학교 구분상 DSS교에 명단이 올라 있지만, 홍콩의 교육과정은 제공하지 않는다. 7과 8은 초중등교육 일관학교로 PYP, MYP도 제공한다.
2) 19는 홍콩교육 부문은 현지 사립 DSS이지만, 인터내셔널 부문은 PIS로 국제학교로 분류된다.
3) 11은 유대인 커뮤니티스쿨로 히브리어를 이수할 수 있으며 종교수업도 있지만, 입학 자격을 유대인으로 제한하지 않으며 종교과목도 필수는 아니다.

출처: 홍콩교육부 및 각 학교 자료를 토대로 필자 작성(2015년 5월)/(야마토, 2014) 일부 수정 후 재수록

로도 아직 도입 학교가 많지 않은 직업훈련계 코스인 IBCC까지 병설 운영 중이다. 예전부터 있었던 ESF중등학교가 영국의 직업계 코스인 BTEC를 제공하고 있는 점을 고려하면, ESF가 향후 IB에 중점을 두게 될 거라 전망해볼 수 있다. 참고로 2017년 현재 ESF의 사우스아일랜드 스쿨(South Island School)(도표2-5-7의 5)에서도 IBCC를 제공하고 있다.

(2) 국제학교와 외국인학교

홍콩에는 일본인학교를 포함한 외국인학교가 많은데, 그중 대다수가 '국제'라는 명칭을 붙이고 있다. 그 이유는 본국의 교육과정을 제공하는 부문과, 영어를 교수언어로 하는 국제 부문을 함께 운영하는 1학교 2제도를 채택하고 있기 때문이다. 일본인학교인 타이포(Tai Po)교는 영문명이 Japanese International School인데, 일본의 교육과정을 채택하는 '재패니즈 부문'과 영어가 교수언어인 '잉글리시 부문'이 있어서 학교 대지는 공유하지만, 홍콩의 학교 통계에는 학제도 교육과정도 전혀 다른 별개 학교로 올라가 있다. 타이포교에는 초등학교 과정만 있는데, 잉글리시 부문은 현재 PYP를 채용하고 있다. 프랑스 국제학교(French International School)인 리세(Lycée)도 인터내셔널 부문을 병설 운영하는데, 인터내셔널 부문에서는 2000년대 초반부터 이미 IBDP를 제공하고 있다.

국제학교 및 외국인학교의 국제부에서 IBDP를 제공하는 학교는 14개교다. ESF 계열의 7개교를 합쳐 국제학교로 분류되는 중등학교 29개교 가운데 21개가 IBDP를 제공하고 있는 셈이다[12]. 이들 국제학교의 대다수가 그전까지 영국, 캐나다, 오스트레일리아, 싱가포르의 교육과정을 채택했지만[13], 재학생의 희망 진학 학교가 다양해지면서 좀 더 범용성이 높은 IBDP를 병설 운영하게 된 것으로 보인다. 캐나다 국제학교(Canadian International School)는 온타리오 주의 교육과정도 운영하고 있는데, 2014년도 졸업생의 98퍼센트가 IBDP를 수료했을 뿐 아니라, 전체 졸업생이 온타리오 주 학위도 취득했다. 1983년에 설립한 중국 국제학교(Chinese International School)는 중국어와 영어의 2중언어교육을 실시한다. 1992년에 IGCE와 병행해서 IBDP를 도입했고, 2002년에는 홍콩에서 가장 빨리 MYP를 도입했다. 현재 초등학교 과정에선 중국어교육에 힘을 쏟기 위해 PYP는 도입하지 않고 있지만, 7학년부터 13학년까지는 MYP와 IBDP만 제공한다. 졸업생의 대다수가 IB 2중언어 DP를 수료하는 데 성공하고 있다.

참고로, IBDP를 제공하지 않는 다른 국제학교 중 많은 수가 미국 혹은 캐나다의 교육과정을 채용하고 있다. 홍콩에서 가장 오래된 국제학교이면서 규모가 가장 큰 홍콩 국제학교(Hong Kong International School)는 미국의 학교인정기구 중 하나인 서부지역학교협의회(Western Association of Schools and Colleges, WASC)의 인정을 받았으며, AP코스를 포함한 미국의 교육과정을 도입하고 있다.

(3) 현지시스템교의 사립학교

홍콩의 공립학교에서는 홍콩의 교육과정밖에 제공하지 않지만, 현지의 사립 DSS학교는 정부당국이 교육개혁을 추진하는 가운데 새롭게 만들어진 범주의 사립학교다. 신설 학교들 외에 정부지원학교에서 DSS학교로 갈아탄, 주로 전통학교들로 구성된다. 입학자 선발방법과 교육과정에 대해 학교의 자유재량이 인정되기 때문에 정부지원학교의 전통학교 중에는 대대적인 교육개혁 과정에서 DSS학교로 탈바꿈한 엘리트교가 많다. DSS학교는 중등학교만 61개교에 이르지만, 많은 수가 홍콩의 교육과정만을 제공하는 현지 학교다. IBDP를 제공하는 학교는 7개교인데, 전부 홍콩의 교육과정을 병설 운영한다. DSS학교의 학비는 2015년 현재 후기중등교육(고등학교) 과정이 연간 3,000 홍콩

달러(한화 약 50만 원)부터 국제학교 수준인 9만 9,000 홍콩달러(한화 약 1,500만 원)까지 큰 차이가 있으며, 가장 학비가 비싼 DSS학교는 IB프로그램 제공을 목표로 신설된 국제학교 같은 사립학교다. 일반적으로 IBDP가 제공되는 DSS학교는 학비가 비싼 편이다. 증서시험의 교육과정과 IBDP 양쪽을 제공하는 학교들은 이수하는 교육과정에 따라 수업료가 달라지는 경우가 많다. DSS학교 중에서는 홍콩 시가지의 혼잡함을 피해 전원(田園)에 교사와 기숙사를 만들어 이전한 전통학교와 신설 학교들이 있는데, 국제학교에 비해 학비는 싼 편이지만 기숙사비와 학비를 합치면 국제학교와 거의 차이가 없다.

(4) 새로운 국제학교

국제학교의 수요 급증을 예측한 홍콩정부는 적극적으로 국제학교 설립을 지원했는데, 그때 생긴 것이 PIS(Private Independent School)라는 새로운 범주의 학교다. 2000년 이후에 설립된 국제학교는 전부 PIS다. 정부는 학교 부지의 알선 등으로 혜택을 주는 대신에 국제학교라도 홍콩인의 입학정원을 최소 70퍼센트 이상 요구하고 있다[14]. 이는 국제학교에 대한 홍콩인들의 수요에 부응하기 위한 규정이다. 도표2-5-7의 17~21의 학교들이 PIS다. '保良局蔡繼有學校(Po Leung KukChoi Kai Yau School)'라는 이름만 보면 현지 학교로 착각하기 쉽지만, 초등교육부터 교수언어를 영어로 쓰고, 9학년과 10학년 때 IGCSE, 11학년과 12학년 때 IBDP를 제공하는 국제학교다. 2002년 초등학교 1학년과 2학년생만으로 개교해 2012년에는 중등교육 수료까지 제공하는 일관학교로 성장했다. 아동과 학생 수도 개교 당시 123명에서

2013~2014년도에는 1,679명에 이를 정도로 규모가 커졌다(Po Leung Kuk Choi Kai Yau School 홈페이지). 영국식 학제를 채용하는 ESF스쿨에서는 12학년과 13학년 때 IBDP를 이수하지만, 홍콩의 학제를 채택하는 保良局蔡繼有學校에서는 IBDP를 11학년과 12학년 때 이수한다는 것도 주목할 점이다. 다만, 영국 학제에서는 초등학교 입학이 5세지만, 홍콩 학제는 초등학교 입학이 6세라는 차이가 있다.

4. 왜 국제학교와 IB학교의 수요가 커지는가

앞서 언급한 대로 홍콩은 대학입학자격시험이 국제적으로 인정을 받기 때문에 현지 교육과정을 수료해도 그대로 해외유학이 가능하며, 게다가 고교졸업 때까지 무상교육을 받을 수 있다. 또한 졸업 후에는 공립대학 입학 신청이라는 창구가 열려 있다. 초등학교부터 일관되게 현지 교육을 받고, 홍콩 공립대학으로 가는 길이 약속돼 있는 것이 현지 교육제도 안의 학교들이다. 그런데도 현지 교육제도 밖의 학교인 ESF스쿨이나 현지 학교 중에서도 IB커리큘럼을 제공하는, 학비가 비싼 DSS학교의 인기는 계속 올라가고 있다. 그것은 아이러니하게도 홍콩이 신념을 갖고 준비해온 교육개혁에도 한 가지 원인이 있는 듯하다. 즉, 교육개혁의 구체적인 내용 가운데 ①교수언어에 대한 강압적 변경[15] ②입학자 선발방법의 변경[16] ③시험제도 변경에 따른 교육과정의 변경[17] ④생활언어가 광동어임에도 불구하고 새로운 증서시험에서는 본인의 출신과 관계없이 영어와 중국어가 필수인데다 점수의 비중도 높은 점 등에 대한 불만이 많은 듯하다.

더욱이 대학입학자격시험의 개혁이 발표된 당시에는 아직 그 시험이 해외에서 인정된다는 보장도 없었다. 개혁의 각 단계에서 불만과 불안을 품고 있던, 경제적으로 여유 있는 부모들은 아이가 안정된 환경에서 공부에 집중하게 하고 싶은 마음에서 일찍부터 해외유학을 보내거나, 교육개혁의 영향이 미치지 않는 학교군(유상교육)에 입학 또는 전학을 시켰다. 홍콩의 개혁은 기존 교육제도 안에서 입학한 대학생이 졸업한 시점인 2015년에 완결됐지만, 증서시험 과목과 시험방법, 학내 시험 결과를 증서시험에 반영하는 방법 등 미세한 조율은 계속되고 있다.

증서시험이 대학입학자격으로 인정받는 최저 기준은 필수과목인 영어, 중국어, 수학, 일반교양과정의 성적이 각각 '3, 3, 2, 2'[18] 이상이다. 이 중 하나라도 기준에 못 미치면 아무리 특정 교과의 성적이 우수해도 JUPAS를 통한 공립대 입학 신청이 불가능하다. 교육개혁의 목적 안에 학문적 교과뿐 아니라 '전인적 발달'을 목표로 한다는 점이 명시돼 있는 것과 같은 맥락인데, 이 네 가지 필수과목에서 규정 이상의 성적을 받기란 쉬운 일이 아닌 듯하다.

지금까지는 미국과 캐나다, 영국과 오스트레일리아 같은 영어권 국가로 이주했다가 홍콩으로 재입국하는 홍콩인들이 많았던 만큼, 학교의 운영주체가 속해 있는 각국의 교육과정을 제공하는 학교들이 있어서 그런 시민들의 니즈에 부응해왔다. 현재는 IB라는 더욱 범용성 있는 국제 커리큘럼이 등장하여 국제적인 교육에 대한 홍콩인들의 수요를 채워주면서, 한편으론 기존의 HKDSE와 맞서는 듯한 구도가 만들어지고 있다. 국제학교에서 교육을 받은 홍콩인 졸업생이 해외유학을 선택하는 대신에 홍콩의 공립대학에 진학하는 사례가 아직 미미한 수치지만 늘고 있는 것은 확실하다[19]. 이 경우에는 JUPAS를 통하지 않고, 개인이 직접 개별 대학에 입학신청을 하는데, 홍콩인 학생은 JUPAS를 경유하지 않더라도, 도표2-5-3에 보이는 대로 수업료는 일부 공적 부담이 된다(입학신청은 외국인 유학생과 똑같은 수속을 밟고, 수업료 부담은 홍콩인학생 취급).

마침 2015년 4월 18일자 지역신문(南華早報)에 홍콩의 증서시험과 IBDP 시험을 비교하는 다음과 같은 내용의 칼럼이 실렸다. HKDSE는 자기계발의 이상은 높지만, 실제로는 학생들의 공부에 대한 부담이 크기 때문에 주입식교육이 될 수밖에 없다. 따라서 경제력이 있다면 국제학교나 DSS학교에서 제공하는 IB프로그램을 이수해 진정한 의미의 자기계발을 탐구하는 것이 가능하지만, 일반인들은 이룰 수 없는 꿈이라는 것이다. 기자의 칼럼은 IBDP야말로 진정한 의미에서 학생의 자기계발을 추구한다고 말하고 있지만, IBDP 역시 요구수준이 높기 때문에, 국제학교에 간다고 해서 쉽게 IB졸업학위를 취득할 수 있는 건 아니다. IBDP 이수를 선택제가 아닌 선발제로 운영하는 학교도 있을 정도다. 어쨌든 UCAS 평점 비교표상 HKDSE가 전반적으로 IBDP보다 높은 평가가 주어지는 것처럼 보이는 점을 감안하면 확실히 HKDSE가 이수자 입장에선 부담이 클지 모른다.

맺음말: IBO와 공동으로 리더십 연구과정 개강

2015년, 교원양성을 전문으로 하는 홍콩교육학원(현 홍콩교육대학)이 IBO와 아시아태평양 리더십·변혁연구센터의 협력으로 두 종류의 IB

리더십 교육과정을 시작했다. 온라인코스이기 때문에 수강자는 홍콩 거주자로 국한되지 않는다. 전 세계에서 개강하는 IB 교사교육과정에는 'IB교원인정'과 'IB상급인정'[20]이 있다. 각각 전 세계 23개 대학과 14개 대학에서 개강한다. 홍콩에서 새롭게 시작한 강좌는 'IB리더십인정'과 'IB상급인정: 리더십연구'[21]인데, 아직 세계적으로는 오스트레일리아, 캐나다, 홍콩의 3개 대학[22]밖에 개강하고 있지 않다. 대상별로 보면, 전자는 IB 코디네이터와 그 희망자, 신규 진입 IB학교의 관리직 등이고, 후자는 IB학교의 교장이나 코디네이터 등 관리직에 있는 현역 직원이다.

이와 같이 공립학교에서의 IB 보급률은 제로지만, 국제학교를 포함한 사립학교에 IB과정이 급속히 보급되고 있고, 그에 따라 IB 교원양성과 리더십연구 강좌를 공립대학에서 열고 있는 곳이 바로 홍콩이다. 작은 지역사회지만 IB교육 및 연구에 관한 한 세계를 리드하는 위치에 있다고 할 만하지 않을까.

2-6

일본: 글로벌화와 커리큘럼 개혁

이와사키 구미코

머리말

일본정부가 IBO(International Baccalaureate Organization, 국제바칼로레아 기구)에 대한 자금 갹출을 결정한 것은 1979년이다. 일본정부는 역시 같은 해에 '스위스 민법에 의거한 재단법인 IBO가 수여하는 IB졸업 학위를 받은 자로서 18세에 이른 자'에 대해 '고등학교를 졸업한 자와 동등 혹은 그 이상의 학력을 갖춘 것으로 인정할 수 있는 자'로 보고 대학입학자격을 부여하고 있다(1979년 4월 25일자 문부성 고시 제70호).

IB는 일본 내에선 주로 국제학교가 제공하는 교육프로그램으로 여겨졌기에 교육정책이라는 무대에 전면적으로 등장해 주목받을 일이 없었다. 그러다 2000년에 일본 학교제도의 표준이라 할 만한 가토가쿠엔교슈고등학교(加藤学園暁秀高等学校)가 선구적으로 IB학교 인정을 받았고, 그 후 한참 지나 2009년에 다마가와가쿠엔(玉川学園) 고등부, AICJ(Academy for the International Community in Japan)고등학교, 리쓰메이칸우지고등학교(立命館宇治高等学校)의 3개 학교가 연이어 IB인정학교가 되었다. 이와 같이 2000년대 들어 일본 사립학교들은 조금씩이나마 IB의 도입에 관심을 갖게 된다.

칼럼: IBO에 대한 갹출

1976년에 15개 나라의 교육부장관이 참석하는 IBO 정부 간 회의가 네덜란드 헤이그에서 열렸다. 당시 참가국들에게 IBO는 매년 1만 5,000 미국달러를 3년에 걸쳐 갹출해달라는 재정지원을 요청했다. 이에 따라 일본정부는 1979년부터 IBO에 갹출금을 내기로 결정한다.

금액을 보면 1979년부터 1981년까지는 연간 1만 5,000달러(미국)였다. 당시 환율로(1달러=217엔) 계산하면 약 320만 엔(325만 5,000엔)이다. 1982년부터는 연간 5만 스위스프랑, 1998년부터는 3만 스위스프랑으로 감액됐다. 환율에 따라 달라지겠지만, 2005년 당시 금액은 1 스위스프랑=83엔으로, 약 250만 엔(249만 엔)①이다.

이처럼 1979년부터 IBO에 대한 재정지원을 포함해 일본정부의 다양한 협조가 이루어졌고, 이어 IB의 대학입학자격 인정이 결정되었다. 당시의 일본사회를 돌이켜보면, 기업의 해외진출이 늘어나면서, 외국에 거주하는 아이들의 교육문제와 국내에서의 수용문제가 정책과 정치 차원에서 논의되던 시기였다②. '국제화'라는 단어가 크게 부상했고, 일본의 경제문제와 맞물려 해외거주 일본인자녀의 교육문제가 표면화되면서 제도적 정비가 이루어진 시기라고 할 수 있다.

예를 들어 고교의 경우에 1976년부터 도쿄예술대학부속고등학교에서 해외 재학 경험자(정원 15명)에 대한 특별전형이 시작됨과 동시에, 문부성은 1977년부터 귀국자녀 수용을 주요 목적으로 하는 고등학교 설립을 위한 특별사업을 개시했다. 이로써 1978년에 국제기독교대학고등학교(國際基督教大学高等学校), 1979년에 교세국제고등학교(曉星國際高等学校), 1980년에 도시샤국제고등학교(同志社國際高等学校)가 개교한다. 그리고 대학에 관해서는 1976년에 문부성(당시 명칭)이 성령(省令)을 개정해 9월 입학제도를 시작했다. 그 후 1979년에 게이오대학이 외국의 고교 졸업자를 대상으로 별도(입학정원의 5퍼센트)의 특별전형을 실시했고, 1982년, 교토대학 법학부와 경제학부에서 귀국자녀전형 입시가 시작된다.

일본 기업의 해외진출과 맞물려 귀국자녀 문제와 IBO의 갹출금에 대한 논의가 적극적으로 이루어진 쇼와 50년대(1970년대 중반부터 1980년대 초반)는 경제발전과 더불어 국제화가 진전, 귀국자녀들의 수용을 위한 제도적 정비라는 문제가 부상한 시대라고 말할 수 있겠다.

① 문부과학성 국제과 자료
② 예를 들면 1976년 2월 「국제교육 교류의 제반 문제(國際教育交流の諸問題)」(일본경제조사협의회), 1979년 10월 「다양화를 향한 도전(多様化への挑戦)」(경제동우회·교육문제위원회)에서 귀국자녀 대책에 대한 제언이 다뤄졌다.

그러나 일본의 교육계에서 본격적으로 IB에 주목하기 시작한 것은 국제 경쟁력의 기반이 되는 글로벌 인재 육성이라는 관점에서, 정책문서에 조금씩 'IB'가 등장하기 시작하면서다. 예를 들면 정부의 '글로벌 인재육성추진회의'가 2012년 6월에 제출한 「글로벌 인재 육성 전략(글로벌인재육성추진회의 심의 정리)」에서는 글로벌 인재의 요소로서, (1)학력 및 커뮤니케이션 능력 (2)주체성 및 적극성, 도전정신, 협조성과 유연성, 책임감 및 사명감 (3)다문화에 대한 이해와 일본인으로서의 정체성을 들었다. 그리고 고교수준에서의 글로벌 인재 육성을 위해 "고교졸업 시에 IB학위를 취득할 수 있는, 혹은 그에 준하는 교육을 실시하는 학교를 5년 이내에 200개교 정도로 늘린다"[1]라는 목표 수치가 제시됐다. 당시 IBDP 인정학교가 국제학교 10개교와 일본의 고교(1조교: 정규학교) 5개교[2]였던 점을 감안하면 200개라는 수치는 원대한 목표였다는 것을 추측할 수 있다.

2013년에는 일본경제단체연합회 「세계를 무대로 활약할 수 있는 인재의 양성을 위해- 글로벌 인재 육성 방법론에 대한 제언」(2013년 6월 13일)[3], 교육재생실행회의 제3차 제언 「향후 대학교육의 모습」(2013년 5월 28일)[4], 「일본부활전략」(2013년 6월 14일 각의결정)[5] 등 연이어 정재계로부터 IB를 언급하는 제언과 전략적 방침이 제시되었다.

문부과학성에서는 이와 같은 정부 방침에 연동해 2012년에 초등중등교육국 교육과정과에서 「IB의 취지에 입각한 교육 추진에 관한 조사연구」를 공모해, 응모한 15개교 가운데 5개교에 조사를 위탁했다[6]. 그리고 문부과학성 산하의 국제과가 주도하여, 2013년부터 IB를 실질적으로 일본에 보급하기 위해 IBO와 연계해 IB과목 일부[7]를 일본어로 수업하는 '2중언어 IBDP'(일본어 IBDP)의 개발에 돌입했다.

이와 같이 IB는 크게 보면, 새로운 형태의 학습을 모색하는 학습지도요령 개정(유치원·초등학교·중학교는 2016년 개정, 고등학교는 2017년 개정)을 염두에 둔 커리큘럼의 새 모델로서, 그리고 경제의 글로벌화에 부합하는 글로벌 인재 육성을 위한 커리큘럼이라는 두 가지 측면에서 주목을 받게 되었다. 구체적으로 전자에 대해서는 지식기반사회, 평생학습사회에서 학습자의 주체적이고 탐구적인 자세를 독려하는 새로운 학습, 가르침에서 배움으로의 전환, 지식활용형 커리큘럼 등에 부합하는 모델로서, 그리고 후자에 대해서는 글로벌 인재 육성을 위한 모델 커리큘럼의 하나로서 IB에 관심이 모아진 것이다. 글로벌화가 앵글로색슨화의 비유라면, IB는 발군의 지식활용형 앵글로색슨계 영어 프로그램이면서, 동시에 모어와 민족적 정체성을 바탕으로 국제적 교양인을 육성하는 프로그램이기도 했다.

일본에서 IB는 2013년부터 정책적 박차가 가해지고 행정적 지원도 더해지면서 인정학교가 서서히 늘어나게 되었다(도표2-6-1 참조).

도표2-6-1 **IBDP 인정학교 추이**

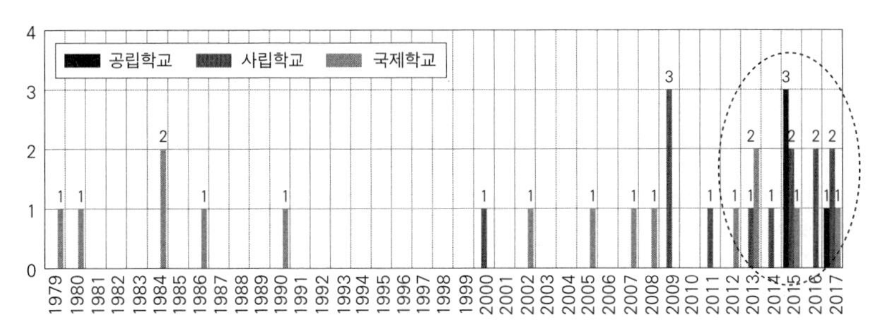

주: 가쿠게대학부속국제중등교육학교에 관해서는 해당학교 자료에 나온 대로 IBDP 인정을 2015년으로 표기했다(MYP 인정은 2010년).

출처: IBO Find IB Schools 〈http://www.ibo.org/〉 [2017/06/29 접속]

1. 공립학교의 IB 도입

사립학교는 원래의 경영이념상 IB의 도입에 관심을 갖는 학교들이 많았다. 예를 들면 2009년에 IB를 도입한 리쓰메이칸우지고등학교는 그때까지 이머전 코스(Immersion Course, 몰입교육)라는, 국어 이외의 교과를 전부 영어로 수업하는 영어교육 특화반을 운영하고 있었고 외국인 교원도 많았던 만큼, 애초에 IB를 도입할 여지가 충분했다고 여겨진다[8].

그러나 공립학교의 IB 도입은 일본에서는 전례가 없는, 완전히 새로운 커리큘럼을 도입하는 엄청난 도전을 의미했다. 공립학교가 IB 도입을 고려할 경우 어떤 요인을 검토해야 하는가. 여기서는 경영전략을 책

도표2-6-2 **공립학교의 IB 도입에 대한 SWOT분석**

[강점 · 장점](Strengths)	**[약점 · 결점]**(Weaknesses)
• 선구적 개혁이라는 점에서 학교 이미지 개선 효과 • 개혁의 일정 방향성을 보증('패키지') • 탁월성의 확보 • 국제적인 표준 커리큘럼의 도입이 다른 공립학교에 미치는 파급효과(학교개혁의 준거기준)	• 재정부담 • 공평성: 특정 학생에 대한 세금의 가중 배분 • 국제법규의 제약 • 외국인 교원 확보(채용기준의 탄력화, 복리후생) • 일본인교원의 양성 • 학부모의 명확한 이해(정보격차)
[기회](Opportunities)	**[위협]**(Threats)
• 글로벌 인재 육성에 대비한 정재계의 움직임 • 대학의 글로벌화 전략과의 연계 • 교육재생실행회의의 대학제도 개혁 • 주변 국립대학과의 고교-대학 연계	• 국내 대학 진학의 용이성 문제 • 일본어 IBDP의 내용과 국제적 인지도 • 학교의 변화에 대한 거부(구태의연한 가치관) • 사립학교 및 국제학교와의 경합 • 의회의 반대

출처: 필자 작성

정해서 판단할 때 이용하는 SWOT분석[9]을 이용해 정리해보고자 한다 (도표2-6-2 참조).

(1) 강점·장점(Strengths)

IB를 도입할 때의 장점으로 들 수 있는 것은 우선 국제적인 표준 커리큘럼의 도입으로 글로벌화에 부합하는 수업을 할 수 있다는 점이다. 그 결과 교육개혁에서 시대를 앞서가는 선구적 대응이라는, 학교 이미지 향상이 가능하다. 이 경우, 이미 존재하는 교육패키지를 도입한다는 점에서 일정 방향성과 탁월성을 동반한 수준 높은 커리큘럼이 보장되어, 신속한 개혁이 실현 가능하다. 덧붙여, IB를 도입하는 학교에 연구 거점의 기능을 부여할 수 있는 만큼 이 사례를 학교개혁의 준거 기준으로 활용함으로써, 다른 공립학교에 미치는 파급효과도 기대할 수 있다.

(2) 약점·결점(Weaknesses)

가장 큰 과제는 IB의 도입에 따른 시설, 설비, 교원연수, 학위인정을 위한 시험 등에 소요되는 재정적 부담이다. 특정 학생에 대한 세금의 가중 배분이라는, 공적사업의 공평성 문제도 발생한다. 그런 이유로 학교 측이 IB 도입의 필연성에 대해 설명해야 하는 부담도 더해진다.

외국인교원에 대해서는 국제학교와 비교할 때 급여, 복리후생 면에서 충분하지 않은 만큼, 우수한 인재 확보의 어려움이 예상된다. 외국인 채용 관련 규정이나 기준의 탄력화라는 법적 정비와, 외국의 휴가

제도에 준하는 복리후생 등의 특별대우처럼 사전에 고려해야 할 것도 많다. 또한 IB 관련 일을 하는 일본인교원의 양성도 충분하지 않다.

공립학교에 보내길 희망하는 학부모들에겐 충분한 정보가 제공되지 않을 우려도 있다. IB에 대한 정확한 이해가 학부모와 학생들에게 널리 퍼질 필요가 있다.

(3) 기회(Opportunities)

글로벌 인재 육성에 대한 정재계의 움직임은 순풍이다. 국제 경쟁력 강화를 위해 글로벌 인재를 키워야 한다는 정재계의 요구가 강하고, IB는 노동시장에서 경쟁우위를 점할 수 있는 요인이 된다는 점에서 대학의 글로벌화 전략과 교육재생회의의 대학제도개혁에도 영향을 미친다. 또한 IB가 연구형 대학과의 연계가 상대적으로 용이하다는 점에서 주변 국립대학과 고교-대학 연계시스템을 구축하는 방향성도 고려할 수 있다.

(4) 위협(Threats)

위협으로는 IB학위의 인지도, 특히 IB를 가지고 국내 대학 진학이 어느 정도 가능한가 하는 문제가 있다. 문부과학성의 노력으로 입시에서 IB학위를 인정하는 대학은 눈에 띄게 늘어났지만, 모든 대학에서 일반 입시와 동등하게 취급되는 것은 아니다. 또한 영미권 대학의 입학 가능 여부는 각 대학의 판단에 맡겨지기 때문에 일본의 IB 보급을 위해 실시되는 2중언어(일본어)에 의한 IBDP의 경우 별도로 영어능력 증

도표2-6-3 **도립국제고등학교와 시립삿포로가이세중등교육학교의 비교**

	도쿄 도	홋카이도 삿포로 시
1. IB의 도입 이유	해외 기업 유치	고등학교 개혁(특색화)
2. 도입 학교 형태	고등학교	중고일관교
3. 학과	국제과	보통과
4. 주요 대상 학생	일본국적·외국국적	일본국적
5. 학생들의 주요 진로	해외 대학	국내 대학
6. IB의 종류	IBDP	MYP, (IBDP)
7. IB 언어	영어	일본어·영어(2중언어프로그램)

명서를 요구할 가능성이 있다. 그리고 영어로 진행되는 IBDP와 일본어에 의한 IBDP가 동등하게 취급되는지 여부도 불명확하다. 또 한 가지 위협으로는, 일본의 교육계에 뿌리 깊이 존재하는 '변화에 대한 거부감'이다. 기존 교육방침의 좋은 점을 강조하며, 학교의 변화를 원하지 않는 문화도 분명 존재한다.

공립학교에서 IB를 시행하는 것은, IB를 내세워 수업료를 징수하는 사립학교나 국제학교에 비해 수업료가 저렴하기 때문에 그 자체로 민간기업에 대한 압박이라는 의견이 나올 우려도 있다. 만약 의회에서 반대 의견이 나온다면 신규로 도입 계획을 세우는 것은 기본적으로 어렵다. 이런 상황을 염두에 둔 상태에서 공립학교들이 IB 도입을 고려하고 있다는 것을 먼저 이해할 필요가 있다.

여기서는 여러 복잡한 사정에도 불구하고 IB를 공립학교에 도입하기로 결정한 도쿄 도와 홋카이도 삿포로 시의 사례를 소개한다. 이 두 자치단체는 공립학교에 IB커리큘럼 도입을 추진하게 된 목적과 배경이 서로 대조적이다(도표2-6-3 참조). 예를 들면 도쿄 도는 교육의 글로벌화가 목적인 데 반해, 홋카이도 삿포로 시는 고교교육 개혁의 일환에 따른 것이다. 또한 전자는 영어 IBDP(고등학교프로그램-IB학위과정)를 도입했지만, 후자는 MYP(중학교프로그램)를 처음에 도입하고, 고등학교프로그램(IBDP)은 일본어 2중언어 코스를 도입했다.

이어서, 두 학교의 사례를 자세히 소개한다.

2. 글로벌화: 도쿄도립국제고등학교

도쿄도 교육위원회에서는 2015년에 IB의 교육프로그램을 수강할 학생을 선발해, 2016년부터 도쿄도립국제고등학교에서 원칙적으로 영어에 의한 IBDP(국어, 국사 등은 일본어)를 시작했다.

(1) 해외 기업 유치

도쿄 도의 IB 도입 검토는 국가 차원의 움직임과는 다른 형태로 시작됐다. 도쿄 도에서는 도시전략구상의 일환으로 10년간 실행해나갈, '2020년 도쿄' 프로젝트를 책정하고, 관련해서 중점과제를 해결하기 위한 열두 가지 세부 프로젝트를 제시했다. 그중 하나가 외국기업들의 유치를 통해 '도쿄'를 아시아 지역의 거점으로 만드는 것을 목표로 하는 「아시아헤드쿼터특구구상」이다. 이에 따라, 대일 투자 확대와 외국기업 유치를 위해 필요한 외국인자녀의 교육환경 정비라는 관점에서 IB가 고려된 것이다.

「아시아헤드쿼터특구구상」의 문서에는 "서구의 엘리트층은 최고 수준의 교육을 원하는 바, 외국기업 근무자를 위해 국제학교를 정비하고 IB인정학교를 확대할 필요"[10]가 있다고 적혀 있다. 즉, 도쿄 도가 IB를 검토한 목적은 주로 외국기업에 근무하는 외국인자녀들의 교육환경 정비를 상정한 것이다. 다시 말해서, IB가 국제적으로 널리 알려진 수준 높은 커리큘럼의 지표로 여겨졌던 것이다. 거기에 부수적으로, 일본인 고교생들을 대상으로 최고의 리더로 성장할 수 있도록 세계적인 인재 육성 교육을 실시한다는 목적도 언급되었다.

일본인 고교생에 대해서는, 도쿄 도에서는 2012년 2월에 책정한 '도립고교개혁추진계획 제1차 실시계획'에서 글로벌 인재 육성이라는 목적 아래, "도립고교를 졸업한 학생이 해외 대학에 원활하게 진학할 수 있도록 외국어로 진행되는 수업 중심의 독자적인 커리큘럼을 개발·실시함과 동시에 해외의 대학입학자격을 취득할 수 있는 도립고교 최초의 IB인정학교를 목표로 함"이라고 되어 있다.

이와 같이 도쿄 도에서는 외국기업의 외국인자녀 및 해외 대학 진학을 희망하는 일본인 대상의 공립 국제학교를 목표로, 영어로 수업하는 코스의 개설이 기획되었다. 도쿄 도에서는 IB 도입을 위해 2012년에 'IB 검토위원회'를 설치해 교육과정, 입학선발, 인재확보, 학교경비, 시설·설비 등 전반에 대해 도쿄도교육위원회의 각 부서대표가 1년에 걸쳐 검토와 논의를 거듭한 끝에 2013년 3월 「IB 도입을 위한 검토위원회 보고서」를 마련했다[11].

IB 도입의 구체적인 목표로는 "국제사회의 다양한 상황에서 자신감과 자부심을 가지고 외국인과 영어로 대등하게 교류하며, 리더로서 활약할 수 있는 인재를 체계적으로 육성해나갈 필요성"과 "해외 대학 입학에 대한 강한 의욕과 우수한 자질을 가진 학생을 도립고교 내에서 육성한 후 해외 대학에 진출시켜, 세계 각국에서 모여드는 우수한 학생들을 상대로 냉엄한 환경 속에서 절차탁마(切磋琢磨)시킬 필요성"이 거론됐다[12].

(2) 도입의 기본적 짜임새

도쿄 도는 처음에 중고일관교 등도 시야에 넣어 검토한 끝에 최종적으로 도립국제고등학교를 선택했다. 도립국제고등학교는 1989년 4월에 개교한 국제학과 전용 학교다. 각 학년이 한 학급당 40명씩 6개 학급(총 720명)으로 구성되어 있는데, 그중 약 3분의 1이 귀국자녀와 도쿄에 거주하는 외국인 학생이다. 도쿄 도가 IB코스를 도립국제고등학교에 도입하면서 상정한 타깃층은 세 방향이다. 첫 번째로 해외 기업 유치를 목적으로 한 외국국적의 학생이다. 이 경우는 질 높은 커리큘럼을 제공해야 하며, 또한 영어권 학생이라면 일본인학생에게 도움이 되는 교육자원 혹은 인재로서의 활용도 기대할 수 있다. 두 번째로 일본인 귀국자녀다. 소수이긴 하지만, 그중에는 IB를 해외에서 수강했던 학생도 있을 것이다. 예전에 필자는 해외의 국제학교에 다니다가 부모의 귀국으로 IB를 중단하게 된 학생을 만난 적이 있다. 그 학생은 IB를 계속 수강할 수 있는 학교로 전학을 희망했지만 당시엔 어려웠다. 도립국제고등학교에서 이런 경우에 유연한 대응이 가능한지 어떤지는 불명확하지만 이런 학생들의 니즈는 적게나마 존재한다. 세 번째로 일본인이면서 해외 대학 입학을 희망하는 학생이다. 일본인학생들의 진학에 대한 다양한 니즈를 수용하는 한 가지 방법으로 IB를 통한 해외 대학 입학의 길을 열어둘 필요가 있다 이 경우에 해외 대학의 수업료 등의 경비가 거액임을 감안하면 장학금 확보가 과제가 될 것이다.

도립국제고등학교의 IB코스 정원은 4월 모집 20명, 9월 모집이 5명으로 합계 25명이다[13]. 입학생 선발은 ①영어활용능력필기시험[60분](리스닝, 리딩, 라이팅), 면접시험[10분](스피킹) ②수학활용능력검사[50분] ③소논문[50분] ④개인면접[15~20분] ⑤집단토론[35분 정도] ⑥조사서류(성적증명서)로 이루어진다. ①영어활용능력필기시험과 ②수학활용능력검사는 적합/부적합 판정만 하며 종합 판정은 ③부터 ⑥, 즉 소논문, 개인면접, 집단토론, 조사서류로 실시한다고 돼 있다. 말하자면, 학력 이상으로 학생의 의욕을 평가하려는 의도를 엿볼 수 있다[14].

교육과정을 보면 1년차엔 일본의 커리큘럼, 2년차와 3년차에 IBDP를 이수한다. 수업은 일본인 교원과 영어 원어민에 의한 소수 팀티칭(Team Teaching) 방식으로 이루어진다. 인원 수가 25명으로 기존 학급보다 적은데, 이는 IB가 학급당 25명 이하로 인원이 정해져 있기 때문이다. IB는 과목선택의 자유도가 높아서 학생들의 선택에 따라선 25명의 정원 중 6~7명 단위의 수업을 실시하는 경우도 상정된다. 시설도 IB의 기준에 따라야 하며, 새로운 실험실 마련 등 약간의 정비가 요구된다. 덧붙여 영어로 수업을 진행할 수 있는 교원의 확보 등 새로운 대응책 마련의 필요성도 제기되었다.

공립학교에 IB를 도입하는 경우 몇 가지 논쟁의 여지가 있을 것으로 추측된다. 구체적으로, 세금에 의존하는 도립고등학교인데 특정 학교에 예산을 초과 배분하는 것은 공평성의 원칙과 부딪친다는 것, 동시에 공립학교의 훌륭한 교육커리큘럼에 누구든지 접속할 수 있어야 하는데 그러한 기회균등이 보장되지 않는다는 것이다.

3. 커리큘럼 개혁: 시립삿포로가이세중등교육학교

삿포로 시가 IB를 도입하게 된 주요 이유는 고교교육개혁의 일환이었다. 삿포로 시는 2015년에 중고일관교인 시립삿포로가이세중등교육학교를 설립해 전체 학생을 대상으로 IB 중학교프로그램(MYP), 더 나아가 5, 6학년(고교2, 3학년에 해당) 학생 가운데 희망자를 대상으로 2중언어 IBDP(일본어 IBDP)의 도입을 검토했다. 삿포로 시가 이와 같은 유연한 커리큘럼을 실시하기까지 중고일관교 설립의 배경과 경과를 소개한다.

(1) 고교 재편에 따른 개혁

홋카이도의 출생자 수는 1974년 2만 4,545명에서 정점을 찍은 뒤 감소 일로를 걷게 된다[15]. 저출산에 따른 고등학교 진학자 수의 감소율을 추산하는 과정에서 고등학교의 재편과 정비가 과제로 부상했다. 홋카이도교육위원회가 홋카이도 내 학교 통폐합 및 학급 수 삭감을 검토한 후, 2000년 6월에 「공립고등학교 배치의 기본방침과 재고」를 책정, 2007년까지 한 학년에 9학급 이상인 대규모 고등학교를 해산한다는 방침이 내려졌다[16]. 이 상황에서 홋카이도 내에서는 한 학년당 4~8학급을 적정 규모로 잡고, 그에 맞춰 모집 정지와 학급 줄이기가

도표2-6-4 **삿포로 시 고등학교들의 특색화**

고등학교	과정	학과	특색화
아사히가오카고등학교 (旭丘高等学校) 1958년 4월 7일 개교	주간	보통과	단위제 도입
가이세고등학교(開成高等学校) 1962년 4월 1일 개교	주간	보통과	코스모사이언스과 2개 학급 설치 (국제화, 과학기술 발전에 대응)
모이와고등학교(藻岩高等学校) 1973년 4월 1일 개교	주간	보통과	환경교육
기요타고등학교(清田高等学校) 1975년 3월 8일 개교	주간	보통과	글로벌 코스 1개 학급 설치 (영어 중심 커뮤니케이션, 국제이해교육 16단위 정도)
신카와고등학교(新川高等学校) 1979년 4월 10일 개교	주간	보통과	프런티어 에어리어(frontier area) 제도**
	야간	보통과	
히라기시고등학교(平岸高等学校) 1980년 4월 9일 개교	주간	보통과	디자인아트 코스 1개 학급 설치 (디자인, 회화, 조각에 관한 전문과목 10~16단위)
	야간	보통과	
게호쿠상업고등학교 (啓北商業高等学校) 1941년 4월 19일 개교	주간	상업과	미래상업학과(2학년부터 '회계 코스', '정보 코스', '국제 코스')
	야간	상업과	
세엔고등학교(星園高等学校) 1925년 3월 25일 개교	야간	보통과	

**진로 맞춤형 학습을 강화한 커리큘럼. 2학년과 3학년 때 영역을 나누어 독자적 과목학습을 실시함. 2학년 땐 '사회탐구', '이과탐구'로 나누고 3학년이 되면 '정보문화', '사회통합', '건강과학', '이과종합' 영역으로 세분화된다. (해당 학교 홈페이지에서 옮긴이 발췌)

출처: 필자 작성

〈재편 통합〉
시립삿포로오도리고등학교(市立札幌大通高等学校)[3부제, 단위제]
2008년 개교
2010년 야간과정 합병

실행에 옮겨지고, 지방을 중심으로 고교 통폐합이 진행되었다.

삿포로 시에는 보통과(일반 인문계) 7개교, 상업과(실업계) 1개교로 총 8개의 고등학교가 있었다. 전국의 정령지정도시(政令指定都市, 내각의 정령[政令]으로 지정된 시. 시즈오카 시를 제외하면 모두 70만 명 이상인 인구규모로 볼 때 한국의 광역시와 비슷하다-옮긴이) 가운데 시립고교가 2개밖에 없는 지바(千葉) 시를 제외하면 보통과의 비율이 가장 높고, 시민들은 그다지 시립고교와 도립고교를 구분하지 않았다[17]. 이런 상황에서 도내 고등학교의 통합 및 재편의 움직임에 따른 8개 학교의 미래상을 검토한 결과, 학교의 특색화와 존재 의의를 명시할 필요성이 과제로 부상했다. 삿포로시교육위원회는 2003년 2월 7일 「삿포로시립고등학교교육개혁추진계획」을 제정했고, 삿포로 시의 8개 학교는 도표2-6-4와 같이 특색화를 표명했다. 후에 IB를 도입하게 되는 가이세고등학교에는 '코스모사이언스과' 2개 학급을 설치해 국제화와 과학기술의 발전에 대비한다는 점이 강조되었다.

동시에 2003년에 책정된 「삿포로시립고등학교교육개혁추진계획」 및 2004년에 책정된 「삿포로시교육추진계획」에서 중고일관교육학교의 설치 검토에 대한 필요성이 제기되었다. 그 후 상기 추진계획에 입각해 '삿포로 시 중고일관교육검토협의회'가 설치되고 중고일관교육학교에 관한 검토가 진행된다. 그 결과 2011년에 「삿포로 시 중고일관교육학교 설치 기본구상」이 책정되었다.

중고일관교육으로 개편될 대상 학교로는 코스모사이언스과가 있는 가이세고등학교가 선정되었다. 코스모사이언스과는 앞서 언급한 「고등학교교육개혁추진계획」에 들어 있던 것으로 코스모스(cosmos, 우주)와 코스모폴리탄(cosmopolitan, 국제인)을 합친 조어다. 구체적으로 "실험·관찰·체험 위주의 학습을 통해 풍부한 과학적 소양과 논리적 사고력, 전달력 위주의 영어학습을 강화하고, 장래에 삿포로를 이끌며 국제사회에서 활약하는 인재 육성을 목표로 한다."[18]라는 기조 아래 설치되었다. 대상 학교의 선정 이유는 코스모사이언스과를 토대로 중고일관교육학교로 개편하여 "자연과학뿐 아니라 사회과학, 인문과학까지 아우르는 넓은 의미의 '사이언스'를 좀 더 깊이, 균형 있게 배울 수 있다"[19]는 관점에서였다. 개편된 교육내용의 특징은 '과제탐구형 학습'과 '전달력 위주의 영어학습'을 중심에 놓았다는 것이다.

중고일관교육학교 설립이 결정되기까지의 과정에서는 시간을 들여 단계적으로 여러 관계자들이 무수한 논의를 반복하고 최종적으로 도입 여부를 판단하는 세세한 수순을 밟았다. 이런 상향식 의사결정은 시간이 걸리고 노력도 많이 들어간다. 실제로 '삿포로시립고등학교 교육개혁추진협의회'가 중고일관교육학교 검토를 시사한 2002년부터 2011년의 결정까지 햇수로 10년 이상의 세월이 흘렀다. 담당자는 "중고일관학교의 도입에 이르기까지 시간을 들인 덕분에, 그동안에 다양한 상황 변화가 긍정적 형태로 프로젝트에 적용되었고, IB 도입 추진의 사회변화적 시류도 탈 수 있었다."라고 평가한다.[20]

2011년 3월에 중고일관교 형태의 중등교육학교 설립이 결정된 후 같은 해 4월에 중학교와 고등학교 교원으로 구성된 프로젝트팀이 꾸려졌다. 그리고 중등교육학교의 과제탐구형 학습의 구체적인 교육내용을 담을 틀에 대한 검토가 시작됐다. 과제탐구형 학습의 구상이 먼저였지만, 2년간의 프로젝트에 대한 결론을 내는 최종 단계였던 2013년 1월부터 IB에 대한 검토가 시작됐다. 결과적으로, 삿포로 시가 내세우는 과제탐구형 학습모델에 IB가 합치한다는 의견이 나왔고,

프로젝트팀 전원이 만장일치로 'IB를 해보자'는 결론을 내리게 된다. 마침 국가 정책적 차원에서 IB의 도입이 추진되던 중, 국가 지원과 일본어 IBDP의 도입 움직임이 가속화하면서 IB에 대한 그림은 구체적인 모습을 갖추게 된다.

IB의 도입에는 삿포로 시가 직업교육, 과제탐구형 학습을 중시하고 실천해온 실적도 배경에 있었지만, 궁극적으로는 "교육에서는 평생에 걸쳐 배우는 능력의 육성이 중요"하다는 지론을 내세운 시장의 리더십과 교육장의 결단이 큰 힘을 발휘했다. 그리고 최종 결정을 위한 수속단계에서 교육위원회 위원이 신중하게 검토를 진행하고, 시간을 들여 합의 형성을 도모한 것도 도움이 되었다. 삿포로 시의 경우에 교육위원회 위원 제도가 충분히 제 기능을 발휘했다고 볼 수 있다. 그로 인해 좀처럼 결론을 내지 못하고 시간만 늘어지는 경우도 많았지만, 시의회가 교육위원회의 결정을 존중하고, 더 나아가 교육위원회 위원들이 정책을 추진하는 데 든든한 후원자가 되었다. 최종적으로 삿포로시의회 문교위원회의 심의를 거쳐, 2013년 9월 20일에 시립삿포로가이세중등교육학교의 IB 도입을 정식 공표하기에 이른다. 삿포로시교육위원회의 고교교육개혁이 궤도에 오를 수 있었던 요인으로는 삿포로 시의 고등학교가 8개 학교로 적었기 때문에 신속한 대응이 가능했던 점, 시교육위원회 담당자의 업무가 겹치면서 배양된 인적 네트워크 안에서 양호하고 원활한 인간관계가 맺어진 점을 들 수 있다.

2015년 중등교육학교 개교 준비를 위해 2013년 4월부터 삿포로가이세고교 내에 중등교육학교 담당과가 마련됐다. 구성원은 다음과 같다.

- 과장 2명(행정 출신 1명, 교원 출신 1명)
- 계장 7명(행정 출신 1명, 중학교 교원 출신 3명, 고등학교 교원 출신 3명)

- 일반행정 1명
- 학교사무 1명
- 가이세고교 관계자 7명(주 2일 반나절)

중등교육학교 담당과는 행정 출신자 외에 중학교와 고등학교의 교원 출신자를 구성원으로 한다. 관계자에 따르면 학교설립을 위해 2년에 걸친 사전 프로젝트팀의 검토과정에서 중학교와 고등학교 교원 간의 문화적 차이점이 표면화됐다고 한다. 그러나 IB커리큘럼의 특징이 서로 다른 문화적 배경을 가진 교원들이 새로운 목표를 향해 제로단계에서부터 협력하는 데 효과적이었고, 쌍방이 융합하는 방법론으로서도 유익했다고 한다.

현 단계의 안에 따르면, 중등교육학교 4학년 학생 전원이 MYP를 수강한다. MYP에서 모든 교과를 영어로 실시하는 것은 고려하고 있지 않지만, 단계적으로 IBDP와 연계되도록 일부 교과는 영어로 수업을 진행할 예정이다. IBDP는 희망자만을 대상으로 하지만 나머지 학생도 가능한 범위에서 IB과목을 수강할 수 있도록 방안을 모색 중이라고 한다.

(2) 향후의 전망

삿포로 시가 IB라는 새로운 교육프로그램을 시행하는 데 고려해야 할 점으로 거론된 것 중 첫 번째가 교원 급여 및 인사의 측면이다. 중학교에 해당하는 전기과정은 현(県, 광역자치단체인 '도도부현'의 가장 작은 단위-옮긴이)이 급여를 부담하는 교직원이므로 홋카이도교육위원회(고등학교는 시립이므로 시의 급여체계)가 급여를 책임지지만, 인사이동은 전·후기 과정 모두 삿포로 시 안에서의 이동이 된다. 또한 교원면허의 수여도 홋카이도교육위원회에 권한이 있다. 그렇기 때문에 중등교육학교의 설립을 위해서는 홋카이도교육위원회와의 면밀한 조정이 필요하다.

두 번째로 프로그램의 운영비 부담문제가 있다. IB의 가맹비와 교원연수비를 합치면 연간 200만 엔(한화 약 2,000만 원) 정도의 예산이 필요하다. 수험료는 학생 부담으로 한다고 해도, 가장 큰 부담은 외국인강사의 채용 및 고용에 드는 인건비다. JET프로그램(The Japan Exchange and Teaching Program, 해외인적교류사업)을 통해 삿포로에 거주하는 외국인강사들을 활용하는 방안을 고려하고 있지만, 이 경우 외국인강사 단독으로 수업이 가능하도록 제도정비를 실시하는 것도 과제가 된다.

세 번째로 공립학교이기 때문에 공적비용 사용의 공평성, 자원배분에 대한 문제가 있다. 삿포로시교육위원회는, 가이세중등교육학교에 IB를 도입함으로써 축적되는 지혜와 경험은 교육연수와 교원이동 등을 통해 다른 시립중고등학교에 유효하게 전달될 것으로 보고 있다. 따라서 가이세중등교육학교의 IB 도입 비용은 결과적으로 전체 시의 교육개선에 이바지하는 형태로 환원될 수 있다는 견해다.

IB의 도입은 10년 이상 논의를 통해 충분히 무르익은 가운데 합의된 중등교육학교 신설에 대한 시의 교육방침과 IB의 이념이 합치된 것에 따른 귀결이다. 2015년에 입학하는 첫 1학년생 가운데 희망자가 IBDP를 이수하는 것은 5년 뒤다. IB의 도입 발표는 시기적절했지만 실제 도입은 좀 더 이후의 일이다. 그사이 선행하고 있는 다른 공립학교의 IB 도입 성과를 살펴보며 시간을 들여 좀 더 좋은 방향으로 검토하고자 하는 상황이다. 시립삿포로가이세중등교육학교의 설립과 IB의 도입과정은 이처럼 후발효과의 장점을 최대한 살리는 점도 개혁안에 들어 있을 정도로 신중한 토론에 의해 뒷받침된 안정감이 돋보인다[21].

맺음말

이상으로 일본의 IB 도입 현황을 도쿄도립국제고등학교와 삿포로가이세고등학교의 구체적 사례비교를 통해 살펴보았다. 일본 내에서의 움직임을 보면, 국제학교에 국한돼 있던 IB가 사립학교에서도 운영되기에 이르렀고, 그 후 국공립학교로 확대되는 모양새다. 고교교육개혁의 방향에 글로벌 인재, 그리고 평생학습시대를 앞두고 자발성과 학습의욕을 가진 인재의 육성이라는 두 가지 내용이 들어 있다는 점이 그 배경에 있을 것이다. 일본의 공립고등학교에서 IB를 도입하는 일은 재원 확보 등 여러 문제가 있는 만큼 현 단계에서 눈에 띄는 증가세는 보이지 않는다. 그러나 공립학교의 IB 도입과정에서 얻은 지혜는 널리 파급되어 국내 고등학교의 커리큘럼과 수업내용을 서서히 개혁해나가는 기폭제가 될 것으로 보인다.

2-7

IB 도입의 국가별 비교

이와사키 구미코

머리말

IB는 처음에 국제학교와 유나이티드월드칼리지(UWC)를 중심으로 전개되어왔지만, 최근에는 영어권뿐 아니라 영어권 이외의 사립학교와 공립학교에서의 도입도 늘어나고 있다. IB는 대학의 선행학습 성격을 지니기 때문에 학문연구를 지향하는 대학과의 고교-대학 연계가 가능한 커리큘럼이다. 또한 표준화된 평가시스템이 있기 때문에 IBDP(IB 학위과정)의 최종점수로 사전에 대학의 합격 여부를 예측할 수 있고 조건부 입학이 가능하다는 이점도 있다. 당초 IBDP의 도입 목적이 각국의 대학입학자격시험을 대체할 수 있는, 대학입시를 위한 국제적인 자격증(허가증)으로서 상정됐던 점을 고려한다면, 그 존재가 영미의 대학입시와 관련해 논의돼왔다는 건 당연한 귀결이라 할 수 있을 것이다. 그와 동시에, 최근에는 IB가 지닌, 자국의 정체성에 뿌리를 둔 국제성, 그리고 평생에 걸쳐 함양해야 하는 학습법의 스킬(skill)과 학습습관의 형성이라는 관점에서 IB커리큘럼의 탁월성에도 주목하는 듯하다.

이번 원고에서는 IB의 발족 당시 상황을 돌아보고, 그 후 공립학교 차원의 도입을 준비하고 있는 각국의 최근 움직임을 비교한다. 마지막으로 새삼 각광을 받고 있는 IB의 현 상황에 대한 요약으로 2장 전체를 정리해보겠다.

1. IB의 발족

먼저 IB의 역사를 간략하게 살펴보자. IB의 원점에는 두 개의 무대가 있다. 첫 번째는 영국의 유나이티드월드칼리지(United World College, 이하 UWC), 그리고 또 하나는 스위스의 제네바 국제학교다. 이 두 무대를 연결한 것은 나중에 초대 IBO 사무총장이 되는 알렉 피터슨(Peterson, Alec, 1908-1988)이다.

최초의 무대인 UWC는 1962년 세계 각국으로부터 고교생을 선발해서 2년간 교육을 시키는 전원기숙사제 학교로, 영국의 사우스웨일스에서 시작됐다 이 애틀랜틱교(Atlantic college)라 불리는 실험적 학교는 독일인(후에 영국국적 취득) 교육자인 커트 한(Hahn, Kurt, 1886-1974)이 "인간은 평화롭게 공존하기 위해 서로를 알 필요가 있다."라는 교육적 이상을 품고 공군중장 다볼 경[卿](Darvall, Lawrance, 1898-

1968)과 함께 설립했다. 「런던타임스」가 "제2차 세계대전 후, 가장 흥분을 불러일으키는 교육실험"이라고 칭찬한 것처럼[1], 냉전기였던 당시 교육현장에 국제이해와 평화의 철학을 요구하는 분위기가 존재했을 것이다.

UWC를 설립한 한은 어떤 인물이며 IB와 어떤 관계가 있을까. 한은 베를린의 유태인 부모 밑에서 태어났다. 옥스퍼드대학과 독일의 하이델베르크, 베를린, 프라이부르크, 괴팅겐 등 여러 대학에서 학문을 쌓고, 독일제국 최후의 수상이었던 막스 폰 바덴 공[公](von Baden, Max, 1867-1929)의 개인비서를 역임했다. 한은 청소년교육이 중요하다는 신념을 바덴 공과 공유하며 그의 지원하에 청소년들의 인격함양을 위한 전원기숙사제인 살렘스쿨(Schule Schloss Salem)을 독일 보덴호반에 설립, 1920년부터 1933년까지 교장을 역임했다. 이 학교는 1930년대에 유럽의 명문교로 성장한다. 그러나 한은 제1차 세계대전 후 독일 나치의 대두에, 반 나치를 기치로 내걸다가 투옥된다. 그 후 바덴 공의 노력과 당시 영국 수상이었던 램지 맥도널드(MacDonald, Ramsay)의 개입으로 석방과 동시에 국외 추방을 당해 영국으로 건너가게 된다. 영국으로 건너간 한은 1934년에 스코틀랜드에 전원기숙사제인 고든스톤스쿨(Gordonstoun school)을 설립한다. 이 학교는 설립 당시엔 사설학원 같은 곳이라 재정난에 허덕였지만, 현재는 영국왕실 관계자가 진학하고, 졸업생 중에 에든버러 공(Duke of Edinburgh)과 현 황태자(Prince of Wales)의 이름이 올라 있는 명문교로 발전했다. 한은 이 학교에서 자신의 교육이념을 차례로 구현해나간다. 예를 들면 1941년에 아웃워드바운드(Outward Bound)라 불리는 야외활동의 단기강습(학교)을 시작했고, 라운드 스퀘어(Round Square)라는 학생들 간의 국제회의 등의 교류도 시도하게 된다[2]. 이처럼 한은 학교 외부에서의 교육적 체험을 통한 인격함양을 핵심으로 하는 독일의 살렘스쿨, 스코틀랜드의 고든스톤스쿨, 그리고 UWC 같은 전원기숙사제 학교를 구상해, 자신의 교육에 대한 이상과 강한 신념을 실현해나간다.

한편, 초대 IBO의 사무총장으로 IB의 커리큘럼 구축에 진력한 피터슨은 1957년 NATO(North Atlantic Treaty Organization, 북대서양조약기구)가 주최한 국제교육 관련 회의에서 한을 알게 되고, 한의 의뢰로 UWC 애틀랜틱교의 커리큘럼 구상에 손을 대게 된다. 피터슨은 영국 도버칼리지(Dover College)의 교장으로서 이미 식스폼(Sixth Form, 대학 진학 희망자를 위한 중등교육과정의 마지막 2년)용의 국제적인 커리큘럼을 고안해낸 경험이 있었다. 그런데 UWC측은 한에게 커리큘럼에 대해 별도의 특별한 내용을 주문한다. 즉 학력을 키우는 것뿐 아니라 예술, 스포츠, 사회활동 등을 통해 전인적 발달을 도모할 수 있는 커리큘럼의 개발을 강력히 요청했고 기대했던 것이다. 그리고 한 자신은 고교생에겐 지적 발로(한의 언어로는 'grand passion')의 기회가 중요하기 때문에 학생 개인이 자기주도적으로 연구하는 학습의 형태를 커리큘럼에 도입하는 것을 강하게 열망했다고 한다[3]. 피터슨은 당시의 한에 대해 가장 우수한 교육자이자 주목받는 교육자였다고 술회하고 있다[4]. 한의 생각은 피터슨에게 커다란 영향을 미쳤고, 피터슨이 IB커리큘럼을 구상하는 과정에서 IB의 원형, 특히 창조성·활동·봉사(CAS)와 과제논문(Extended Essay) 등에 반영돼간다[5].

IB의 원점이 되는 또 하나의 무대는 제네바 국제학교다. 이 학교는 국제연맹과 국제노동기구(International Labor Organization, ILO) 등의 국제기관에 근무하는 직원의 자녀들을 위해 1924년에 창설된 가장 오래된 국제학교다. 앞서 언급한 IBO의 사무총장이 된 피터슨은 1964년에 제네바 국제학교를 처음 방문하는데, 거기서 스위스(maturité fédérale), 영국(GCE A레벨), 프랑스(baccalauréat), 미국(College Board Advanced Placement Test) 등 대학입학자격이 서로 다른 4개의 국가그룹으로 나뉘어 공부하는 학생들의 모습을 보게 됐다. 국적이 다른 학생들의 희망에 따라, 진학할 대학의 교육제도에 맞춰 개별적으로 대학입시를 준비하고 있었던 것이다. 당시 발칸반도를 둘러싼 국제정세에 비유해 '발칸화'라고 표현되는 커리큘럼별 그룹화의 상황은 자원낭비라는 학교경영상의 문제 외에도, 국적이 다른 학생들이 함께 배운다는 국제학교의 이념에도 반한다는 문제가 있었다. 그런 이유로 국적이 다른 아이들이 대학에 진학할 때 어떤 나라에서든 통용되는, 각 나라의 대학입학자격을 대체할 수 있는 평가척도가 필요하다는 결론에 따라 각국의 교육제도와는 독립된 국제적인 공통 커리큘럼의 개발을 모색하게 된 것이다[6].

'IB'(International Baccalaureate)라는 명칭이 처음 세상에 등장한 것은 1962년 '국제학교협회'(International Schools Association, ISA) 소속의 사회과 교사들 모임이 소규모로 제네바에서 열렸을 때였다. 각국의 대학입시에서 통용되는 국제적 허가증의 필요성이 제기된 이 회합은 제네바 국제학교의 사회과 주임교사인 로버트 리치(Leach, Robert J, 1930-1998)가 의장을 맡고 있었는데, 그는 국제학교협회의 활동에도 적극적이었다. 국제학교협회는 1951년에 제네바 국제학교와 뉴욕, 파리에 있는 국제학교의 학부모들에 의해 설립된 단체로, 처음부터 학부모들의 주요 관심사는 아이의 대학진학이었다. 그렇기에 국제학교협회의 첫 번째 현안은 전체적으로 대학진학률이 높아지는 가운데 변화하는 대학입시제도에 대한 대응책 마련이었다[7].

제1차 세계대전과 제2차 세계대전 사이에 해외에 부임했던 외국국적의 자녀들은 프랑스인학교에서는 프랑스의 바칼로레아, 영국의 교육제도를 따르는 학교에서는 해외주재원용 GCE, 미국인이면 대학입학시험위원회(College Entrance Examination Board, 현 칼리지보드)가 인정하는 시험을 치르는 등, 각국의 교육제도 아래 실시되는 입시를 통해 모국의 대학에 진학한다는 독자적 규칙이 있었다. 당시는 대학입학자 수가 한정돼 있던 데다, 해외 주재원들은 이른바 특권계급이라고도 할 수 있었다. 결국 대학진학은 학력보다 학부모의 경제력이나 사회적 지위에 따라 결정됐기 때문에 학부모가 아이들의 진로에 대해 걱정할 일은 없었다[8]. IB의 등장은 전후의 경제성장 속에서 해외에서 일하는 학부모의 증가로 국제학교에서 배우는 아이들이 늘어나고, 한편으로는 자국에서의 고등학교 진학률이 높아짐에 따라 대학입시 경쟁 또한 심화된 결과라는, 당시의 사회적 상황과 무관하지 않다.

그 후 피터슨은 실제로 시험을 개발하는 국제학교시험위원회(International Schools Examination Syndicate, ISES)를 창설하고, 위원장을 맡아 IB의 원형이 되는 커리큘럼과 시험제도를 검토하게 된다. 이 국제학교시험위원회가 발전하여 1968년에 스위스 민법에 의거한 비영리단체인 IBO(International Baccalaureate Organization, 국제바칼로레아기구)의 설립에 이르게 된 것이다. 피터슨은 옥스퍼드대학에 적을 둔 채 IBO의 초대 사무총장이 되었다. 돌이켜보면 IBO의 창설은 국제교육의 이념을 공유하는 사람들이 연결되어 서로의 이상을 조합하고 구현해나가는 장대한 프로젝트였다고 할 수 있다.

칼럼: IBO의 성립

IB의 구상이 현실에서 구체화되기 시작한 것은 1962년 유네스코의 자금지원 아래 국제학교의 네트워크기관이었던 국제학교협회[①]가 주관한 사회과 커리큘럼에 관한 회의에서다. 그때 공통의 사회 시험에 대한 논의가 이루어졌고, 1964년에는 공통의 현대사 실러버스(syllabus, 교수요목)와 시험의 원안이 스위스의 국제학교에서 도입·시행되었다. 그 전후인 1963년, 20세기재단이 제공한 지원금 7만 5,000달러를 가지고 국제학교협회는 국제적인 공통시험의 가능성을 모색하기 위한 검토위원회인 국제학교시험위원회[②]를 설립하게 되었다. 이 위원회는 1965년에 국제학교협회로부터 분리되어, 스위스 민법에 의거한 비영리단체로서의 법적 지위를 획득하기에 이른다. 이 국제학교시험위원회에 의해 제네바 국제학교에서 실험적으로 역사과목의 공통시험 개발이 이루어지게 되었고, 그 후 언어교수법의 연구로 확대·발전해간다. 이 국제학교시험위원회가 1968년에 스위스 민법에 의거하여 재단법인 등록을 하고 정식으로 IBO가 된 것이다.

① 1951년 창설. 국제학교들의 가맹조직으로 스위스 제네바에 본부를 두고 있다.

② 피터슨은 은어(隱語)의 느낌이 드는 '신디케이트'(syndicate, 연합체)라는 단어를 쓴 것에 대해 "어찌 보면 불행한 명칭이었다."라고 말했다(Peterson, Alec D.C., The International Baccalaureate, George G. Harrap & CO. Ltd., 1977, p.11). 여기서는 몇 가지 선행연구를 참조해 '위원회'라는 번역을 채용했다.

2. IB의 확대

IB의 역사를 보면, 두 차례의 세계대전과 그 후의 냉전시대를 거치며 교육을 통해 이상과 미래를 찾고자 했던 교육자들의 열정이 UWC와 IB로 결실을 맺었음을 알 수 있다. 그 후 반세기 가까운 시간이 흐르는 동안 IB는 확대일로를 걷는다.

1970년에 최초의 IB시험이 실시되었다. 당시 응시학교는 11개교, 학생 수는 약 300명이었다. 2016년 5월, 시험에 응시한 학교는 2,487개교, 학생 수는 14만 9,446명[9]이었다(도표2-7-1 참조). 이 확산 과정을 현재의 시점에서 ①1990년까지 ②1990년대 ③2000년대 이후의 세 시기로 구분하고 대략적으로 묶어서 유형화해보자.

제1기는 IBO의 창설부터 1990년대까지다. 이 시기는 UWC가 IB프로그램의 주요 운영기관이었다. 학생층은 국제 기관 및 기업의 해외 주재원의 자녀 혹은 선발 유학생 등 가정 내에 문화자본과 높은 교육수준을 갖춘 특정계층의 자녀들로 사회적 배경과 학력 등이 균질한 것으로 추측되는 집단이다. 그 후 1980년대에 이르면 UWC 외에 북미지역(미국, 캐나다)의 진학 지향이 강한 고교에서 IB의 도입 확대가 두드러진다.

미국의 공립학교에 IB프로그램이 최초로 도입된 것은 뉴욕의 프랜시스루이스 고등학교(Francis Lewis High School)로 1978년의 일이다. 당시 멜 세리스키(Serisky, Mel) 교장은 명문대 진학을 목표로 하는 우수학생들을 위한 프로그램을 찾다가 IB를 도입하고 있던 UN국제학교(United Nations International School, UNIS)를 시찰한 후 IB의 도입을 결정했다[10]. 그 당시 북미지역에서 IB학교의 확산 추이를 보면 1977년

도표2-7-1 **IBDP의 연도별 응시학교 수 추이**

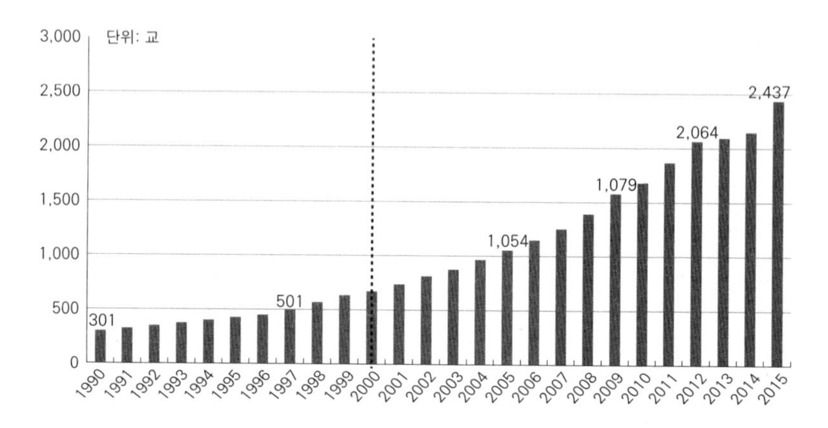

출처: International Baccalaureate, *The IB Diploma Programme Statistical Bulletin*, May 2015. Examination Session, p.11의 데이터를 토대로 필자 작성

10개교였던 것이 1980년에 40개교(그중 캐나다가 12개교), 1982년에 65개교(그중 캐나다가 22개교), 1984년에 126개교(그중 캐나다가 36개교)로 증가했다[11].

제2기는 IB커리큘럼의 탁월함을 알아본 영어권 사립학교와 북미지역의 공립학교에서 더 많이 도입하게 된 1990년대다. 당시의 사회정세를 보면 1989년의 냉전종결, 베를린장벽의 붕괴를 거쳐 1990년 독일의 통일이라는 거대한 변동이 있었고, 미국을 중심으로 경제의 글로벌화가 진행되던 시기이기도 하다.

미국의 공립학교에서 IB는 우수한 학생을 위한 특별프로그램이라는 이미지가 있었다. IB에 대한 평가가 높아짐에 따라 영어권의 사립학교와 일부 공립학교들은 상위권 클래스나 학교 전체에 IB를 도입함으로써 우수한 학생을 유치하고, 학교 이미지와 수준을 끌어올리고자

했다. 이른바 학교의 기사회생 방법으로 IB를 도입하게 된 것이다. 이는 완전히 새로운 학교로의 재탄생을 의미했다. 대표적인 예가 1994년에 IB인정학교가 된 버지니아 주의 마운트버넌 고등학교(Mount Vernon High School)다[12].

제3기는 2000년대 들어서다. 이 시기에 IB는 확대노선을 걸으며 교육산업적으로도 융성기를 맞이했다. 정재계의 움직임과 맞물려 영어권의 공립학교와 비영어권에서까지 IB에 관심을 갖게 된다. 1999년 1월에 유로화가 도입되는 등 경제의 글로벌화가 더욱 촉진되면서 교육의 글로벌화도 연동해서 나타났다. 영어권 대학으로의 유학을 기대하거나 서구적인 논리와 합리성을 추구하는 교육내용에 대한 관심, 그리고 IBO의 움직임까지 맞물려 아시아와 중남미 등 비영어권 현지 학교에서의 IB 도입이 증가한다. 예를 들면 중국에서는 영어권 대학과 대학원 유학에 대한 부유층의 관심이 높아지면서 그것을 실현할 수 있는 도구로서 IB에 대한 관심이 매우 커졌다.

일본에서는 경제단체연합회(경단련)가 2000년에 「글로벌화 시대의 인재육성에 대해(グローバル化時代の人材育成について)」라는 보고서를 발행, 경제 글로벌화와 정보화에 부합하는 인재 육성 전략이 중요하다고 제언했다. 이와 같은 산업계의 움직임까지 영향을 미쳐서, 일본에서도 글로벌화에 대처할 수 있는 교육프로그램 모델로서 IB를 주목하기 시작했다. 일부 사립학교에서는 경영적 관점에서, 그리고 공립학교에서는 새로운 학습방법과 학습내용의 개혁 모델로서 IB 도입에 관심을 갖게 된 것이다[13].

칼럼: 초대 IBO 사무총장

IBO의 초대 사무총장(임기: 1968-1977)이었던 피터슨(1908-1988)의 경력에는 흥미로운 점이 있다. 피터슨은 제2차 세계대전 중에 동남아시아연합국군 심리전 부장관을 지냈고, 전후엔 그래머스쿨 교장, 옥스퍼드대학 교육연구학부장을 역임해, 교육계뿐 아니라 정치외교 쪽으로도 두터운 인맥을 갖고 있었다.

피터슨은 UWC 애틀랜틱교(1962년 설립)의 전체적인 커리큘럼 개발에 관여했다. 그 후 1966년 IBO의 전신인 '국제학교시험위원회'의 위원장(옥스퍼드대학 교육연구학부장 겸임)으로서 국제적인 커리큘럼과 시험개발 업무를 맡는다. 국제학교시험위원회 위원장 시절, 피터슨은 빈번하게 제네바를 방문했다. 피터슨의 교육이념에 따라 개발된 시험과 방법론은 실제로 제네바 국제학교를 무대로 구현되었다. 그 내용은 학생 자신의 상상력을 자극하는 선택과목, 개별연구, 학업과 지역에 대한 봉사의 균형, 비판적 사고와 지식론의 역할 등으로 현재 IB 커리큘럼의 핵심이 되는 것이었다.

피터슨은 1967년 1월부터 약 6개월간 옥스퍼드대학에서 연구휴가를 받고 제네바에 머문다. 피터슨의 거주지는 IBO의 첫 번째 사무실이 있던 장소로부터 200미터 떨어져 있었다고 한다①. 피터슨은 연구휴가 후 옥스퍼드대학으로 돌아가지만 영국에 적을 두고 있으면서 동시에 IBO의 초대 사무총장(1968년~1977년 7월)을 겸임하게 된다.

① Mathews, J. & Hill, I. (2005), Super Test: How the International Baccalaureate can Strengthen Our Schools, Open Court, p.45.

3. IB의 도입과 관련한 각국의 움직임

지금까지 IB의 확산과정을 살펴봤는데 여기서는 2장에서 국가별로 짚어본 공립학교들의 IB 도입 상황을 간략하게 요약 소개한다.

(1) 영국

영국에서는 1971년 IB커리큘럼 개발의 원점이 된 UWC 애틀랜틱교에 도입된 것이 그 시작이다. 2017년 5월 현재, IB를 도입하고 있는 학교는 PYP 13개교, MYP 14개교, IBDP(IB학위과정) 115개교, IBCC(직업관련 자격과정) 20개교다. IBDP를 제공하고 있는 115개교 가운데 공립학교는 44개로[14] 비율은 38.3퍼센트다.

영국에서는 2006년에 노동당의 블레어 정권이 "전 지역에 IBDP를 이수할 수 있는 학교를 최소 1개교씩 설치한다"고 선언하면서 2006년부터 2009년까지 공립학교를 대상으로 대대적인 재정 지원이 이루어졌고, 그 결과 IB를 도입하는 공립학교가 증가했다. 블레어 정권은 정치적 과제의 우선순위로 교육을 천명한 것으로 유명한데, 교육만큼은 신자유주의적인 합리성에 근간을 둔 개혁을 목표로 했다. 그러나 IB 인정학교는 블레어 정권 당시 급증했다가 그 후 재정 지원이 없어지자 IB를 도입하는 공립학교도 더불어 감소하고 있다.

(2) 미국

IB가 최초로 도입된 것은 1971년 UN국제학교다. 2017년 5월 현재

IB인정학교 수는 PYP(초등학교프로그램) 533개교, MYP(중학교프로그램) 649개교, IBDP(고등학교프로그램-IB학위과정) 916개교, IBCC(직업 관련 자격과정) 85개교다. IBDP를 제공하는 916개교 가운데 공립학교는 798개로, 공립학교가 차지하는 비율은 87.1퍼센트에 이른다. IB는 미국의 공립학교들 사이에서 난이도 높은 커리큘럼으로 인지되고 있어서, 성적 우수자들이 모여 있는 교내의 일부 상위권 클래스에서만 운영되는 경우가 많다. 미국에서 IB는 제도적으로 우수한 공교육프로그램이라는 위상을 차지하고 있다.

미국의 교육행정은 지방분권으로, 공립학교는 주 정부의 관할 아래 있다. 세제 수입이 많은 지역일수록 훌륭한 교육시스템을 갖출 수 있으며, 따라서 교육은 시와 카운티의 납세자들의 주요 관심사이기도 하다. IB는 공립학교의 질을 보증하는 하나의 지표다. 학교 재생을 위한 비장의 카드로서, 학교 전체의 구조를 바꾸고자 하는 경우에 교육패키지의 형태로 채택하기도 한다. 미국의 공립학교에서 IB를 도입하는 이유는 경제적으로는 어렵지만 우수한 학생들에게 훌륭한 교육의 기회를 제공하기 위해서다.

(3) 독일

IB의 독일 내 도입은 미국이나 영국처럼 1971년부터로, 프랑크푸르트 국제학교가 최초다. 이듬해인 1972년에 프랑크푸르트에 있던 공립학교 괴테김나지움이 IB를 도입했다. 2017년 5월 현재 IB 현황을 보면 PYP 45개교, MYP 33개교, IBDP 91개교, IBCC 2개교다. IBDP를 제공하는 91개교 가운데 공립학교는 27개로, 공립학교가 차지하는 비율은 29.7퍼센트다.

독일에서 최근 IB가 약간 증가세를 보이게 된 원인은 2000년 3월부터 IB졸업학위를 가지고 독일 내 대학진학이 가능해졌다는 점이 크다. 그전까지는 IB졸업학위를 아비투어(고교졸업자격시험)의 대용으로 할 경우 학습레벨의 호환이 안 되었다. 게다가 김나지움 수료가 13년인데 반해 사립학교나 국제학교는 12학년으로 교육 연수가 달랐다. 그래서 IBDP를 이수한 독일인학생은 국내 대학에 진학할 수 없었다. 그러나 경제의 글로벌화로 인해 세계적 수준의 인재이동이 급격히 늘어난 상황에서, 유럽의 고등교육기관들은 유럽권 내에서 학생들이 자유롭게 움직일 수 있도록 유럽 전체의 대학입학자격과 대학교육제도를 통일할 필요가 생겨났다. 이런 배경에서 독일의 대학들은 IB졸업학위를 인정하게 되었고, 김나지움도 9년제에서 8년제로 바뀌었다 이와 같은 교육제도의 개혁과 유럽의 인재이동을 배경으로, 최근 IB를 도입하는 공립학교와 사립학교(국제학교)가 증가한 것으로 보인다.

(4) 중국(본토)

중국에서 처음으로 IB를 도입한 것은 1991년 북경 국제학교다. 1990년대부터 중국은 경제성장 및 글로벌화가 진행되었고, 그 영향으로 교육분야에도 국제화의 바람이 불었다. IB를 도입하는 학교 수도 급격히 늘어났다. 교육의 시장화가 진행되고 있는 중국에서는 자녀를 해외 대학에 진학시키려는 부유층 부모들의 수요가 큰 만큼 2010년대 이후부터는 해외 대학 진학을 위한 루트와 종류도 다양해졌다. IB도 그중 하나다. 2017년 5월 현재 IB를 도입하고 있는 학교 수는 PYP

13개교, MYP 14개교, IBDP 115개교, IBCC 20개교다. IBDP를 제공하고 있는 115개교 가운데 공립학교는 19개로 공립학교가 차지하는 비율은 16.5퍼센트다.

(5) 중국(홍콩)

홍콩에서 처음 IB를 도입한 것은 1964년에 설립된 홍콩 최초의 국제학교인 프랑스 국제학교다. 1988년 프랑스 국제학교의 일부에 IB가 도입되었다. 2017년 5월 현재 IB를 도입하고 있는 학교 수는 PYP 34개교, MYP 9개교, IBDP 29개교, IBCC 2개교다. IBDP를 제공하고 있는 29개교 가운데 공립학교는 5개로, 공립학교가 차지하는 비율은 17.2퍼센트다.

홍콩에서는 현지의 대학입학자격시험 결과가 국제적으로 인정받고 있어서 해당 교육과정을 수료하면 해외유학이 가능하고, 또한 고교졸업까지 수업료가 무상이다. 이런 이유로 애초에 해외유학을 목적으로 하는 IB를 공립학교에서 도입하려는 수요는 크지 않았다. 그러나 1997년에 주권이 중국에 반환되는 것으로 결정되자 중국의 본토화 정책에 불안을 느낀 사람들의 해외이주가 가속화됐고, 홍콩 내에서도 일찍부터 아이의 해외유학을 준비시키는 부모들이 늘어났다. 거기에 홍콩 내의 교육개혁 과정에서 대학입학자격시험의 내용이 경직화되고 주입식 교육의 성격이 강해지자, IB는 상대적으로 자기계발 탐구를 할 수 있다는 점에서 부유층 학부모들의 선호도가 점점 높아지고 있다.

(6) 일본

최초로 IB를 도입한 것은 1979년 남자학교인 세인트메리즈 국제학교다. 2017년 5월 현재, IB를 도입하고 있는 학교 수는 PYP 22개교, MYP 13개교, IBDP 32개교이며, IBCC를 운영하는 학교는 없다. IBDP를 제공하는 32개교 가운데 공립학교는 4개로 공립학교가 차지하는 비율은 12.5퍼센트다.

일본에서 IB는 주로 국제학교에 도입되었다. '학교교육법' 제1조에서 규정하는 1조교(정규학교)가 IB를 실시하는 것은 일본의 학습지도요령에서 정해놓은 요건을 동시에 충족시켜야 한다는 점에서 쉽지 않은 것으로 여겨졌다. 그런 와중에 커리큘럼 편성에 탄력이 붙으면서

도표2-7-2 **IB 도입의 국제 비교**

	영어권			비영어권		
	영국	미국	중국(홍콩)	독일	중국(본토)	일본
공립학교가 차지하는 비율 (2017년 5월)	38.3%	87.1%	17.2%	29.7%	16.5%	12.5%
중등교육개혁 모델	● (블레어 정권 재정조치)	● (학교 개선 패키지)				● (자기주도적 학습자 양성 모델)
대학과의 연계	● (A레벨 비판)	● (AP·IB의 대학단위 인정)	●	● (입시개혁)		
교육의 글로벌화			●	● (국내외 진학 기회 확대)	● (서구대학 진학)	● (서구대학 진학)

주: 중국(홍콩)은 영어가 공용어이기 때문에 여기서는 영어권에 포함시켰다.

2000년에 1조교인 사립학교 가토가쿠엔고등학교가 IB학교로 첫 인정을 받았고, 이어서 2009년에 다마가와가쿠엔 고등부, AICJ고등학교, 리쓰메이칸우지고등학교가 인정을 받았다. 그 후 글로벌화로 인해 격화하는 국제경쟁 속에서 2013년에 정부와 일본경제단체연합회에 의해 연이어 IB 도입에 대한 적극적 제언이 이루어지면서 IB 도입은 정책적 추진력을 얻게 된다. 특히 정부의 「일본부활전략」(2013년 6월 14일 각의결정)에서 2018년까지 IB인정학교를 200개교로 늘린다는 목표를 내건 이후 관민일체가 되어 IB의 도입에 더욱 힘쓰게 되었다.

맺음말

지금까지 기술한 대로 각국에서 IB는 확산·보급·발전 일로에 있다. 그러나 확산은 필연적으로 그 대상 집단의 질적 변용과 다양화를 초래한다. IB의 발족 당시부터 현재까지를 돌이켜보면, 원래 타깃층은 국제기관 직원, 외교관, 해외 비즈니스맨의 자녀라는 특정집단의 학생이었던 반면, 확산과 더불어 학교의 종류, 지역, 학생들의 사회경제적 배경이 다양해졌다. 그 결과 창설 당시의 IB(특히 IBDP)가 의미했던 것과 현재의 IB 사이에 간극이 발생하고 있다. 이 점은 시대와 더불어 IB가 발전해온 증거이기도 하지만, 동시에 창설 당시와는 크게 달라진 학생층의 다양화는 커리큘럼의 개편과 지도방식의 변용을 요구하는 측면도 있다. 그렇다면 IB, 그중에서도 IBDP를 이수하는 것은 어떤 학생층에게 유익한지 다시 한 번 생각해보자.

이 학생층은 첫째로 학습의욕이 있는 이들이다. IB의 학습활동 중

많은 부분은 학생 자신이 주도적으로 학습습관, 학습스킬 등을 갖추는 등 주체성과 능동성이 요구되는 학습환경에 완벽히 적응할 수 있어야 한다. IB를 이수하는 전제로서 학습의욕과 학습습관, 그리고 일정 수준 이상의 지식 축적이 요구되는 것이다. 이것은 커리큘럼 개발 당시에 상정되었던 학생층이, 부모의 지적 관심과 교육수준이 높고 가정에 장서와 교육자원이 많은, 일정 이상의 문화자본을 갖춘 가정의 아이들이었던 점에 기인한다.

학습의 성숙도는 사람에 따라 차이가 있다. 예전에 제럴드 그로우(Grow, Gerald)라는 연구자가 성인학습자를 4단계로 유형화했다. 구체적으로 보면 ①자기주도성이 낮고, 무엇을 해야 할지 알려주는 권위적 인물을 필요로 하는 단계 ②자기주도성이 있고, 동기도 자신감도 갖추었지만, 배우고자 하는 내용에 대해 알지 못하는 단계 ③학습자가 학습스킬과 기초적 지식을 갖고 있지만, 지도자가 있으면 특정과목을 깊이 배울 수 있는 단계 ④자기주도성이 높고, 학습자가 자신의 학습프로그램을 계획·실행·평가할 수 있는 단계다. 이 가운데 ④의 단계가 이상적이며 평생에 걸쳐 자기주도적으로 학습할 수 있는 자로 여겨진다[15].

이처럼 학습의 성숙도에 따라 학습에 대한 지도와 지원의 정도도 달라져야 한다. IB에 어떤 학생이 적합한가 하는 논의에서 이 그로우의 이론을 응용해볼 수 있지 않을까. 즉 IB는 평생에 걸쳐 자기주도적 학습이 가능한 ④의 단계의 학생을 전제로, 혹은 그것을 목표로 교육하는 프로그램이라고 할 수 있다.

미래 예측을 보면, 앞으로 수십 년 사이에 새로운 직종과 기술이 등장하는 노동시장의 변화로 인해 재학습과 기술의 재습득에 대한 투자는 필연적이 될 거라고 한다[16]. 자율적이고 자유로운 학습자는, 노동시장이 변화하는 가운데 고용의 유지, 확보로 이어지는 우위성을 획득할 수 있다. 장래에 재학습과 기술의 재습득이 가능하기 위해서는 학습의욕과 스킬, 그리고 스스로 학습을 계획·실시·평가할 수 있는 자기주도성을 지니는 것이 중요하며, 이 점은 IB프로그램의 목표와 동일한 벡터(vector)다. 다만 학습자가 최종단계까지 성숙해지기 위해서는 학습자의 학습속도와 적성을 판단하여 최적의 환경을 제공하는 것이 중요하다. IB에 적합한 학생도 있으면, 적합하지 않은 학생도 있을 것이다.

IB의 확대에 따른 성질의 변용과정은 동일 연령층의 대학진학률이 높아지는 대학의 대중화 움직임과 연동하여, 한편으로는 내용이 다양화하는 과정이기도 하다. 미국의 고교에서는 우수한 학생을 대상으로 대학 1학년 수준의 강의를 하는 AP가 시행되고 있는데, 그와 마찬가지로 IB도 대학의 선행학습프로그램으로 알려져 있다. 서구의 일부 대학에서 대학의 입문과목을 IB에서 취득한 과목으로 대체할 수 있다는 것은 IB가 이와 같은 연구 지향의 대학과 연계가 용이하다는 뜻이다. 이처럼 대중화하는 대학들 가운데 IB 수강자와 접점이 있는 것은 일정 수준 이상의 연구형 대학이라는 점을 염두에 두어야 한다.

IB는 국제학교뿐 아니라 국내의 제도교육권에 속한 학교에서도 도입이 확대돼왔다. 그러나 단순히 확대를 추진하는 게 아니라, 더 나아가 각 커리큘럼과 학교의 특성에 맞는 도입의 형태에 대해, 연계 대학과의 관계 속에서 신중히 논의해야 할 시기를 맞이하고 있는 듯하다.

3장

IB를 가르치는 일본인교사

3-1

일본인교사의 실태

하시모토 야에코

머리말

여기서는 'IB를 가르치는 일본인교사'(이하 IB 일본인교사)의 실태를 파악한다. 어떤 사람들이 IB를 가르치고 있는지, 그들의 배경을 살펴보려는 것이다. 그리고 현재 어떤 점에서 기쁨을 찾고, 무엇을 고민하는지 들어보고, 마지막으로 현장의 목소리와 제언을 싣는다.

자료로 삼은 것은 설문조사[1]에 대한 49통의 응답이다. 이것은 주로 메일링리스트[2]에 등록된 사람들에게 질문지를 보낸 뒤 회수한 내역이다. 등록자가 200명이라면 응답률은 24.5퍼센트다. 다만, 일본은 별도로 표시했다. 그 이유는 뭔가 다른 특징을 찾을 수 있지 않을까 해서다. 일본을 넣으면 응답률은 58퍼센트이며, 그중 절반 이상이 아시아에서 온 것이다.

다음은 비록 49명의 응답을 통해 읽어낸 내용이지만, 그 안에서 하나의 경향은 찾아낼 수 있을 것으로 보인다. 그리고 필자 자신이 근무하는 학교에서 경험한 것과 지식도 '한마디 메모'와 '칼럼'으로 정리했다. 현장에서 직접 뛰는 당사자의 실질적 이야기를 녹여낼 수 있을 거라 생각하기 때문이다. 참고로 '칼럼'은 『IB: 세계가 인정하는 탁월한 교육프로그램』(아카시서점, 2007년)에서 재수록한 것이다.

1. 조사자의 속성

(1) 응답자의 거주 국가(문24)

설문에 답해준 IB 일본어교사의 거주 국가는 도표3-1-1에 표시한 대로다.

(2) 성별(문23)

IB 일본어교사는 여성들의 직업이라는 인식이 있는데, 실제 응답자를 봐도 남성은 10퍼센트다(도표3-1-2 참조). 그러나 남성은 전원 풀타임 근무자다. 고용 형태에 관해서는 다시 언급하겠다.

도표3-1-1 **응답자의 거주 국가**

국가	인원 수(명)	비율(%)
[북미]	**3명**	6%
미국	3	
[유럽]	**17명**	36%
네덜란드	2	
벨기에	1	
프랑스	2	
이탈리아	2	
스위스	3	
영국	2	
독일	5	
[아시아] 단, 일본은 제외	**14명**	28%
말레이시아	1	
인도네시아	1	
싱가포르	3	
타이	2	
한국	1	
베트남	1	
중국	4	
타이완	1	
[일본]	**15명**	**30%**
합계	**49명**	**100%**

주: 인원 수가 학교 수를 의미하진 않는다. 동일 학교에서 여러 명이 응답한 경우도 있다.

도표3-1-2 **응답자 성별**

성별	인원 수	비율
남성	5명	10.0%
여성	44명	90.0%
합계	**49명**	**100.0%**

(3) 고용 형태(문4)

도표3-1-3의 그래프에서 알 수 있듯이, 정규고용은 전체의 88퍼센트(43명)이고 그중 약 70퍼센트(30명)가 풀타임 근무자다. 남성은 앞서 언급한 대로 전원 풀타임이다. 나머지 30퍼센트는 파트타임인데, 그중 80퍼센트의 시간 동안 일하는 파트타임 근무자가 가장 많고(3명), 60퍼센트, 50퍼센트, 33퍼센트, 25퍼센트, 12퍼센트가 각각 1명씩이다. 담당하는 학급 수로 보면, 기본적으로 풀타임 근무자가 5개 학급을 맡고 있다. 다만 IBDP(IB학위과정)의 고급레벨은 1.5로 계산한다. 수업시간 수가 표준레벨보다 많기 때문이다.

파트타임이나 비상근으로 가르치는 교사들의 교과과목을 보면(문5), 거의 대부분이 IBDP(일본어A, B, 초급일본어)이다. 예를 들면, 풀타임의

도표3-1-3 **고용 형태**

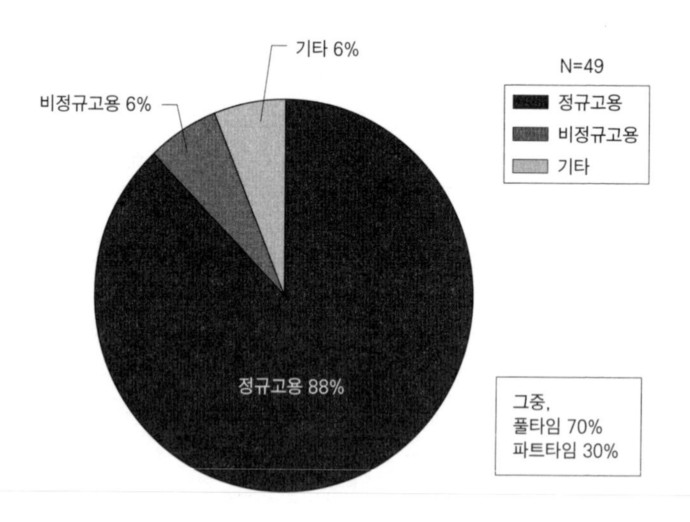

12퍼센트에 해당하는 시간 동안 초급일본어(표준레벨 한정) 1클래스를 파트타임으로 가르치는 사람이 1명 있는(구체적인 담당 코스는 나중에 기술) 식이다. 즉 고교의 마지막 2년간 IBDP만 담당할 일본어교사가 학교 입장에선 필요한 상황인 것이다.

한마디 메모 노동자와 고용주에 대해

네덜란드의 경우, 일반적으로 노동자는 법적으로 보호를 받는다. 그래서 파트타임도 풀타임과 동일한 고용조건이다. 연금 가입비도 풀타임과 똑같이 본인과 학교가 반반씩 부담한다. 또한 풀타임의 경우는 자신의 생활 여건에 따라 일하는 시간의 비율을 바꿀 수 있다. 예를 들어 아이가 태어나면, 남편으로서 아내와 육아를 분담하고 싶으니 3년간은 60퍼센트의 파트타임으로 일하겠다는 식이다.

한마디 메모 교원 이동에 대해

일반적으로 국제학교에서는 일본의 공립학교처럼 공식적인 전근은 없고, 이동은 본인의 희망에 따라 이루어진다. 좀 더 고용조건이 나은 아시아의 국제학교로 옮기거나, 커리어 향상을 목표로 하는 사람은 임원 모집에 응모하기도 한다. 젊을수록 이동이 빈번하며, 가족이 생기면 정착형이 되는 경우가 많다. 그리고 네덜란드에 한해 말하자면, 해외 채용의 경우 10년 세율 특별취급제도가 적용되어 아무리 고소득이라도 10년간은 30퍼센트의 고정세율로 세금우대를 받는다. 반면 지역 채용자는 네덜란드의 세제를 따른다(세율은 개인소득의 34~52퍼센트로 3단계의 누진과세). 그렇기 때문에 해외 채용인 경우 대부분이 10년 가까이 되면 다른 나라의 국제학교를 찾아 옮겨간다. 국제학교는 좁은 사회여서, 이동한 곳에서 예전 동료와 함께 일하게 되는 경우도 있다. 또한 수년 후에 다시 원래 학교로 돌아오는 사람도 있다.

한마디 메모 채용 방법

가장 대규모의 채용은 세계적인 채용박람회에서 이루어진다. 내가 아는 한 매년 두 차례 열리는데 우선 크리스마스 전에 런던에서, 다음으로 1월에 뉴욕에서 열린다. 여기에 참석하는 것은 교장과 부교장의 중요 업무다. 좀 더 나은 인재를 확보하고 싶은 것은 어느 학교나 마찬가지다. 따라서 전근 혹은 퇴직 희망자는 늦어도 12월 초순까지 보고를 하라고 한다. 일찍 통지하면 이사비용을 학교가 부담하는 등의 다양한 특전이 있다. 일반적으로 세계적인 불황기일수록 훌륭한 인재가 몰린다고 한다. 또한 지명도가 높고 인기 있는 학교에는 희망자가 쇄도한다. 해외에서의 채용은 부부가 가르칠 수 있거나, IB 경력교원 등이 우선시된다.

일반적인 직업 찾기의 경우, 이력서(CV)를 각 학교의 인사과(Human Resources)에 보낸다. 수요와 공급의 문제로 언제 공석이 생길지는 알 수 없다. 처음엔 출산휴가를 받은 교사의 대체인력으로 들어갔다가 정규직 파트타임이 되고, 나중에 풀타임이 되는 경우도 있다. 학교의 홈페이지에도 일반모집 코너가 있다.

칼럼: 암스테르담 국제학교의 교원모집 방법

암스테르담 국제학교의 경우 교원모집은 인터넷으로 이루어진다. 이

학교는 인기가 많아서 공석이 생기면 응모자가 쇄도하고 거의 대부분은 최소 석사학위 소지자라고 한다. 외국어만은 예외인데, 소수언어일수록 적임자 찾기가 쉽지 않다. 일본어도 이 경우에 해당한다. 그리고 국문학을 전공했어도 영어를 못하는 사람보다, 전공은 타 교과여도 '영어 가능자'를 선호한다(덧붙여 교직경험이 있는 자). 회의, 문서, 메일, 통지표 소견 등에 쓰이는 공식언어가 영어이기 때문이다.

출처: 『IB: 세계가 인정하는 탁월한 교육프로그램』 180~181쪽

(4) 어떤 학교에서 가르치고 있는가(문2)

그렇다면 49명은 어떤 학교에서 가르치고 있을까(도표3-1-4 참조).

도표3-1-4 **지역별, 설립주체별 근무학교**

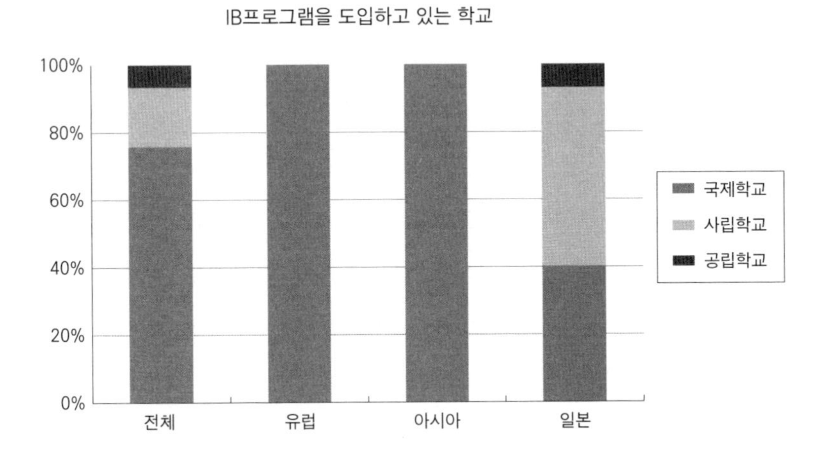

전체적으로 볼 때 49명 가운데 71퍼센트가 국제학교에서 근무하고 있다. 유럽과 아시아는 100퍼센트다. 일본에 관해 말하자면, 15명 가운데 국제학교 소속은 절반 이하인 6명(40퍼센트)이고, 사립(1조교, 그리고 반관반민까지 포함)이 좀 더 많다(8명-53퍼센트). 일본의 최근 경향으로 볼 때 특히 사립학교들의 IB 도입이 늘고 있는 증거라고 할 수 있지 않을까. 전체적으로 공립은 3명이고 그중 2명은 미국에서 가르치고 있다. 일본에 있는 한 명은 앞으로 IB교육을 시작하는 학교에서 근무할 예정이다.

나라마다 독자적인 커리큘럼과 시험제도가 존재한다. 그러나 국제학교라면 어떤 나라에도 소속되지 않으므로 국가를 초월한 커리큘럼이 필요해진다. 그중 하나가 IB프로그램이다. 따라서 국제학교에서의 채용이 많은 것은 당연하다. 다만 IB학교로 인정을 받는 것은 상당히 어려운 일이며 다양한 조건을 충족해야 한다. 게다가 한 번 인가를 받으면 그것으로 끝이 아니다. 계속해서 질적 향상과 발전을 위해 노력하지 않으면 인가가 취소되기도 한다. 교육의 장이므로 이 역시 당연하다면 당연한 일이다.

(5) 총 교직경력과 IB 경력(문1)

다음으로 교사들의 총 교직경력과 IB 경력을 살펴보자. 예전에 IB 일본인교사의 나이와 관련해 '고령화의 파고가 밀려오고 있다'고 적은 적이 있다[3]. 그러나 약 10년이 지난 지금, 그 걱정은 희미해지고 있다. 새롭게 IB 일본인교사가 되는 이들이 늘고 있기 때문이다. 연령(문25)을 보면, 36~40세가 가장 많은 16명(전체의 33퍼센트), 이어서 41~45세

도표3-1-5 **총 교직경력과 IB 경력**

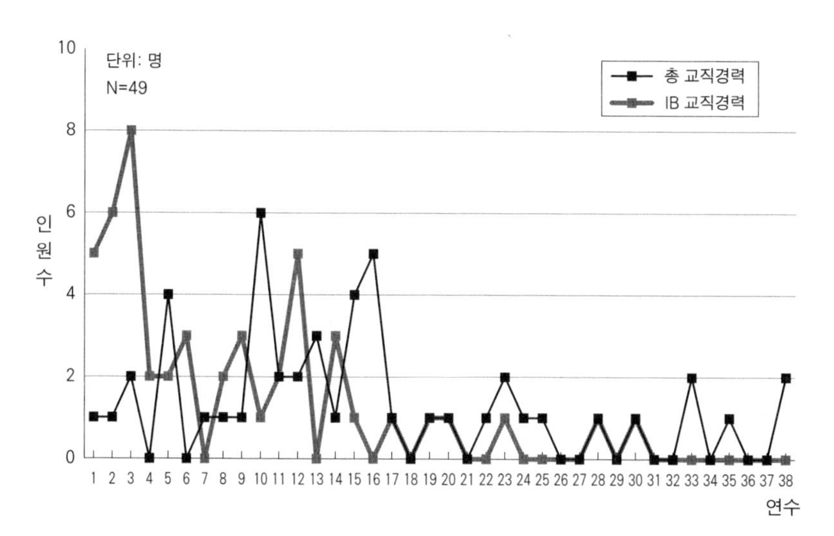

도표3-1-6 **IB 일본인교사의 경력**

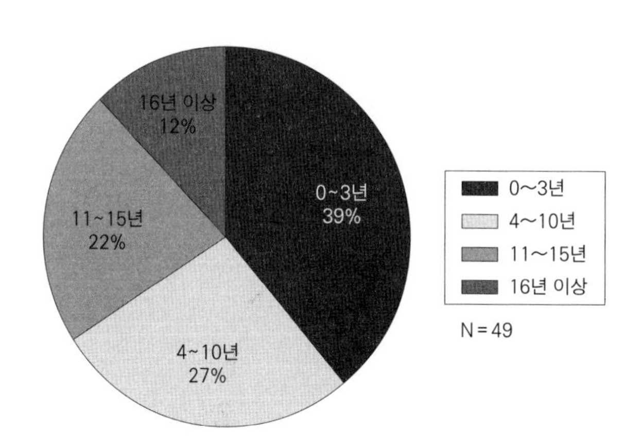

가 9명으로 양쪽을 합치면 51퍼센트가 된다. 절반 이상이 한창 일할 나이이다. 느리게나마 세대교체가 진행되고 있다고 할 수 있을까.

먼저 총 교직경력을 살펴보면(도표3-1-5 참조. 가로축은 연수, 세로축은 인원 수다) 많은 경우가 5년, 6년, 그리고 15년, 16년이다. 한편 IB 일본인교사로서의 경력은 3년 이하가 여전히 많은 19명으로 전체의 약 39퍼센트다. 다음으로 많은 것이 4~10년(도표3-1-6 참조)이다. 대략적으로 말하면, IB 경력은 전체적으로 총 교직경력 그래프보다 2, 3년씩 왼쪽으로 가 있다. 대부분의 교사가 일반교사로 근무하다 나중에 IB 학교로 이직했다고 말할 수 있다. 일본에서는 향후 3년 이하의 경력층은 더욱 늘어날 것으로 예측된다. 다른 말로 하면, IB 경험이 0~3년인 교사들 대상의 교원연수가 급선무라는 뜻이다.

(6) 담당하는 코스(문5)

그렇다면 실제로 어떤 코스를 가르치고 있는가. 여기서는 IB 경력을 기간 단위로 나눈 뒤 풀타임에 한정해 살펴보자(도표3-1-7 참조).

일반적으로 IB학교의 경우 학생지도에 시간이 할애되는 일은 별로 없다. 또한 서클활동 지도도 없다. 운동 같은 과외활동은 보통 외부의 전문가에게 의뢰한다. 일본의 교사와 비교해 편한가 하면 그렇지도 않다. ①커리큘럼 작성 ②여러 종류의 수업 ③합동수업 ④1회 한정수업 등 수업준비가 힘들기 때문이다. 구체적으로 살펴보자.

① 커리큘럼 작성

IB에는 정해진 교과서가 존재하지 않는다. IBO(국제바칼로레아기구)가

도표3-1-7 **IB 경력별 담당 코스**

	담당 코스, 기타 역할	IB경험 0~3년 (10명)	IB경험 4~10년 (11명)	IB경험 11~15년 (5명)	IB경험 16년 이상 (4명)
1	DP만	2	5	2	1
2	DP+MYP	4	1	2	2
3	DP+MYP+PYP	0	2	1	1
4	DP+MYP+그 외 프로그램	1	0	0	0
5	DP+그 외 프로그램	3	0	0	0
6	MYP+그 외 프로그램	0	1	0	0
7	PYP만	0	1	0	0
8	홈룸 담임	3	8	3	1
9	지식론(TOK)	1	1	0	1
10	과제논문(EE) 감독관	3	4	3	4
11	당직(Duty)(여름방학 순찰, 시험감독 등)	3	4	2	2
12	기타(연락, 진로·진학 상담)	0	1	1	2
13	기재 없음		1		

DP=Diploma Program(IBDP, 고교프로그램. 2년 코스. 11, 12학년 때 이수), 여기에는 다음 교과를 포함. 일본어A(HL/SL), 일본어B(HL/SL), 일본어AB Initio(SL), HL=Higher Level(고급), SL=Standard Level(표준). MYP=Middle Years Program(중학교프로그램, 5년 코스, 6~10학년 이수). PYP=Primary Years Program(초등학교프로그램, 3세~5학년 이수). DP+MYP+PYP=IB(International Baccalaureate), 즉 'IB'라고 한다. TOK(지식론), EE(과제논문)에 관해서는 다른 장을 참조할 것

제시하는 것은 '도달 목표'와 '평가 및 그 방법'뿐이므로 학교가 지역과 해당 학교의 특성에 맞춰 독자적으로 연간 커리큘럼을 만들어야 한다. 일본의 경우엔 좋든 싫든 문부과학성이 인정한 '교과서'가 있고 그에 따른 지도서가 있다. IB의 경우엔 그 모든 걸 교사 스스로 작성

해야 한다는 뜻이다. 엄청난 일이고 귀찮기도 한 일이다.

② 여러 종류의 수업

예를 들면 도표3-1-7의 3번과 4번 교사는 무척 힘들지 않을까 생각된다. 세 종류의 다른 프로그램 수업을 해야 하기 때문이다 또한 1번의 DP(IBDP)인 경우 언뜻 쉬워 보이지만 A(제1언어로서의 일본어), B(제2언어로서의 일본어), 그리고 AB Initio(초급일본어)까지 역시 세 종류다. 게다가 DP과정은 그 결과가 진로와 연결되므로 더욱 신경을 써야 한다. 2번의 DP와 MYP도 학년이 전혀 다르기 때문에 역시 그만큼 많은 수업준비를 해야 한다.

③ 합동수업

일본어를 배우는 학생은 대체로 소수다(해외의 경우이긴 하지만). 게다가 경제의 동향에 따라 증감 폭이 크다. 학급당 인원 수가 적으면 두 과목 합반, 세 과목 합반으로 운영되기도 한다(암스테르담 국제학교의 경우 1학급당 최소 8명. 그러나 DP는 제외함). IB프로그램의 특징 중 하나가 모국어교육을 중시한다는 것이다. 즉 학교 입장에선 소수언어를 존속시키려면 이 방법밖에 없는 것이다. 그러나 교사의 업무 부담은 엄청나다. 예를 들면 MYP에서 6, 7, 8학년이 한 반인 경우, 정신연령에서 큰 차이가 난다. DP 역시 인원문제로 인해 고급레벨(HL)과 표준레벨(SL)의 반이 합쳐지는 일이 있다. 이번 답변에서 놀랐던 사례가, 전혀 다른 레벨인 일본어A와 초급일본어가 한 반인 경우였다. 고교수준과 처음으로 일본어를 접하는 학생의 합동수업을 어떤 식으로 해나가야 할까.

④ 1회 한정수업

이 역시 인원문제로 한 학년에 한 학급인 경우가 많다. 즉, 다음 학년에서 개선할 수 있는 게 아니다. 일기일회(一期一會)의 수업인 것이다. 더욱이 과제논문 감독관, 당직, 기타(도표3-1-7의 10~12까지) 업무도 있다. 당직(Duty)은 보통 전 직원이 분담한다. 그야말로 'Duty=의무'인 것이다. 기타 업무는 학교에 따라서 특별수당이 붙거나, 비율에 따라 수당이 가산되는 경우가 있다.

2. IB 일본인교사의 경력

(1) IB교사가 된 계기(문13, 자유기술)

그렇다면 49명은 어떤 경위로 IB를 가르치게 됐을까. 자유기술한 내용을 읽어보면 매우 흥미롭다. 현재의 직업에 이르기까지 각자 책 한 권은 쓸 수 있을 정도로 다양한 스토리를 가지고 있다. 응답을 크게 나누면 다음과 같다.

① 근무하던 학교가 IB학교가 되어서	9명
② 직업을 찾다가 응모 후 채용됨	21명
③ 의뢰를 받고 수락함	9명
④ 전근	7명
⑤ 해외 국제학교의 초청	1명
⑥ 무응답	2명

이번 설문조사 응답자 중에는 채용박람회를 통해 채용된 사람은 없다. ⑤는 특이한 경우라고 생각한다. ②의 사례처럼 비자발적인 경우도 처음부터 IB를 알고 있었다거나 혹은 IB라서 선택했다는 대답은 7명이고 나머지는 채용된 뒤에 이 프로그램을 알게 됐다고 한다. ③의 의뢰를 받았다는 것은 학부모로부터 혹은 일본어 개인레슨을 하던 사람으로부터, 혹은 보습학교 교사로부터 등이다. 의뢰의 경우엔 처음부터 IB를 가르친다는 전제가 많았다. 학부모의 의뢰는 '학부모가 교사를 직접 찾아준다면 개강할 수 있다'라는 것이 학교의 조건이었던 경우다. DP에 일본어A가 없으면 일본인학생은 영어A를 선택해야 한다. 그런 연유로 부모는 필사적으로 교사를 찾게 된다. ④의 '전근'이라는 것은 다른 학교에서 IB로 옮긴 경우다. ①의 '근무하던 학교가 IB학교가 되어서'라는 경우 외에 거의 대부분이 입소문이나 개인적 권유로 된 케이스다.

해외의 교사들은 대부분 '결혼 때문에'(9명)나 '남편의 해외근무'(6명)로 외국에서 일을 찾다가 인연이 된 경우다. IB학교에선 그런 파트타이머를 많이 찾고 있으며 거기서 수요와 공급이 일치한다고 할 수 있다. 일본어를 비롯한 소수언어는 학생 수도 적은데다, 매년 불안정하므로 학교 입장에선 개인에게 의뢰하는 방법밖에 없을지도 모른다. 또한 해외의 경우는 문학을 전공하지 않아도 영어가능자를 우선할 때가 있다. 공적 문서의 대부분이 영어(혹은 프랑스어, 스페인어)이기 때문이다. 국내의 경우엔 사정이 다를 것이다.

(2) 최종학력은 어떤가(문10)

49명 가운데 2명이 밝히지 않았다. 나머지 47명 가운데 45명이 대학을 나왔고, 그중 20명이 석사학위를 취득했다. 47명 중 40퍼센트에 해당한다. 1명은 박사학위를 갖고 있다. 대학의 전공은 문학이 16명이고 '국어' 관련까지 포함하면 20명이다. 여기에 '교육'을 추가하면 27명에 이른다. 사회과학(역사, 법학, 사회학) 관련 전공은 7명, 의학부 보건학과 출신도 있다. 그리고 고등학교를 졸업한 후 일본어교사양성학교에 들어간 사람, 대학을 졸업한 후 이 자격을 취득한 사람도 있다. 대학원의 경우 4명이 영어교수법인 TESOL(Teaching English to Speakers of Other Languages)을 미국이나 오스트레일리아에서 이수했다. 나머지는 '교육공학', '교육철학', '국어교육학', '교육학'(미국), '일본어교육', '유아교육' 등이다.

(3) 과거의 경험이 지금 도움이 되고 있는가(문19, 자유기술)

그렇다면 대학, 대학원에서의 학습경험이 IB를 가르칠 때 도움이 되고 있을까. 자유기술 응답을 정리하면서 살펴보자. 괄호의 id 뒤에 적혀 있는 국가명은 현재의 거주 국가다.

먼저 문학, 어학을 전공한 이들의 이야기를 육성 그대로 옮긴다.

"영어를 전공했기 때문에 IB커리큘럼의 언어인 영어로 된 자료와 정보를 이해하기 쉽다."(id 01, 프랑스)

"저는 대학에서 독일문학을 전공했습니다. 졸업 후 오랫동안 일본과 독일에서 일본인 중고생들에게 영어를 가르쳤고, 현재 IB 일본어A1을 담당하고 있습니다. 그리고 새로 생기는 A(일본어문학)에서 문학작품을 가르치게 되어 대학에서 문학을 전공해두길 잘했다고 생각할 때가 많습니다. 문학을 취미가 아니라, 어떻게 학문으로서 취급하는가 하는 관점에서입니다."(id 02, 독일)

"대학에서 어학을 전공했기 때문에 일본어 외에 ESOL(English for Speakers of Other Languages), 프랑스어와 독일어도 가르쳐왔다. 다언어, 이중국적, 다문화, 이동이 잦은 사람들이 자신의 정체성을 어떻게 받아들이고, 개발하고 있는가에 관심이 많아서 박사학위 논문에서는 '이동이 잦은 다언어 사용자'의 정체성에 대해 연구했다."(id 05, 말레이시아)

"대학에서 일본어교육, 문학, 언어를 배운 점"(id 12, 일본)

"대학에서 문학을 전공했기에 학생들을 상대할 때 자신 있게 대할 수 있는 점"(id 14, 일본)

"대학 세미나(일본어학과)"(id 17)

"420시간의 일본어교사양성강좌. 일본어를 알지 못하는 학생들을 가르치기 위한 창의적 방법에 대해 배운 점이 수업과 학급운영에 도움이 되고 있다."(id 26, 일본)

"대학에서 문학을 읽고 논문을 쓴 점"(id 29, 영국)

"대학에서 영문학을 전공한 점"(id 33, 이탈리아)

"국문학과였다는 점. 가부키연구회, 오모테센케 다도연구회에 소속되어 어린 시절부터 다양한 일본문화를 익힌 점. 해외에 사는 일본인으로서 IB를 가르칠 때 그런 것들이 도움이 되고 있다."(id 44, 중국)

기타 의견은 다음과 같다.

“대학에서 일본사를 전공한 점. 교양학부여서 폭넓게 배울 수 있었던 점”(id 07, 일본)

“대학이 기독교계열이었기 때문에 성서에 익숙한 점. 문학을 읽을 때 기독교 지식은 필수다. 또한 합창부에 소속되어 발성법을 체득한 점. 낭독 지도를 할 때 활용하고 있다.”(id 13, 네덜란드)

“대학원 시절 열심히 공부한 것과 학부생 시절의 자율 강좌”(id 21, 독일)

“학생 시절의 여러 경험 덕분에 학생들이 처한 상황과 마음을 이해할 수 있다는 점”(id 35, 영국)

“대학 시절 해외에서 교직을 이수했기 때문에, 앞으로 어떤 형태로든 유학을 경험하게 될 제자들에게 나 자신의 경험을 통해 전달할 수 있는 게 많다.”(id 45, 싱가포르)

“일본의 대학에서 학습한 것은 현재의 교사 업무에 그다지 도움이 되지 않습니다만, 미국에서 석사과정 때 공부한 것들은 매우 도움이 되고 있습니다. 학습내용보다는 수업에서 했던 활동, 수업형태(자유롭게 의견을 말할 수 있는 환경)는 지금 저의 수업형식에도 반영돼 있다고 생각합니다.”(id 37, 태국)

또한 몇 명은 해외유학, 해외여행, 해외봉사활동이 도움이 되고 있다고 말한다.(id 16, 독일)(id 23, 싱가포르)(id 25, 일본)(id 31, 일본)(id 46, 스위스) 지금까지의 경력, 특히 일본에서 국어교사로 체험한 것이 크게 도움이 되고 있다는 응답도 있다. “재수학원 강사 시절의 교재연구와 ‘상품’으로서의 수업구성”(id 21, 독일)이라는 발언은 시사하는 바가 크다. “토론 중심의 수업이 많았던 점이 도움이 된다”(id 24, 일본)라고, 자신의 고교시절을 언급하는 사람도 있다.

정리하자면, 문학을 배운 사람, 그리고 외국어로서의 일본어 교수법을 배운 사람은 직접적으로 수업에, 그 외의 분야를 전공한 사람은 학생에 대한 이해, 학급운영 등에 간접적으로 도움이 되고 있다고 할 수 있다. 요컨대 지금까지의 인생경험 전체가 도움이 되고 있다는 뜻이다. 어찌 보면, 당연한 말이다. 참고로, IB 일본인교사가 되기 전 직업을 보면 대부분이 교직 경험자다.

3. 수업, 연수에 대해

(1) 가르치면서 즐거운 점(문17, 자유기술)

자유기술한 내용을 크게 구분하면 다음과 같다.

① 교사 자신도 학생과 더불어 성장하고 있음을 실감할 수 있는 점
② 문학의 즐거움을 학생과 공유할 수 있는 점
③ 정답은 하나가 아니라는 것을 가르칠 수 있다는 점
④ 수업에서 다양한 것들을 시도할 수 있는 점
⑤ IB의 이념이 실천 가능한 점
⑥ '학습자상'에 배움의 지침이 명쾌히 제시되어 있어 학습과정에 애매한 부분이 없는 점
⑦ 다른 교사들과 만날 수 있는 점
⑧ 일본에서는 '국어'를 싫어했던 학생이 IB프로그램에서 문학의 재미에 눈을 뜬 점

(2) 가르치면서 힘든 점(문18, 자유기술)

그렇다면 힘든 점은 무엇인가. 이 항목에서도 자유기술한 내용을 크게 정리해보자.

① 실러버스의 이해(10명)
② 평소에 스스로 스킬을 연마해야 하는 점(5명)
③ 참고교재가 적다는 점(4명)
④ 업무량이 많다는 점(4명)
⑤ 주변에 의논할 사람이 없는 점(4명)
⑥ 실러버스의 변경이 있어도 그에 대처할 수 있는 워크숍이 없는 점(2명)
⑦ 학부모에게 프로그램을 이해시키는 일(2명)
⑧ 수업시간이 너무 적은 점(2명)
⑨ 다른 교원의 이해를 구하는 일
⑩ 직원들끼리 영어로 커뮤니케이션하는 일
⑪ DP가 시험대책이 되는 점
⑫ DP의 시험형태에 익숙해지게 하는 일
⑬ DP 시험에 대비한 '경향과 대책'
⑭ 국어와 IB수업의 두 가지 수업준비
⑮ 문학에 익숙지 않은 학생들에게 '문학'의 재미를 가르치는 일
⑯ 일본의 문화와 역사를 알지 못하는 학생에게 '일본문학'을 가르치는 일
⑰ 자국의 문화, 언어에 대한 일부 학생들의 열등감을 불식시키는 일
⑱ 학생 수가 적다는 점
⑲ 다른 교사와의 연계수업 준비에 시간을 빼앗기는 점

⑳ 일본의 교육시스템과 다르다는 점

㉑ 한자를 가르치는 일

IB의 공문서나 서류 대부분이 영어나 프랑스어 혹은 스페인어로 쓰여 있고, 각 학교는 그중 수업에서 사용하는 언어를 공식언어로 채용한다. 어쨌든 일본어가 아니므로 문서 이해에 시간이 걸리는 교사가 많다. 실러버스는 대략 10년에 한 번 크게 바뀌지만 소소한 변경내용 등은 전부 IBO 홈페이지에서 확인할 수 있다. 원칙적으로 변경이 생기면 IB 주최의 교과별 워크숍이 마련되고 설명이 이루어진다. 유럽·아프리카지역의 경우, 전에는 일본어 워크숍이 독자적으로 마련되었지만 최근에는 그것도 없다. 그래서 어쩔 수 없이 언어A의 통합(Generic) 워크숍에 참석하거나, 언어의 독자성 때문에 결국엔 여름에 열리는 자발적 공부모임에 의지하게 된다. 그런 공부모임들이 아시아의 경우 일본에서 세세하게 이루어지는 듯하다. 안타깝지만, 유럽의 교사들은 일정상의 문제로 참석이 불가능하다.

⑤의 '의논할 상대가 없다'는 것은 해외의 경우인데, 대개 학교당 일본인교사는 1명이다. 의논할 상대가 필요하면 개인적으로 메일을 주고받는 수밖에 없다. 그나마 최근에는 메일링리스트가 있어서 바로 질문할 수 있고, 누군가가 답을 해줄 수도 있다. 이마저 없을 때는 정말 힘들었다. 특히 DP는 2년 코스로 성적이 명확히 수치화되어 나오기 때문에 긴장할 수밖에 없다. 심지어 그 성적이 대학진학과 직결되는 경우 학부모들도 주목하게 되므로 교사의 책임이 그만큼 무겁다. ⑪~⑬의 'DP 시험'이라는 것은 그런 부분을 말한다.

인간관계에서 힘든 점은 동료, 학생, 학부모를 대할 때다. IB란 무엇인지, 매년 일본인 학부모를 대상으로 'IB 설명회'를 여는 학교도 있다. 또한 일본어로 이야기할 수 있다는 이유로 학부모의 상담 의뢰도 많다. 학생을 대할 때는 교사의 실력을 보여줄 기회이기도 하지만, 다양한 배경을 지닌 학생들이 있고 그런 다양성을 즐기면서도 한편으로는 힘든 점이 끊이지 않는다. ⑨의 '다른 교원의 이해를 구하는 일'은 주로 일본의 사립학교에서 가르치는 경우다. 같은 국어과이면서 일반적인 '국어'를 가르치는 교원과 IB 일본어A를 가르치는 교원 간의 상호이해가 필요하다. 또 혼자서 양쪽을 담당하는 경우라면 역시 가르치는 방법이 달라서 두 가지 준비를 해야 하는 어려움이 있다.

교재에 관해 말하자면, ③의 '참고교재가 적다'는 것은 특히 해외에 있으면 교재는 물론이고 일반적인 책도 쉽게 구할 수 없다는 불편함이 있다. MYP(6~10학년) 교재의 경우, 일본의 국어교과서가 최근 지나치게 MYP에 가까워져서, 이것을 사용하는 사람도 있다. 중학교 교과서를 중심으로 MYP의 니즈를 채워가는 것이다. 도중에 일본의 중학교로 돌아가거나, 고교입시를 치르는 학생도 있으므로 더욱 조건이 좋다. MYP에는 없는 문법, 한자, 고전 등 일본어의 독자적인 부분을 보충할 수 있기 때문이다.

칼럼: 가르치면서 즐거운 점, 가르치면서 힘든 점

- '가르치면서 즐거운' 점은 학생들의 의외의 반응이나 유연한 감수성을 접하면서, 학생과 함께 문학을 공부하는 즐거움을 맛볼 수 있다는 것이다. 수업을 통해 학생이 자기 표현력을 키우고 성장해가는 모

습을 보는 것은 교사로서 최대의 기쁨이다. 학생과 함께 교사도 성장해가는 것이다.

– '가르치면서 힘든' 점은 일본의 문화나 역사에 대한 지식이 부족한 학생, 어휘력이 현저히 떨어지는 학생들이 왕왕 있는데, 이처럼 문학을 즐기기 이전 단계에서 문제가 있을 때, 그리고 가끔 경직된 사고를 하는 학생이 있어서 이런 학생을 상대하는 일이 피곤하다.

생각해보면, 문학감상에 필요한 것은 열린 마음과 상상력일 것이다. 그것이 갖춰졌을 때 균형 잡힌 견해가 생겨나고, 더 나아가 자기 변화로 이어지는 게 아니겠는가. 그리고 한자실력이나 독해력, 어휘의 양에 의해 좌우되는 측면도 있다. 읽는 감각, 쓰는 감각이라는 것은 그런 부분에서 완성된다. DP코스, 일본식으로 말하면 고교 2, 3학년에게 그런 기초적인 것들을 지도하기엔 너무 늦은 감이 있다.

그렇다면 우리 교사들이 할 수 있는 일은 무엇인가. 그것은 학생이 갖고 있는 자원을 어떻게 드러낼 수 있게 이끌 것인가, 즉 아웃풋(output)의 방법을 제시하는 게 아닐까. 그렇게 길을 닦는 법을 가르치면 놀라울 정도로 실력이 향상되는 학생들이 있다. 또 하나는 문학을 읽는 즐거움을 전달하는 것이다. 허구의 세계가 아니면 표현하기 힘든 진실이 있다. 그것을 아는 것과 알지 못하는 것은 인생에서 음미할 수 있는 세계의 차원이 완전히 달라진다고 생각한다. "이과 출신으로 문학을 경시하는 사람이 있다"고 응답한 경우가 있는데, 수학자인 후지와라 마사히코(藤原正彦)의 말이 떠오른다. 그는 『아득히 먼 캠브리지(遥かなるケンブリッジ)』라는 책 속에서 다음과 같은 의미의 말을 했다. "이과 출신이야말로 '정서'가 반드시 필요한데, 그러려면 문학작품을 읽어야 한다"(뒤에 '반면'이라는 단어로 시작해 이어지는 말, "문

과인에겐 논리적 사고가 필요하다." 지금 책이 없어서 직접 인용은 불가능하다).

'가르치면서 힘든' 점 가운데 하나로 쉽게 문헌자료를 구할 수 없다는 점을 거론한 사람이 있다. 해외 학교이기에 생길 수 있는 고민일 것이다.

출처: 『IB: 세계가 인정하는 탁월한 교육프로그램』 183쪽

(3) 교원연수(문8, 문9)

IB프로그램 도입의 성패는 교직원들의 수준에 달려있다. 바꿔 말하면, 얼마나 교원연수를 충실하게 하느냐가 관건이다. 교내외의 연수는 IB 요강에 명기돼 있다. 연수에 대한 기획 및 실행은 학교장의 중요한 업무 가운데 하나이며, 교직원은 이것을 수강할 의무와 권리가 있다.

연수는 주로 교내 연수와 교외 연수로 나뉜다. 후자에는 다시 IBO가 주최하는 공적 연수와 사적 공부모임의 두 가지가 있다. IBO 주최 연수는 보통 4개 지역별로 독자적인 기획 하에 실시된다는 인상이 강하다. 지역의 대학과 제휴해서 개최하는 경우도 있는 듯하다. 필자는 지금 속해 있는 유럽·아프리카지역의 워크숍과, 출신지인 일본이 속한 IBAP(IB Asia-Pacific) 이외에는 정확히 알지 못한다. 그리고 설문조사 답변란에 주최자가 명기돼 있지 않거나, 교내 연수인지 공적인 것인지 구분이 확실치 않은 경우도 있어서 응답 집계로부터 알 수 있는 경향성은 대략적이라는 점 미리 양해를 구한다.

보통 IB 주최 워크숍은 주말인 금, 토, 일 3일간 열린다. 그리고 워크

숍과는 별도로 컨퍼런스도 열린다. 워크숍이 주로 교과별 실천적 연수라면 컨퍼런스는 총괄적으로 학년을 불문하고 영역별로 소개, 심화를 도모하는 연수라고 할 수 있을 것이다. 예를 들면 'IT기기 도입은 어떻게 해야 하는가'를 주제로 조직별 분과모임(워크숍)을 갖는 식이다. 그렇다면 실제로 교사들은 지금까지 어떤 연수를 받아왔는지, 그리고 향후 어떤 연수를 희망하는지 살펴보자. 여기서는 편의상 IB 경력별로 나누어 정리했다.

[지금까지 받은 연수]

① IB 경력이 0~3년인 자(19명)

19명 중 14명이 어떤 형태든 공적 워크숍에 참석한 적이 있다. 교과를 명기한 경우를 보면 IBDP(언어A, B, 초급일본어)가 많다. 미국(id 34, 미국)의 연수 주제는 독특하다. 교내 연수일까. 그리고 몇 명은 자발적 공부 모임과 개별적으로 기획한 미니워크숍에도 참석하고 있다. 이것은 일본어로 이루어지며, 내용도 구체적이고 실천적이라는 점에서 매력적이기 때문일 것이다. 히로시마대학에서 열린 '다언어대화평가법 워크숍(id 32, 일본)'이란 무엇일까. 재미있을 것 같다. 온라인 수강 경험자도 2명 있다. 온라인 워크숍은 1코스를 수료하는 데 약 4주가 필요하다. 상당한 집중력이 요구되는 것으로 알려져 있다. (id 31, 일본)은 PYP코스를, 그리고 (id 46, 스위스)는 실제로 가르치고 있는 분야의 교과·레벨 이외에 네 가지나 온라인으로 수강하고 있다. 한편, 교내 연수만 받아보았다는 사람이 1명, 그리고 기록하지 않은 경우 혹은 연수 경험이 전무한 경우가 4명 있다('앞으로 개강 예정' 포함). 걱정스러운 부분이다.

② IB 경력이 4~10년인 자(13명)

이 경력자 층도 13명 중 10명이 무언가 공적 워크숍에 참석하고 있지만 개인차가 있다. (id 32, 일본)은 놀라운 경우다. 전부 아시아태평양 주최다. 쓰쿠바대학이 주최한 '언어기술연수 7일간' (id 39 일본)도 앞서 언급한 히로시마대학에서의 연수와 마찬가지로 흥미롭다. 그리고 이 경력자 층에는 MYP워크숍 참석자도 있다. '학제간교육(Interdisciplinary Learning)'(id 27, 일본), '개별화(Differentiation) 및 기타(id 03, 태국)'는 교내 연수일지도 모른다. 온라인으로 PYP를 수강한 사람도 있다. 3명이 무응답인데 그중 1명은 '기억하지 못함'이라고 답변했다.

③ IB 경력이 11~15년인 자(11명)

전원이 공적 워크숍에 참석한 적이 있다. 특히 유럽·중동·아프리카지역의 IBO가 정기적으로 개최했던 IBDP 일본어A1의 참석자가 3명 있다(id 02, 독일),(id 08, 싱가포르),(id 29, 영국). 필자가 기억하는 것은 스페인의 말라가에서 열린 워크숍으로, 벌써 15~16년 전이다. 이하 리스본, 제네바, 아테네, 카이로, 부다페스트로 이어지다 그 후 끊어졌다. 교내 연수 경험자 가운데 'ESL Mainstream' 수강자가 1명 있다(id 12, 일본). 이 프로그램의 목적은 한마디로 교사가 ESL(English as a Second Language, 제2언어로서의 영어) 수준의 학생들을 이해하는 것이다. 제2언어의 습득이 얼마나 힘든지 학생의 입장이 되어 체험하고, 일상적 수업 개선, 학급운영에 도움이 될 수 있도록 구성된 프로그램이다. 대개는 ESL부서에서 주최하는 듯하다.

한마디 메모 ESL Mainstream 연수

암스테르담 국제학교에서는 저학년과 고학년 부서별로 각 EAL[4] 부서장이 기획하여 희망자를 모집한다. 한 달 정도의 코스인데 이 연수에 참석할 때는 학교가 대체인력을 마련해준다. 코스의 첫 수업을 들여다보자. 처음 20분은 비주류 언어(예를 들면, 히브리어라든가 일본어)를 담당하는 교사가 수업을 한다. 동료교사가 학생이 된다. 주최측과의 사전 협의대로 처음에 보조교재는 일절 없고 이야기하는 속도도 보통빠르기로, 거기에 얼굴표정도 무뚝뚝하게 수업을 진행한다. '학생'은 옆사람과 서로 얼굴을 쳐다보다 침묵하고 교사는 개의치 않고 수업을 한다. 그 다음엔 무언가 보여줄 거리를 준비해서 천천히 이야기를 하고, 때론 반복해서 웃는 얼굴도 보여준다. 교실분위기가 급격히 부드러워진다....... 이런 식이다. 일반적으로 단일언어(monolingual) 사용자 교사에게 이 연수는 매우 효과가 있다고 한다.

④ IB 경력이 16년 이상인 자(6명)

6명 중 1명이 무응답. 5명 전원이 공적 워크숍에 참석한 적이 있다. 이 중 4명이 앞서 언급한 유럽·중동·아프리카지역의 정기워크숍에 참석했다. 그리고 한 사람(id 05, 말레이시아)은 아시아태평양지역 주최의 TOK(지식론)와 CAS(창조성·활동·봉사) 워크숍에 참석했다. 이 교사는 TOK도 가르치고 있다.

이상을 정리하면, 전체의 약 82퍼센트가 과거에 어떤 형태든 간에 공적 워크숍에 참석했다. IBDP의 일본어A 워크숍과 관련해 말하자면 유럽·중동·아프리카지역은 침체 분위기인 반면 아시아태평양지역은 활발하다. 그래서 유럽팀은 어쩔 수 없이 자발적 공부모임을 열어 연수를 한다고 할 수 있다. 여름방학에 열리는데다 참가비도 적당하고 배울점도 많다. 다만 이 공부모임은 IBDP 일본어A의 문학이 중심이며, 일본어A 전체를 다루진 않는다.

앞서 언급한 대로 직원연수는 학교운영의 중요한 부분이다. 그렇기 때문에 학교는 워크숍 참가비용을 예산에 넣고 있다. 희망자 전원에게 기회를 주긴 어렵기 때문에 순서를 정해서 참석하거나, 부서장이 참석한 뒤 배운 내용을 멤버들과 공유하는 경우도 있다. 그 외에 교내 연수가 빈번히 이루어진다. 보통은 주1회, 방과후 미팅시간을 설정해놓고 있다. 그렇다면 향후 어떤 연수를 희망하고 있을까.

[향후 희망 연수]

대략적으로 말하면 IB 경력이 3년 이하인 이들은 코스 내용을 구체적으로 알 수 있는 워크숍을 기대한다. 지도법, 평가방식 등을 포함해서다. 이는 앞서 언급한 '힘든 점'과도 상통한다. 현재 언어와 문학을 가르치는 교사는 이 코스의 워크숍을 희망한다. 경력이 길고, 특히 유럽에서 일하는 교사들은 IB 주최의 공적 워크숍이 해당 지역에서 열리길 절실히 바란다. 앞서 언급한 대로 이전에는 2년에 한 번 정도의 비율로 워크숍이 열렸다. 유럽의 국제학교는 8월 중순부터 학기가 시작되기 때문에 아시아에서 열리는 워크숍은 참석이 불가능하다. 그리고 비용문제도 있다. IB 주최의 워크숍은 자기 지역이 아니면 학교는 돈을 지불해주지 않는다. 그렇기 때문에 자비로 참석해야 하는데 매우 비싸다. IBDP는 실러버스가 크게 변화했음에도 불구하고, 특히 비주류 언어의 경우 워크숍 개최에 매우 소극적이다.

다시 자료로 돌아오면, 워크숍이 있어도 통합과정이며 일본어워크숍에 참석하고 싶다는 게 핵심이다. 무엇보다 이것은 유럽·아프리카·중근동지역만의 이야기일지 모른다. 최근에 IBDP와 MYP 안내서의 일본어 번역이 나왔다. 어느 정도는 워크숍을 대신할 수 있을 것으로 기대가 된다.

또 교과뿐 아니라 TOK와 '문학'의 관련성, CAS에 관해서, 그리고 커리큘럼 작성방법, 더 나아가 좀 더 본질적이면서 종합적으로 커리큘럼을 다루는 방식에 대해서도 알고 싶다는 의견, '사고능력과 종합적 학습법에 관한 워크숍'을 기대하는 목소리도 있다. 즉 '현재의 경제적·정치적 상황에서 사회 및 환경 문제에 실천적으로 대응할 수 있는 해결방식에 대한 지도법을 다루는 워크숍'을 말하는 것이다.

4. 바라는 점

(1) IBO에 대해(문20, 자유기술)

문20의 IBO에 기대하는 점에 대해 자유기술한 내용을 크게 나누어 정리하면 다음과 같다(도표3-1-8 참조).

① 연수의 충실

특히 일본어로 하는 연수·워크숍에 대해 현실적인 이야기를 하자면, 지금 실시되는 자발적 공부모임을 공식적으로 인정해달라는 것이다.

도표3-1-8 **IBO에 바라는 점**

	항목	IB 경력 0~3년	IB 경력 4~10년	IB 경력 11~15년	IB 경력 16년 이상
1	정보제공의 평등화와 공유 • 주요 언어 이외의 언어로 된 과거 시험문제 평가, 채점, 채점기준 등	1	2	1	
2	연수의 충실(온라인 포함) • 규모, 공인·비공인 불문	5	1	7	2
3	일본어로 된 문서 제시 • 문서, 가이드, 교사지원 서류	2	2	1	1
4	일본어로 쓰인 서류 작성 • 지도안, 연간 커리큘럼 • 참고문헌 목록 • 관련 교재 • 일본어A 자료 • 일본어로 된 교과서, 관련 교재 출판(A, B)	6			
5	제2언어, 제3언어로 생각하는 법, 특히 일본어B의 내용	1			
6	교사에 대한 지원 • IB란 무엇인가, '인터내셔널'이란 무엇인가를 교사가 이해하고 지도할 수 있도록 지원 • 워크숍 참가비도 좀 더 저렴하게	2			
7	웹사이트 • 검색을 좀 더 쉽게 • 접속 권한의 자유 • 일본어 페이지 갱신을 좀 더 빨리	2	1		
8	기타 • 일본 학교의 서클활동을 CAS로 인정 • 일본의 IB인정학교에서 영어로 수업 실시 • 담당 수업시간의 상한 설정 • 안내서에 실린, 교사에 대한 세세한 요구 개선 • 프로그램 변경 통지 신속화 • 항상 교육의 중요성과 가능성을 생각하기 바람 • 관료적 태도의 개선	2	3		2

주: 응답자 수는 44명

즉, 현재의 IB 공인 워크숍은 지역을 한정 짓는데, 이 지역이라는 틀을 제거하고 교사들이 모이기 쉬운 시간·장소를 IB가 인정해달라는 말이다. 예를 들어, 일본어A라면 '여름방학 일본에서'라는 식이다. 그편이 비용도 저렴하다. 현재 IB는 이것을 인정하지 않고 있다. '관료적 대응'이 여기서도 나타나는 듯하다. 더 나아가 교재연구에 관해서뿐 아니라 연간 커리큘럼의 작성, IB 일본인교사에 대한 연수 등의 요청도 있다.

② 일본어로 된 문서 제공

OCC(Online Curriculum Centre, 온라인 커리큘럼 센터)[5]에서 나오는 자료·문서·정보는 영어, 프랑스어, 스페인어가 많고 일본어로 된 정보는 없다. 최근 들려온 좋은 소식은, 앞서 언급한 대로 언어A 안내서(IBDP, MYP 모두)의 일본어 번역이 나왔다는 것이다. 다만 문서 전체는 아니다. 그리고 기존 서류의 번역만이 아니라 새롭게 보조자료, 참고문헌 목록 등을 IBO가 출판해달라는 요청이다. 도표3-1-8 항목2의 연수가 충실해지면 항목3에 관해서도 정보교환이 가능해지므로 IB교사의 불안이 어느 정도 해소될지 모른다.

③ IBO의 민주화

IBO는 지금 거대한 기구다. 그 덩치 때문에 상황 변화에 신속하게 대응하지 못하게 되었다는 느낌이 든다. 워크숍 개최의 허가문제 등도 보수적이라는 인상을 지울 수 없다. 질문을 해도 답변이 극단적으로 늦다거나, 사이트의 제약·이용의 어려움 등을 언급하는 사람도 있다. 반면에 세심하게 고려해주는 측면도 있다. 예를 들면 '원고용지의 채용은 훌륭한 결정'(id 18, 프랑스)이다. OCC는 IBO와 현장을 잇는 유일한 수단인 만큼 '정보제공의 공평성과 공유'를 포함한 개선의 목소리도 나온다.

(2) 일본으로부터의 공적 지원에 대해(문21, 자유기술)

공적 지원의 바람을 간략하게 정리한 것이 도표3-1-9다. 주로 세 가지가 거론되었다.

① 연수회 참석 지원

시간적 보장, 비용 면에서의 원조다. 공적 워크숍이라면 물론 학교가 부담한다. 유럽에서의 공적 개최를 기대하는 이유다. CAS의 자원봉사 활동에 대한 자금지원도 이뤄지길 기대한다.(id 23, 싱가포르)

② 자료, 문서의 충실화와 일본어화

IBO에 대한 요망과도 겹치는데, 안내서의 일본어 번역에는 '일본의 문부과학성으로부터 대대적인 지원을 받았다.'[6]라고 첫머리에 감사인사를 전하고 있다. 향후 IB학교를 200개로 늘린다면 이러한 번역, 교재, 자료의 충실화가 더더욱 필요할 것이다.

③ IB에 대한 계몽

최근 일본의 미디어에서 '글로벌 인재'와 더불어 'IB'가 자주 거론된다. 대학에서도 'IB입시'가 사립은 물론 국립대학에서도 실시되고 있다. 예전과 비교하면 지명도는 현저히 올라갔다고 할 수 있다. 그러나 (id

도표3-1-9 **공적 지원에 대한 요망**

	공적 지원	IB 경력 0~3년	IB 경력 4~10년	IB 경력 11~15년	IB 경력 16년 이상
1	연수회의 질적 향상과 참석 지원	3	3	4	4
2	온라인 연수의 충실화(연수에 참가하고 싶지만 비용문제로 불가능하기에)	1			
3	정기간행물과 뉴스레터의 발행(학생 체험담)	1			
4	IB프로그램의 인지도 확대(대학, 정부, 기업을 상대로)	1	1		
5	CAS 자원봉사활동에 대한 자금원조 및 수용	1			
6	자료의 충실화, 일본어화	1			2
7	학부모에 대한 계몽				
8	교재비 지원(개인지도자)	1			
9	교원양성, 지도	2		1	
10	기타 • 교과서 '인정'의 문제점을 인지할 것 • IB 일본어교사로서 공식적인 인정을 받을 수 있길 원함 • 학생 및 교사용 참고문헌 • 영어실력 강화코스 설치 • 타학교 견학	3	1		

주: 응답자 수는 30명

27, 싱가포르)가 서술한 대로, 대학측이 IB프로그램을 정말로 제대로 이해하고 있는지는 의심스럽다. 현재 '글로벌 인재'의 필요성을 절감하고 있는 것은 산업계다. 그것을 정부가 뒤에서 밀어주는 형태다. 대학입시의 바람직한 모습에 대한 질문도 나오고 있다. 또 해외에서 기존의 IB 학위 취득자와 대부분의 교과를 일본어로 취득하는 일본어 IB학위 취득자를 동등하게 취급할 것인지 아닌지는 흥미로운 부분이다.

5. 일본의 교육, 입시제도, 학교 전반에 대해

마지막으로 교육 전반에 대한 응답자의 목소리다. '문22, 자유기술'을 차분히 읽어보자. 시사하는 부분이 크다. 다음은 일부 의역해서, 경력에 따라 네 가지로 정리한 것이다.

① IB 일본인교사 경력 0~3년

먼저, 해외에서 가르치고 있는 교사의 목소리를 들어보자. "늦게 IB학교에 편입한 경우, 영어실력 때문에 IBDP 전체를 이수하지 못하고 과목별 자격증명서를 취득해야 한다. 일본에서 IB를 도입해도 같은 일이 벌어지지 않을까. 영어에 일찍 적응시켜둘 필요가 있을 듯하다."(id 08, 중국) 일본 교육의 훌륭한 점에 주목하는 사람도 있다. "북유럽에선 일본의 교육에 호의적이다. 문제가 있어도 현행대로 가는 수밖에 없다. 가을 입학, IB 도입은 미미한 변화에 불과하다."(id 09, 한국) 또한 "일본 교육의 훌륭함은 인정하지만, 반면에 교사들의 인간성의 경직화가 진행되고 있다"(id 41, 일본)는 의견도 보인다. "사고력을 키우는 게 아니라 테크닉이나 스킬 익히기에 중점을 두는 경향이 있다."(id 41, 일본)라고도 말한다. "일본에서 IB를 도입하면 정책이 파탄난다."(id 14, 일본) 그리고 일본의 교사들이 바쁘다는 점을 거론하는 사람도 있다. "한 학급당 40명이면 세세한 작문첨삭이나 개인 프레젠테이션은 불가능하다. 학생지도에 시간이 너무 많이 든다."(id 17, 벨기에) "일반적인 수업에 IB 수업, 담임, 그리고 서클활동까지"(id 38, 일본)라는, 일본의 현장으로부터의 목소리도 있다.

한편, 일본의 IB도입을 기대하는 사람도 있다. "영어실력의 향상"(id

23, 싱가포르), "입시 방법을 재고할 기회"(id 25, 일본)로 여기는 경우다. 그러나 "입시가 바뀌지 않으면 일본의 교육은 바뀌지 않는다."(id 34, 미국) 그리고 "IB의 이념과 일본의 입시가 동떨어져 있다."(id 34, 미국)라는 지적도 있다. 'IB 일본어 학위'에 대한 우려다.

더 나아가 현행 입시제도에선 "IB학위를 취득해도 일본 대학에 들어가려면 다시 시험을 봐야 한다."(id 40, 중국)라는 수험생에 대한 동정론도 들린다. 한편 "귀국자녀에게 너무 관대하다"(id 43, 베트남)는 지적도 있다. "IB와 일본의 센터시험(일본의 수능시험-옮긴이)은 양립하지 않는다."(id 24, 일본) "4월 입학과 귀국자녀의 입시 시점을 개선할 필요가 있다. 글로벌화라고 부르는 것에 비해 아직은 국내 위주다."(id 44, 중국) "IB점수로 입학가능한 대학이 늘어나면 좋겠다. 몇 점이면 들어갈 수 있는지 명확하게 IB에 대해 알 수 있는 출판물이 있으면 좋겠다."(id 45, 싱가포르) 등의 의견도 나왔다.

② IB 일본인교사 경력 4~10년

"일본의 초등학교 교육은 훌륭하다. 그런 기초 위에 훈련한다면 말하기 능력도 향상시킬 수 있다. 내성적인 학생은 어느 나라에나 있다."(id 49, 일본) "주입식 교육의 긍정적 측면도 있지만, 현행 입시제도와 영어교육에 관해선 의문"(id 35, 영국)이라는 사람도 있다. 그리고 "내신서류는 필요 없음, 성적은 전부 투명하게, 답이 없는 교육도, 계산기를 사용하는 교육도, 졸업기준은 엄격하게"(id 36, 인도네시아)라고 구체적 개선점을 거론하는 내용도 있다.

이 교사층에서는 두 사람이 일본에서의 IB도입에 기대를 표하고 있다.(id 04, 타이완)(id 26, 일본) IB의 좋은 점으로는 "바로 활용가능한,

국제사회에서 필요한 능력을 키워준다."(id 06, 일본) "IB 일본어A는 다이내믹한 반면 일본의 입시는 암기중심이다."(id 27, 일본)라는 평가도 나왔다. 그리고 일본의 IB도입에 대해선 "2중언어라니 앞으로 일본은 어떻게 될 것인가."(id 39, 일본)라는 우려의 목소리도 있다.

③ IB 일본인교사 경력 11~15년

일본인학생의 문제점으로 영어실력을 거론한 사람은 2명이었다. "일본에서 일본어로 IB학위를 취득하는 것은 해외 대학 진학과 관련해 문제가 없을까."(id 01, 프랑스) 그러면서 2주간의 청소년국제교류 경험담을 언급한다. "전 세계에서 모여든 학생들 중에 영어로 제대로 된 대화를 할 수 있는 일본학생을 찾는 데 고생했다. '일본의 영어교육은 어떻게 되고 있는가'라는 질문을 받았다."(id 07, 일본) 그러면서 단 2주간의 프로그램에도 서클활동 때문에 참가가 녹록지 않다는, 일본의 여름방학 실정을 호소했다.

"모두가 대학, 대학, 하는 풍조는 바람직하지 않다."(id 19, 네덜란드) "일본사회 전체가 변하지 않으면 교육의 문제점은 개선되지 않는다."(id 19, 네덜란드) "가족과 지역사회와의 접촉을 유지하는 게 중요하며, 그렇게 할 때 사회로 눈을 돌리고 문제를 해결해가고자 하는 자세가 키워진다."(id 15, 독일)라는 의견도 있다.

"대학의 교육내용, 수업방식의 개선, 연수를 철저히 해야 한다"(id 12, 일본)는 의견도 보인다. 이어서 "일본의 학교들도 변화하고 있다는 말을 듣는다, 특히 대학에서 서서히 국제화가 진행되고 있다."라는 코멘트도 덧붙였다.

"일본에서 교사는 매우 바쁘며 교과 외의 학생지도에 시간을 많이 빼앗긴다. 다만, 담임이 학생을 잘 파악하고 있는 점은 평가할 만하다. 그리고 학생이 직접 청소하는 것도 교육의 일부라고 지금은 생각한다. 현역시절에는 화장실 청소 감독이 싫었지만."(id 16, 독일)

일본의 국어교재에 관한 의견도 있다. "상대방의 심정에 대해 생각해 보게 하는 내용의 교재가 많다. 비판적으로 판단하는 눈을 키우는 내용이 적다. 교재를 일단 긍정적으로 받아들이는 경향이 있다."(id 29, 영국)

역시 IB도입에 기대를 표한 이들이 있다.(id 28, 일본)(id 37, 태국)

그리고 IB수학(고급레벨)과 과학(고급레벨)에 대한 제안도 있다. "일본의 이과에서 요구되는 수준과 IB의 상관도, 표 등의 공식정보가 있으면 국제학교에 재학 중인 학생도 그에 상응하는 준비를 할 수 있다"(id 02, 독일)는 것이다. 이것은 귀중한 제안이라고 생각한다.

④ IB 일본인교사 경력 16년 이상

"IB도입은 매우 좋은 일이라고 생각하지만, IB에 국한하지 않고 독자적 교육법 개발을"(id 05, 말레이시아)이라는 의견은 신선한다. 그러면서 대학입시제도 개혁과 교원연수에 관한 비용, 시간 투자의 필요성"의 언급이 이어진다.

이하, 순서대로 나열한다. 대학에 대한 바람으로서 "IBDP는 대학입학자격이라는 인식을 가질 것."(id 13, 네덜란드) 그리고 "그룹을 조직해 해외의 국제학교 등을 돌며 설명회를 열어주면 좋겠다."(id 13, 네덜란드) 고교에 대한 바람으로서 "해외의 국제학교에서 일본인이 고등학교 입시를 볼 때, 중학교 졸업자격증명서를 요구하는 경우가 있다. 그래서 도중에 일본인학교로 옮겨 거기서 졸업자격을 취득하게 된다. IB인정학교라면 그 부분은 신뢰를 해주어, 그런 증명서를 갖춰야 하는 부담

이 없어지면 좋겠다."(id 13, 네덜란드)

다음은 대학입시에 대한 개선안이다. "학생에게 요구하는 능력과 세상이 필요로 하는 능력 사이에 괴리가 있다. IB커리큘럼이나 그 평가방법에서 배울 점이 많지 않을까."(id 20, 프랑스), "교원양성이 급선무다. 중앙정부 차원에선 안 된다. 학습형태의 자유화가 필요하다."(id 21, 독일)

마지막으로 '대학교육의 개혁' 방향에 대해서다. "문제의식을 갖는다. 해결법, 사고력, 커뮤니케이션 능력을 갖춘다. 세계와 어깨를 나란히 할 수 있도록 글로벌한 대응이 필요하다."(id 30, 이탈리아)

맺음말

'가르치면서 즐거운 점'의 자유기술 항목에서 대부분의 교사가 IB프로그램의 매력을 언급하고 있다. IB를 가르치는 과정에서 교사도 학생도 바뀐다. IB의 '바람직한 학습자상(Learner profile)' 안에 '위험을 무릅쓰는 사람(Risk taker)'이 있다. 이는 교사에게도 동일하게 요구된다. 수업준비는 힘들고 끊임없이 연마해야 하지만 학생의 반응과 변화를 통해 보상받는다. 교사 입장에서 그 이상의 기쁨은 없다. IB의 이념은 장대하고 이상으로 넘치기에, 그야말로 "교육의 힘을 믿을 수 있다"(id 13, 네덜란드)는 것은 행복한 일이다.

3-2

일본인교사로서의 보람과 스트레스

가네후지 후유코

머리말

본 원고에선 해외의 IB학교에서 일본어와 일본문학을 가르치는 49명의 교사(이하 IB 일본인교사라 한다)에 대한 설문조사('IB를 가르치는 일본인교사에 관한 조사') 결과[1]를 토대로 교원으로서의 보람과 업무부담, 일을 포함한 생활만족도를 검토한다. 구체적으로 필자들이 2012년에 일본의 전국 공립초등학교 교원을 대상으로 실시한 조사 결과[2] 데이터와 비교하면서, IB커리큘럼을 해외에서 가르치는 교원들의 직무에 대한 의식의 특징을 명확히 하고자 한다.

1. IB 일본인교사의 직무에 대한 긍정적 의식: 일본 공립초등학교 교원과의 비교

(1) IB 일본인교사의 직무에 대한 긍정적 의식

해외의 IB학교에서 일본어를 지도하는 교원으로 근무하는 IB 일본인교사는 어떤 직무에 대해 긍정적 의식을 갖고 있을까. 앞 장의 자유기술 검토에서도 IB 일본인교사는 가르치면서 즐거울 때가 있고, 교원연수에 대한 구체적 바람을 갖고 있으며, 더 나아가 IBO에 바라는 점을 묻는 질문에도 연수의 충실을 기대하는 등 직무에 대한 매우 의욕적인 태도가 두드러졌다. 좀 더 상세히 들여다보자. 해외의 IB학교에 근

도표3-2-1 **IB 일본인교사가 직무상 보람을 느끼는 정도**

– '매우 그렇다', '약간 그렇다'의 긍정적 응답률 –

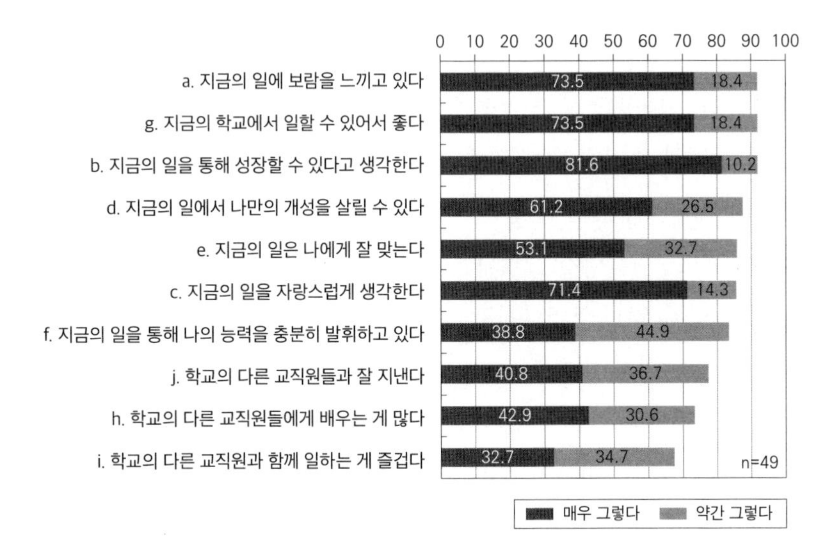

도표3-2-2 **IB 일본인교사와 일본의 공립초등학교 교원의 직무상 보람 비교**

– '매우 그렇다'의 응답률 –

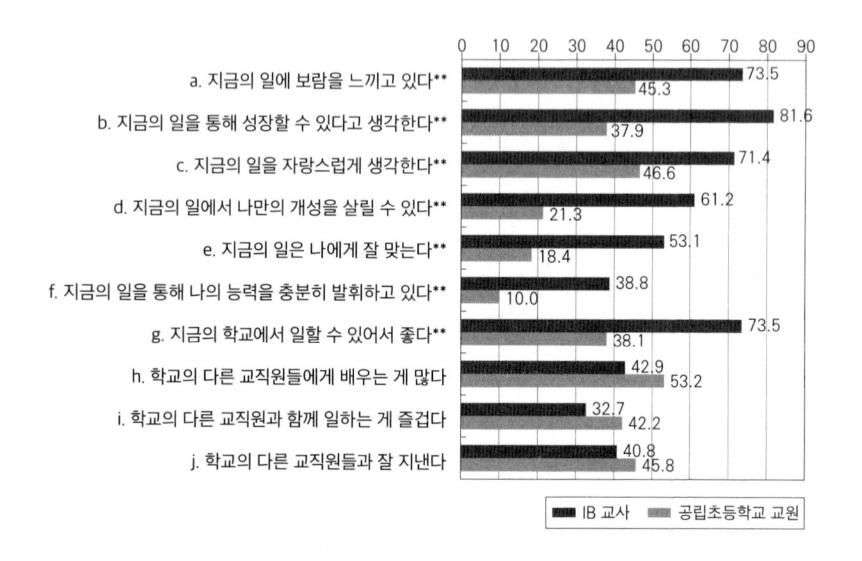

주: **는 IB 일본인교사와 전국 공립초등학교 교원의 평균치 차이의 검증결과 p〈.01을 의미한다.
h, i, j 항목은 n.s.(유의미한 차이 없음), IB교사는 n=49, 공립초등학교 교원은 n=1,213

무하는 IB 일본인교사는 어떤 의식을 갖고 직무수행에 임할까. 여기서는 그 긍정적 측면에 대해 명확히 살펴본다.

먼저 직무수행상의 긍정적 의식 10개 항목을 설정해서 각 항목별로 '매우 그렇다', '약간 그렇다', '어느 쪽도 아니다', '별로 그렇지 않다', '전혀 그렇지 않다'의 5단계로 데이터를 수집했다. 도표3-2-1은 직무상의 긍정적 의식 10개 항목에 대해 '매우 그렇다'와 '약간 그렇다'라고 답변한 사람들의 비율이 높은 순으로 표시한 것이다.

전체적으로 IB 일본인교사는 직무에 대한 긍정적 의식을 묻는 전체 항목에서 '매우 그렇다', '약간 그렇다'라는 긍정적 응답률이 높다.

10개 항목 중 7개 항목은 긍정적 응답률이 80퍼센트를 넘는다. “지금의 일에 보람을 느끼고 있다”, “지금의 학교에서 일할 수 있어서 좋다”, “지금의 일을 통해 성장할 수 있다고 생각한다”의 상위 세 가지 항목은 전부 긍정적 응답률이 90퍼센트를 넘었다. 본 조사 대상이었던 대부분의 IB 일본인교사는 현재의 직무와 직장에서 큰 보람, 높은 자기 성취감, 만족감을 얻고 있다는 것을 알 수 있다.

(2) IB 일본인교사와 일본의 공립초등학교 교원의 직무에 대한 긍정적 의식 비교

도표3-2-2는 직무상의 긍정적 의식에 관한 10개 항목에 대해, 필자 등이 2012년에 동일 항목을 가지고 실시한 일본 전국 합계 3,000명을 대상으로 한 초등학교 교원 조사 결과와 비교한 것이다. 설문 가운데 a~g의 7개 항목에서 일본의 공립초등학교 교원보다 IB 일본인교사 쪽이 ‘매우 그렇다’라는 강한 긍정적 답변의 비율이 높다. 비율의 차이는 모두 30~40포인트에 이른다. 그중에서도 “지금의 일을 통해 성장할 수 있다고 생각한다”는 항목은 40포인트 이상 차이가 난다. 결과적으로, IB 일본인교사는 일본의 공립초등학교 교원에 비해 직무상 보람, 직무에 대한 자긍심, 직무를 통한 성취감 등을 강하게 느끼는 사람이 많다고 할 수 있을 것이다. 양자의 차이는 통계적 검증에서도 유의미한 차이($p<.01$)가 인정됐다.

반면에 “학교의 다른 교직원들에게 배우는 게 많다”, “학교의 다른 교직원과 함께 일하는 게 즐겁다”, “학교의 다른 교직원들과 잘 지낸다” 등 동료들에 대한 긍정감이라고 할 수 있는 항목(h, i, j 항목)에서는 IB 일본인교사와 일본의 공립초등학교 교원들 간에 차이가 보이지 않는다. IB 일본인교사와 일본의 공립초등학교 교원과의 평균치의 차이 검증에서도 유의미한 통계적 차이는 보이지 않기에 어느 쪽이 더 높다는 판단은 내리지 않았다.

2. IB 일본인교사의 직무에 대한 부정적 의식: 일본 공립초등학교 교원과의 비교

(1) IB 일본인교사의 직무에 대한 부정적 의식

교원으로서의 직무에 대한 부정적 의식에 대해 여기서는 12개 항목을 설정해 현황을 물었다. 도표3-2-3은 각 항목에 대해 '매우 그렇다', '약간 그렇다'의 긍정적 응답자의 비율을 표시한 것이다. 긍정적 응답률이 60퍼센트를 넘는 항목은 "일을 집에 가져갈 때가 많다", "서류작성이 일본어가 아니라서 시간이 걸린다", "일이 너무 바빠서 거의 일만 하는 생활이다"라는 세 항목이었다. IB 일본인교사들의 일이 바쁘고 근무시간 내에 모든 일을 해내기 어려운 상황이 눈에 띄었다. "근무시간 이후에도 일 때문에 남는 경우가 많다"는 항목도 긍정적 응답률이 약 60퍼센트다. IB 일본인교사는 일본의 공립학교 교원과 마찬가지로 업무부담은 결코 가볍지 않은 걸로 인식하고 있다.

다른 한편, IB 일본인교사의 경우에 특징적이라고 느껴지는 점은 업무에 대한 부담을 느끼면서도 "같은 일을 반복하느라 매너리즘을 느끼고 있다"라거나 "지금의 일은 단조롭고 보람을 찾을 수 없다"라는, 업무 자체에 대한 부정적 사고가 적다는 것이다. 이 두 항목은 모

도표3-2-3 **IB 일본인교사의 직무상 부담감**

– '매우 그렇다', '약간 그렇다'의 긍정적 응답률–

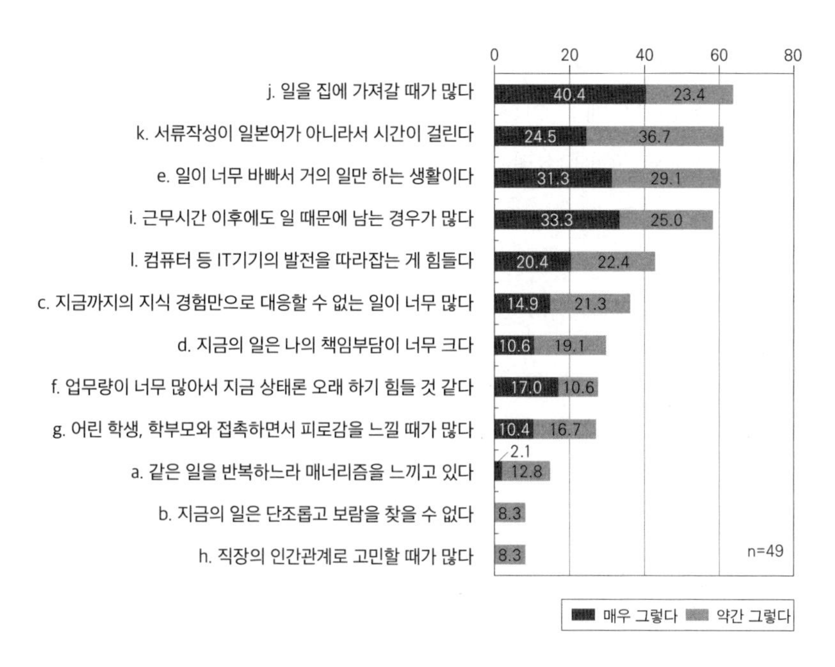

두 긍정적 응답률이 10퍼센트 전후에 머물러 있다. 또 "직장의 인간관계로 고민할 때가 많다"는 항목도 긍정적 응답률은 10퍼센트 미만이었다. IB 일본인교사는 업무부담을 결코 가벼운 것으로 느끼진 않지만, 업무 자체에 보람을 느끼고 있으며 직장의 인간관계로 고민하는 사람도 적은 것으로 생각할 수 있다.

필자는 본 조사에 협력해준 해외 IB학교의 일본인교사들과 일본에서 실시된 연수회 등에서 직접 이야기를 나눌 기회가 있었다. 그들과 개인면담을 하면서 느낀 인상을 통해 앞의 조사 결과에 대한 이유를 검토해보면, 다음과 같은 내용을 파악할 수 있을 듯하다.

우선 IB학교에 근무하는 교사들은 자신이 하는 학습지도에 대한 의욕이 매우 강하고, 지도의 기쁨을 느끼고 있는 경우가 많다는 점을 들 수 있다. 두 번째로 위와 같은 결과가 나온 것은, 본 조사에 협력해 준 IB 일본인교사에겐 여름학기에 일본에서 실시되는 연수에 자발적으로 참석해서 좀 더 실력을 향상시키고 싶다는 강한 자기계발의 의욕을 가진 사람이 다수 포함돼 있는 만큼, 원래 자기계발에 대한 의식이 높은 인재들이 모였다는 점도 생각할 수 있다. 앞의 본 조사 자유기술의 결과로부터도 연수에 대한 높은 기대감을 드러냈다는 점이 이 해석을 방증하고 있다. 세 번째로 자신의 직무에 보람과 의욕을 느끼는 IB 일본인교사는 동시에 스스로에 대한 자신감을 갖고 있으며, 자립성과 회복탄력성도 높다고 생각할 수 있다. 그런 이유들이, 일본의 공립초등학교 교원만큼 직장의 인간관계 때문에 고민하는 사례가 적은 결과로 이어지는 게 아닐까.

(2) IB 일본인교사와 일본의 공립초등학교 교원의 직무에 대한 부정적 의식 비교

직무에 대한 부정적 의식에 대해서도 긍정적 의식과 마찬가지로 IB 일본인교사와 일본의 공립초등학교 교원들을 비교했다(도표3-2-4). 여기서는 '전혀 그렇지 않다'라고 강한 부정적 답변을 한 교원들의 비율을 비교했다. 10개 항목 중 9개 항목에서 IB 일본인교사와 일본의 공립초등학교 교원의 응답률에는 통계적으로 유의미한 차이가 인정되었다. 유의미한 차이를 보인 결과에서는, IB 일본인교사 중엔 각 항목에 대해 '전혀 그렇지 않다'라고 강한 부정적 답변을 한 사람이 많다. 다시 말해서, 일본의 공립초등학교 교원은 IB 일본인교사에 비해 직

도표3-2-4 **IB 일본인교사와 일본의 공립학교 교원의 직무상 부담감 비교**

– '전혀 그렇지 않다' 응답률 –

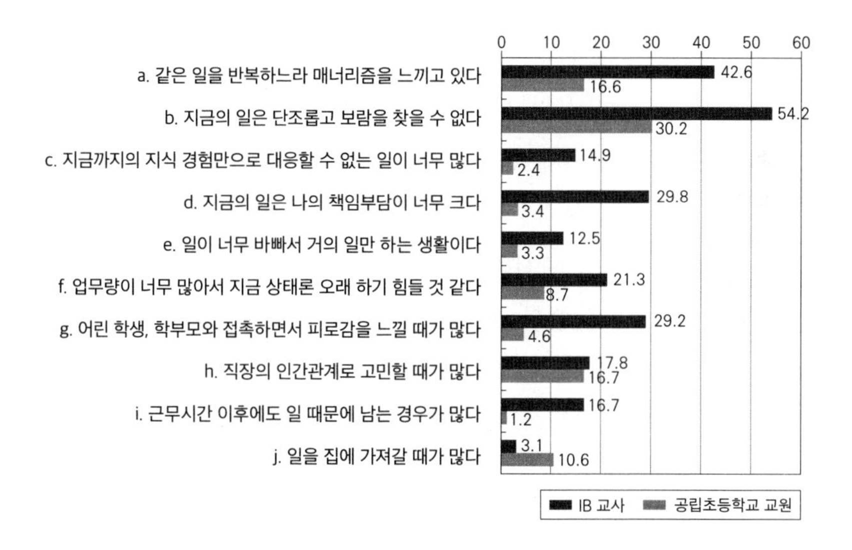

주: 도표의 a~c, e, g, i, j의 7항목은 카이제곱(X^2) 검정 및 잔차분석의 결과, p〈.01이었다. 반면 d, f, h의 3항목의 통계적 유의차는 없음. IB 일본인교사는 n=49, 공립초등학교 교원은 n=1,213

무에 대한 부정적 의식을 가지고 있다는 경향성이 인정된다. 특히 부정적 응답률의 차이가 큰 것은 "같은 일을 반복하느라 매너리즘을 느끼고 있다"와 "지금의 일은 단조롭고 보람을 찾을 수 없다", "지금의 일은 나의 책임부담이 너무 크다", "어린 학생, 학부모와 접촉하면서 피로감을 느낄 때가 많다" 등의 항목이었다. 그런 항목에 대한 IB 일본인교사의 '전혀 그렇지 않다'의 비율은 일본의 공립초등학교 교원에 비해 20~30포인트 높은 결과를 보인다. 이로써 IB 일본인교사의 직무상 부담과 스트레스는 일본의 공립초등학교 교원과 비교해보면 상당히 낮다는 게 명백해졌다.

3. IB 일본인교사와 일본 공립초등학교 교원의 직무상 의식구조

앞의 결과에서 IB 일본인교사와 일본의 공립초등학교 교원은 직무상 의식에서 상당한 차이가 있는 것으로 드러났다. 여기서는 더 나아가 IB 일본인교사와 일본의 공립초등학교 교원의 조사데이터를 가지고 직무상의 의식구조를 탐색해보자. 도표3-2-5는 직무상 의식을 묻는 20개 항목에 대한 양쪽의 조사데이터를 가지고 최우법(最尤法), 프로맥스 회전에 의한 인자분석을 실시한 결과다.

분석 결과, 20개 항목의 데이터에서 네 가지 인자가 추출되었다. 여기서는 제1인자를 '보람', 제2인자를 '업무부담감', 제3인자를 '동료에 대한 긍정감', 제4인자를 '매너리즘' 인자라고 명칭을 붙였다. 네 가지 인자 득점에 대해 일본의 공립초등학교 교원과 IB 일본인교사의 평균치를 산출하고, 모평균의 차이에 대한 검정을 실시한 결과(도표3-2-6), 제1인자 '보람', 제2인자 '업무부담감', 제4인자 '매너리즘'에서 통계적 유의미한 차이가 인정되었다. '보람' 인자 득점은 IB 일본인교사 쪽이 일본의 공립초등학교 교원보다 높고, 반대로 '업무부담감'과 '매너리즘' 인자 득점은 일본의 공립초등학교 교원이 IB 일본인교사에 비해 높다는 결과가 나왔다.

본 분석은 지금까지 실시한 20개 항목의 단순집계 및 크로스분석 결과와 정합성 있는 결과를 보였다. 즉, IB 일본인교사가 일에 큰 보람을 느끼는 반면, 일본의 공립초등학교 교원은 직무에 대한 보람을 많이 못 느끼며, 업무부담감이 크고 매너리즘을 많이 느낀다고 결론 지을 수 있다. 대체 어떤 이유로 해외의 IB학교에 근무하는 일본인교사

도표3-2-5 **교원의 직무상 의식에 관한 인자분석 결과(최우법, 프로맥스 회전)**

직무상 의식 설문 문항	α	인자			
		제1인자	제2인자	제3인자	제4인자
		보람	업무 부담감	동료에 대한 긍정감	매너리즘
지금의 일에서 나만의 개성을 살릴 수 있다	0.880	0.822	-0.318	0.338	-0.341
지금의 일은 나에게 잘 맞는다		0.759	-0.359	0.244	-0.253
지금의 일을 통해 나의 능력을 충분히 발휘하고 있다		0.758	-0.343	0.314	-0.246
지금의 일을 자랑스럽게 생각한다		0.733	-0.181	0.427	-0.447
지금의 일에 보람을 느끼고 있다		0.728	-0.212	0.466	-0.537
지금의 일을 통해 성장할 수 있다고 생각한다		0.671	-0.133	0.421	-0.485
일이 너무 바빠서 거의 일만 하는 생활이다	0.791	-0.248	0.811	-0.178	0.146
업무량이 너무 많아서 지금 상태론 오래 하기 힘들 것 같다		-0.382	0.773	-0.277	0.323
지금의 일은 나의 책임부담이 너무 크다		-0.309	0.610	-0.139	0.243
어린 학생, 학부모와 접촉하면서 피로감을 느낄 때가 많다		-0.316	0.600	-0.187	0.252
근무시간 이후에도 일 때문에 남는 경우가 많다		-0.113	0.580	-0.038	-0.021
일을 집에 가져갈 때가 많다		-0.075	0.510	-0.092	-0.007
지금까지의 지식 경험만으로 대응할 수 없는 일이 너무 많다		-0.286	0.484	-0.073	0.202
학교의 다른 교직원들과 함께 일하는 게 즐겁다	0.876	0.433	-0.177	0.887	-0.338
학교의 다른 교직원들과 잘 지낸다		0.367	-0.139	0.886	-0.349
학교의 다른 교직원들에게 배우는 게 많다		0.322	-0.077	0.787	-0.343
지금의 학교에서 일할 수 있어서 좋다		0.546	-0.29	0.664	-0.401
직장의 인간관계로 고민할 때가 많다	0.504	-0.261	0.34	-0.502	0.311
지금의 일은 단조롭고 보람을 찾을 수 없다		-0.37	0.121	-0.344	0.774
같은 일을 반복하느라 매너리즘을 느끼고 있다		-0.31	0.212	-0.277	0.739
인자간 상관	제1인자		-.359	.473	-.494
	제2인자			-.206	.221
	제3인자				-.446
	제4인자				

도표3-2-6 **일본의 공립초등학교 교원과 IB 일본인교사의 인자 득점의 평균치 차이 검정 결과**

인자	교원	도수	평균치	표준편차	평균치의 표준편차	t값	유의확률(양쪽)
제1인자: 보람	일본공립초등학교 교원	1196	24.2801	3.43343	.09928	-4.817	**
	IB 일본인교사	49	26.7143	4.21802	.60257		
제2인자: 업무부담감	일본공립초등학교 교원	1213	24.7840	5.92426	.17010	3.180	**
	IB 일본인교사	44	21.5000	6.75656	1.01859		
제3인자: 동료에 대한 긍정감	일본공립초등학교 교원	1198	17.0910	2.68774	.07765	1.058	n.s.
	IB 일본인교사	49	16.6735	3.13839	.44834		
제4인자: 매너리즘	일본공립초등학교 교원	1213	6.8392	2.62974	.07551	2.482	*
	IB 일본인교사	47	5.8723	2.35554	.34359		

주: 유의확률(양쪽)은 ** p<.01. * p<.05

들은 업무에 대해 보람을 많이 느끼고, 반대로 일본의 공립초등학교 교원의 보람은 적은 것일까. 이것을 검토하는 데는 더욱 상세한 조사가 필요하지만, 다음 파트에서는 IB 일본인교사의 만족도에서 그 원인의 일단을 찾아보기로 한다.

4. IB 일본인교사의 생활 전반에 대한 만족도 검토

IB 일본인교사는 일상생활의 어떤 면에서 만족감을 얻고 있을까. 도표3-2-7은 IB 일본인교사를 대상으로 14개 항목에 대해 만족도를 물어본 결과다. 도표 속에는 '만족'과 '약간 만족'이라는 긍정적 답변을 한 이들의 비율을 표시했다.

'만족', '약간 만족'이라는 긍정적 답변을 한 IB 일본인교사의 비율이 80퍼센트를 넘는 항목이 14개 항목 중 10개 항목에 이른다. 항목 수로 봐도 IB 일본인교사의 생활 전반에 대한 만족도는 높다고 말할 수 있다. 14개 항목 중에서 최종 항목으로 질문한 생활 전반에 대한 만족도를 보면 '만족'이라고 대답한 이가 전체의 60퍼센트에 이르며, '약간 만족'과 합치면 긍정적 응답률은 90퍼센트를 넘는다. 이것은 14개 항목 중에서도 두 번째 비율을 차지하고 있어서, IB 일본인교사 중에는 생활 전반에 만족하는 사람이 많다는 게 드러났다.

교원으로서의 직무에 관한 사항으로는 '개인 수입', '근무환경', '휴가', '노동조건' 등의 항목이 해당된다. 이 중 '노동조건' 항목만 긍정적 응답률이 70퍼센트 조금 안 되는 비율에 머물렀고, 그 외의 부분은 전부 80~90퍼센트로 직무에 관한 환경과 조건에도 상당한 만족감을 보인다. 특히 '휴가'에 대한 만족도가 90퍼센트 이상의 높은 비율이라는 점도 주목할 만하다. 일본의 공립초등학교 교원과 비교할 때 IB 일본인교사가 '휴가'에 만족감을 보이는 것은 외국의 학교들은 여름방학이나 겨울방학 등의 장기휴가가 길고, 일본의 공립초등학교 교원처럼 휴가 동안 학교에 출근할 필요가 없다는 이유를 들 수 있을 것이다. 노동조건과 학교운영의 특징이 교원의 직무환경, 더 나아가 보람과 만족감에도 반영되는 것으로 생각할 수 있다.

이상의 결과에서, IB 일본인교사는 수입과 노동조건, 생활환경 등에서 상당히 높은 만족감을 갖고 있다는 점이 거듭 확인되었다. 그런 의식은 확실히 교육이라는 업무에 대한 보람으로도 연결된다고 생각할

도표3-2-7 **IB 일본인교사의 생활만족도**

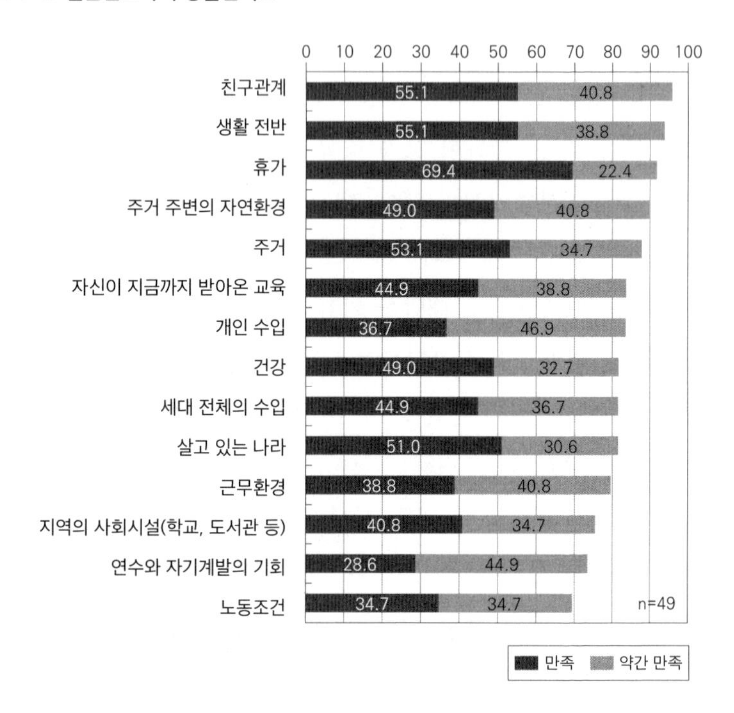

수 있다. 참고로 '연수와 자기계발의 기회'에 대한 만족도가 비교적 낮은 70퍼센트 미만의 긍정적 응답률에 멈춘 이유는, IB 일본인교사의 경우 현 상황에 안주하지 않고 자신의 전문성을 더욱 높이고자 하는 학습에 대한 의욕의 반증으로 보는 것이 타당할 것이다.

맺음말

본 분석의 결과로부터 IB 일본인교사의 직무상 의식과 만족도의 실태가 드러났다. 여기서 조사 대상이 된 IB 일본인교사의 표본은 적지만, 해외의 IB학교에 근무하는 일본인교사를 대상으로 한 통계적 연구가 적은 상황에서, 해당 교원들의 의식과 행동의 실태 일면을 해명했다는 점에서 본 연구의 의의가 있다고 생각한다.

분석 결과, IB 일본인교사는 직무에 대한 강한 자긍심과 자신감을 갖고 있으며, 교육에 대한 의욕도 높고, 자기계발에 대한 강한 바람을 갖고 있는 등 교원으로서 상당히 이상적인 모습을 보였다. 이 조사 결과는 실제로 필자가 국내외에서 면담한 IB학교의 교원상과도 겹치는 것이었다.

IB 일본인교사 조사와 과거에 필자 등이 실시한 일본의 공립초등학교 교원 조사의 비교를 보지 않더라도, 일본 교원들의 직무상 부담감과 장시간 근무는 매우 심각한 상황이다. OECD가 2013년에 실시한 국제교원지도환경조사(TALIS)에서도 일본 교원의 일주일간 근무시간은 조사에 참가한 33개국 가운데 가장 길었다(일본 53.9시간, 참가국 평균 38.3시간)[3].

일본 공립학교 교원의 근무조건과 학교운영 실태를 재검토하여 좀 더 보람 있고, 생활에 대한 만족감도 높은 교원을 늘리는 것은 일본사회 전체의 당면 과제다. 본 분석을 통해 해외의 IB학교에서 IB커리큘럼을 지도하는 일본인교사와 일본의 공립초등학교에서 근무하는 교원들은 보람과 업무부담감, 매너리즘의 측면에서 매우 큰 차이가 있다는 것이 명백해졌다. 그 차이에 대해 암울함만 느낄 게 아니라, 이번 기회에 향후 일본의 공립학교 교원의 업무 형태를 좀 더 면밀히 검토하는 것이 의미 있을 것이다.

해외의 IB 일본인교사들에게서 현저하게 드러난 직무상 보람은 일본의 공립초등학교 교원들에게도 실현가능성이 있지 않을까 생각한다. 물론 이 생각은 지나치게 낙관적이라는 비판을 받을지도 모른다. 그러나 일본 공립학교 교원들의 일에 대한 폐쇄감과 피폐감이 얼마나 심각한지 그 실상을 고려하면, 일본의 공립학교에 IB커리큘럼의 도입과 IB학교를 모델로 한 학교개혁, 교원의 업무개혁은 진지하게 검토해야 할 중요한 사항이라고 생각한다. 직무에 대한 강한 보람, 자긍심과 자신감을 지닌 교원에게서 배우는 것이 어린 학생의 인격 형성에 엄청난 플러스 효과가 나타난다고 생각하기 때문이다. 본 분석의 결과가 조금이라도 일본 공립학교 교원의 심각한 현실을 보여주는 계기가 되고, IB 일본인교사를 모델로 한 일본의 교육개혁에 도움이 되길 바란다.

마지막으로 본 분석에 남겨진 과제를 기술하기로 한다. 여기서 취급한 IB 일본인교사는 표본의 수가 50이 안 되는 매우 적은 수치다. IB 일본인교사와 비교를 한다는 취지의 분석은, 향후 더욱 많은 데이터를 가지고 실시되어야 한다는 건 더 말할 것도 없다. 또한 초등학교, 중학교, 고등학교 등 학교별 분석에 의해서도 교원 비교조사의 결과에서 상이한 특징들이 드러날 것이다. 교원 대상의 조사는 본 연구와 같은 횡적 조사뿐 아니라 경력변화를 되짚어보는 조사연구도 중요하며 반드시 실시될 필요가 있다. IB 일본인교사와 일본의 공립학교 교원을 비교하는 조사연구는 향후 그런 관점을 고려하며 더욱 깊이를 더해갈 것이다.

3-3

일본인교사에 대한 조사 결과의 고찰

이와사키 구미코

머리말

국제학교에서 IB를 가르치는 일본인교사가 맡는 교과는 대부분 그룹 1의 '언어A: 문학'의 일본어다. 그 이유는 IB를 도입하는 많은 국제학교에서는 영어가 모어인 학생이 주요 교과를 점유하는 경향이 있고, 동시에 '언어A: 문학'의 일본어교사는 당연히 일본인이라는 것이 필연성을 지니며 유리하기 때문일 것이다. 일본어를 가르치는 교사는 각 학교에서 유일한 일본인이자 '언어A: 문학'의 일본어교사인 경우가 많다. 전 세계에 흩어져 있는 일본인교사들을 위한 메일링리스트는 교사들 사이에서 자연발생적으로 생겨났다. 이 메일링리스트에 의한 네트워크는 자발적인 직능단체의 모습을 띄며, 교사들은 각 지역에서 개최되는 IB 워크숍에서 알게 되어 우의를 다지다가 일본에 일시 귀국할 때 일정을 조정해서 자발적 공부모임을 개최하는 등 직능 향상을 위해 깊은 교류를 하고 있다.

본 조사는 이런 일본인교사의 네트워크에 의뢰해 일본 및 세계 각지에서 IB를 가르치는 일본인교사의 현황과 과제를 파악하기 위해 일본인교사를 대상으로 설문조사한 것이다. 실시 방법은 일본어교사인 하시모토 야에코 씨가 연수회에서 질문지를 배포, 회수한 것 외에 하시모토 씨가 상기 메일링리스트를 통해 응답을 의뢰, 답신이 온 것들을 집약했다.

응답 내용은 이미 '3-1 일본인교사의 실태', '3-2 일본인교사로서의 보람과 스트레스'에서 분석했다. 이 원고에서는 일본인교사가 주로 가르치고 있는 IBDP의 '언어A: 문학'의 내용과 일본인교사의 속성을 간략히 소개하고, 마지막에 자료로서 조사의 단순집계 결과를 수록한다.

1. 일본인교사는 무엇을 가르치는가

응답해준 일본인교사 49명 가운데 48명이 IBDP의 '언어와 문학'(그룹 1)의 '언어A: 문학'의 고급레벨을 가르치고 있다. 우선 '언어A: 문학'을 간단히 살펴보자.

(1) 4개의 파트

'언어A: 문학'은 학생의 제1언어(모어가 많다)로 쓰인 작품을 교사가 IB의 '지정작가목록'에서 선택하고 그에 맞는 내용을 학습한다. '언어A: 문학'은 네 파트로 이루어진다. 파트1은 '세계문학'으로 지정번역작품목록 가운데 서로 다른 작가의 세 작품, 파트2는 '정독학습'으로 지정작가목록 가운데 서로 다른 장르의 세 작품(그중 하나는 시), 파트3은 '장르별 학습'으로 지정작가목록 가운데 선택한 동일 장르의 다른 작가의 네 작품, 파트4는 자유선택으로 세 작품을 학습한다. 고급레벨(HL) 학생의 2년간 총 수업시간 수는 240시간(파트1, 파트2, 파트3은 65시간, 파트4는 45시간, 총 13권)이며, 2년에 걸쳐 문학작품을 독파한다[1].

(2) 파트별 내용

실제로 한 국제학교에서 진행했던 '언어A: 문학'(일본어) 고급레벨의 내용을 살펴보자. 파트1은 『이방인』(카뮈), 『변신』(카프카), 『오이디푸스』(소포클레스), 파트2는 『오쿠노호소미치(奥の細道)』(마쓰오 바쇼), 『하기와라사쿠타로 시집(萩原朔太郎詩集)』(하기와라 사쿠타로), 『친구(友達)』(아베 고보), 파트3은 『모래의 여자』(아베 고보), 『개인적 체험』(오에 겐자부로), 『금각사』(미시마 유키오), 『설국』(가와바타 야스나리), 파트4는 프랑스문학 장르를 선택해 『적과 흑』(스탕달), 『테레즈 데케루』(모리악), 『미궁 속에서』(로브그리예)를 각각 선정했다.

(3) 평가

학생은 작품을 정독하고 필기시험 2회(논평, 하나의 장르에서 두 작품 이상에 대해 소논문), 기술시험(하나의 문학작품을 탐구, 기술), 개인구술 코멘트(토론 포함), 개인구술 프레젠테이션을 준비하고 연습을 진행한다. 이런 시험과 과제에 대해 '지식과 이해', '분석·종합·평가', 그리고 '적절한 언어사용 및 프레젠테이션 스킬의 선택과 사용', 이렇게 세 가지 관점에서 평가가 이루어진다.

2. 일본의 국어교육과 무엇이 다른가

'가르치면서 즐거운 점'(문17)의 자유기술 내용을 보면서 일본의 국어교육과 무엇이 다른지 알아보자.

(1) 전문적으로 깊이 맛봄

IB를 가르치는 교사가 말한 비유를 보자. 일본의 국어교육은 "도시락에 여러 종류의 반찬을 조금씩 담아놓은 느낌"이라면 IB는 "한 가지 요리를 충분히 배불리 맛볼 수 있다(문학작품을 한 권 전부 읽음)."(id 016) 즉, 일본의 국어교육은 넓고 얕게 망라하지만 IB는 좁고 깊게 파고들어 전문적으로 문학작품을 감상한다는 것이다.

예전에 입시 명문교의 국어교사였던 하시모토 다케시(橋本武)는 "국어는 모든 교과의 기본이며 배우는 힘의 중추"라고 말하며, 200페이지 조금 넘는 나카 간스케(中 勘助)의 『은수저』라는 작품 한 권을 3년에 걸쳐 읽는 수업을 진행했다. 슬로리딩(slow reading)이라 불리는 이 독서법은 한 사람의 세계 속으로 깊숙이 들어가 자신의 세계로까지 연결해가는 기법이다. 하나의 콘텐츠를 깊이 탐구하면 배운 내용이 진짜 의미에서 자신의 열매가 된다고 한다[2]. 이와 같이 문학작품을 진지하게 깊이 읽는 것은 학력의 바탕이 되어 뿌리를 내리고, 배우는 힘의 형성에 크게 이바지할 것이다.

(2) 교사와 학생의 상호작용을 통해 지적 성장을 촉진하는 수업

IB교사에 따르면 학생은 문학작품을 읽고 난 후 작품에 대한 해석과 이해, 소논문 집필, 토론, 프레젠테이션이라는 일련의 과정 속에서 자신의 경험·감성·감정을 스스로, 그리고 타자와의 접촉을 통해 끌어내고, 문학적 해석을 통해 그것들을 눈으로 직접 확인할 수 있게 된다. 그 결과 정신적으로 성장한다. 한편 교사는 학생의 소논문 첨삭과 코멘트 등 적절한 피드백을 위해 교재연구와 수업과 관련한 독자적인 묘안을 짜내는 등 항상 자기발전에 힘써야 한다. 교사도 교육과 수업 준비에 그만큼의 에너지와 시간을 들이는 것이다. 그러나 이번 조사 결과에서 교사들 중 스트레스와 피로를 언급한 사람은 없었고, "문학작품의 즐거움을 학생과 공유하면서 학생으로부터 자극을 받는다." "교사 자신도 학생과 함께 성장하고 있는 것을 느낀다." 등의 답변이 다수 보였다. IB에서는 수업시간 수 자체가 많기도 하고, 문학을 통해 문화와 사회에 대해 깊이 탐구할 수 있다. 그리고 일본의 학교에서 '국어'를 잘 못했던 학생도 문학작품의 깊이와 일본어의 아름다움을 깨닫게 되고, 더 나아가 문학의 학습은 '답이 하나가 아니'라는 점에서 시간을 들여 학습한 후에 자신의 해석을 전개할 때의 지적 쾌감을 학생들이 실감하게 된다는 응답도 있었다. 이처럼 교사도 학생과 접촉하면서 지적 흥미를 환기할 수 있다. 한 교사는 "내가 미처 준비하지 않은 부분에서 학생이 생각지도 못한 멋진 발상을 해낸 점. 이것은 일본의 국어교육에선 좀처럼 맛볼 수 없는 일이라고 생각한다."(id 014)라고 말했다.

(3) 일본인으로서의 정체성 자각

IB의 「'언어A: 문학' 지도안내」에는 다음과 같은 언급이 나온다. "IB에는 '모어의 존중'이라는 방침이 있습니다. 이 방침은 학생이 가정에서 사용하는 언어의 문학적 전통에 대해 존경심을 가질 것을 장려하며, 모어와는 다른 언어로 학습지도를 하는 가운데, 지속적으로 모어로 말하기(구술), 쓰기(기술)능력을 키울 기회를 제공할 것을 규정하고 있습니다."[3] 이와 같이 IB에선 학생의 모어에 대한 권리를 존중하여 45개 이상의 언어코스가 제공되고 있다고 한다. 해외에 있는 일본인학생에게 모어 수업은 정서적 안정감을 주며, 동시에 일본인으로서 자기존재를 확인하는 시간이기도 하다. 토론과 에세이에서도 자유롭게 표현할 수 있기 때문에 활기차게 의욕을 가지고 수업에 임할 수 있을 것이다. 또한 문학을 통해 일본인의 정체성을 모색·확인하고 자신이 일본인임을 자각하는 것은 청소년기 학생들에게 더없이 중요한 일이라고 생각한다.

(4) 인생을 위한 학문

IB의 '언어A: 문학'은 "시험을 위한 학문이 아니라 인생을 위한 학문을 가르치는 일"(id 036)이라는 응답도 있다. 오랜 시간에 걸쳐 '언어와 문학'을 가르쳐온 IB 일본인교사는 "문학수업은 인생을 배우는 수업이다. 한 권의 문학작품에는 주인공 이외에도 많은 등장인물이 존재한다. 그 사람들의 일생의 한 시절, 혹은 인생 전체를 배우는 것이 된다. (중략) 많은 사람들과 작품 속에서 만나는 가운데 학생들은 자기 인생에 대해 생각하게 된다."라고 기술한다[4].

3. 조사 개요

이상과 같은 수업을 하고 있는 일본인교사들을 대상으로 실시한 조사의 개요를 간략히 소개한다.

(1) 조사 방법

응답자 수는 49명이다. 조사 방법과 내역은 다음과 같다. ①IB를 가르치는 일본인교사들의 임의 메일링리스트 웹사이트에 설문지를 게시하고 응답 의뢰, 메일로 반송(n=37) ②일시귀국한 일본인교사들의 연구회에서 배포, 회수(n=11) ③연구회 참석자가 IB 워크숍에 참석한 일본인의 지인에게 의뢰(n=1). 조사기간은 2014년 6월 9일(월)~2014년 8월 1일(금)이었다.

(2) 질문 항목

일본인교사에 대한 질문 항목은 25가지였으며, 내용은 크게 ①속성 ②경력사항 ③근무상황 ④의식 ⑤의견·감상의 다섯 가지로 구성돼 있다(도표3-3-1 참조).

(3) 조사 대상자 프로필

조사 대상이 된 일본인교사의 개략적인 프로필을 소개한다.

① 근무처

응답자 49명 가운데 약 70퍼센트에 해당하는 35명은 국제학교에서 가르치고 있다. 그 외에 공립과 사립을 불문하고 해외의 현지 학교가 6명, 일본의 학교가 7명이다(도표3-3-2 참조). 근무하는 나라는 일본(15명), 독일(5명), 중국(4명), 미국, 스위스, 싱가포르(각각 3명), 네덜란드, 프랑스, 이탈리아, 영국, 태국(각각 2명), 벨기에,e 말레이시아, 인도네시아, 한국, 베트남, 타이완(각각 1명)이다.

② 성별·연령

성별은 남성이 5명, 여성이 44명으로 응답자의 약 90퍼센트가 여성이다. 연령은 36~40세가 16명(32.7퍼센트)으로 가장 많고, 이어서 41~45세가 9명(18.4퍼센트)으로 30대 후반에서 40대 전반의 사람이 많다(도표3-3-3 참조).

도표3-3-1 **질문 항목의 구성**

항목	내용
1. 속성	• 성별(문23) • 현재 살고 있는 나라(문24) • 연령(문25)
2. 경력사항	• 최종학력(문10) • 직업이력(문12) • 교직경험(문1) • 외국에서 거주 이력(문11) • IB교사가 된 계기(문13) • 연수이력(문8) • 과거 경험·체험에서 도움이 되는 것(문19)
3. 근무상황	• 근무학교의 종류(문2) • IB프로그램의 종류(문3) • 고용 형태(문4) • 담당 IB과목(문5) • 담당 수업 수(문6) • 학교의 학사일정(문7)
4. 의식	• 보람(문14) • 만족도(문15) • 부담감(문16) • 가르치면서 즐거운 점(문17) • 가르치면서 힘든 점(문18)
5. 의견·감상	• 희망하는 연수내용(문9) • IBO에 바라는 점(문20) • 공적 지원에 대한 기대(문21) • 일본의 교육 전체에 대한 감상(문22)

도표3-3-2 **응답자가 가르치고 있는 학교**

학교 종류	인원 수(명)	비율(%)
1. 국제학교	35명	71.4%
2. 해외의 현지 공립학교	2명	4.1%
3. 해외의 현지 사립학교	4명	8.2%
4. 일본의 정규학교(1조교)	7명	14.2%
6. 기타	1명	2.0%
합계	**49명**	**100.0%**

③ 학력

일본인교사의 학력은 49명 가운데 학부 졸업이 26명, 대학원 수료가 20명, 기타 및 무응답이 3명이다. 학부 전공을 보면 문학이 13명으로 가장 많다. 이어서 영문학 4명, 일본문학 4명, 중국문학 2명, 국문학 2명, 독일문학 1명이다. 그 외에 교육학이 4명, 법학, 의료, 역사 등의 전공자가 있다. 대학원 수료자는 20명으로, 전공을 보면 교육학 10명, 어학 9명, 국제연구 1명이다. 어학 전공자 중엔 미국에서 TESOL 석사 학위를 취득한 사람이 4명으로 가장 많다. 그리고 미국에서 커리큘럼 및 교수법으로 석사학위를 취득한 후 영국에서 응용언어학 석사학위와 박사학위를 취득한 사람도 있다.

도표3-3-3 **응답자의 연령**

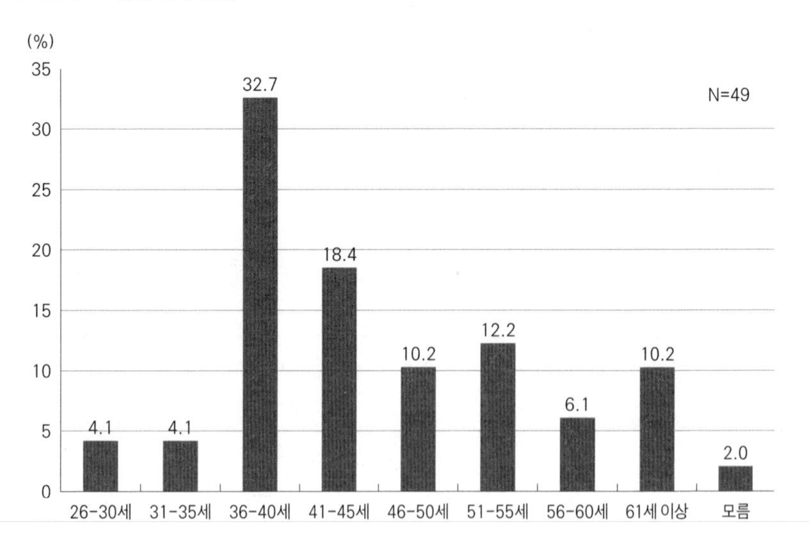

④ 경력

일본의 초·중등학교 교원 경험자가 15명, 그중 일본의 공립학교 및 사립학교에서 국어를 담당하다가 IB '언어A: 문학'의 교원이 된 사람이 7명, 그 외에 일본에서 국어와 영어 교사로 근무하다가 다양한 이유로 해외에 나가 IB학교에서 자리를 얻어 가르치는 이들이 있다. 그리고 일본어학교와 국제학교 등에서 일본어교사로 일하다가 IB 교원이 된 사람이 9명, 기타 출판광고업, 비서, 잡지편집자, 법률사무소, 승무원 등 다양한 경력자들이 있다.

⑤ IB교사가 된 계기

IB교사가 된 계기에는 몇 가지 패턴이 있다.

첫 번째는 적극적으로 IB교사가 되고자 응모해서 채용된 경우다.

- "아사히신문에 UWC(유나이티드월드칼리지)의 소개 기사가 난 걸 보고 IB프로그램에 일본어A가 있다는 사실을 알게 되었다. CAS(창조성·활동·봉사)에 대해서도 언급돼 있었는데 일본의 학교교육 안에서 자원봉사활동 등은 과목으로 들어있지 않기에 관심이 갔다. 그 후 현재 근무 중인 국제학교에서 구인공고가 나서 응모했다."(id 022)
- "대학원 시절에 도쿄가쿠게대학 부속국제중등교육학교에서 현장연구를 할 기회가 있었는데 그때 MYP(중학교프로그램)를 접했다. IB의 교육이념에 무척 공감한데다 그 수업내용과 커리큘럼 등에 대해서도 알게 되어 더욱 흥미와 관심이 커졌던 기억이 난다. 마침 고향에도 IB학교를 만들 계획이 있다는 이야기를 전해들었고, 지금 근무하는 학교를 시찰할 당시 채용시험 권유를 받았다. 근무한 지 3년째에 IB인정학교가 되어 현재는 IBDP(고등학교프로그램)의 문학(일본어) 교원으로 일하

고 있다."(id 025)

두 번째는 근무처가 우연히 IB학교였던 경우다.

- "IB에 대해 특별한 지식은 없었지만 미국에서 대학원 수료 후 응모해 채용된 학교가 마침 IB학교였다. 그때부터 계속 IB학교에 근무하고 있다."(id 003)

세 번째는 취직한 학교가 중도에 IB를 도입하면서 IB를 가르치게 된 경우다.

- "근무하던 미국학교가 IB인정학교가 되었는데 그때부터 일본어교사는 나 혼자였기 때문에 연수를 받고 IBDP를 담당하게 되었다."(id 004)
- "학교가 IB를 채용했기 때문에 급히 국어과에서 일본어A(처음엔 B도)를 담당하라는 지시를 받았다."(id 038)

네 번째는 해외에서 친구들의 소개 및 학부모의 요청을 받은 경우다.

- "다른 일을 하며 중국 광주에 머물고 있을 때, 현재의 학교에서 일본인교사가 갑자기 퇴직해서 충원할 교사를 찾고 있다고, 친구의 소개를 받았다. 조건은 가르친 경험이 있을 것, 그리고 영어로 업무가 가능할 것, 두 가지였다."(id 008)
- "주재원인 학부모가 IB 일본어를 가르칠 수 있는 사람을 찾고 있었다."(id 013)
- "일본어보습학교에서 근무하다가 학부모의 추천을 받았다."(id 017)
- "일본인학교의 교사를 거쳐 보습학교 교사로 일하고 있었는데, 당시

국제학교의 일본인 학부모가 IB 일본어A1 교사를 찾고 있었고, 국어 교사자격증과 교직경험이 있는 나에게 제안이 들어왔다. 수업 장소는 학교이고, 학부모가 나를 고용하는 형태로 일하기 시작했다."(id 030)

- "구직활동 중에 우연히 친구의 추천으로 IB교사가 되었다. 그전엔 IB에 대한 지식이 전혀 없었다."(id 044)

다섯 번째는 해외에 거주하며 일본어를 가르치던 중에 IB와 인연을 맺게 된 경우다.

- "국제학교에서 비상근으로 일본어를 가르치다가"(id 035)
- "일본어 개인레슨이 계기가 되었다. 그 후 IBDP 대행, 초급일본어, MYP 9, 8학년을 거쳐 현재는 7, 6학년을 담당한다."(id 019)
- "일본어교사로서 구직광고를 현지의 영어 정보지에 게재했더니 국제학교 교사로부터 학생들에게 일본어를 가르쳐달라고 연락이 왔다."(id 033)

일본인교사가 된 계기를 위와 같이 다섯 가지로 유형화했다. 각 교사들의 구체적인 이야기는 삶에서 커리어가 바뀌는 과정을 보여주는 하나의 모델이라고도 할 수 있을 것이다.

맺음말

이상 일본인교사에 대한 조사의 개략적 내용을 설명했는데, '자료'로서 단순집계의 결과를 원고 말미에 '3-자료: IB 교원 조사 결과'로 수록했다. 이것은 해외, 특히 그중에서도 국제학교에서 가르치는 일본인교사들의 실태를 보여주는 데이터다. 응답 결과로부터 IB 일본인교사의 육성을 듣고 그 모습을 상상해보기 바란다.

마지막으로 조사 결과를 토대로 IB '언어A: 문학'교육에 대해 다시 한 번 세 가지로 정리해보겠다. 첫 번째, 문학작품 해설, 소논문 집필, 급우들과의 토론, 프레젠테이션이라는 일련의 흐름은 평생학습의 기초가 되는 학습역량의 획득으로 이어진다. 두 번째로, 문학작품을 통해 예민한 사춘기 시절에 인생의 지침을 얻을 수 있다. 세 번째로, 일본문학을 통해 언어와 사고방법 등 일본인으로서의 정체성을 확인하고 일본문화에 대한 소양을 얻을 수 있다. 일본어와 일본문학을 접하는 것은 해외에 체류하는 학생은 물론 교사 입장에서도 일본인으로서의 정체성을 확인할 수 있는 기회다. 그런 점에서 IB 일본인교사의 존재는 일본인교사 간, 그리고 일본인 제자들과 그 후에 이어지는 좀 더 강한 유대가 형성되는 접점이라고 할 수 있을 것이다[5].

3-자료

IB 교원 조사 결과

IB를 가르치는 일본인교사에 관한 조사(협력 의뢰)

본 조사는 일본 및 세계 각지에서 IB를 가르치는 일본인교사 여러분이 어떤 입장에서 IB를 가르치고 있는지, 그 실태를 명확히 하여 일본의 향후 IB 보급을 위한 자료를 작성하는 것을 목적으로 합니다. 집계 결과는 수적 처리를 하여 개인이 특정되지 않도록 할 것입니다. 그리고 집계된 결과에 대해서는 여러분께 피드백을 드립니다. 부디 조사의 취지를 이해하시고 협조하여주시면 감사하겠습니다.

2014년 6월 9일

암스테르담 국제학교 일본어교사 하시모토 야에코
분쿄대학 인간과학부 교수 가네토 후유코
국립교육행정연구소 총괄연구관 이와사키 구미코

[조사 대상]

IB를 가르치는 일본인교사

[응답 방법]

- 각 문항은 선택 응답식을 채용합니다. 해당하는 선택지의 번호를 골라 답해주십시오. 질문지는 워드로 작성되어, 답을 표시하기 어려우리라 생각됩니다만 O, X, ☑ 등 응답을 확인할 수 있는 형태로 표시해주십시오.
  -질문지는 http://www.nier.go.jp/IB-survey 에서도 다운로드할 수 있습니다.

[제출 방법]

기입 후엔 7월 4일(금)까지 ibreply-box@nier.go.jp로 반송해주시기 바랍니다.

[문의]

국립교육정책연구소 이와사키 구미코

*주: 홈페이지와 이메일은 설문지 회수를 위해 일시적으로 개설한 것으로 현재는 사용하지 않는다.

IB를 가르치는 일본인교사에 관한 조사(집계표)

1. 목적: 일본 및 세계 각국에서 IB를 가르치는 일본인교사의 현황과 과제 파악

2. 방법(응답 수 N=49):

   ① IB를 가르치는 일본인교사들의 임의 메일링리스트 웹사이트에 설문지를 게시하고 응답 의뢰, 메일로 반송(n=37)

   ② 일시귀국한 일본인교사들의 연구회(2014.7.12.~14)에서 배포, 회수(n=11)

   ③ 연구회 참석자가 IB 워크숍에 참석한 일본인의 지인에게 의뢰(n=1)

   *주: 응답 수는 50이었지만, 동일인물의 중복 응답(id 004와 id 045)이 있어서 id 004만 채용. id 045 이후의 번호를 다시 바꿔서 rev로 표기

3. 조사 기간: 2014년 6월 9일(월)~2014년 8월 1일(금)

4. 질문항목 내용:

   문1 교직경험(①현재의 IB학교 근무기간 ②IB학교 교사로서의 전체 근무기간 ③교사로서의 전체 근무기간)

   문2 근무학교의 종류 / 문3 IB프로그램의 종류

   문4 고용형태 / 문5 담당 IB과목

   문6 담당 수업 수 / 문7 학교의 학사일정

   문8 연수이력 / 문9 희망하는 연수 내용

   문10 최종학력 / 문11 외국에서의 거주 경험

   문12 직업이력 / 문13 IB교사가 된 계기

   문14 보람을 느끼는 정도 / 문15 만족도

   문16 부담감

   문17 가르치면서 즐거운 점(자유기술)

   문18 가르치면서 힘든 점(자유기술)

   문19 과거의 경험·체험에서 도움이 되는 점(자유기술)

   문20 IBO에 바라는 점(자유기술) / 문21 공적 지원에 대한 기대(자유기술)

   문22 일본의 교육 전반에 대한 감상(자유기술)

   문23 성별 / 문24 현재 살고 있는 나라

   문25 연령

문1. 교직경험

(1) 현재의 IB학교 근무기간

연수(년)	도수(명)	퍼센트(%)	누적 퍼센트(%)
.0	1	2.0	2.0
.3	1	2.0	4.1
1	2	4.1	8.2
1.5	1	2.0	10.2
2	5	10.2	20.4
3	6	12.2	32.7
4	3	6.1	38.8
5	6	12.2	51.0
6	3	6.1	57.1
9	3	6.1	63.3
10	2	4.1	67.3
11	1	2.0	69.4
12	5	10.2	79.6
13	1	2.0	81.6
14	2	4.1	85.7
17	2	4.1	89.8
18	2	4.1	93.9
20	1	2.0	95.9
28	1	2.0	98.0
30	1	2.0	100.0
합계	**49**	**100.0**	

평균 8.1년 중앙치 5년 최빈치 3년

(2) IB학교 교사로서의 전체 근무기간

연수	도수	퍼센트	누적 퍼센트
.3	2	4.1	4.1
.5	1	2.0	6.1
1	2	4.1	10.2
1.5	1	2.0	12.2
2	5	10.2	22.4

3	8	16.3	38.8
4	2	4.1	42.9
5	2	4.1	46.9
6	3	6.1	53.1
8	2	4.1	57.1
9	3	6.1	63.3
10	1	2.0	65.3
11	2	4.1	69.4
12	5	10.2	79.6
14	3	6.1	85.7
15	1	2.0	87.8
17	1	2.0	89.8
19	1	2.0	91.8
20	1	2.0	93.9
23	1	2.0	95.9
28	1	2.0	98.0
30	1	2.0	100.0
합계	**49**	**100.0**	

평균 8.2년 중앙치 6년 최빈치 3년

(3) 교사로서의 전체 근무기간

연수	도수	퍼센트	누적 퍼센트
.0	1	2.0	2.0
2	1	2.0	4.1
3	2	4.1	8.2
5	4	8.2	16.3
6.5	1	2.0	18.4
8	1	2.0	20.4
9	1	2.0	22.4
10	6	12.2	34.7
11	2	4.1	38.8
12	2	4.1	42.9
13	3	6.1	49.0
14	1	2.0	51.0

15	4	8.2	59.2
16	5	10.2	69.4
17	1	2.0	71.4
19	1	2.0	73.5
20	1	2.0	75.5
22	1	2.0	77.6
23	2	4.1	81.6
24	1	2.0	83.7
25	1	2.0	85.7
27	1	2.0	87.8
30	1	2.0	89.8
33	2	4.1	93.9
35	1	2.0	95.9
38	2	4.1	100.0
합계	**49**	**100.0**	

평균 15.5년 중앙치 14년 최빈치 10년

문2. 근무학교의 종류

종류	도수	퍼센트
1. 국제학교	35	71.4
2. 해외공립현지학교	2	4.1
3. 해외사립현지학교	4	8.2
5. 일본 고교(1조교)	7	14.2
6. 기타	1	2.0
합계	**49**	**100.0**

문3. IB프로그램의 종류

(1) PYP 실시 유무와 형태

	도수	퍼센트
없음	27	55.1
있음	22	44.9
합계	49	100.0

전원 이수 21
희망자만 이수 1

(2) MYP 실시 유무와 형태

	도수	퍼센트
없음	25	51.0
있음	24	49.0
합계	49	100.0

→

전원 이수 20
희망자만 이수 2
선택한 학생만 이수 2

(3) IBDP 실시 유무와 형태

	도수	퍼센트
없음	1	2.0
있음	48	98.0
합계	49	100.0

→

전원 이수 22
희망자만 이수 19
선택한 학생만 이수 7

(4) 기타

- IB코스 학생만 이수
- PYP, MYP는 없음. IGCSE를 도입(id 012)
- 중학교 과정은 IGCSE를 포기하고 MYP로 이행 검토 중(id 031)
- 죄송합니다. 잘 모르겠습니다.(id 036)
- IBDP는 기본적으로 전원이 전체 IBDP과정을 이수하게 돼 있습니다. 단, 능력이 부족하거나 최종시험 성적이 필요치 않은 학생은 과목별 자격증명서를 선택하고 있습니다.(id 037)
- IBDP 전 단계에서는 영국의 IGCSE를 실시(id 042)

문4. 고용형태

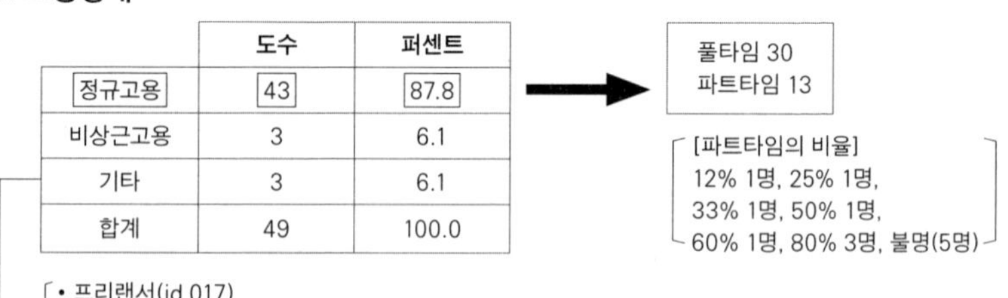

	도수	퍼센트
정규고용	43	87.8
비상근고용	3	6.1
기타	3	6.1
합계	49	100.0

- 프리랜서(id 017)
- 진학상담도 합니다.(id 018)
- 국제학교에서 의뢰가 와서 개인지도 형태로 가르치고 있다.(id 033)

문5. 담당 IB과목 + 문6. 담당 수업 수

ID	담당 IB과목	학년	담당 수업 수	기타
001	DP 일본어A: 언어와 문학		2주간 10회 (1회 55분)	
002	DP 일본어A: 언어와 문학	11-12	2주간(10일) 33회(1회 50분)	• 8일 주기의 단위시간 중 4회의 점심시간 당직(특별수당 없음) • 일본인학생의 대학입시 및 진학에 필요한 진로 상담(여기에 상당한 시간을 할애하지만 특별수당 없음)
	EE(과제논문)			
003	DP 일본어A: 문학/HL	Y12-13	2주간 72회 (1회 35분)	
	DP 일본어A: 문학/SL			
004	DP 일본어B/SL	Y11-12	2주간 8회 (1회 60분)	
	DP AB Initio	12	올해 종료	
	홈룸 담임	10		주 1회 40분 할애
005	DP 일본어A: 언어와 문학/HL	11-12	2주간 10회 (1회 80분)	
	EE			일본어, 영어, 기타 언어 담당. 학생 수의 문제로 매년 하는 건 아님
	TOK(지식론)			
	CAS(창조성 · 활동 · 봉사)			
	기타			IB 외부 언어 코디네이터
	DP 일본어A: 문학/HL			예전엔 담당했지만 현재는 아님
	DP 일본어A: 문학/SL			예전엔 담당했지만 현재는 아님
	DP 일본어B/HL			예전엔 담당했지만 현재는 아님
	DP 일본어B/SL			예전엔 담당했지만 현재는 아님
	홈룸 담임			예전엔 담당했지만 현재는 아님
006	DP 일본어A: 문학/HL	고교2-3	2주간 22회 (1회 50분)	
	DP 일본어A: 문학/SL	고교2-3		
	DP 일본어B/HL	고교2-3		
	DP 일본어B/SL	고교2-3		
	EE	고교2-3		
	TOK	고교2-3		
	CAS	고교2-3		
	홈룸 담임	중1-고3		
	기타			일반 교원과 마찬가지로 방과 후 하교 지도, 아침 버스승차 지도, 기숙사 방문 당번 등 (수당 없음)
007	DP 일본어B/HL		2주간 16회 (1회 55분)	
	DP 일본어B/SL			
	홈룸 담임	6		

008	MYP	Y7-10	2주간 38회 (1회 50분)	일본어A&B 담당
	DP 일본어B/HL	Y11		
	EE	Y11		
	홈룸 담임	Y7		
	기타			주2회 점심시간 당직
009	DP 일본어B/SL	2(DP1)	2주간 12회 (1회 50분)	IB 이외의 수업 병행
010	DP 일본어B/SL	G11-12	2주간 30회 (1회 90분)	추가로 일본어1, 2를 9학년과 12학년에게 가르치고 있음
011	DP 일본어B/SL	G11-12	2주간 26회 (1회 45분)	
012	DP 일본어A: 언어와 문학/SL	H3-4	2주간 8회 (1회 90분)	
013	MYP	10	2주간 27회 (1회 70분)	
	DP 일본어A: 문학/HL	11-12		
	DP AB Initio	12		
	EE	11-12		
	CAS			
	홈룸 담임	12		수업시간 수로 1클래스분 할당 계산
	지역 연락			일본인 커뮤니티 연계 연락 담당(수당 있음)
	기타			의무(점심 1회, 운동장 1회) 특별수당없음
014	DP 일본어A: 문학/SL		2주간 24회 (1회 50분)	
	DP 일본어B/SL			
	기타			IB준비과정의 국어 담당, 일본의 국어교과서를 사용해 페이퍼를 작성하게 하는 등 IB학위과정의 '일본어A: 문학'에 적응할 수 있도록 미리 고교 1학년을 대상으로 가르침 특별수당 없음
015	DP 일본어A: 문학/HL		2주간 20회 (1회 50분)	
	DP 일본어A: 문학/SL			
	DP 일본어AB/SL			
	EE			
016	DP 일본어A: 문학/HL	G11-12	2주간 33회 (1회 50분)	고급과 표준은 합동
	DP 일본어A: 문학/SL	G11-12		특별수당이란 무엇을 말할까요
	DP AB Initio			
	EE	G11-12		1인당 금액이 정해져 있음. 인원이 많으면 그만큼 지불액이 늘어남.(이것이 특별수당일까요)
	기타			일본어로 개인 상담을 맡고 있음. 그 부분은 시간당 지급됨

017	MYP	Y8, Y10-11	2주간 3회 (1회 60분)	
	DP 일본어A: 문학/SL	DP1-2		
018	MYP	9-10	2주간 46회 (1회 45분)	
	DP 일본어A: 문학/HL			
	DP 일본어A: 문학/SL			
	DP AB Initio			희망자가 없을 땐 개설 안함
	EE			
	CAS			
	홈룸 담임			상황에 따라 가끔 담임을 맡음
	지역 연락			
	기타			몇몇 학내 서클을 직접 만들어 담당하고 있음. 예를 들면 검도, 자원봉사 모임 등
019	MYP	6-7	2주간 12회 (1회 90분)	
	기타			점심시간 당직
020	MYP	8-10	2주간 27회 (1회 90분)	
	DP 일본어A: 문학/HL	11-12		
	DP 일본어A: 문학/SL	11-12		
	EE			4명 이상일 경우. 1인당 100유로(수당 있음)
	기타			일본 대학 카운슬러(일본 대학 진학을 위한 진로상담) Liaìson with Japanese Community (일본인 학생을 위한 편입, 입학상담) Lunch duty(점심시간 당직. 특별수당 없음. 전원 의무)
021	MYP	G9-10	2주간 34회 (1회 60분)	
	DP 일본어A: 문학/HL	G11-12		
	DP 일본어A: 문학/SL	G11		
	DP AB Initio	G12		
	EE	G11-12		학생은 4명까지
	기타			수당 없음: 당직(등하교시, 쉬는 시간 15분, 점심시간) 수당 있음: Chaperon(교외학습 인솔)
022	MYP	G10	2주간 22회 (1회 50분)	
	DP 일본어A: 문학/HL	G11-12		
	DP 일본어A: 문학/SL	G11-12		
	EE	G12		

023	DP 일본어B/HL		2주간 23회 (1회 70분)	일본어 클래스만 계산
	DP AB Initio			
	홈룸 담임			
	기타			IGCSE 일본어 클래스, 당직(예배시간, 행사 보조, 점심시간), PSHE(Personal, Social, Health and Economic, 도덕보건) 수업, 학교행사 위원회, 교직원회의와 교과회의 참석, 부서 활동
024	DP 일본어A: 문학/HL	11	2주간 32회 (1회 50분)	
	기타			·10학년 홈룸 담임(수당 없음) ·학교사무작업(수당 없음) ·학교시설 등 당직(수당 없음)
025	DP 일본어A: 문학/HL	G11-12	2주간 30회 (1회 50분)	
026	MYP	G8	2주간 43회 (1회 50분)	언어A (국어)
	EE			
	홈룸 담임	G8		
	기타			·개인 프로젝트 감독관(수당 없음) ·MYP 언어B/일본어(수당 없음) ·일반 클래스 국어(수당 없음) ·서클활동(수당 있음)
027	PYP	1-6	2주간 40회 (1회 57분)	
	MYP	6-10		
	DP 일본어A: 문학/HL	11-12		
	DP 일본어B/HL	11		
	DP AB Initio	11		
	EE	11-12		
	CAS	7-12		
	홈룸 담임	8-9		
	기타			당직(10시의 중간 쉬는시간과 점심시간에 축구장에서)
028	MYP	7-10	2주간 6회 (1회 60분) 1주일간 60+60+80= 200분	
	DP 일본어A: 언어와 문학/HL			
	DP 일본어A: 언어와 문학/SL			
	EE			
	홈룸 담임			
	기타			일본어 토론클럽(특별수당 없음)

029	PYP	KG-G5	2주간 72회 (1회 35분)	
	MYP	G6-10		
	DP 일본어A: 문학/HL	G11-12		특별수당 있음. 파트타임 교원은 PYP, MYP 보다 시급이 높음
	DP 일본어A: 문학/SL	G11-12		
	EE			특별수당 있음
	홈룸 담임			
	기타			점심시간에 카페테리아 당직(특별수당 없음) 대체인력(휴가 중인 선생님 수업 감독. 특별수당 없음)
030	MYP (Pre IB)	8-10	2주간 6회 (1회 50분)	
	DP 일본어A: 문학/HL	12-13		
	DP 일본어A: 문학/SL	12-13		
031	PYP	EC-G5	2주간 54회 (1회 45분)	
	MYP (Secondary)	G6-10		
	DP AB Initio	G11-12		
	홈룸 담임	G7-8		
	기타			당직(아침과 점심 때 교정 순찰)(주2회, 특별수당 없음), 방과 후 활동(주1회, 댄스클럽), 특별수당 없음, PYP, 중등과정의 부서 미팅(각각 매주 1회씩) 특별수당 없음
032	DP 일본어B/HL	G11-12	2주간 32회 (1회 50분)	
	DP 일본어B/SL	G11-12		
	홈룸 담임	G12		IB과정 이외 고교 3학년 담임
	기타	G10		
033	DP 일본어A: 문학/SL	11-12	2주간 3회 (1회 60분)	2013, 2014년에 담담. 개인지도라서 특별수당 없음. 이하 동일
	DP 일본어A: 언어와 문학/HL	11-12		과거에 담당
	DP 일본어B/SL	11-12		2014년, 2015년에 담당 예정
	DP AB Initio	11-12		2014년, 2015년에 담당 예정
034	DP AB Initio	9-12	2주간 3회 (1회 55분)	
035	DP AB Initio	Y12(17)	2주간 5회 (1회 55분)	
036	DP 일본어A: 문학/HL	11-12	2주간 30회 (1회 90분)	
	DP 일본어A: 문학/SL	11-12		
	DP 일본어B/HL	현재 학생 없음		
	DP 일본어B/SL	11-12		
	EE	11		학생 1인당 5천엔 상당의 도서권
	홈룸 담임			자문 역할도 함
	기타			주차장 당직

037	PYP	Y3, Y5-6	2주간 30회 (1회 80분)	
	MYP	Y10-11		
	DP 일본어A: 문학/HL			
	DP 일본어A: 문학/SL	Y13		
	DP 일본어A: 언어와 문학/HL	Y12		
	DP AB Initio			12학년, 13학년 중 한 학년은 매년 가르치고 있음. 올해는 전부 일본어A에서 함께 수업
	EE	Y12-13		
	홈룸 담임			매년 홈룸을 맡아왔지만, 올해는 단위 수가 많은 관계로 면제받았음
	기타			10일 단위 주기로 4회의 당직. 1회당 25분. (카페테리아 당직, 혹은 초등학교 점심시간에 운동장 순찰)
038	MYP	9-10	2주간 32회 (그중 MYP 8회 / 1회 50분)	
	DP 일본어A: 문학/HL	11-12		
	DP 일본어A: 문학/SL	11		
	DP 일본어B/HL	10-12		
	EE	12		
	TOK			
039	불명			
040	DP 일본어A: 언어와 문학/HL	11	2주간 16회 (1회 55분)	
	DP 일본어B/HL	11		
041	DP 일본어A: 문학/HL	11-12		
	DP 일본어A: 문학/SL	11-12		
	DP 일본어B/HL	11-12		
	DP AB Initio	11-12		
042	DP 일본어A: 문학/HL	G11	2주간 20회 (1회 40분 혹은 45분)	
	EE	G11		
043	DP 일본어A: 문학/SL	11-12	2주간 12회 (1회 40분)	
	기타			연간계획서 및 장기계획서 수립(수당 없음), 학부모와 교사 간 컨퍼런스(수당 없음)
044	MYP	7-10	2주간 40회 (1회 50분)	
	DP 일본어A: 문학/HL	11-12		
	EE	11-12		
045	DP AB Initio	11-12	2주간 4회 (1회 80분)	
046	DP 일본어A: 문학/HL	11	2주간 8회 (1회 45분)	
	DP 일본어B/HL	11		

047	PYP		2주간 20회 (1회 45분)	
	DP 일본어A: 문학/HL			
	DP 일본어A: 문학/SL			
	DP 일본어B/HL			
048	PYP	K	2주간 84회 (1회 30분)	3세 아동 클래스(특별수당 있음)
049	PYP	2	2주간 37회 (1회 55분)	
	MYP	6-8		
	DP 일본어B/HL	11-12		
	DP 일본어B/SL	11-12		
	홈룸 담임	8		
	지역 연락	9-12		
	기타			당직(쉬는시간 순찰)

문7. 학교의 학사일정

ID	국가명	학기	겨울방학	봄방학	여름방학	기타 방학	기타 방학
001	프랑스			12월20일 2주간	4월후반 2주간	7월6일 ~8월31일	10월16일 ~2주간
002	독일	전기 8월14일~1월17일 후기 1월20일~6월18일	12월16일 ~1월3일	4월18일 ~5월2일	6월18일 ~8월12일	가을방학 9월30일 ~10월4일	스키방학 2월24일 ~2월28일
003	태국	1학기 8월28일~12월13일 2학기 1월6일~4월4일 3학기 4월21일~7월4일	12월16일 ~1월5일	4월7일 ~4월18일	7월7일 ~8월22일		
004	타이완	1학기 8월11일~12월19일 2학기 1월5일~6월11일	12월20일 ~1월4일	3월28일 ~4월19일	6월12일 ~8월10일	2월18일 ~2월23일	
005	말레이시아	1학기 8월13일~12월20일 2학기 1월8일~6월5일	12월21일 ~1월7일	3월22일 ~3월30일	6월~7월	국경일 학년 내 14일	
006	일본 (1조교)	1학기 4월7일~7월25일 2학기 8월29일~12월24일 3학기 1월8일~3월24일	12월25일 ~1월7일	3월25일 ~4월6일	7월26일 ~8월28일		
007	일본 (*국제)	1학기 8월22일~12월13일 2학기 1월7일~6월6일	12월14일 ~1월6일	3월29일 ~4월6일	6월12일 ~8월20일	10월19일 ~10월27일	2월15일 ~2월18일
008	중국	1학기 8월7일~12월20일 2학기 1월7일~6월13일	12월21일 ~1월5일	4월7일 ~4월11일	6월14일 ~8월10일	9월30일 ~10월4일	1월27일 ~2월7일
009	한국	1학기 3월3일~7월11일 2학기 8월11일~12월31일	1월1일 ~2월22일		7월12일 ~8월10일		
010	미국	1학기 8월11일~10월10일 2학기 10월13일~12월19일 3학기 1월5일~3월13일 4학기 3월16일~5월29일	12월20일 ~1월4일	3월30일 ~4월3일	5월30일 ~8월9일		

011	미국		12월21일 ~1월6일	3월17일 ~3월24일	6월10일 ~8월28일		
012	일본 (*대학)	1학기 8월20일~12월20일 2학기 1월6일~4월11일 3학기 4월28일~6월13일	12월21일 ~1월5일	4월12일 ~4월27일	6월14일 ~8월19일	2월1일 ~2월8일	
013	네덜란드	1학기 8월21일~1월17일 2학기 1월20일~6월18일	12월14일 ~1월5일	4월18일 ~4월27일	6월19일 ~8월20일	2월22일 ~3월2일	10월19일 ~10월27일
014	일본 (*1조교)	1학기 4월8일~7월19일 2학기 9월1일~12월24일 3학기 1월7일~3월24일					
015	독일	전기 8월20일~2월6일 후기 2월16일~6월26일	2월9일 ~2월13일	가을방학 10월20일 ~10월31일	6월27일 ~8월21일	크리스마스방학 12월19일 ~1월2일	부활절 방학 3월30일 ~4월10일
016	독일	학기 8월18일~12월19일 학기 1월5일~6월19일	12월22일 ~1월4일	3월30일 ~4월12일	6월22일 ~8월?일 (2015년도 시작을 모름)	가을방학 10월6일 ~10월12일	스키 주간 2월16일 ~2월22일
017	벨기에		12월16일 ~1월5일	4월21일 ~5월4일	7월7일 ~8월31일	2월24일 ~3월9일	5월26일 ~6월9일
018	싱가포르	1학기 8월4일~12월19일 2학기 1월12일~5월31일	12월20일 ~1월4일	3월21일 ~4월5일	6월7일 ~8월3일	10월11일 ~10월19일	
019	네덜란드	1학기 8월21일~1월16일 2학기 1월19일~6월17일	12월15일 ~1월4일	4월3일 ~4월12일	6월19일 ~8월20일	10월20일 ~10월26일 (10월방학)	2월23일 ~3월1일 (crocus 방학)
020	프랑스	1학기 9월2일~1월15일 2학기 1월16일~6월27일	12월21일 ~1월5일	4월12일 ~4월27일	6월28일 ~8월27일	10월26일 ~11월3일	2월22일 ~3월2일
021	독일	(2013년 8월~2014년 6월)	12월21일 ~1월6일	4월12일 ~4월27일	6월28일 ~8월16일	10월26일 ~11월3일 (가을방학)	스키 주간 2월22일 ~3월2일
022	독일		12월21일 ~1월3일	4월14일 ~4월27일	6월19일 ~8월11일	10월26일 ~11월5일	2월15일 ~2월24일
023	싱가포르	1학기 1월9일~3월14일 2학기 3월24일~5월23일 3학기 6월30일~8월29일 4학기 9월15일~11월22일		3월17일 ~3월21일	5월26일 ~6월27일	9월1일 ~9월13일	11월24일 ~1월5일
024	일본 (*1조교)	1학기 4월1일~9월30일 2학기 10월1일~3월31일	12월21일 ~1월5일	3월21일 ~4월6일	7월26일 ~8월31일		
025	일본 (*1조교)	1학기 4월7일~9월30일 2학기 10월5일~3월20일					
026	일본 (*1조교)	1학기 4월7일~7월19일 2학기 9월1일~12월19일 3학기 1월6일~3월17일	12월20일 ~1월5일	3월18일 ~4월6일	7월20일 ~8월31일		

027	일본 (*국제)	1학기 8월16일~10월24일 2학기 11월3일~12월12일 3학기 1월5일~3월21일	12월12일 ~1월4일	3월20일 ~3월29일	6월11일 ~8월7일	10월25일 ~11월2일	
028	일본 (*국제)	1학기 8월21일~1월23일 2학기 1월26일~6월12일	12월20일 ~1월11일	3월21일 ~3월29일	6월13일 ~8월19일	10월25일 ~11월2일	
029	영국	1학기 8월29일~12월13일 2학기 1월8일~4월11일 3학기 4월28일~6월27일	12월14일 ~1월7일	4월12일 ~4월27일	6월28일 ~8월27일	10월28일 ~11월3일	2월17일 ~2월23일
030	이탈리아	1학기 9월9일~12월20일 2학기 1월7일~4월11일 3학기 4월28일~6월27일					
031	일본 (*국제)	1학기 8월26일~12월13일 2학기 1월6일~6월20일	12월15일 ~1월4일	3월1일 ~3월9일	6월21일 ~8월25일	10월19일 ~10월27일	4월26일 ~5월6일
032	일본 (대학)	1학기 4월8일~7월19일 2학기 9월1일~12월24일 3학기 1월7일~3월24일	12월25일 ~1월6일	3월25일 ~4월7일	7월20일 ~8월31일		
033	이탈리아						
034	미국						
035	영국						
036	인도네시아	전기 8월중순~12월20일경 후기 1월2주차~6월1주차	12월20일 ~1월2주차 말	3월20일 ~3월28일경	6월1주차 말 ~8월2주까지		
037	태국	학기 8월6일~12월19일 학기 1월12일~6월12일	12월20일 ~1월11일	4월10일 ~4월19일	6월13일 ~8월5일	10월18일 ~10월26일 (10월방학)	2월21일 ~3월1일 (2월방학)
038	일본 (1조교)	전기 4월1일~7월31일 후기 9월1일~3월31일	12월24일 ~1월8일	3월14일 ~4월2일	7월25일 ~8월31일	없음	없음
039	일본 (1조교)	전기 4월1일~7월31일 후기 9월1일~3월31일	12월25일 ~1월6일	3월20일 ~4월1일	8월1일 ~8월31일		
040	중국	8월하순~6월중순 수업일 120일정도 MYP2 → 학기제DP → 쿼터제				국경절 10월 첫주간 청명절 4월 상순 3일정도 크리스마스 12월중순~ 신년2주간 (매해 다름)	
041	일본 (1조교)						
042	스위스	학기 9월8일~12월19일 학기 1월12일~3월27일 학기 4월13일~6월26일	12월20일 ~1월11일	3월28일 ~4월12일	6월22일 ~9월7일 (2014년은 모르므로 2013-14년 여름방학)	10월23일 ~11월2일	2월14일 ~2월22일

043	베트남	전기 8월18일~12월20일 후기 1월3주차~6월2주차	12월20일 ~1월	3월 4주차부터	6월3주차 ~8월2주차		
044	중국	학기 8월초순~12월하순 학기 1월초순~6월초순	12월20일 ~1월초순	4월1일 ~4월10일	6월초순 ~7월하순	1월하순 ~2월중 춘절(음력설)	
045	싱가포르	전기 8월11일~12월30일 후기 1월1일~7월10일	12월10일 ~1월5일	5월10일 ~5월20일	7월11일 ~8월11일	2월5일 ~2월15일 (중국 신년)	
046	스위스	학기 9월1일~12월19일 학기 1월12일~3월27일 학기 4월13일~6월26일	12월19일 ~1월9일	3월30일 ~4월10일	6월26일 ~8월31일	10월20일 ~10월28일	2월9일 ~2월13일
047	스위스						
048	중국	1학기 8월11일~12월17일 2학기 1월5일~6월17일	12월18일 ~1월4일	4월4일 ~4월12일		2월14일 ~3월1일 (춘절/크리스마스/신년)	9월27일 ~10월5일 (국경절)
049	일본 (*국제)		12월22일 ~1월9일	3월23일 ~3월27일	6월15일~		10월20일 ~10월24일

문8. 연수이력

ID	연수명	연수주체	연수내용	연수기간	시간
001	IB 일본어 카테고리1, 3	IB 주체. 템플대 도쿄캠퍼스에서		2012년8월	
002	IB-일본어A1	IB 본부	유럽·아프리카지역의 A1 교사 연수회(제네바)	2002년2월	3일간
	IB-일본어A1	IB 본부	유럽·아프리카지역의 A1 교사 연수회(아테네)	2004년2월	3일간
	IB-일본어A1	IB 본부	유럽·아프리카지역의 A1 교사 연수회(카이로)	2007년10월	3일간
	IB-일본어A1	IB 본부	유럽·아프리카지역의 A1 교사 연수회(부다페스트)	2009년10월	3일간
	자발적 교사모임 IB-일본어A1		A1 교사 연수회(도쿄)	2010년7월	3일간
003	전부 적기 어렵습니다. 연수 명만 나열합니다 •IBDP 일본어A1. 일본어A: 문학 •Differentiation(개별화수업) •언어수업을 위한 인지 및 신경 심리학 •언어수업을 위한 ICT •Kodaly 방법 •기타				
004	IB Ab 워크숍	IB	IB DP	3일간	
	IB B 워크숍	IB	IB DP	3일간	
	IB MYP 입문	IB	IB MYP	2일간	

005	글로벌 사고와 협력	K-12 사고 & 협력 전략	반응형 학교, 인지코칭 등	2014년 4월 11일-13일	19시간
	구조화된 어휘 탐구	K-12 철자	영어의 철자, 어원 등	2014년 3월 8일-9일	16시간
	지속가능성 & 서비스 러닝	K-12 지속가능성 & 서비스 러닝 워크숍	환경이슈; 자원봉사 기획과 실행	2014년 2월 8일-9일	16시간
	읽기4(졸업학점을 위한 온라인코스)	수업운영	중등교실에서의 훈육 & 전략	2014년 8월-10월	20시간
	TOK 카테고리3 워크숍	IBDP(IBAP)	New TOK 2015년 5월 커리큘럼	2013년 2월	24시간
	CAS 카테고리1 & 2 워크숍	IBDP(IBAP)	CAS 일반 워크숍	2012년 8월	24시간
006	정확히 기억나지 않습니다				
007	DP 카테고리1 & 2 일본어B	IB		방콕, 태국 2011년 5월27일-29일	
	DP 카테고리1 & 2 일본어B	IB		교내 2일간	
008	언어A	IB		2일	13시간
	언어B	IB		2일	13시간
009	학기초 연수(봄) 교내연수	교사	개론, 지난해와 비교 및 결과, 평가의 성공여부 등	2일	12시간
	학기초 연수(여름) 교내연수	교사	개론, 지난해와 비교 및 결과, 평가의 성공여부 등	1일	7시간
	학기초 연수(겨울) 교내연수	교사	개론, 지난해와 비교 및 결과, 평가의 성공여부 등	2일	14시간
010	IB 워크숍	뉴욕의 UN국제학교	IB 언어B	2014년 7월 8일-10일	18시간
011	IB 일본어		IB 일본어 SL	3일	24시간
012	일본어A1: 문학	IBO	문학	3일	17시간
	ESL Mainstream	고등학교	ESL	1개월	16시간
013	일본어A1 워크숍	IBO	DP 일본어A1	주말 금·토·일	약2년에 1회, 5회 정도 참가
	언어A(일반)	IBO	DP 언어A 신규 실러버스 소개·설명	주말 금·토·일	2010년
	IB 카테고리3 주제별 세미나 일본어	템플대	일본문학 전반	2012년 7월 27일-29일	
	IBDP 일본어A: 문학	자발적 모임	실러버스, 수업연구	7월 중순 주말	
	교내연수는 몇 번인가		DP와 TOK MYP 단원계획 DP 언어A(문학, 언어와 문학)	IB연수(In-service day)나 방과 후	
014	템플대 워크숍 IB 카테고리3	템플대	IB 카테고리3	2012년 7월 27일~29일	약20시간
	워크숍 2013 도쿄	IB	IB 카테고리1	2013년 8월 21일~23일	약24시간

015	워크숍	IB	일본어A	3일	20시간
	워크숍	IB	일본어A	3일	20시간
	워크숍	교사	MYP, 일본어A	2일	16시간
	워크숍	교사	일본어A	3일	20시간
	학교견학	교사	MYP, 일본어B	2일	14시간
016	MYP 워크숍 · 부쿠레슈티 정식명칭은 워크숍 입문이었다고 생각합니다	IBO	언어A 'MYP는 무엇일까' 같은 것	2004년	3일간
	MYP 언어A · 아프리카/유럽/중동 IBAEM-MYP 컨퍼런스 & 워크숍 입문 · 마드리드	IBO	언어A 새로운 프로그램에 관해서	2008년 3월 13일-15일	3일간
	DP 언어AB Initio 일반 워크숍(IB 신입교원을 위한 DP 지역 워크숍에서) · 부다페스트	IBO	언어AB Initio(일반)	2009년 10월 23일-25일	3일간
	DP 과목별 세미나그룹 I, II & III 카테고리3 워크숍 · 취리히	IBO	일반언어A; 문학 (카테고리3)	2011년 2월 4일~6일	3일간
	DP 카테고리1 워크숍 · 더블린	IBO	카테고리1: 언어AB Initio(일반)	2013년 6월 24일-26일	3일간
	유럽의 일본어A 교사들이 모여(몇 분은 아시아에서 참가), 뒤셀도르프 국제학교에서 3일간(이었다고 생각함) 워크숍을 개최한 적이 있습니다. MYP, DP에 대해				
017					
018	IB워크숍 · 리스본	IBO	일본어문학	3일간	22시간
	IB워크숍 · 제네바	IBO	일본어문학	3일간	22시간
	IB워크숍 · 아테네	IBO	일본어문학	3일간	22시간
	IB워크숍 · 카이로	IBO	일본어문학	3일간	22시간
	IB워크숍 · 부다페스트	IBO	일본어문학	3일간	22시간
	교내 연수는 TOK(지식론), Differentiation(개별화수업) 등				
019	초급외국어	IB		2-3일	
	초급외국어	IB		2-3일	
	MYP 초급	IB		2.5일	
	초급외국어	IB		2.5일	
020	IB 일본어A 워크숍	IBO	일본어A 내용 전부	3일(또는 2.5일) x8회(후반 3회는 워크숍 리더로 참가)	약150시간
	IB DP 시험관연수	IBO	시험작성 및 채점시스템	3일(또는 2.5일) x3회	약18시간
	IB 시험관연수(온라인)	IBO	채점요령 및 채점 표준화	1주x3회	
	IB 일본어A	IB 일본어교사	DP & MYP	3일간	약18시간
	교내연수	ISP	DP & MYP 기타	매년 2주간 한 번 + 연 4일	

021	DP 워크숍	IBO	일본어A1	2004년 1월30일 ~2월1일	15시간
	DP 워크숍	뒤셀도르프 국제학교	일본어A1	2007년 3월 2일~3일	16시간
	DP 워크숍	IBO	일본어A1	2009년 10월 23일~25일	15시간
	DP 워크숍	IBO	언어A 문학	2011년 2월 18일~20일	15시간
	DP 워크숍	암스테르담 국제학교	일본어A: 문학 일본어B 일본어AB Initio	2011년 5월 21일~22일	15시간
022	IB워크숍에 많이 참석했지만 기억나지 않습니다				
023	IB 일본어AB Initio	IBO	카테고리1		3시간
	IT 워크숍	교내	manage bac		2시간
	AFL 워크숍	교내	AFL		2시간
024	일본어A 카테고리3	IB	일본어A 교수법 발표, 심화 연수	2012년 7월 27일~29일	약20시간
	일본어A 카테고리1,2	IB	일본어A에서 실시하는 기본적 내용과 교사들과의 의견교환	2012년 11월30일 ~12월2일	약20시간
	IBDP 일본어A 문학코스 연수회	IB 일본어 교사 모임	각 파트의 진행방법에 대해 교사들과 의견교환	2013년 7월 12일~14일	약20시간
	일본어A 카테고리1,2	IB	일본어A에서 실시하는 기본적인 내용과 교사들과의 의견교환	2013년 8월 21일~23일	약20시간
025					
026	초임자 연수	과학협회			
	2년 연수	과학협회			
	5년 연수	과학협회			
	MYP 워크숍; MYP 언어A, Level2	IB		2008년	
	DP 워크숍; 카테고리3 일본문학에 대한 주제별 세미나	IB		2010년 8월	
	IB 교원 네트워크 훈련	IB		2012년 8월 27일~29일	
027	아시아-태평양	IB 일본어A1	일본어A1	2008년 10월31일 ~11월2일	18시간
	학제간 학습	IB MYP 유타 국제학교	MYP	2011년 11월	12시간

028	MYP 일본어B	IBAP	MYP 일본어B	2013년 10월	3일
	MYP 일본어A	IBAP	MYP 일본어A	2009년 9월	3일
	DP 일본어A1	IBAP	DP 일본어A1	2010년 10월	3일
	DP 일본어A2	IBAP	DP 일본어A2	2011년 8월	3일
	IB 워크숍 리더	IBAP	IB 워크숍 리더	2012년 8월	3일
	DP 일본어B	IBAP	DP 일본어B	2008년 7월	3일
029	PYP 코스	IB	PYP에 관해	2일(과거 3회 정도 참석)	6일
	IB 컨퍼런스	IB	IB 일본어A1	2.5일(과거 3회 정도 참석)	7.5일
	IB 워크숍	이시무라 선생	IB 일본어A	2.5일	2.5일
030	IB 워크숍 일본어A1	IBO	일본어A1의 내용, 평가 등	2001년(제네바) 2003년(아테네) 2007년 10월(카이로) 2009년(부다페스트)	도합 24시간 (3일간)
	IB 워크숍 일본어	유럽 일본어교사 모임	일본어A1의 내용, 평가 등	2005년 (뒤르셀도프)	24시간 (3일간)
	IB 워크숍 일본어A	IBO	일본어A 문학코스의 내용, 평가 등	2013년 8월 21일~23일	24시간
031	IB PYP 실행하기	IB 온라인 워크숍	PYP 협업 기획	1개월	40시간
	IB PYP 문어 커리큘럼 워크숍	히로시마 국제학교	PYP 문어 커리큘럼	3일간	18시간
	IB 카테고리3 주제별 세미나	일본 템플대학교	일본문학	3일간	18시간
	다언어대화평가법 워크숍	히로시마대학	DLA평가법, OBC, DRA	3일간	18시간
032	DP 일본어B 워크숍·시드니	IBAP		3일	
	MYP 언어A 워크숍·치앙마이	IBAP		3일	
	MYP 언어A(Level2) 워크숍·오사카	IBAP		3일	
	MYP 신규 코디네이터 (Level1) 워크숍·하노이	IBAP		3일	
	MYP 연결하기(Level3)·싱가포르	IBAP		3일	
	MYP 평가(Leve3)·멜버른	IBAP		3일	
	DP 일본어A2·도쿄	IBAP		3일	
	DP 일본어B·도쿄	IBAP		3일	
	TOK과목 담당 교사를 위한 카테고리3	IBAP 교내		2일	
033	IB 아시아-태평양 DP 카테고리 워크숍	IB 글로벌센터	DP 언어A: 일본어	3일간	17.5시간
		암스테르담 국제학교 일본어과	일본어A: 문학, 일본어B & Ab Initio	2일간	약14시간

034	IB 훈련	IB	프로그램 개요 및 신규 커리큘럼 WA	4일	약25시간
	일본어 문법 교수법	암허스트 칼리지, 미국	일본어 문법 교수법	3일	약20시간
	효과적인 평가 작성	일본문화센터 와 워싱턴 일본 인교사 연합	ACTFL 기반의 평가 및 채점기준표	4일	30시간
035	IB 언어A(일반)	IB	코스개요와 일반적인 접근법	4일간	약30시간
036	IB 워크숍	IB	IB A	3일정도	
	IB 워크숍	IB	IB A: 언어와 문학	3일정도	
	IB 워크숍	IB	IB B	3일정도	
	IT	Jis 해당학교	IT	반일	
	IB 워크숍	IB	IB A	3일	
	그 외 다수 IB계				
037	PYP 워크숍	NIST(School)	PYP 실행하기	2일	14시간
	MYP 언어와 문학	IBO	신규 커리큘럼	3일	
	DP 일본문학	IBO	평가, 과제, 코스설정 등 전반	3일	
	DP 일본어AB Initio	IBO	평가, 과제, 코스설정 등 전반	3일	
	MYP 언어B	IBO	평가, 과제, 코스설정 등 전반	3일	
038					
039	언어기술연수	쓰쿠바 언어기술	언어기술	7일간	
	IBO 주최 연수	IBO	카테고리 I, II, III		
040	IB 워크숍	IB	언어 문학 카테코리3	2012년	3일
	IB 워크숍	IB	언어 문학 카테코리1	2012년	3일
	IB 워크숍	IB	언어 문학 카테코리1	2013년	3일
041	언어AB Initio	IBO	카테고리1	4일	
	언어B	IBO	카테고리1	3일	
	도쿄 도 주최 연수			2일	
	교내 주1회				
	교내 연4회				
042	IB세미나	IB 템플대학	IB 일본어 문학	2012년 여름 2박3일	
	공부모임	IB 일본어교사 모임	IB 일본어 문학	2013년 여름 2박3일	
	기타 TOK, 문학에 대해 등 근무학교에서 연수 주1회 (40분) 원어교사 미팅				

043	IB 워크숍	IB	AB Initio	3일간	
	IB 워크숍	IB	문학 A	3일간	
	IB 워크숍	IB	문학 A	3일간	
	자율학습모임	교사모임	문학 A	3일간	
	IB 워크숍	IB	문학 A	3일간	
044	글로벌 마인드1				2일
	IBDP 영어A				2일
045	IB 워크숍	IB	일본어AB Initio	3일간	24시간
046	DP 언어+문학 카테고리1	IBO		3주간	
	DP 언어+문학 카테고리 2	IBO	온라인	4주간	
	DP 문학 카테고리1+2	IBO	온라인	4주간	
	DP TOK+카테고리1+2	IBO	온라인	4주간	
	DP 언어B 카테고리2	IBO	온라인	4주간	
047					
048	MYP 단원 개발: 언어B	(IB 온라인 워크숍)		2010년 9월~12일	
	PYP 실습	(IB 온라인 워크숍)		2011년 6월~7일	
	PYP 협업 기획	(학교 워크숍)		2011년 11월	
	PYP 실습	(학교 워크숍)		2013년 11월	
	놀이 기반 학습	(IB 워크숍)		2013년 11월	
	기타 DY, HYP의 교내연수(언어B) 연수명 등 상세 내용은 기억나지 않습니다				
049	MYP 일본어B				3일
	IB 워크숍 리더 훈련				3일
	DP 일본어A: 문학 카테고리3				3일
	DP 일본어B 카테고리2				3일
	DP 일본어B 카테고리1				3일
	PYP 실행하기				3일

문9. 희망하는 연수 내용

- 일본어 전반(id 001)
- 유럽(독일 주재)의 국제학교에서 가르치기 때문에 학교의 공적 비용으로 받을 수 있는, 유럽에서 열리는 IBO 주최 신규코스 IB 일본어A(문학)의 연수회를 간절히 희망합니다. 구체적으로는 채점기준, 교재 취급법에 대

한 숙지 등(id 002)

- 사고능력과 종합적 학습법에 관한 워크숍. 현재의 경제 및 정치 상황 그리고 사회와 환경문제에 실질적으로 대응할 수 있는 문제해결 중심의 지도법을 취급하는 워크숍(id 005)
- WA(Written Assignment, 소논문)에 대한 연수(id 007)
- 언어 코디네이터 코스(id 008)
- IB 일본어B의 연수(올 여름에 오스트레일리아에서 열릴 예정)(id 009)
- 언어B(id 010)
- 일본어A1 언어와 문학(고급레벨·표준레벨) 워크숍(id 012)
- TOK와 IBDP의 관련성에 관해 일본어로(id 013)
- 수업방식, 시험대책 등(id 014)
- MYP, IBDP의 일본어A, 일본어B(id 015)
- 초급일본어는 통합과정밖에 받아본 적이 없어서 일본어 워크숍에 참석해보고 싶습니다.(id 016)
- IBDP 일본어A(문학) 표준레벨(유럽에서의 연수), MYP(id 017)
- 일본어로 TOK를 받아보고 싶습니다.(id 018)
- 다른 나라에서 일하는 일본인교사들의 경험담, 실습 워크숍이 도움이 될 것 같습니다.(id 019)
- 최신 문학이론 및 교실에서의 응용방법(id 020)
- 유럽에서의 일본어A 워크숍. 최근 일본에서만 개최되는데 8월 중순이 신학기 시작이라 참석 불가(id 021)
- 유아교육에서 놀이 등을 통해 유아의 집중력을 키워주는 방법론에 관심이 있습니다. 연극(드라마)을 이용한 교육도 재미있을 것 같습니다.(id 022)
- IB 일본어B/A, TOK(지식론), CAS(창조성·활동·봉사)의 카테고리1, EE(과제논문) 일본어(id 023)
- 현재 처음으로 IB 학급을 맡아 교수법 등 여러 시행착오를 겪는 중이라 각각의 부분에서 어떤 교수법이 있는지 배우고 싶다.(id 024)
- MYP 일본어A/B, IBDP 일본어A: 문학(id 027)

- IBDP 일본어A: 문학(id 028)
- IB(id 029)
- 일본어A 문학코스의 실러버스와 수업과 시험의 구체적 사례, 평가에 대한 구체적 연수, '문학과 언어' 교과에서도 동일한 내용의 연수(id 030)
- PYP, 평가, MYP 일본어B 커리큘럼 계획 및 평가, IBDP의 초급일본어 커리큘럼 계획(id 031)
- 스스로 업데이트할 수 있는 것이라면 뭐든지(id 036)
- IB 교원양성(id 038)
- 일본어교사에 의한 평가 관련 연수(id 039)
- IB 시스템(평가방법 등)뿐 아니라, 실천사례를 공유하거나, 네트워크 구축이 가능한 연수(id 041)
- 문학에 관한 공부뿐 아니라 어떤 식으로 학생에게 가르치는가 하는 교사로서의 지도론을 포함한 연수, TOK 등 IB의 이론적 본질을 어떻게 문학과 연계시킬지 배울 수 있는 연수(id 042)
- IBDP 일본어, MYP(id 044)
- IB 일본어B/음악/TOK 어느 쪽이든 IB 워크숍에 가보고 싶습니다.(id 047)
- IBDP 초급일본어, 일본어B, 일본어A(문학, 문학과 언어)(id 048)

문10. 최종학력

1) 대학 학부 졸업 26명

문학(13명): 영문학 4명, 일본문학 3명(일본문학 부전공+일본어교육 1명 포함), 독일문학 1명, 중국문학 2명(중국문학+일본어교육 1명 포함), 국문학 2명, 국어학 1명

교육(7명): 교육학 3명, 교육학부 국어 2명, 교육학부 일본어교육학 1명, 초등교육(오스트레일리아) 1명

법학·법률(3명): 법학·법률 2명, 국제법(일어·프랑스어 2중언어 고교) 1명

역사(1명): 일본사(미국유학 경험 포함) 1명

의료(1명): 의학부 보건학과 간호학 1명

사회학(1명): 사회과학 미국주립국제학교분교 1명

2) 대학원 졸업 20명

교육학(10명): 교육학 3명, 교육학(미국) 1명, 국어교육 1명, 유아교육 1명, 교직 1명, 인간관계학 1명, 교육공학 1명, 교육철학 1명

어학(9명): TESOL 4명, 일본어교육 3명, 교육공학+일본어교육·다문화교육·언어학 1명, 커리큘럼&교수법 석사(미국)+응용언어학 석사 및 박사(영국) 1명

국제연구(1명): 사회언어학 집중 국제연구 석사(미국)

3) 기타 2명

프로페소라(professorat) 1명, 일본어교사 자격취득 코스 1명

4) 무응답 1명

문11. 외국에서의 거주 경험

ID	외국 거주 경험
001	①미국(2년, MA 취득) ②프랑스(30년, 거주) ③싱가포르(3년, 가족 전근)
002	독일(21년 3개월, 일본에서 건너가 계속 교직에 종사)
003	①말레이시아(2년, 교육에 종사) ②미국(2년, 대학원) ③태국(7년, 교육에 종사)
004	①오스트레일리아(4년, 대학) ②타이완(14년, 일·경험)
005	①말레이시아(4년, 일) ②태국(12년, 학업·일 ③인도(6.5년, 학업·일) ④미국(5년, 학업) ⑤독일(1년, 학업) ⑥프랑스(6개월, 학업)
006	오스트레일리아(2년, 대학원 유학)
007	미국(2년, 부친 전근)
008	①캐나다(2년, 출판관계 일) ②미국(6개월, 출판관계 일) ③중국(6년, 출판관계 일·교직) ④홍콩(4년, 출판관계 일) ⑤싱가포르(6개월, 출판관계 일)
009	①오스트레일리아(1년, 유학) ②한국(10년, 특별히 없음)
010	미국(18년, 이주)
011	미국(11년, 결혼)
012	중국(26년, 일본어교육·결혼)
013	네덜란드(24년, 결혼)
014	여행 이외의 체류경험 없음
015	독일(19년, 결혼)
016	①미국(2년, 대학원 유학) ②독일(11년, 결혼)

017	벨기에(7년, 배우자 전근)
018	싱가포르(18년, 일본어를 가르치기 위해)
019	①영국(2년) ②네덜란드(33년)
020	프랑스(31년, 거주)
021	독일(17년, IB교사)
022	①영국(3년, 교원) ②독일(30년, 교원)
023	①스웨덴(1년, 학업) ②영국(1년6개월, 학업) ③싱가포르(14년, 일)
024	불명
025	미국(1년, 교환유학)
026	영국(4년, 부친의 일 관계)
027	①태국(3년, 부친의 전근) ②프랑스(3년, 부친의 전근) ③중국(4년, 국제학교 근무) ④말레이시아(1년, 국제학교 근무)
028	미국(5년, 교원)
029	영국 런던(13년)
030	이탈리아(22년, 일)
031	①스리랑카(1년6개월, 일본어교육) ②태국(6년, 일본어교육)
032	①미국(유학, 1년) ②중국(1년, 일본어교사) ③뉴질랜드(1년, 일본어교사) ④말레이시아(2년, 일본어교사)
033	①영국(1년, 유학) ②이탈리아(약 16년6개월, 거주)
034	미국(13년, 영주)
035	영국(14년, 결혼·일)
036	①벨기에(2년, 동반) ②싱가포르(3년, 동반) ③말레이시아(10년, 동반) ④태국(10년, 동반·국제학교 근무) ⑤인도네시아(7년, 동반·국제학교 근무)
037	불명
038	불명
039	①타이완(1개월, 일본어교육) ②한국(1개월, 일본어교육)
040	①미국(10년, 유학·취직) ②아시아 여러 나라, 스페인(1년, 남편 근무지) ③스위스(3년, 남편의 모국)
043	①미국(2년, 남편 일 관련) ②싱가포르(16년, 남편 일 관련) ③베트남(3년, 남편 일 관련)
044	중국(9년, 취업)
045	싱가포르(14년, 결혼)
046	①미국(13년, 유학) ②영국(3년, 남편 일 관련) ③스위스(25년, 남편 일 관련)
047	①미국(1년) ②스위스(7년)
048	①미국(10개월, 대학 교환유학) ②중국(9년, 교원)
049	여행

문12. 직업이력

ID	직업이력
001	모어 일본어와 제2외국어 일본어교사(16년)
002	①일본 공립중학교 영어 담당(15년) ②독일의 일본인기숙형사립고등학교 영어 담당(7년)
003	①고등학교 국어과 교원(3년) ②국제협력단체 파견교원(2년) ③일본계기업 외국인사원교육 담당(2년) ④국제학교 교원(7년)
004	①일본에서 어린이영어교실 강사(초등학생 대상, 3년) ②타이완에서 어학학교 일본어교사(2년) ③타이완 미국인학교 일본어교사(12년)
005	①대학에서 근무(4년) ②일본에서 아르바이트(6개월)
006	①공립중학교 교원(16년) ②사립중학교(3년)
007	IB 도입 전 국제학교, IB가 없는 국제학교 4개교에서 일본어교사
008	①출판광고업(10년) ②교사(3년)
009	①일본어학교1(6개월) ②일본어학교2(1년6개월) ③일본어학교3(6년5개월) ④현재, 현지 사립고등학교(1년3개월)
010	①영어강사(일본에서, 5년) ②공립학교 대체교원(미국에서, 3년) ③영어강사(3년) ④공립고등학교 일본어강사(5년)
011	불명
012	①전문학교 일본어교사(2년) ②여행사 근무(1년) ③YMCA 일본어교사(2년) ④대학 일본어강사(2년) ⑤대학어학센터 일본어강사(2년)
013	①대학의 어학실습실 보조(1년) ②중학교 교사(17년) ③일본어보습학교(4년) ④국제학교(2년) ⑤국제학교(18년)
014	①공립중학교 교사(5년) ②부속중학교 교사(6년) ③사립고등학교 교사(5년)
015	교사(3년)
016	①공립중학교 교사(2년) ②사립중학교 상근/비상근 강사(5년)+단대 비상근강사(2년)+대학 비상근 강사(겸임)
017	①중학교 국어교사(1년) ②고등학교 국어교사(1년) ③편집자(3년6개월)
018	①일본어교사(4년) ②일본어교사(3년) ③국제학교 교사(18년)
019	①회사원(3년) ②학원 영어교사(1년) ③학교 서무원, 교사(4년) ④보습학원 교사(5년)
020	①정치가 비서(4년) ②건설회사(2년) ③입시학원 강사(5년)
021	①입시학원 강사(2년) ②공립고등학교 교사(9년) ③국제학교(5년)
022	고등학교 교원(8년)
023	①초등학교 교원(5년) ②일본어·영어 교사 겸 번역가(5년)
024	①일본어교사(2년) ②중학교·고등학교 국어교사(4년)
025	불명
026	①제약회사 비서(2년) ②공립중학교 강사(3년)
027	2중언어 잡지 편집(6개월)

028	①외국계회사 영업보조(2년) ②미국 주립대학 일본어강사(2년) ③미국 Independent High School 일본어교사(3년) ④학원 영어 · 일어 강사(6개월) ⑤현재 근무학교에서 초등학부 일본어교사(5년, 비상근)
029	①중학교 국어교사(3년) ②보습학교 강사(현재 근무 중) ③IB교사(12년)
030	초등학교 · 중학교 국어교사(10년)
031	①일본어교사(10년) ②어린이영어회화 강사(1년)
032	①일본어학교 교사(3년) ②대학교 일본어 강사(2년)
033	①영어교사(4년) ②이탈리아에서 일본어교사(약 10년) ③번역 · 통역(약 10년)
034	초등학교 준교사(5년)
035	①사무원(2년) ②비서(8년) ③일본어교사(4년)
036	①회사원 경리부(1년) ②회사원 예약과(7년) ③영어교사(2년) ④일본어 · 영어교사(5년)
037	①미국계국제학교, 중학교 일본어교사(2년) ②태일(泰日)협회 일본어학교(반민반관)(5년)
038	일본에서 국어교사(13년)
039	①국어교사(6년) ②일본어교사(10년)
040	①대학 유학생센터(10년) ②일본어학교(10년)
041	①사립중 · 고등학교 국어강사(1년) ②공립학교 풀타임 국어교사(19년)
042	①피아노교사&피아노연주(10년) ②장애아 가정교사(9년) ③몬테소리 교사(유초등5년) ④일본어 보습학교 교사+계승어(모어) 교육지도(2년)
043	①법률사무소(3년) ②어학학교(2년) ③가정교사(5년)
044	①물류회사 영업(3년) ②일본어교사(3년)
045	①국제선 승무원(7년) ②음악강사(7년) ③일본어교사(7년)
046	일본어교사(5년)
047	①수입 관련 매니저(3년) ②신칸센 파견조수(2년6개월) ③일본어보습학교 교원(7년) ④대학강사(10년)
048	①아시아태평양 코디네이터(9년) ②일본어학교 비상근강사(4년)
049	①회사원(7년) ②일본어교사(5년), 국제학교 교사(4년)

문13. IB교사가 된 계기

- 근무하던 학교가 IBDP를 시작했기 때문(id 001)
- 1993년 4월에 독일로 이주, 수년 뒤 첫 근무학교가 경영난으로 문을 닫자 현재의 국제학교로 옮겼습니다. 처음엔 9학년과 10학년 일본인학생들을 대상으로 'IB 일본어A 준비과정' 수업과 병행해서 A2를 가르쳤습니다. 그런데 당시 A1 담당 교원에게 갑자기 불행한 일이 생기는 바람에 어쩔 수 없이 수업을 이어받아 지금까지 하고 있습니다. 담당은 9학년부

터 12학년까지 일본인학생으로 11학년과 12학년에겐 IB 일본어A(문학)를 가르치고 있습니다.(id 002)

- IB에 대해 특별한 지식은 없었지만 미국에서 대학원 수료 후 응모해서 채용된 학교가 IB학교였다. 그때부터 계속 IB학교에서 근무하고 있다.(id 003)
- 근무하던 미국학교가 IB를 도입하게 되었고, 당시부터 일본인교사는 나 혼자였기 때문에 연수를 받고 DP 클래스를 맡게 되었다.(id 004)
- 초등학교 때부터 국제학교와 미국의 공립고등학교에서 공부했다. 미국에서 대학을 졸업한 후 국제학교에서 일을 하고 싶어서 학사 취득 후 인턴십을 위해 들어간 학교와 지금까지 인연을 이어오고 있다. 국제학교 졸업생이 대부분 공감하는 것처럼 다언어, 다문화, 그리고 잦은 이동이 당연시돼버린 사람들에겐 국제학교 같은 환경이 지내기 편하다. IB의 교육목적과 방침이 현재 있는 국제학교에서 국제적인 인재를 육성하는 데 가장 적합하다고 생각하기에, IB 국제학교에서 가르치는 일에 진력하고 있다. TOK와 CAS를 통해서도 21세기의 국제적인 교육은 어떠해야 하는가를 탐구하면서 학생들의 지도에 힘쓰고 있다. 더 나아가 국제학교에 다니는 일본인학생들에게 매우 중요한 2중언어 교육을 중심에 두고, 학부모와 학생들과 지속적으로 대화하고 있다.(id 005)
- 공립중학교 국어교원→오스트레일리아 대학원 유학(교육위원회가 대학원 연수 휴가를 인정하지 않았기 때문에 퇴직. 국어교원이 해외 대학원에 가는 것을 연수로는 인정하지 않는다고 함)→귀국 후 사립중학교에서 강사→같은 계열 고등학교가 IB를 도입하기 위해 영어 가능한 국어교사를 찾고 있었고 그때 정식 채용되어 지금에 이른다.(id 006)
- 모교로 돌아와 일본어를 가르치기 시작했을 때 재학 당시엔 없던 IB가 도입되었고, IB가 전공이었기에 자연스럽게 IB를 가르치게 됐다.(id 007)
- 다른 일로 중국 광주에 갔을 때 지금 학교의 일본인교사가 갑자기 퇴사해서 대체할 교사를 찾고 있다고, 친구의 소개를 받았습니다. 채용 조건은 가르친 경험이 있을 것, 그리고 영어로 업무가 가능할 것, 두 가지였습

니다. 그해 학년 말까지 5개월간 주3회 중학교 과정의 일본어A를 담당했습니다. 그 이듬해에 초등학교 과정의 일본인교사가 출산휴가를 받게 돼 11월부터 학년말인 6월까지 풀타임으로 근무했습니다. 이듬해부터 계약직으로 정식 채용되어 현재 3년째인데, 이미 1년 계약연장을 했습니다.(id 008)

- 같은 곳에서 오래 일하는 것은 일장일단이 있는 것 같습니다(금전적인 면이나 경력 면에서가 아니라 교사로서의 성장이라는 관점에서). 좋은 점은 해당 교육기관의 방침을 배우고, 그 방향에서 지식과 기술을 습득, 성장해나갈 수 있는 점입니다. 그러나 반대로 말하면, 그 방향 이외의 성장은 의식적으로 노력하지 않으면 어렵다고 할 수 있지 않을까요. 이런 상황에서는 매너리즘에 빠지기 쉽다고 생각합니다. 앞서 언급한 일본어학교 2와 3(이는 물론 편의상 부르는 방식입니다만)을 그만둔 이유도 매너리즘에 빠져 있다고 생각했기 때문입니다. 저처럼 게으르고 요령이 부족한 사람은 강제적으로 새로운 환경에 몸을 맡기고 지금까지와는 다른 방식과 생각을 접할 기회가 필요하며, 그 새로운 환경에 적응하는 과정이 일본인교사로서의 성장과 크게 연결된다고 생각하기 때문에 근무학교를 바꾸는 것입니다. 일부러 그만두지 않아도 크게 성장 가능하다면 이상적이겠지만, 앞서 말한 대로 게을러서요.......(id 009)
- IB프로그램을 가르치던 전임교사가 작년에 그만두면서 그 후임으로 전에 근무하던 고등학교에서 옮겨왔다.(id 010)
- 일하기 시작한 학교가 IB학교가 되었다.(id 011)
- 아들이 이 학교에 들어오게 됐고, 나는 다른 국제학교에서 가르치고 있었는데 그곳 IB교사가 이 학교에서 교사를 채용하는데 면접을 보지 않겠느냐고 추천해줘서, 면접을 보고 가르치게 됐다.(id 012)
- 주재원인 학부모가 IB 일본어를 가르칠 수 있는 사람을 찾고 있었다.(id 013)
- 교토에서의 교사 시절 외국인학생들을 충분히 돌보는 게 불가능했던 경험에서 JSL(Japanese as a Second Language, 제2언어로서의 일본어)수업에 흥미

를 갖게 됐다. 귀국학생 클래스가 있는 교대부속중학교에 근무하면서 귀국·외국인 아동 및 학생 지도를 솔선해서 하게 됐다. 그리고 같은 시기에 언니가 미국으로 건너가 조카가 미국의 교육을 받게 된 것도 귀국·외국인 아동 및 학생들의 교육에 관심을 갖는 주요 계기가 됐다. 지금의 학교에서 IB교육을 실시하고 있다는 것을 알고, 장래에 IB를 가르치고 싶다는 생각에서 응모, 합격했다. 국어과가 귀국·외국인 학생에 대한 이해가 상대적으로 용이하다는 이유(라고 생각한다. 직접 들은 적은 없지만)에서 IB 담당자가 되는 경우가 많은 듯하다. 현재 영어와 씨름하면서 IB수업을 담당하고 있다.(id 014)

- 살기 시작한 지역의 국제학교에서 일본어(모어)교사를 찾고 있다는 걸 알고, 당시의 교장선생님과 언어코디네이터와 면접을 거쳐 가르치게 됐다.(id 015)
- 남편의 일 때문에 독일로 왔다. 일본에서의 교직경험을 살릴 수 있는 일을 찾아서 이력서를 보냈는데 독일인 비서(교장의 비서)의 눈에 띄어서 일본어 개인레슨을 시작했다. 그로부터 수개월 뒤, 6학년을 대상으로 MYP의 일본어(모어) 강좌를 시작할 예정이라는 정보를 접한 비서가 나를 교장에게 추천했고, 면접을 거쳐 운 좋게 채용되었다. 한 과목만 가르치는 건 너무 적으니 6학년부터 8학년까지 초급일본어(선택과목으로 일본문화를 조금 접해보는 과목이다)도 개강하게 되었다. 일본어교육능력시험과 일본어교사양성강좌를 수료하길 잘했다고 생각한다.(id 016)
- 일본어보습학교에 근무하다 학생의 학부모에게 추천받았다.(id 017)
- 근무하던 국제학교가 IB를 도입했다.(id 018)
- 일본어 개인레슨 의뢰가 계기가 되었다. 그 후 IBDP 대체교사, 기초반, MYP 9~8학년, 그리고 현재 7~6학년을 담당한다.(id 019)
- 학원에서 가르치던 제자가 파리 국제학교에 진학, 11학년이 됐을 때 일본어교사 의뢰를 받았다. IBDP의 일본어프로그램을 보고, '이것은 문학수업이다'라고 감격해서 가르치기로 했다.(id 020)
- 오사카 국제학교 재직 중, 현재의 근무학교로부터 IB 일본어교사로 추천을

받아 2년 계약으로 부임, 그대로 종신계약을 맺고 현재에 이른다.(id 021)

- 아사히신문에 UWC 소개기사가 난 걸 보고 IB프로그램에 일본어A가 있다는 걸 알게 됐다. 그리고 CAS의 자원봉사활동에 대해서도 언급되어 있었는데, 일본의 학교교육 안에서 자원봉사활동은 존재하지 않았기에 관심이 갔다. 그 후 현재 근무하고 있는 국제학교의 구인공고를 보고 응모했다.(id 022)
- 일하던 학교가 마침 IB학교였는데, 현지 일본어교사협회의 메일링리스트에 지금 하고 있는 분야의 구인정보가 실려 있는 것을 발견하고 응모해서 면접을 보았다.(id 023)
- 영어 이머전(immersion, 몰입)교육을 실시하는 중등교육학교에서 영어를 할 줄 아는 국어교원이 필요하다고 해서 추천을 받았고, 근무하던 학교가 IB학교가 되었다.(id 024)
- 대학원 시절에 도쿄가쿠게대학부속국제중학교에 연구차 가볼 기회가 있었는데 그때 MYP를 알게 됐습니다. IB의 교육이념과 수업내용, 커리큘럼에 무척 공감했고, IB에 대한 흥미와 관심이 점점 커졌던 것이 떠오릅니다. 마침 고향에서도 IB학교를 만든다는 소식을 듣고 지금 근무하는 학교를 시찰할 때 채용시험 이야기를 들었습니다. 근무한 지 3년째에 IB 인정학교가 되어 현재는 IB 문학(일본어)의 교원으로 일하고 있습니다.(id 025)
- 공립중학교에서 강사로 근무하고 있었는데 상근직으로 채용되지 못해서 사학협회에 이력서를 넣었다. 그때 지금 근무하는 학교의 채용시험 소식을 듣고 시험을 쳐서 합격했다.(id 026)
- 나 자신이 프랑스에서 IB시험을 봤다. 당시 일본어A를 가르쳐준 선생님의 지도가 훌륭해서 문학공부에 취미를 갖게 됐다. 대학은 법학부에 들어갔지만 나의 성향과 안 맞아서 고민했다. 졸업 후 '언어' 관련 일을 하고 싶어서 잡지편집을 하면서 일본어교사 자격을 땄다. IB는 세계의 여러 대학입학자격시험의 하나에 불과하지만 '문학'이라는 관점에서 보면 독해력, 에세이 쓰는 능력, 생각하는 힘, 문학 비평력을 키우는 충실한 코스

로 짜여있다고 생각한다. 지도하는 교사도 학생의 개성에 초점을 맞추기 때문에 활기 넘치는 수업이 가능하다.(id 027)

- 해외의 고등학교와 대학에서 일본어를 가르쳤던 경험과 문학부에서 공부한 게 장점으로 작용해서(id 028)
- 보습학교 동료에게 소개받았다.(id 029)
- 일본 대학의 일본어강사를 거쳐 보습학교 교사로 일하던 시절, 국제학교의 일본인학생 학부모가 IB 일본어A1 교사를 찾다가 국어교사자격증과 교직경험이 있는 나에게 요청을 했다. 수업 장소는 학교이고, 학부모가 나를 고용하는 형태로 시작했다.(id 030)
- 대학 졸업 후 스리랑카에서 일본어교사로 일할 기회가 생겼다. 스리랑카 거주 당시 국제학교에서 일하던 분과 만나게 됐는데, 그때 국제학교의 커리큘럼에 관심이 생겼다. 그 후 방콕에 있는 국제학교에 채용이 정해졌지만, 그 학교는 IB학교가 아니고 학생들은 GCSE, A레벨 커리큘럼을 따르고 있었다. 방콕의 IB학교에서 일하던 선생님께 IB 이야기를 들어서 관심은 있었지만 당시엔 잘 몰랐다. 일본에 귀국한 후 지금도 일하고 있는 지역의 국제학교에 채용되었다. 그 학교가 IB학교여서 IB 교원이 되었다.(id 031)
- 불명(id 032)
- 일본어교사로 일하고 싶다는 광고를 현지 영어정보지에 게재했더니 국제학교 선생으로부터 학생들에게 일본어를 가르쳐달라는 연락이 왔다. 그 일본인학생들도 전화로 일본어를 가르쳐달라고 해서 내심 '일본어는 완벽하게 할 줄 아니까 대학입시의 과거 문제풀이라도 같이 하면 되겠지' 하는 가벼운 마음으로 받아들였는데, 막상 학교 선생님께 IB 안내서를 받고 깜짝 놀라 필사적으로 공부하기 시작했다.(id 033)
- IB의 일본어 클래스를 만드는 과정에서 채용되었다.(id 034)
- 국제학교에서 비상근으로 일본어를 가르치다가(id 035)
- 일하던 국제학교가 IB학교가 되었다.(id 036)
- 미국계 국제학교의 중학교 과정에서 파트타임으로 일본어강사를 하고 있었다. 풀타임 교원 자리를 찾다가 현재 학교의 구인모집에 응모, 면담 후

채용되었다. 지금 학교에서 가르치기 전엔 IB라는 커리큘럼의 존재조차 몰랐다.(id 037)

- 학교가 IB를 채용하면서 급히 일본어A(처음엔 B도)를 담당하라는 지시를 받았다. 1조교의 국어수업도 일괄 담당하고 있었기 때문에 몹시 벅찼다.(보통 조건에서도 교원이 적음)(id 038)
- 취직한 일반학교가 IB 클래스를 신설했기 때문에. 일본어 이외의 교원은 타 학교에서 초빙한 분들이었지만, 일본어A/B는 원래 학교의 교원이 담당하게 되었다.(id 039)
- 남편이 먼저 국제학교에 풀타임으로 고용되었고, 그 후 IBDP의 언어B 일본어 과목이 개설되면서 제안을 받았다.(id 040)
- ①국어수업에 대한 즐거움과 가능성을 깨달으면서 좀 더 학생들을 위해 활용하고 싶다는 생각을 하고 있었지만, 그것을 구현할 수 없는 시스템적·문화적 한계를 느끼고 있었다. ②교원의 생애주기라는 관점에서 내게 주어진 시간을 어떻게 활용할까, 어떤 교원이 될까 생각했다. ③교육학을 배우면서 IB의 교육 중 국어교수법 안에 ①을 타개할 단서가 있는 게 아닐까 생각하고 있었다. 나의 지식과 경험도 살릴 수 있다고 생각했다. ④도쿄 도가 IB를 도입한다고 발표했다. →응모(id 041)
- 스위스에서 살기로 정해져(그때까지 남편의 일 때문에 이동이 잦아서 정규직을 찾을 여건이 아니었다) 일을 찾다가 친구한테 IB 일본인교사를 모집하는 국제학교를 소개받아 면접에 갔다. 학교의 커리큘럼, 지도법 등이 조직화돼 있지 않다는 점이 신경 쓰여(근무를 시작하면 여러 문제로 고심하게 될 것 같아서) 거절하고, 운 좋게 다른 학교에서도 교사모집을 하고 있다는 걸 알게 되어 모의수업 등을 거쳐 현재에 이르렀다.(id 042)
- 친구의 부탁으로(id 043)
- 구직 중에 우연히 친구의 추천을 받았다. 그전엔 IB에 대한 지식이 전혀 없었다.(id 044)
- IB에 대해 전혀 모른 채 면접에 갔다가 그날부터 일을 시작했다. 1년차엔 울기만 했다.(id 045)

- 출산휴가 중인 선생님 대신에 IBDP의 일본어 과목을 가르치기 시작했는데 학생(그리고 부모)들의 반응이 좋아 계속하게 됐다.(id 046)
- 국제학교에 근무하는 진학 담당 카운슬러에게 일본어 개인레슨을 할 때, 그가 MYP 일본어 담당자의 출산휴가로 대체교원을 찾고 있다며 교장에게 추천을 해주었다. 일본어뿐 아니라 영어도 가르칠 수 있다는 점 때문에 즉각 채용되었고, 전임자의 출산 후에도 계속 일했다. 그 후 IBDP의 일본어 담당→MYP의 일본어 담당 →유아교육자격증 취득 후 유치원부문 클래스 담당과 학년 레벨 코디네이터가 된다.(id 048)
- 근무하던 국제학교가 IB를 신청했기 때문(id 049)

문14. 보람을 느끼는 정도

명(%)

설문 문항	매우 그렇다	약간 그렇다	어느 쪽도 아니다	별로 그렇지 않다	전혀 그렇지 않다
a. 지금의 일에 보람을 느끼고 있다	36 (73.5)	9 (18.4)	2 (4.1)	2 (4.1)	0 (0.0)
b. 지금의 일을 통해 성장할 수 있다고 생각한다	40 (81.6)	5 (10.2)	3 (6.1)	1 (2.0)	0 (0.0)
c. 지금의 일을 자랑스럽게 생각한다	35 (71.4)	7 (14.3)	5 (10.2)	2 (4.1)	0 (0.0)
d. 지금의 일에서 나만의 개성을 살릴 수 있다	30 (61.2)	13 (26.5)	3 (6.1)	1 (2.0)	2 (4.1)
e. 지금의 일은 나에게 잘 맞는다	26 (53.1)	16 (32.7)	5 (10.2)	2 (4.1)	0 (0.0)
f. 지금의 일을 통해 나의 능력을 충분히 발휘하고 있다	19 (38.8)	22 (44.9)	4 (8.2)	3 (6.1)	2 (2.0)
g. 지금의 학교에서 일할 수 있어서 좋다	36 (73.5)	9 (18.4)	2 (4.1)	2 (4.1)	0 (0.0)
h. 학교의 다른 교직원들에게 배우는 게 많다	21 (42.9)	15 (30.6)	8 (16.3)	3 (6.1)	2 (4.1)
i. 학교의 다른 교직원들과 함께 일하는 게 즐겁다	16 (32.7)	17 (34.7)	14 (28.6)	0 (0.0)	2 (4.1)
j. 학교의 다른 교직원들과 잘 지낸다	20 (40.8)	18 (36.7)	8 (16.3)	3 (6.1)	0 (0.0)

문15. 만족도

명(%)

항목	만족	약간 만족	약간 불만	불만	무응답
a. 세대 전체의 수입	22 (44.9)	18 (36.7)	7 (14.3)	0 (0.0)	2 (4.1)
b. 개인 수입	18 (36.7)	23 (46.9)	7 (14.3)	1 (2.0)	0 (0.0)
c. 근무환경	19 (38.8)	20 (40.8)	7 (14.3)	3 (6.1)	0 (0.0)
d. 휴가	34 (69.4)	11 (22.4)	0 (0.0)	4 (8.2)	0 (0.0)
e. 노동조건	17 (34.7)	17 (34.7)	10 (20.4)	5 (10.2)	0 (0.0)
f. 거주 국가	25 (51.0)	15 (30.6)	8 (16.3)	1 (2.0)	0 (0.0)
g. 주거	26 (53.1)	17 (34.7)	6 (12.2)	0 (0.0)	0 (0.0)
h. 주거 주변의 자연환경	24 (49.0)	20 (40.8)	3 (6.1)	2 (4.1)	0 (0.0)
i. 지역의 사회시설(학교, 도서관 등)	20 (40.8)	17 (34.7)	9 (18.4)	3 (6.1)	0 (0.0)
j. 내가 지금까지 받아온 교육	22 (44.9)	19 (38.8)	7 (14.3)	1 (2.0)	0 (0.0)
k. 연수와 자기계발의 기회	14 (28.6)	22 (44.9)	10 (20.4)	3 (6.1)	0 (0.0)
l. 건강	24 (49.0)	16 (32.7)	8 (16.3)	1 (2.0)	0 (0.0)
m. 친구관계	27 (55.1)	20 (40.8)	1 (2.0)	1 (2.0)	0 (0.0)
n. 생활 전반	27 (55.1)	19 (38.8)	2 (4.1)	1 (2.0)	0 (0.0)

문16. 부담감

명(%)

설문 문항	매우 그렇다	약간 그렇다	어느 쪽도 아니다	별로 그렇지 않다	전혀 그렇지 않다	무응답
a. 같은 일을 반복하느라 매너리즘을 느낀다	1 (2.0)	6 (12.2)	5 (10.2)	15 (30.6)	20 (40.8)	2 (4.1)
b.지금의 일은 단조롭고 보람을 찾을 수 없다	0 (0.0)	4 (8.2)	1 (2.0)	17 (34.7)	26 (53.1)	1 (2.0)
c. 지금까지의 지식과 경험만으로 대응할 수 없는 일이 너무 많다	7 (14.3)	10 (20.4)	7 (14.3)	16 (32.7)	7 (14.3)	2 (4.1)
d. 지금의 일은 나의 책임부담이 너무 크다	5 (10.2)	9 (18.4)	8 (16.3)	11 (22.4)	14 (28.6)	2 (4.1)
e. 일이 너무 바빠서 거의 일만하는 생활이다	15 (30.6)	14 (28.6)	4 (8.2)	9 (18.4)	6 (12.2)	1 (2.0)
f. 업무량이 너무 많아 지금 상태론 오래 하기 힘들 것 같다	8 (16.3)	5 (10.2)	8 (16.3)	16 (32.7)	10 (20.4)	2 (4.1)
g. 어린 학생, 학부모와 접촉하면서 피로감을 느낄 때가 많다	5 (10.2)	8 (16.3)	7 (14.3)	14 (28.6)	14 (28.6)	1 (2.0)
h. 직장 내 인간관계로 고민할 때가 많다	0 (0.0)	4 (8.2)	10 (20.4)	26 (53.1)	8 (16.3)	1 (2.0)
i. 근무시간 후에도 일 때문에 남는 경우가 많다	16 (43.7)	12 (24.5)	7 (14.3)	5 (10.2)	8 (16.3)	1 (2.0)
j. 일을 집에 가져갈 때가 많다	19 (38.8)	11 (22.4)	6 (12.2)	6 (12.2)	5 (10.2)	2 (4.1)
k. 서류작성이 외국어라 시간이 걸린다	12 (24.5)	18 (36.7)	4 (8.2)	7 (14.3)	6 (12.2)	2 (4.1)
l. 컴퓨터 등 IT기기 발전을 따라가기 어렵다	10 (20.4)	11 (22.4)	6 (12.2)	16 (32.7)	4 (8.2)	2 (4.1)

문17. 가르치면서 즐거운 점(자유기술)

- 수업의 단위시간 수가 많고 일본어뿐 아니라 문화와 사회 등의 제반 요소를 깊이 다룰 수 있다. 학생이 자주적으로 목적의식을 갖고 학습에 임하며, 학문적으로나 정신적으로 성장해나가는 모습을 볼 수 있다.(id 001)
- 저의 학습지도 방향의 목적은 학생들에게 '문학작품'의 독해, 해석능력을 키워주는 것입니다. 일본의 학교에서는 '국어'를 잘 못하거나, 성적이 지

지부진했던 학생들도 이 학교에 입학해 11, 12학년의 IBDP 일본어A(문학) 혹은 9, 10학년의 IB준비과정을 통해 문학작품의 깊이와 일본어의 아름다움을 알아갑니다. 더 나아가 문학학습은 '답이 하나가 아니'라는 관점에서 시간을 들여 학습한 후 자신만의 해석을 전개하는 것에 대한 지적 즐거움을 학생들이 실감해갑니다.(id 002)

- 학생 한 명 한 명의 인간성을 생각하는 일이 중요하다는 부분에 공감합니다. 수업을 통해서 학생들의 성장에 기여할 수 있다는 것은 교사로서 엄청난 축복이라고 느낍니다. 모어 및 모어문화에 대한 존중, 이런 부분도 훌륭하다고 생각합니다. 오랫동안 해외에서 가르쳐왔기 때문에 정체성에 대한 고민이 많은데, 저를 포함해 학생들이 함께 이 문제를 고민해보는 것은 매우 중요하며, 평생에 걸쳐 해야 할 학습이라고 생각합니다.(id 003)
- 학생들의 성장을 지켜보는 것이 무엇보다 즐겁다. 똑같은 시간을 가르쳐도 IB 학생과 그 외의 학생은 마지막 해의 성취감이 완전히 다르다. IB는 힘든 과정이지만 '활용가능한 일본어'를 익히는 데 매우 효과적인 프로그램이라고 생각한다. 또한 일본어는 다른 언어그룹과 비교하면 교사들 간의 유대가 매우 긴밀한 편이다. 워크숍 등에서 다양한 선생님들을 만나 이야기를 나누는 과정이 매우 즐겁다. 워크숍에서는 다른 나라에서 근무하는 선생님들도 만날 수 있다. 일본처럼 암기형 학습이 아닌 것도 IB의 좋은 점이다.(id 004)
- 다양한 텍스트의 종류, 문학작품과 교재를 사용해 가르치는 것이 무엇보다 즐겁다. 학생들에게 다양한 관점에서 사물을 보게 하기 위해서는 '두뇌체조'를 시켜야 하는데, 학생들의 발표와 프로젝트 등이 코스에 활기를 불어넣어준다. TOK와 CAS를 통해서도 비평적이고 종합적인 견해와 지도법을 활용할 수 있어서 바람직한 것 같다.(id 005)
- 공립학교 재직 시절에는 입시의 제약 때문에 할 수 없었던 토론 및 에세이, 논리적 사고력의 육성이 그 자체로 목표라는 점, 그리고 학생이 활기차게 의욕을 갖고 노력할수록 성과가 향상되는 점(id 006)
- 불명(id 007)

- 폭넓은 장르를 가르칠 수 있는 점, 교과서에 실린 교육이 아니라 분야별로 폭넓게 가르칠 수 있는 점이 학생들에게도 매우 도움이 되고 있다고 느낀다. 또한 IB의 학습자상에 합치하는 학생으로 성장해가는 모습을 지켜볼 수 있다는 것은 커다란 기쁨이다.(id 008)
- 예전엔 대학생, 사회인을 대상으로 일본어를 가르쳤는데 지금은 고교생을 상대한다. 다른 형태의 대응을 주고받기 때문에 신선한 느낌이 든다. 또한 시험에 합격한다는 확고한 목표가 있으므로, 이 목표에 어떤 식으로 도달시킬 것인가, 이에 대해 궁리하고 실행에 옮길 수 있다는 점이 즐겁다.(id 009)
- 학생의 성장을 확실한 척도를 가지고 측정할 수 있으므로 보람을 느낀다. 학생과 인간 대 인간으로 깊이 마주할 기회가 있어서 좋다.(id 010)
- 학생과 함께 도전할 수 있다.(id 011)
- 교재, 학습계획, 가르치는 방법 등을 교사가 선택할 수 있다. 학생에 따라 다른 방식으로 가르칠 수 있고, 새로운 발견을 할 수 있다. 나만의 교수법을 탐구할 수 있다. 스스로도 성장할 수 있다.(id 012)
- 문학의 즐거움을 학생과 공유할 수 있다는 점. 때때로 훌륭한 학생과 만날 수 있는 점. 교재 조사 등의 과정에서 나 자신의 세계가 넓어지는 점. IB라는 공통 이슈를 가지고 학교 밖에서 다양한 사람을 만날 수 있는 점. IB의 개념을 통해 교육의 힘을 믿을 수 있게 된 점(id 013)
- 거의 대부분. 이런 교육을 받고 싶었고, 가르치는 게 나의 성장으로도 이어진다. 특히 즐거운 점은 내가 준비해간 것에 대해 학생이 생각지도 못한 훌륭한 발상을 보여줄 때. 이것은 일본의 국어교육에서는 좀처럼 맛볼 수 없는 일이라고 생각한다. 좀 더 IB에 시간을 할애하고 싶지만 수업이 너무 많아서 그럴 수 없는 점이 아쉽다.(id 014)
- 학생과 함께 나도 다양한 것들을 배울 수 있는 점. 우리 학교와 다른 학교에서 가르치는 선생님들을 통해 무척 많은 것을 배울 기회가 있는 점(id 015)
- 답이 하나가 아니라는 점. 학생의 의견을 들을 수 있다는 점. 학생의 해

석이나 의견을 통해 배울 게 많은 점. 쌍방향 수업이라는 점. 도시락 반찬 나열하듯 여러 가지를 조금씩 늘어놓는 느낌이 아니라, 한 가지 음식(문학작품)을 충분히 깊이 맛볼 수 있는 점. 학생으로부터 배우는 게 많은 점. 서양문학에 대한 접근도 시도할 수 있는 점(id 017)

- 나 자신도 항상 공부해야 한다. 함께 성장할 수 있다. 내가 지금까지 받지 못한, 바람직한 교육에 참여하고 있다는 실감이 든다.(id 018)
- 교재와 교수법을 내 나름대로 궁리할 수 있다. 학생 수가 적기 때문에 개별적 접근이 가능. 학교의 분위기가 자유로움. 도움이 되는 연수와 자기발전에 대한 보조금이 존재하는 점(id 019)
- 문학수업을 통해 학생이 성장하는 것을 가까이서 느낄 수 있다. 학생에게 책을 읽는 즐거움을 가르쳐줄 수 있다. 나 자신도 학생과 접촉하면서 성장할 수 있다.(id 020)
- 지적 흥미를 환기시켜주는 순간들이 많다. 학생의 성장과 더불어 나 자신도 성장할 수 있다.(id 021)
- 학생의 발언을 중심으로 수업을 진행하기 때문에 학생의 생각과 의견을 듣는 일이 즐겁다.(id 022)
- 실천적인 커뮤니케이션 능력을 재는 IA와 학생이 자유롭게 주제를 정해 깊이 연구하는 WA(Written Assignment, 소논문) 과제, 그리고 시험준비 등이 즐겁다. 2년간 동일한 소수 학생을 담당하기 때문에 좋은 관계를 구축하기 쉽고, 그것이 언어학습엔 플러스가 된다.(id 023)
- 문학에 대해 학생과 토론하는 가운데 내가 미처 깨닫지 못했던 점에 대해 지적받는 일은 일본의 지도서를 참고한 수업에선 거의 있을 수 없는 경우라서 즐겁다.(id 024)
- 입시를 위해서가 아니라 평생 동안 인생을 즐기기 위해 문학과 접하는 방법을 학생에게 전달할 수 있다는 기쁨이 있다.(id 025)
- 학생과 개별적으로 마주할 수 있으며, 개인의 능력을 키워줄 수 있음을 실감한다. 학생의 깨달음을 소중히 할 수 있다. 여기서 공부가 되는 일이 많고, 함께 수업을 만들어가고 있다는 느낌이 든다. IB의 이념을 실천해

나가는 것 자체가 매력적이고 즐겁다. IB 학습자상 등 배움의 지침이 명확하기 때문에 가르치는 방향성이 흔들리지 않는다. 다양한 방식을 실험해볼 수 있다.(id 026)

- IB는 서양에서 이상적으로 여기는 인간상을 추구하는 교육프로그램이라고 생각한다. 나 자신의 지도경험으로는 일본어A에서 토론하거나, 에세이를 읽고 비교하거나, 프레젠테이션을 하는 과정에서 자신의 개성을 어필할 수 있도록 프로그램이 충실하게 짜여있다고 생각한다. CAS도 IB의 독특한 코스라고 생각하는데, 어릴 때부터 '서로 돕는' 정신을 키우는 일은 학생에게 좋은 자극이 되며, 졸업 후의 생활을 설계할 때도 활용할 수 있다고 생각한다.(id 027)
- 매우 수준 높은 내용을 가르친다는 느낌이 든다. 사고력과 표현력이 요구되는 코스로 교재연구와 수업준비를 하는 일이 즐겁다. 나도 배우고 있다는 느낌이 든다. 학생의 실력이 향상되면 기쁘다. 졸업생이 방문해서 고교시절 배운 것을 지금도 활용한다는 이야기를 들려주면 매우 기쁘다.(id 028)
- 학생의 성장을 지켜볼 수 있는 것이 즐겁다.(id 029)
- 문학작품에 대해 학생들과 깊이 있는 독해를 하고 의견교환을 하면서 매년 새로운 발견을 할 수 있다. 학생들의 학습이 좋은 결과를 맺을 때(id 030)
- PYP에서는 일본어학습뿐 아니라 단위별 주제에 맞는 교재까지 준비해야 하기 때문에 교원에게도 폭넓은 지식이 필요하다고 항상 느끼고 있다. 준비에 상당한 시간이 걸리지만 나도 지금까지 몰랐던 것을 알게 되는 기회를 얻는다고 생각한다. 일방적으로 정해진 뭔가를 가르치는 게 아니라 학생의 관심사가 어디에 있는지 살피면서 준비하는 수업은 힘들면서도 즐겁다.(id 031)
- 불명(id 032)
- 대학에서 영문학을 잠깐 배운 적이 있는데 IB에서 일본문학을 가르치게 되면서 새삼 문학의 즐거움을 발견한 것이 개인적으론 커다란 수확이다.

그리고 문학뿐 아니라 언어와 문화를 학생에게 조금이라도 전달할 수 있으면 좋겠다는 바람이 커졌다. 외국에 와서 육아 중심의 시기를 지나 예전에 일본의 학교에서 영어를 가르쳤던 때를 떠올리면서 내가 이 일을 정말 좋아했었구나를 실감하고 있다.(id 033)

- 일본어를 사용해 무언가를 할 수 있는 학생으로 성장하는 모습을 보는 게 즐겁다.(id 034)
- 학생이 노력을 거듭하면서 자신의 가능성에 눈 뜨고 성장해가는 모습을 보는 것. 학생과 함께 코스를 통해 성장할 수 있는 점(id 035)
- 시험을 위한 학문이 아니라 인생을 위한 학문을 한다는 점(id 036)
- PYP, MYP, DP의 세 가지 프로그램을 통해 아이들의 창조성을 키워줄 수 있다는 것에 매우 큰 매력을 느끼고 있다. 그리고 '틀린 건 없다. 근거를 가지고 주위 사람들을 납득시킬 수 있으면 그것은 전부 옳은 답이다'라는 것을 수업 중에 아이들에게 전달할 수 있다는 것에서 날마다 커다란 기쁨을 발견하고 있다. 또한 다양한 활동을 통해 수업을 진행하는 가운데 나 자신이 교사로서 독립된 입장에 있는 게 아니라 모두와 함께 수업 속에 녹아들 수 있는 점(대부분의 경우 나는 조력자로서 교실에 있는 존재다)을 매우 기쁘게 생각한다.(id 037)
- 학생들에게 정답을 강요하지 않아도 된다는 점. 답은 하나가 아닌 점(id 038)
- 학생과 어떤 의미에서 대등하게 토론하면서 문학작품을 감상할 수 있으므로 매일의 수업이 무척 즐겁다.(id 039)
- 학생과 함께 도전하고 새로운 것을 흡수할 수 있다.(id 040)
- 불명(id 041)
- 형식에 치우친 정답찾기 방식이나 정답을 학습시키는 게 아니라 학생 고유의 감성·감정에서 비롯된 장점을 끌어내면서 수업을 진행시킬 수 있는 점. 그리고 나 자신이 학생과 더불어 성장 가능한 점(id 042)
- 학생과 함께 나 자신도 성장 가능한 점(id 043)
- 문학의 즐거움을 전달할 수 있다.(id 044)

- 학생의 성장을 나날이 느낄 수 있는 점. 결과가 나오는 점(id 045)
- 수업준비가 즐겁다 →공부가 되기 때문에(id 046)
- 나 자신의 성장을 느낄 수 있는 점. 나에게 계속 배울 기회가 주어진다는 점(id 047)
- 다양한 배경과 생각을 가진 학생 및 동료들과 만날 수 있다는 점(id 048)
- 답이 여러 가지라는 점. 학생한테도 배울 수 있음. 함께 성장하는 것을 느낄 수 있다. 가르치는 내용이 학생의 장래에 도움이 된다는 걸 학생들에게 당당히 설명할 수 있는 점(id 049)

문18. 가르치면서 힘든 점(자유기술)

- 일본어A2에서 일본어A(언어와 문학)로 바뀌어서 내용 변화를 이해하는 게 힘들었다. 연령대에 따라 IB 일본어를 선택하는 학생 수가 1명이 되기도 하는데 최소한 2명은 있으면 좋겠다.(id 001)
- 문학작품과 친숙하지 않은 현대 청소년들의 전형적인 특징이 이 학교에 입학하는 일본인학생들 사이에서도 다수 나타난다. 그런 학생들에게 학습을 통해 문학작품의 재미를 전달하는 일이 힘들다. 특히 SNS에 익숙한 그들에게 이른바 '전통적인 문장'으로 자신의 사고와 감정을 말 혹은 글로 표현하게 하는 것. 덧붙여, 자신에 관해서라면 자기주장을 좋아하는 현대 청소년답게 쓰고 서술하는 것은 가능하지만, 문학작품이라는 타자의 작품을 시간과 노력을 들여 이해하는 학습활동에 그들을 몰입하게 하는 것이 어렵다면 어렵다.(id 002)
- 첫해엔 워크숍에 갔지만 그 후엔 갈 수 없었다. 다른 학교 선생님들과도 연락을 주고받으며 공부하고 싶지만 모두, 그리고 나 역시 너무 바쁜 것이 현실이다. 이것조차 뜻대로 되지 않는다.(id 003)
- 일본어는 비주류 언어여서 교재지원이 없는 것이 커다란 난점이다. 영어와 스페인어처럼 여러 출판사에서 IBDP용 일본어 텍스트가 나오기를 틀림없이 많은 선생님들이 바랄 거라고 생각한다. 같은 교과를 담당하는 교사가 교내에 없어서 혼자 일하는 느낌이 매우 강하게 든다.(id 004)

- 일본인학생과 학부모는 아직 IB에 관한 지식이 비교적 적기 때문에 코스를 추천하고 학생에게 권유하는 일에 많은 노력이 필요하다. 졸업 후 국내 대학입시 준비에 전념하는 학생들이 많기 때문에 IB는 이런 측면에서는 관련성이나 장점이 거의 없는 듯하다. 또한 IB의 '언어와 문학'코스가 기존의 '국어'수업으로 여겨지는 경우가 많아서 숙제 양이나 평가방법, 그리고 성적을 학생과 부모들에게 설명하는 일에 어려움이 따른다.(id 005)
- 교사로서 나 자신의 실력향상을 위해 항상 노력해야 한다. 힘들지만 그게 즐겁다.(id 006)
- 일본어B용 교과서가 없다는 점. 프랑스어와 스페인어에는 IB용 교재가 갖추어져 있다.(id 007)
- ESL클래스의 학생이 언어B를 선택하는 것은 무리가 있지 않을까 생각한다. 동시에 2개 언어를 거의 제로단계부터 학습하긴 어려울 것이다. 그리고 단위별 계획수립과 교재를 찾는 일은 언제나 시간이 많이 걸린다. 특히 일본 밖에서는 좀처럼 일본의 콘텐츠들을 손에 넣을 수 없다는 점이 힘들다.(id 008)
- 문20에서 정리해서 적겠습니다.(id 009)
- 앞서 기술한 대로 정식연수에도 참가 못한 채로 올해 처음으로 IB클래스를 가르치다 보니 여러 불편함이 발생했다. 게다가 처음으로 일본어프로그램을 혼자 맡았기 때문에 학교 내에 상담 가능한 선배교사가 없다. 불안할 때가 많다.(id 010)
- 많은 한자를 가르쳐야 한다. 시험형태에 익숙해지게 하는 데 시간이 걸린다. 장르 지정이 교과서나 기존 커리큘럼의 흐름과 일치하지 않는다. 소논문용 읽기자료를 찾기 힘들다.(id 011)
- 준비가 힘들다. 모든 자료가 영어인 점. 다양한 지식이 필요해서 항상 자기계발을 해야 한다. 학생과 신뢰관계를 구축해놓지 않으면 학생의 진짜 생각을 알 수 없다.(id 012)
- 일본의 초등학교, 중학교에서 거의 책을 읽은 적 없는 학생이 IBDP를 택할 경우의 어려움. 일본의 문화, 역사를 거의 모르는 학생이 있다는 것.

성장과정에서 한자를 거의 배운 적 없는 학생에게 2,000자짜리 에세이를 쓰게 하는 것. 일본의 문화, 언어에 대해 왜곡된 열등감을 갖고 있는 일부 학생들을 상대하고, 그런 부분을 불식시키는 일(id 013)

- 교재연구가 일본의 국어처럼 루틴(routine)화가 불가능하기 때문에 아무래도 시간이 많이 걸린다는 점. 작업 자체가 즐겁기는 하지만 물리적 시간이 많이 걸리는 것이 큰 부담. 또한 안내서(얼마 전 일본어판이 나왔지만)가 영어라 충분히 이해했는지 여부가 불명확해서 불안한 점(id 014)
- 교사에게 코스 짜는 걸 맡기기 때문에 자유롭게 할 수 있는 반면, 그에 대한 책임이 막중한 점(id 015)
- IBDP가 최종적으로 시험대책이 되어버리는 점. 초급일본어에 관해서는 수업시간이 압도적으로 부족한 점. 학생의 의견 듣기. 학생의 의견을 그대로 받아들이는 것은 어려운 일이다. 물론 설득력 있는 의견, 일관성 있는 해석이라면, 설사 그것이 나의 견해와 달라도 받아들이는 것은 그리 큰 문제가 아니다. 조금 벗어난 이야기지만, 문학수업에서는 학생과 함께 작품을 해석해가는 만큼, 나의 해석은 나 자신의 인생경험을 토대로 하는 것이므로 그 근거가 되는 부분을 이야기하지 않고 해석만을 말하는 것은 어렵다. 그래서 나의 인생경험을 가능한 한 공유하고자 하지만 너무 많은 이야기를 하게 돼서 힘들다. 부모님께 전하지 않도록 미리 단속시키지만, 아마도 내 이야기를 하지 않을까. 문학수업을 하면서 내 인생을 파는 듯한 느낌이 들어 그게 힘들다. 하지만 그런 이야기를 할 기회가 있다는 것은 IB프로그램의 좋은 부분일지도 모른다. 이른바 공부가 아니라, 인생 이야기가 가능하다는 점은 버겁기는 해도 나쁜 일은 아니다.(id 016)
- 일본의 학교에서 배웠던 '독해'실력으로는 겨뤄볼 여지가 없는 점. 영어 전문용어도 포함해 서구의 문학강좌를 수강하지 않으면 가르치기 어려운 점. 지식을 가르치는 게 아니므로, 학생의 능력을 고양시키기 위한 방법(작문, 프레젠테이션)이 내 안에 제대로 정립돼 있지 않은 점. 서로 가르침을 주고받을 수 있는 사람(혹은 교수법을 훔칠 수 있는 사람)이 주위에 없는 점(id 017)

- 때때로 영어로 무엇을 하고 있는지 설명해야 할 때가 어렵다. 영어로는 전문용어를 자유자재로 쓰지 못한다.(id 018)
- 서류가 전문영어라는 점. 교수법에 관한 계획·실천·평가·성찰에 시간이 걸리는 점. 일본의 교육시스템과 차이가 있다는 점(id 019)
- 항상 자기성장을 도모해야 한다는 것과 특히 MYP에 관한 사무적인 일이 너무 많다는 점(id 020)
- 항상 교재연구, 수업궁리가 필요. 몇 년마다 세부적인 변화가 생기는데도 참석 가능한 워크숍이 전혀 없어서 불만(id 021)
- 다음 내용은 학생지도와는 관계없음. MYP의 커리큘럼에 변경사항이 너무 많음. 그로 인해 단위별 계획안을 바꾸는 작업에 매년 막대한 시간을 낭비하고 있다.(id 022)
- 본교에는 일본어교사가 몇 명 없어서 나의 책임이 막중하며, 일본어수업에 관해 가볍게 상담할 수 있는 동료가 가까이에 없다. 정규수업에 쓸 수 있는 시간이 1년 반 정도밖에 안 되어 실러버스를 커버하는 것이 힘들고 여유가 없다.(id 023)
- 지도서나 참고자료가 적기 때문에 사전준비에 막대한 시간이 걸린다. 채점의 기준이 내 안에 아직 정립되지 않아 어렵다.(id 024)
- 수업준비도 어렵지만, 그 이상으로 가르치는 내용에 대해 학생들이 얼마나 흥미와 관심을 갖게 할 수 있을까 모색하는데, 매우 고민되는 부분이다. 하지만 이런 점이 질리지 않는 문학연구의 원동력이 된다는 것도 틀림없는 사실이다.(id 025)
- 서류가 많음. 업무량이 많음. 수업준비와 성적 처리에 시간이 걸림. 다른 교원들의 이해를 구하는 것이 어려움(id 026)
- 몇 년에 한 번씩 가이드가 바뀌기 때문에 근간은 그대로여도 세세한 내용이 바뀌는 점에서 시간과 노력이 소요된다. 충분히 이해하기 위해선 다른 교사와 정보교환을 할 필요가 있다.(id 027)
- 시험채점(논문 등의 평가와 첨삭)에 시간이 걸리는 것이 가장 큰 문제다. 다음 과제가 주어졌을 때 좀 더 좋은 성적을 거둘 수 있도록 학생에게 적확

한 조언의 코멘트와 피드백을 적는 데 시간이 걸린다. 구술의 경우에도 녹음한 것을 일일이 들으며 코멘트를 쓰기 때문에 학기말 등 과제가 집중되는 시기엔 철야할 때가 많다. 또한 일을 집에 가져오기 때문에 집에서도 일 이외의 것을 할 시간이 거의 없다.(id 028)

- 새로운 프로그램이 생겨 지금까지 하던 것이 바뀌는 점(id 029)
- 몇 년에 한 번씩 실러버스와 평가방식이 변경되는데, 그해의 제출물과 평가에 대해 IBO로부터 나오는 일본어자료가 적기 때문에 세부사항은 시행착오를 겪으면서 해내야 하는 점(id 030)
- PYP의 경우 클래스의 단위별 주제에 맞춘 학습이기 때문에 매번 담임선생님과 내용을 확인하거나 과목 간 협업을 위한 미팅을 전과목 선생님과 가져야 하는 부분이 약간 어렵다. 또한 학생의 흥미를 북돋우며 진행하는 탐구학습을 어떤 식으로 교원이 준비할 것인가 하는 것도 과제다.(id 031)
- 불명(id 032)
- 개인지도를 하고 있기도 해서 자칫 독단에 빠지기 쉽기 때문에 학교의 코디네이터 선생님이나 포럼 담당 선생님에게 여러 의문점을 바로 질문하고는 있는데, 이렇게 하는 게 맞는지 항상 불안감이 있다. 가르치는 방법도 내 나름대로 하고는 있지만 한편으론 좀 더 좋은 방법이 있을 것 같은데 이런 부분에 대해 여러 선생님과 깊이 있는 정보교환이 어려운 점이 힘들다.(id 033)
- 가르칠 양은 많은데 학교측의 지원이 없다. 시간 확보가 어려워 집에서 해야 하는 일의 양이 많지만 그에 비해 금전적 보수가 적다.(id 034)
- 영어로 쓰인 실러버스를 일본어로 완벽하게 이해하여 정확히 가르치는 것(id 035)
- 학생 한 사람 한 사람의 장단점을 개별적으로 지도할 시간을 좀 더 많이 갖고 싶지만 어렵다.(id 036)
- 우리반 학생들은 대부분 일본에서 생활한 적 없는 아이들이다. 국제학교라는 영어환경 안에서 IBDP의 일본어A 수준까지 아이들의 능력을 끌어올려야 하는데 때때로 큰 부담을 느낀다. 일본어B를 개강하지 않았기 때

문에 일본어를 계속 학습하는 경우라면 일본어A가 필수다. 집에서도 일본어에 대한 요구수준이 높고, 집에서의 학습시간을 거의 일본어에 할애해야 한다는 연락을 받는 일도 있어서 나 자신이 어떤 식으로 커리큘럼을 만들어야 할지 매일 시행착오를 반복하고 있다.(id 037)

- 수업준비가 벅차다 ← 다른 일반코스 수업을 위해 육아기 단축근무(id 038)
- 18명이나 되는 학생들의 과제물에 뭔가를 적으면서 첨삭하는 게 힘들다. 입시 특별반 수업도 맡고 있기 때문에 완전히 다른 방식의 수업을 여러 개 하는 게 힘들다.(id 039)
- 전문 분야가 아닌 부분은 예습과 준비에 시간이 걸린다. 지금까지 문학 작품을 그다지 많이 읽지 않았기 때문에 한꺼번에 읽어야 한다.(id 040)
- 불명(id 041)
- 개인적으로 '문학'에 대해 공부한 적이 없어서 상당 기간 동안은 내 자신이 '문학'공부를 해야 하는 점. 시험에 관한 '경향과 대책'을 스스로, 또는 다른 교사들과 직접 찾아봐야 하는 점(id 042)
- 불명(id 043)
- 영어로 커뮤니케이션(id 044)
- 가이드를 이해하기 어렵다. 1년차 때 물어볼 사람이 없어서 무척 고생했다.(id 045)
- 수업준비가 힘들다.(id 046)
- 때로 나와 매우 다른 생각을 가진 학부모로부터 무리한 요구를 받는 일(id 048)
- 스스로 교재를 만들고 생각을 정리하는 데 시간이 걸리기 때문에 휴일까지 뺏기지만, 그럼에도 불구하고 교재에 대해 진지하게 고민하는 과정은 재미있다.(id 049)

문19. 과거의 경험·체험에서 도움이 되는 점(자유기술)

- 영어를 전공했기 때문에 이 학교의 IB커리큘럼 언어인 영어로 된 자료와

정보는 이해하기 쉽다. 영어, 프랑스어, 일본어라는 세 가지 언어의 문화적 차이와 공통점을 인지하기 쉽다.(id 001)

- 저는 대학에서 독일문학을 전공했습니다. 졸업 후 영어교사로 일본과 독일에서 오랫동안 일본인 중고생들에게 영어를 가르쳤는데 IB 일본어A1, 그리고 새로운 코스의 A에서 문학작품을 다루게 되어 대학에서 문학을 전공하길 잘했다고 생각할 때가 있습니다. 특히 문학을 취미가 아니라 학문으로 어떻게 취급하느냐에 관해서입니다.(id 002)
- 국제적 환경에서 자랐습니다. 저의 정체성에 대해, 일본인이라는 것에 대해 계속 생각하면서 성장했습니다. 몇몇 나라에 살면서 다문화 체험도 쌓았습니다. 히로시마 시에서 피폭자 가족으로 자랐습니다. 세계가 이어져 있다는 것, 평화를 지향하는 환경에서 자랐습니다. 주위에 일본인이 아닌 사람들이 많았습니다. 언어가 통하지 않아도 인간으로서 연결될 수 있다는 것, 협력할 수 있다는 것을 배웠습니다. 저 자신은 IB를 학습한 경험은 없습니다. 그러나 제가 학생이었던 때를 떠올리며 '나라면 어떻게 할까' 생각하면서 수업을 구조화해가는 것은 저를 돌아볼 수도 있고, 그래서 즐겁습니다.(id 003)
- 현재 담당하고 있는 외국어로서의 일본어를 가르치는 데 유학경험이 매우 도움이 됩니다. 대학시절 해외에서 교직을 이수했기 때문에, 저의 이런 경험을 앞으로 만나게 될 제자들에게 많이 전해줄 수 있습니다.(id 004)
- 대학에서 어학을 전공하고 일본어 외에 ESOL, 프랑스어와 독일어도 가르쳐봤습니다. 다언어, 이중국적, 다문화, 이동이 잦은 사람들이 자신의 정체성을 어떤 식으로 인식하고 개방하고 있는가에 매우 관심이 많아서, 박사학위 논문에서는 '이동이 잦은 다언어 사람들'의 정체성을 연구했습니다.(id 005)
- 국어교사를 그만두고 해외 대학원에 갔을 때는 주위에서 '그게 무슨 도움이 되겠는가'라는 말을 들었지만, 그때의 경험이 100퍼센트 도움이 되고 있다.(id 006)

- IB는 아니지만 국제학교를 졸업한 점. 대학에서 일본사를 전공한 점. 대학이 교양학부였기 때문에 폭넓게 배울 수 있었다는 점. 일본의 전통예술인 이케바나(준사범), 검도(3단)를 학생 때부터 즐겨온 점(id 007)
- 특별히 없습니다.(id 008)
- 진부한 표현이지만, 일본어교사는 다른 직업에 비해 과거의 경험이 생각지도 못한 부분에서 도움이 될 때가 많습니다(특별히 일본어교육과 관계없는 경험이라도). 따라서 전부 도움이 된다고 보는데, 학생 때 좀 더 활발한 성격이었으면 더 좋았을 거라는 생각을 합니다.(id 009)
- 현재의 고등학교 일본어교사가 되기까지 해온 것들(영어강사 등)이 도움이 되고 있다.(id 010)
- 학창시절 해외에서 봉사활동을 하면서 다문화 학생들에게 일본어를 가르쳐본 것. 대학에서 일본어교육, 문학, 언어를 배운 것. 국제결혼을 한 것(id 012)
- 책을 좋아해서 여러 가지 책을 읽은 점. 교내 인사로 인해 어쩔 수 없이 '국어'를 2년간 가르친 일('국어'의 전문가들과 수업준비를 함께 한 일). 과거에 세계 각지를 여행한 일(id 013)
- 나의 고교시절 은사님의 수업방식을 거의 그대로 IB수업에 활용할 수 있다는 점. 대학에서 문학을 전공했기 때문에 자신 있게 학생들을 대할 수 있는 점. 귀국자녀, 외국인아동과 접촉해왔기에 다문화에 대한 이해가 가능한 점(id 014)
- 여러 분야의 사건에 흥미를 가진 점(id 015)
- 유학경험. 영어환경 속에서 공부하는 것의 불편함은 경험해보지 않으면 알 수 없을 겁니다. 어디까지나 상상력의 문제이므로, 유학경험이 반드시 필요하지 않을까 싶습니다. 유학 중에 에세이 과제를 많이 한 것과 비판적 사고를 익힌 점이 유익합니다.(id 016)
- 대학 세미나(일본문학과), 국어강사(id 017)
- 책을 좋아했던 점. 책을 읽는 것이 인생에서 중요한 일이었다는 점. 인생의 경험이 다양했던 점. 사람들과의 관계 속에서 상담자 같은 역할을 했

던 점. 공부를 계속하는 게 좋았던 점(id 018)

- 대학시절 아르바이트 경험. 일본에서의 직장생활, 영국에서의 생활, 네덜란드에서의 생활 등 교사는 인생체험 전부가 투영되는 일이라고 개인적으로 생각합니다.(id 019)
- 학창시절 단순한 엘리트 공부벌레가 아니라 친구들과 함께 고민하고, 고생하고, 철없이 까불대며 지냈던 경험이 '문학'을 가르치는 데 무척 도움이 되고 있다.(id 020)
- 대학원시절의 공부와 대학시절의 자율강좌. 학원강사 시절의 교재연구와 '상품'으로서의 수업구성 경험(id 021)
- 대학시절 서클활동을 하면서 아이들을 캠프 등에 데리고 다녔는데, 그때 어른이 아닌 아이들에게도 배울 수 있다는 걸 알았다.(id 022)
- 국제 자원봉사를 했던 것. 유학했던 것. 다른 외국어를 공부했던 것. 해외에서 생활해온 것(id 023)
- 고교시절 토론중심의 수업이 많았던 게 도움이 되고 있다. 또 일본어학교에서 가르친 경험과 국어교원 경험이 짧았기 때문에 '수업은 이래야 한다'라는 고정관념이 별로 없었고, 그래서 IB에 자연스럽게 녹아들 수 있었다.(id 024)
- 역시 해외유학의 경험은 매우 큰 영향을 미친다고 생각합니다. 특히 다양한 가치관을 가진 사람들과의 만남은 사물을 보는 새로운 시각을 키워준다고 생각합니다.(id 025)
- 420시간의 일본어교사양성강좌. 일본어를 모르는 학생들을 가르치기 위해 했던 창의적 궁리들이 지금의 수업과 클래스 운영에 도움이 되고 있다.(id 026)
- 프랑스에서 IB 학생으로서 체험한 학습내용, 학교생활 전체. IB는 절대평가를 표방하기 때문에 학생들 간에 비열한 경쟁에 빠지는 일이 적다. 40세가 된 지금도 IB 시절의 친구는 국적, 남녀를 불문하고 가족처럼 서로를 소중하게 대하고 있다.(id 027)
- 해외에서의 생활경험, 교원경험, 외국인과의 교류, 의견교환 등(id 028)

- 대학에서 문학을 읽고, 논문을 썼던 것. IB의 일본어A 연수회와 워크숍에 참석했던 것(id 029)
- 일본 학교의 교사로 재직했기 때문에 일본의 교육법과 국어학습의 기본적인 지도법, 그리고 IB 교수법 가운데 좋은 부분을 선택·활용하면서 지도할 수 있다는 점. 아동과 학생의 학습지도나 수업에도 기본적으로 익숙하다는 점(id 030)
- 미국유학을 하며 기숙사생활을 경험하거나, 스리랑카인 가정에서 홈스테이를 하거나, 여러 나라를 여행했던 경험은 배경이 다른 학생들을 이해하는 데 도움이 되었다.(id 031)
- 불명(id 032)
- 대학에서 영문학을 전공한 것, 일본의 국제학교에서 영어를 가르친 것, 외국인 남편과 일본어와 그의 언어(이탈리아어)의 차이에 대해 대화하는 것, 외국에서 문화적·언어적 차이를 몸소 겪어본 것, 이 모든 게 도움이 되고 있다고 생각한다.(id 033)
- 부지런하고 내면을 성찰하는 능력, 포용성, 인내심, 자기계발에 대한 의지(id 034)
- 학창시절의 경험을 통해 학생이 처해있는 상황과 기분을 이해할 수 있는 것. 외국인에게 일본어를 가르치면서 일본어의 구조를 설명하는 경험을 쌓은 것. 회사근무를 통해 배양된 경험과 지식. 그리고 이 사회에서 내 자신의 입장과 경험도 코스를 짜는 데 도움이 되고 있다. 학문 이외의 곳에서 얻은 지식과 경험이 도움이 되고 있다고 느낀다.(id 035)
- 항상 TOK가 머릿속에 들어있는 점(id 036)
- 일본의 대학에서 학습한 것은 지금 하는 일에 그다지 도움이 되지 않습니다. 다만, 미국에서 석사과정 동안 학습한 것은 매우 도움이 되고 있습니다. 학습내용 자체보다 수업에서 했던 활동, 수업형태(자유롭게 의견을 말할 수 있는 환경)는 지금 저의 수업에도 반영되고 있습니다.(id 037)
- 독서, 영화 등(id 038)
- 중·고교 시절 국어선생님이 매일 독서노트를 쓰게 하셔서 6년간 계속했

던 것(id 039)

- 모든 것이 연결돼 있다. 통합적 접근(holistic approach)(id 040)
- 일반 국어교사였을 때부터 대화식으로 학생들과 해석을 하는 수업을 해왔기 때문에 IB의 문학을 가르치는 데 저항이 없다. 학생 때 전공은 교육학, 그중에서도 국제교육이었다. 그만큼 교육에 대한 생각이 유연하고, 상대적·비판적 입장을 견지하고 있다고 자부한다.(id 041)
- 몬테소리교육, 유아교육, 장애아교육을 경험하면서 교재의 제시, 학습에서의 목표설정, 학습의욕의 중요성, 개성을 존중하는 것의 중요성 등을 배운 점(id 042)
- 중학교 2학년 때 사회수업에서 교과서를 전혀 사용하지 않고 스타인벡의 『분노의 포도』를 1년간 읽었던 것(id 043)
- 국문학과였던 점. 가부키연구회, 오모테센케(表千家)차도연구회에 소속돼 어린 시절부터 쟁(箏, 거문고와 비슷한 13줄의 일본 전통악기-옮긴이)을 배운 점. 이런 일본문화에 대한 지식이 해외에 사는 일본인으로서 IB를 가르칠 때 도움이 되고 있다.(id 044)
- 불명(id 045)
- 해외유학(미국, 에콰도르), 해외여행, 외국어 공부(id 046)
- 불명(id 047)
- 세계 각국에 지사가 있는 제조업체의 아시아태평양 영업 코디네이터로서 각국에서 판매와 관련된 일을 했던 경험이 국제적 마인드로 생각하는 데 도움이 되고 있다.(id 048)
- 여러 나라의 사람들과 이야기를 나눴던 점. 사람을 좋아하는 점. 많은 책을 읽은 점(id 049)

문20. IBO에 바라는 점(자유기술)

- 일본어시험의 과거 문제뿐 아니라 웹사이트에서 좀 더 많은 해답과 채점의 예시 등을 공개해주면 좋겠다. 일본에서 연수회에 참석하는 게 쉽지 않으니까.(id 001)

- 저는 유럽에 있는 학교에서 근무하는데, 이전에는 IB 일본어(A1)에 관해서도 2년에 한 번씩 개최되었던 유럽·아프리카지역의 연수회가 최근 수년간 개최되지 않았습니다. 개최 언어나 교과목록에 일본어가 추가된다면 참석하는 멤버는 반드시 개최에 필요한 인원 수를 채울 거라 믿습니다. 어쨌든 개최를 간절히 희망합니다.(id 002)
- 교사의 담당시간에 상한선을 정해주면 좋겠습니다.(id 003)
- 일본어는 비주류 언어여서 상대적으로 교재와 지원 매뉴얼, 샘플 등이 적은 듯합니다.(id 004)
- 불명(id 005)
- OCC(Online Curriculum Centre, 온라인 커리큘럼 센터)의 일본어 페이지 갱신을 빨리 해주면 좋겠다.(id 006)
- 웹사이트가 매우 불편하다. 원하는 서류나 페이지를 찾기 어렵다. 시험내용과 시험방법이 변경되었고, 게다가 그 서류가 찾기 쉬운 곳에 올라있지 않은 부분 등은 개선하길 바란다.(id 007)
- 주요 3개 언어(영어·프랑스어·스페인어) 이외의 언어에 대해서도 과거 시험 샘플 등은 공평하게 공개하면 좋겠습니다. 일본어A의 과제논문(Extended Essay)이나 일본어A&B의 필기시험 실물, 채점결과 등을 거의 찾을 수가 없습니다. 학생이 필요로 하는 이상, 어떤 언어를 선택하든 제공돼야 할 정보는 평등하게 제공되길 강력히 희망합니다.(id 008)
- 이것은 어디까지나 IB 전체가 아니라 일본어B를 1년 가르쳐본 감상이며, 지금도 강하게 느끼는 점입니다. IB의 제2언어, 혹은 제3언어에 대한 생각에 매우 위화감이 듭니다. 예를 들면, 언어B 가이드에는 '언어B의 지도에 대한 접근법'(Approaches to the teaching of language B)이라는 페이지가 있는데, 그 내용은 단 1페이지 반입니다. 그렇다면 이것을 '접근법'이라 할 수는 없을 것입니다. 현재 주류인 '의사소통접근법'(Communicative Approach)이나 '청각구두접근법'(Audio-lingual Approach) 등과 비교할 때 하늘과 땅 차이라고 생각합니다. 이 '접근법'의 빈약한 내용은 대체 무엇인가요. 반면 테스트의 방법과 방법론은 매우 상세하죠. 매우 재미있는

테스트 방법인데, 소논문과 개별 구두시험은 개인적으로 좋아하지만 테스트에 합격할 수 있게만 지도하면 그 과정은 아무래도 상관없다고 보는 건지, 의심스러울 정도의 격차가 있습니다. 또한 일본어B의 테스트 방법인데, 이건 단순한 영어B의 해석입니다. 물론 글자 수 등의 변경은 있지만 기본적으로 같습니다. 제가 일하는 학교에서는 고교 1학년 때부터 히라가나 공부를 시작합니다. 영어B도 고교 1학년부터 알파벳을 공부한다는 전제 하의 테스트일까요. 물론 그렇지 않죠. 일본어B에 한정된 이야기는 아니지만, 영어B와 일본어B는 딴판입니다. 한쪽은 아마도 최소한 간단한 대화는 문제없이 가능한 수준(이라고 생각합니다. IB를 공부하는 학생이므로), 또 한쪽은 완전 기초인 히라가나부터 시작합니다. 이렇게 딴판인 양쪽을 획일적이고 융통성 없는 동일 기준으로 평가한다? 이 부분을 IB 관계자는 어떻게 생각하는지 묻고 싶습니다. 그리고 테스트의 형식 등도 의문입니다. 일기 쓰는 법까지 지도한다는 것은 이상한 이야기입니다. 날짜나 날씨를 명기하지 않으면 감점, 마지막에 자신의 기분을 쓴다...... 실제 일기를 쓰는 학생들은 거의 없고, 일기를 쓴 날이 맑은지 흐린지 아무래도 상관없다고 생각하는 사람도 있을 테고, 자신의 기분은 일기의 어느 부분에든 적을 수 있는 겁니다. 어쨌든 일기니까요. 이런 학습지도는 학생에 대한 쓸데없는 참견이라는 인상이 듭니다. 애초에 일기를 다른 사람에게 보여주고 평가받는다는 전제가 이상하지 않습니까. 대체 어느 누가 타인에게 보여준다는 전제 하에 일기를 쓸까요. 다른 언어의 경우는 모르겠지만, 일본어교육에서는 이런 '있을 수 없는' 연습과 테스트는 거의 하지 않는 것이 일반적이라고 생각합니다. 저는 현실에 있을 수 없는 상황을 설정해서 연습하는 것이 나쁘다고 말하는 게 아닙니다. 그렇게 주장하면 가정 하의 이야기는 할 수 없게 될 뿐만 아니라, 무엇보다 현실에서 있을 수 없는 상황을 상상하는 것도 무척 재미있는 일입니다. 그러나 정도라는 것이 있습니다. 이 텍스트 형식의 일기는 심한 것을 넘어서 뭔가 이성을 잃은 느낌입니다.(id 009)

- 언어B를 가르치는 교사 대상의 정기적인 연수(예: 온라인)를 늘리면 좋겠

습니다. 언어B: 지필시험1, 2, 소논문에 대해, 일본어로 적힌 교본과 교과서가 꼭 필요합니다.(id 010)

- 좀 더 정보를 공유하면 좋겠다. 워크숍을 좀 더 자주 열면 좋겠다.(id 011)
- 일본어교사들을 위해 좀 더 많은 워크숍과 연구모임을 열어주면 좋겠다. 자료를 일본어로 제공해주면 좋겠다.(id 012)
- 지역워크숍을 정기적으로 열어주면 좋겠다. 예전엔 2년에 한 번씩 있었지만, 최근 몇 년간 없음(id 013)
- 각 나라의 독특한 사정에 대한 부분을 좀 더 이해해주면 좋겠다. 예를 들면 일본의 서클활동은 CAS를 전부 포함하고 있다고 생각한다. 일본의 서클활동을 CAS로 인정하는 방향으로 검토해주면 좋겠다.(id 014)
- 불명(id 015)
- 새로운 프로그램으로 이행할 때 좀 더 일찍 변경된 내용을 현장에 전달해주면 좋겠습니다.(id 016)
- SSST(School-Supported Self-Taught, 학교 지원 하의 독학) 장르의 질문은 영어뿐 아니라 일본어로도 내주면 좋겠다. 경험이 없는 교사를 위해 예시 차원에서 몇 권의 책을 선정하고, 일본어로 지도안을 만들어주면 좋겠다.(id 017)
- IB학교가 늘고 있는 지역뿐 아니라 유럽에서도 정기적으로 워크숍이 열리면 좋겠습니다. 원고용지(原稿用紙)의 채용에 관해서는 훌륭한 결정을 내린 거라고 생각하며 감사하고 있습니다.(id 018)
- 소규모 워크숍, 그것도 일본인교사만을 위한 모임이 가장 필요하다고 생각합니다.(id 019)
- 유럽에 편중되지 않고, 항상 겸허하게 세상을 살피면서 교육의 중요성과 가능성을 고려하길 바란다.(id 020)
- 관료적인 대응은 개선되길 바란다. 실천적인 워크숍을 개최하길 바란다. 무엇이든 너무 비쌈(참가비 등)(id 021)
- 조직이 너무 커져서인지 기구(organization)의 질이 떨어지고 있다.(id 022)
- 일본어교과서 및 관련 교재를 출판하면 좋겠다. 일본어B(고급레벨, 표준레

벨)의 일본어 실러버스를 만들어주면 좋겠다. 초급외국어 가이드를 일본어 전용으로 내주길 바란다(시험의 상세한 규정 등을 명기해서).(id 023)

- 어쩔 수 없다고는 생각하지만 일본어A는 자료가 적어서 좀 더 많은 자료를 OCC(온라인 커리큘럼 센터)에도 게재하면 좋겠다.(id 024)
- 워크숍 참가비는 제발 조금 낮추길 바란다. IB에 관심 있는 사람에게 문을 넓혀주면 좋겠다.(id 025)
- 불명(id 026)
- 교사에 대한 요구를 가이드에 너무 세세하게 명기하지 않았으면 좋겠다.(id 027)
- 특별히 없습니다.(id 028)
- 일본어워크숍이 유럽에서 많이 열렸으면 좋겠다. 일본어 에세이와 교사의 설명, 그에 대한 채점결과의 샘플이 좀 더 많았으면 좋겠다.(id 029)
- 인터내셔널(international)이란 무엇인가. 우리학교에서도 종종 이슈가 된다. 자신이 생각하는 인터내셔널과 타인이 생각하는 인터내셔널의 정의가 다르기 때문이다. 영어로 말할 수 있다고 해서 인터내셔널인가. 자기 나라의 가치관을 강요하는 것이 인터내셔널인가. IB교사 자신은 어떻게 생각하고 있는가. IB 입장에서의 정의를 IB학교의 교원이 정확히 이해하고 지도할 수 있도록 명확히 하면 좋겠다.(id 031)
- 불명(id 032)
- 소규모라도 좋으니 다양한 장소에서 좀 더 자주 워크숍을 열어주면 좋겠다.(id 033)
- 웹사이트 검색이 쉬워지면 도움이 되겠습니다.(id 034)
- 불명(id 035)
- 불명(id 036)
- MYP의 언어A 워크숍을 다시 한 번 아시아에서 개최해주면 좋겠습니다. 3월에 워크숍에 갔지만 별로 도움이 안 되었습니다.(id 037)
- 공식적인 것이든 아니든 워크숍이 많으면 좋겠다.(id 038)
- 지금 생각나는 게 없습니다.(id 039)

- 불명(id 040)
- 웹상의 자료와 방법에 관한 정보에 자유롭게 접속할 수 있게 해주면 좋겠다(IB 교원이 아니면 접속할 수 없는 자료가 있다. OCC 등).(id 041)
- IB이므로, 졸업 후 학생이 해외 대학에 적응할 수 있도록 일본의 IB인정 학교들도 수년 후에는 영어(혹은 타 언어)로 수업을 실시하도록 일본의 교육기관에 요청하길 희망한다.(id 042)
- 일본어A, 특히 MYP의 일본어연수가 많아지면 좋겠다.(id 044)
- 일본어로 된 출판물이 있으면 좋겠다. 일본어B와 일본어A에 대한 텍스트가 필요하다.(id 045)
- 온라인상의 IBDP 일본어(A+B) 코스가 있다면 매우 편리하고 공부가 될 거라 생각합니다. 특히 일본의 문학작품과 그 배경에 대해 배울 기회(혹은 교수법을 배울 수 있는 기회)가 있으면 무척 도움이 될 듯합니다.(id 046)
- 불명(id 047)
- IB에서 발행하는 가이드의 일본어 번역이 좀 더 늘어나면 좋겠다.(id 048)
- 최근 늘어나긴 했지만, 일본어 번역자료가 더 많아지면 좋겠다.(id 049)

문21. 공적 지원에 대한 기대(자유기술)

- 없음(id 001)
- IBDP를 본격적으로 일본의 고교에 도입하려는 움직임이 시작된 만큼, IB 주최 워크숍을 여름방학 등에 일본에서 개최하도록 제안하는 IBO 일본지부 같은 공적 섹션이 마련되길 바랍니다. 그 섹션을 통해, 예를 들면 도쿄에서 열리는 자발적 연수모임(올 7월이 세 번째)이 공적인 것이 되면, 또 다른 IB 교과에서도 같은 형태의 모임이 가능해질 거라 봅니다.(id 002)
- 정기적인 워크숍 참석이 의무화되길(최소한 적극적인 참석 유도)(id 003)
- 불명(id 004)
- 앞으로도 IB 서류의 일본어 번역이 늘어나면 좋겠고, 일본어 과목의 과거 시험 배점표를 출판해주면 좋겠습니다. OCC 교사지원 서류도 일본어판이 필요하다고 생각합니다. 일본어 과목의 워크숍을 좀 더 늘려주면

좋겠습니다.(id 005)

- ?(id 006)
- 불명(id 007)
- 불명(id 008)
- 특별히 없음(id 009)
- IB프로그램 자체를 알게 된 것도 작년이라서 일본, 미국을 비롯해 다른 나라에서 배우는, 혹은 배웠던 학생들의 체험담 등이 알고 싶다. 그리고 구독 가능한 뉴스레터 같은 게 있으면 도움이 될 듯하다.(id 010)
- 불명(id 011)
- 교사연수회 개최(실천적인 소그룹으로). 교수법에 대한 상담(id 012)
- 젊은 교사 대상의 워크숍 개최(id 013)
- 정기적인 연수 참석(id 014)
- 불명(id 015)
- 공적 지원? 독일에서의 공적 지원 말씀인가요? 특별히 떠오르는 게 없습니다.(id 016)
- 온라인 IB교사양성코스 혹은 연수 등(일본에서 열리는 연수에 참석하고 싶지만 교통비 등으로 연간 수입 전액이 소요됨)(id 017)
- 불명(id 018)
- 불명(id 019)
- IB워크숍뿐 아니라 각종 연수회 참석이 좀 더 수월해지도록 원조해주면 좋겠다.(id 020)
- '공적'이란 무엇일까요? 말하자면 독일에 대해서인가요? 아니면 IBO에 대해서입니까? 질문의 의도를 모르겠습니다.(id 021)
- 특별히 없음(id 022)
- 인지도를 높여 IB의 성적으로 입학 가능한 대학을 늘리고, 또한 취직에서도 유리해지도록 정부와 기업에도 건의를. CAS의 봉사활동에 대한 자금원조 및 수용(id 023)
- 일본어자료도 서서히 늘고 있긴 하지만, 영어자료는 나에게 부담이 크므

로 번역 등의 적극적 지원책이 마련되면 좋겠다.(id 024)

- 일본정부 차원의 IB연수 지원. 향후 IB학교도 늘어날 것으로 예상되므로 연수기회의 충실을 기하기 위한 광범위한 지원을 기대함(id 025)
- 불명(id 026)
- 일본의 대학에 지원할 때 IB에 대한 이해가 교수들 사이에서도 별로 퍼져있지 않다는 느낌을 받았다. 많은 IB 졸업생에게 입시기회를 부여하여 일본 내 대학에서 원하는 공부를 할 수 있도록 해주면 좋겠다.(id 027)
- 지금은 특별히 생각나지 않습니다. 전국 수준, 지역 수준의 연수가 좀 더 빈번히 이루어지면 좋을지 모르겠습니다.(id 028)
- MYP와 IB의 연간 프로그램 예시 등을 알려준다면 처음 가르치는 교사들에겐 도움이 되지 않을까 생각한다.(id 029)
- 비주류 언어에 대해서도 워크숍과 공부모임이 자주 열리는 체제 조성. IB 일본어에 대한 지도와 접근법의 실천사례와 자료의 작성. 연수회 참가비와 교재비 등에 대한 지원(id 030)
- IB학교에 아이를 보내면서도 IB커리큘럼을 잘 모르는 학부모님들도 있으므로 학부모 대상 워크숍 같은 게 있으면 좋겠다고 생각함(우리학교에서는 교장선생님이 가끔 학부모 대상의 설명회를 열고 있다)(id 031)
- 불명(id 032)
- 개인지도를 하는 입장이라서 무리라는 건 알지만, 교재에 드는 비용에 대해 뭔가 지원이 있으면 매우 도움이 될 듯하다.(id 033)
- 이 공적 지원이라는 것은 어느 차원일까요(소속된 교육위원회, 주, 국가 등).(id 034)
- 워크숍 참가비 및 연수비 지원. 영어실력을 강화하기 위한 코스 설치 등(id 035)
- 연수비가 너무 비싸다.(id 036)
- 불명(id 037)
- 교원양성, 지도(id 038)
- 지금은 생각이 안 납니다.(id 039)

- 불명(id 040)
- 연수회에 참석할 기회, 재정(비용)적 지원(id 041)
- 공적 지원을 일본정부로부터 받는다면 ①IB 일본어교사의 질적 향상을 위한 연수 ②교과서 '인정'의 문제점을 인지할 것(id 042)
- 불명(id 043)
- 불명(id 044)
- 'IB교사'로서 정식 '인정'을 해주면 좋겠다.(id 045)
- IBDP의 언어A와 언어B의 일본어교사용, 혹은 학생용 참고서가 있으면 무척 도움이 되겠습니다. 일본의 문학작품 소개와 그에 관한 참고문헌 목록, 참고서 목록이 있으면 편하겠습니다.(id 046)
- 불명(id 047)
- 불명(id 048)
- 다른 나라의 IB학교에 견학 가서 공부하고 싶다.(id 049)

문22. 일본의 교육 전반에 대한 감상(자유기술)

- 내가 담당하는 일본인학생들의 문제점은 바로 영어실력이다. 일본어 외의 교과과정에서도 영어실력이 장애가 되어 공부시간 배분에 무척 제약을 받는다. 단어의 양뿐 아니라 논문 구성에 이르기까지 언어 간 표현의 차이를 극복하지 않으면 안 된다. 이런 문제점이 없는, 일본에서 시작되는 일본어 IBDP는 영어로 이루어지는 IBDP와 목적이 상당히 다를 것으로 이해된다. 일본어 IBDP론 해외의 대학입시 준비에 어려움이 따르지 않을까.(id 001)
- 저희 학교에 다니는 일본인 고교생들은 거의 문과학부 진학을 희망하기 때문에 다양한 입시형태를 비교적 쉽게 활용할 수 있는 대학을 목표로 하는 경향이 있습니다. 그러나 이과 지망인 학생들은 어떤 입시형태에 도전하든, 졸업 후 일단 일본에 귀국해 학원에서 입시공부를 시작하게 되는데, 거의 대부분이 일본 내 입시과목들의 높은 수준이라는 벽에 부딪치게 됩니다. 또한 IB 수학이나 IB 과학을 고급레벨로 선택한 경우라도,

대학에 합격한 후 1년차에 많은 학생들이 대학에서의 해당과목 공부를 따라가는 데 무척 고생을 합니다. IB 수학(고급레벨)과 일본의 이과에서 요구하는 레벨 간의 학습단위별 상관도 같은 표가 공적 기관에서 나오면 좋겠습니다. 일본 대학의 이과에 진학하는 학생들이 해외의 국제학교 재학 중에 해야 할 준비내용을 좀 더 착실하게 소개해줄 수 있는 믿을 만한 사이트의 정보가 필요합니다.(id 002)

- 오랫동안 무관하게 지내서 잘 모릅니다. 다만 최근 전해들은 대학입학시험에 대해선 큰 의문을 품고 있습니다. 일본의 학교공부는 영어, 수학, 국어가 중심이고, 그 주변에 사회나 과학이 있습니다. 전부 지식을 묻는 문제라고 이해하고 있습니다. 그걸 통해 의사소통능력, 문제해결능력이 어느 정도나 판명되는 걸까요. 그리고 미술, 연극, 음악 등 예술 관련 과목에 주목하지 않는 것도 큰 문제입니다. 개인의 표현을 아이들에게 요구하지 않는 세상은 걱정스럽습니다. 일본에 있는 일본 학교에 근무했었지만, 이제 돌아갈 일은 없으리라 생각합니다.(id 003)
- 일본의 일반 고등학교가 드디어 IB를 도입한다니 무척 기쁩니다. 물론 일본의 일반적인 고교교육과 다른 점이 많기 때문에 학교도, 교사도, 학생도 당황하는 일이 많겠지만, IB프로그램을 지도해온 교사로서, 그리고 일본인으로서 이 훌륭한 프로그램을 수강할 수 있는 일본학생들이 늘어나는 것은 무척 좋은 일이라고 생각합니다. 수년 전에 시도했던, 중국어 IBDP는 아직 확실한 형태로 자리 잡지 못한 듯하지만, 일본어 IBDP의 도입은 성공하길 바랍니다. 최근 수년 사이에 IB졸업학위를 제대로 평가해주는 일본 대학들이 늘어난 것을 기쁘게 생각합니다. 앞으로도 IB 졸업생이 일본에 있는 대학에 입학할 기회가 점점 늘어나길 바랍니다.(id 004)
- 국제학교의 부모들로부터 종종 "일본은 언제 바뀔까요"라는 질문을 받습니다. 문부과학성의 IB학교 200개교 달성 시도는 매우 좋다고 생각합니다. 물론 실제 도입과 실현에는 상당한 시간이 걸릴 거라 생각합니다. IB에만 의지하지 말고 현재의 일본사회와 국제적인 상황에 대응 가능한,

독자적이고 종합적인 교육법을 개발하는 것이 중요하다고 생각합니다. 그리고 일본의 의무교육의 장점을 유지하면서, 사회와 국제정치에 관한 개인의 의식 함양이 필요하다고 생각합니다. 더 나아가 필요한 위험을 짊어지는 법과, 그 결과와 가능성에 대처할 수 있는 해결책을 모색하는 방법을 육성하는 것도 중시해야 합니다. 그러기 위해선 교사들을 대상으로 책임감과 일하는 방식도 지도해야 합니다. 이런 것들을 고려하면 대학입시제도개혁과 일본에서의 교원연수에 비용과 시간을 투자할 필요가 있다는 사실은 명확해진다고 생각합니다.(id 005)

- 말단의 수업을 아무리 개선해도 목표가 전부다. 공립중학교 교원시절에 느꼈지만 아무리 학생들에게 논리력과 에세이 작성, 토론기술을 가르치려고 해도 입시에 합격하지 못하는 학생으로 키워버린다면 누구도 행복해질 수 없다. IB는 시험에 합격하기 위해 필요한 능력이 그 자체로 살아가는 능력, 국제사회에서 필요한 능력이 된다.(id 006)
- 교사로 일하면서 한편으로 NPO(항공우주청소년협회)를 설립해 청소년의 국제교류를 지원하고 있는데, 영어를 할 줄 아는 학생을 찾는 게 힘듭니다. 영어권 이외의 청소년도 매년 500명 이상이 참가하는데 영어로 말할 줄 아는 17-21세 사이의 일본인을 쉽게 찾을 수 없습니다. 나머지 20개 가맹국에는 이런 문제가 거의 없습니다. 대표자가 모이는 기획회의에서 이 이야기를 해야 하는 것에 대해 언제나 일본인으로서 창피함을 느낍니다. 일본의 교육은 어떻게 된 것인가, 하는 질문이 쏟아집니다. 상기의 프로그램은 2주간인데, 여름방학에도 서클활동에 매여있는 일본의 고교생들에겐 2주도 너무 긴 듯합니다. 해외의 학교에서 여름방학은 휴가기간이기 때문에 학교행사가 없습니다. 그런 부분도 외국에선 이해하기 힘든 점입니다. 여름방학 시기도 시작이 너무 늦어서 프로그램 참가에 지장이 생기는 것은 일본뿐입니다.(id 007)
- 우리학교에 다니는 대부분의 일본인이 다른 나라 학생들보다 오래 ESL(제2언어로서의 영어코스)을 수강하며, 특히 1단계와 2단계에 몰려 있습니다. 이 레벨로는 거의 다른 과목을 수강할 수 없으므로 학습 면에선 무척 편

중될 거라 생각합니다. 그리고 대체로 14세 이상의 연령이 되어서 IB를 이수하는 학생들 중 다수가 영어실력이 부족해서 최종적으로 IBDP를 선택하지 못하고 과목별 평가증명서를 받습니다. 이 현상을 보면 일본에 IB 학교가 생긴다고 해도 상당히 이른 시기부터 영어에 숙달되도록 교육을 하지 않으면 아주 어려울 거라 생각합니다.(id 008)

- 일본의 교육은 주입식이라고 미디어에서 여러 비판을 하는 걸 듣습니다. 반면에 북유럽의 학교교육에 대해서는 비판이라곤 없이 이상적인 교육 내용이라는 이야기만 들려옵니다. 북유럽의 교육처럼 바뀌면 좋겠다고 생각하는 부분도 없지는 않지만, 그건 그 나름대로 틀림없이 부정적인 측면이 있다고 생각합니다. 결국 문제는 있어도 그 문제를 품은 채 지금 이대로 가는 수밖에 없다고 생각합니다. 기본적으로는 도쿄대 등이 실시하는 가을입학이나 IB 도입 등은 좋은 시도이지만, 일부의 변화에 불과하다고 생각합니다.(id 009)
- 불명(id 010)
- 시험에서 점수 받는 걸 너무 중시해서 개인의 상상력을 키우거나 생각하는 힘을 키워주는 교육을 하지 않는다. 논문 작성법을 고등학교 과정에서 가르치지 않는다.(id 011)
- 학생의 의사소통능력을 키워주는 교육을 하길 바란다. 지금과 같은 교육하에선 사회와 세계에서 일어나는 일에는 그다지 관심이 없고 입시만 생각하는 자기중심적이고 무책임한 학생들이 키워진다. 그것은 일본사회의 문제와도 연결돼 있다. 입시제도는 고교 3년의 성적과 시험을 갖고 평가하면 되고 대학입시는 필요 없다. 대학의 교육내용을 재고(再考)하고, 교수의 교수법과 연수를 철저히 해야 한다. 지금 이대로라면 학생은 수업에 들어가지 않거나 해외 대학을 선택하게 될 거라 생각한다.(id 012)
- 일본 대학에 IB를 제대로 알렸으면 좋겠다. 즉, IB학위는 대학입학자격이라는 인식. IB학위를 취득했는데 다시 대학입시 준비를 위해 학원에 가야 하는 지금의 상황은 학생의 시간적 부담, 학부모의 금전적 부담이 크다. 해외에서 도중에 일본의 공립(사립도?)고등학교에 편입할 때

중학교 수료증명서가 필요한 경우가 있다. 국제학교에 오는 일본인학생은 그것 때문에 8학년 중간에 일본인학교로 전학해 졸업자격을 딴다. 귀국자녀 전형 학교들이 함께 해외 국제학교를 돌면서 설명회를 열어주면 좋겠다. 이것은 대학도 마찬가지다. 해외에는 그런 정보가 적기 때문이다.(id 013)

- IB보다 일본의 교육이 훌륭한 부분은 40대 1이라도 수업이 가능하다는 것, 즉 비용 대비 효과가 큰 부분이다. 그리고 행사 등이 많아서 학습적인 면 이외에 체험을 많이 쌓을 수 있는 부분이다. 학문이라는 관점에서 보면 IB는 거의 이상형이라고 생각한다. 다만 일본에서 IB를 그대로 도입한다면 재정이 파탄날 것이다.(id 014)
- 물론 아카데믹한 지식과 능력을 익히는 것은 기본적인 부분이며 매우 중요하지만, 아이들이 친절하고 성실한 태도로 자신의 문제와 사회문제에 관심을 갖고 해결해가려는 인간으로 성장하길 바랍니다. 그것은 학교교육만으로 가능한 게 아니라 가족과 지역사회와의 접촉도 무척 중요하지 않을까 생각합니다. 학교와 학교 이외의 활동을 통해 많은 경험과 체험이 가능한 사회환경이 만들어지고 또 계속 이어지길 바랍니다.(id 015)
- 일본의 교육현장에서 10년 이상 떨어져 있어서 현재의 상황은 잘 모르지만, 일본의 교사는 업무부담과 서클활동 등 교과지도 이외의 것에 시간을 너무 빼앗기는 듯합니다. 그래서 교사들은 여유가 없고, 그런 교사가 좋은 수업을 하기는 힘들지요(물론 제 경우엔 조금 거친 공립중학교에 근무해서 야간순찰이나 가정방문 등 학생지도에 할애해야 하는 부분이 보통의 경우보다 많았을지 모릅니다). 다만 교사 입장에선 부담이지만, 담임이 학생의 가정상황을 포함해 모든 것을 파악하는 구조는 좋다고 생각해요. 수업을 시작할 때 제대로 인사를 나누고, 학생이 교실이나 화장실을 스스로 청소하게 하는 등 공부 이외의 것을 가르치는 것도 좋다고 생각해요. 이렇게 말하는 저 자신은, 여자화장실 청소감독을 맡아 대청소 때 학생들과 함께 청소하는 게 너무 싫었지만요. 지금 생각해보면 소중한 교육의 일부입니다.

일본의 학교에는 문화제나 체육대회, 구기종목대회 등 동료의식을 키워 주는 행사가 있다는 것도 좋은 점 같아요. 교사로서는 일이 늘어나서 힘들지만, 학생 입장에선 좋은 추억이 되지요. 이런 교실 밖에서의 활동이 교실 안에서의 공부보다 중요하고, 졸업 후 학교생활을 떠올릴 때 좋은 추억이 되지요. 입시제도에 대해서는 단 한 번의 테스트로 합격/불합격이 결정되는 것엔 의문이 듭니다. IB의 커리큘럼은 좋다고 생각합니다. 다만, 그 형태 그대로 일본의 학교문화에서 수용 가능할지는 의문입니다.(id 016)

- 일본의 학교는 한 반에 학생이 40명으로 작문첨삭은 도저히 불가능합니다. 개인 프레젠테이션은 더더욱 어렵습니다. 국어수업 준비보다 학생지도에 시간이 너무 많이 듭니다. IBDP를 가르치기 시작하고 나서, 일본문학에 대한 지식이 저에게 얼마나 부족한지 새삼 깨달았습니다.(id 017)
- 일본의 학교에서도 IB교육이 시행될 모양이네요. 일본의 학교도 변하고, 일본의 아이들이 받는 수업도 바뀌길 바랍니다. 현실적으로 지금 바뀌고 있는 것도 많은 듯합니다. 일본의 여러 학교가 저희 학교를 방문해서 이야기하는 것을 들어보면 그런 점을 느낄 수 있습니다.(id 018)
- 제가 아는 한 서서히, 진짜 의미에서의 국제화가 진행되고 있는 느낌입니다. 특히 대학 수준에서요. 동양적 학력주의가 결코 나쁜 것은 아니지만, 개인을 존중하는 서구사회에 살다 보니 일본사회에서 대학생이 아니면 사회인이 아닌 듯 여기는 사회분위기나 풍조는 바람직하지 않다고 생각합니다. 사회의 전반적 구조가 바뀌지 않으면 일본의 교육문제는 개선되지 않을 겁니다.(id 019)
- 아직도 지식 편중의 악폐에서 벗어나지 못하고 있다. 대학입시도 마찬가지로 학생에게 요구하는 능력과 세계가 필요로 하는 능력 사이에 커다란 간극이 있다. 눈앞의 지식을 따지기보다, 근본적으로 살아가는 힘, 지적 능력을 키우는 것에 중점을 둔 입시 및 학습내용에 대해 진지하게 생각했으면 좋겠다. 그런 의미에서 IB커리큘럼 및 평가방법에서 배울 점이 많을 것이다.(id 020)

- IB 도입을 진지하게 고려한다면 우선 교원양성에 힘을 써야 할 것입니다. 중앙집권에 의한 일방적 요구에 따라 개혁하기란 어렵습니다. 재택학습(홈스쿨링)도 포함해 좀 더 자유화할 필요가 있지만 힘들지 않을까요.(id 021)
- 일본 교육문제의 핵심은 대학입시의 형태라고 생각한다.(id 022)
- 영어교육도 시작한 지 얼마 안 됐지만, 일본은 아직 세계를 향해 열려 있지 않다. 그 원인은 언어의 장벽이 커다랗게 가로막고 있어서라고 생각한다. IB를 일본어로 취득할 수 있게 된다고 하는데, IB의 국내 보급과 더불어 일본인의 영어실력을 키우는 데도 역할을 했으면 좋겠다(실천적 영어실력). 입시의 방법도 이제 재고해야 할 시점이 아닌가. IB에서 실시하는 것과 같은, 대학의 공부로 이어지는 논문형식을 많이 도입하거나, 일본의 센터시험(대학입시)처럼 1년에 한 번 기회를 주는 방법보다는 재학 중에 하나의 교과에서, 예를 들면 구두발표와 논문, 지필시험 등 다각적으로 테스트하고 그 합계로 종합학력을 평가하는 편이 좀 더 학생의 실력을 신장시킬 수 있지 않을까.(id 023)
- 일본의 여러 대학에서도 입시전형으로 IB를 수용하고 있지만, 여전히 IB와 센터시험이 함께 부과되고 있어 현실적으로 어려운 부분이 많다. 센터시험에서 고득점을 받을 수 있는 수업은 IB에서 실시하기 어렵다는 점을 이해하길 바란다.(id 024)
- 어쨌든 일본의 학교교육은 지식을 주입하는 입시교육에 편중돼 있습니다. 그 점을 타파하는 의미에서도 IB교육은 '교육이란 무엇인가?'를 생각해보게 하는 중대한 시금석이 된다고 생각합니다. 생애를 응시하면서, 학습의 모습에 대해 생각하는 데도 IB는 중요한 교육모델의 하나가 되리라고 생각합니다.(id 025)
- 일본 전체가 성적지상주의에서 하루빨리 벗어나 학생 한 사람 한 사람의 배움을 지지할 수 있는 사회가 되었으면 좋겠다. 다양한 시점에서 대학입시의 문호를 열고, 출구를 엄격하게 하는 편이 학생 입장에선 배움의 의욕을 높여갈 수 있다고 생각한다. IBDP와 일반적인 입시의 양립은 학습

내용이 너무 동떨어져 있고 솔직히 너무 힘들기 때문에 IBDP의 가치를 좀 더 인정해주면 좋겠다. IB졸업학위 점수만으로도 대학에 들어갈 수 있는 제도를 고려해주면 좋겠다. 또 IB교사들의 업무량은 학교의 근무시간 내 끝낼 수 있는 양이 아니다. 수업 이외의 것들이 너무 많아서 수업준비가 불충분하기 십상이므로 좀 더 생각할 시간과 여유가 필요하다.(id 026)

- 일본의 문학교육은 교과서를 봐도 짤막한 작품들이 이어지는 구성으로, IB 일본어A처럼 소설을 10여 편 종합적으로 읽고 작자의 연보에 비추어 보거나, 타 작품과 비교하는 다이내믹한 학습방법은 아닐 거라고 생각한다. 내 입장에선 후자 쪽이 이해도 깊어지고 재미도 있다. 그리고 일본의 입시는 전반적으로 '암기' 중심이라 학생 스스로 생각해서 적고 논하는 방식이 아니다. 연령면으로 봐도 학생들에게 요구되는 능력은 후자가 아닐까.(id 027)
- 일본의 교육, 특히 입시는 지식 중심이라고 생각합니다. 사람을 중심으로 보는 AO(Admissions Office, 면접과 지원이유 등을 묻는, 우리나라 학생부종합전형과 비슷한 형태-옮긴이) 입시가 채용되는 대학도 있지만, 센터시험의 점수가 모든 것을 결정하고, 학생의 생각과 사고력, 표현력 등이 발휘되는 장이 적다고 생각합니다. IB를 도입하면 교사의 부담은 커질지 모르지만, 세계에 내놓아도 부끄럽지 않은 학생을 키울 수 있지 않을까요. 일본에서 가장 필요한 인재는 논리적으로 생각할 수 있고, 자신의 의견을 당당하고 논리정연하게 서술하여, 상대를 납득시킬 수 있는 사람이라고 생각합니다. 많은 학교가 IB를 채택하길 바랍니다.(id 028)
- 일본의 국어과목에는 상대방의 기분을 생각해보게 하는 교재가 많은 듯하다. 무슨 말이냐 하면, 자기 자신이 중심이라는 뜻이다. 그것도 나름 중요하다고 생각하므로 소중히 여기면 좋겠다. 또 일본의 국어에서 부족한 것은 사물을 비판적으로 보는 눈을 키우는 학습이다. 일본에서 막 온 학생들은 교재에 대해 일단은 긍정적으로 보려는 경향이 있다.(id 029)
- 대학입시는 어렵지만 졸업은 쉽기 때문에 대학시절에 진지하게 공부하거

나 연구에 몰두하는 학생이 적은 것이 일본의 현실이다. 대학시절은 학생들이 사회에 나갔을 때 실제로 도움이 될 스킬을 쌓을 기회인데, 그 기회를 활용하지 않고 그냥 흘려보내는 것은 무척 안타까운 일이다. 일본의 교육에선 지금까지 지식을 키우는 일에 힘을 쏟아왔지만, 앞으로는 좀 더 다방면에 문제의식을 가지고 과제와 여러 현상에 대해 성찰하고, 그것을 어떻게 자기 언어로 표현하고 상대방에게 전달할 것인가, 하는 커뮤니케이션 스킬을 익혀 세계인을 상대로 대등하게 자기 의견을 전달할 수 있는 인재로 키워나가야 할 것이다. 글로벌한 세계에 대한 대응이 필요해진 시점이므로(id 030)

- 일본의 교육은 사회변화와 더불어 여러 변화가 일어나고 있는 듯하다. 교육 관련 기사에선 종종 글로벌화라는 용어가 등장한다. 요즈음엔 더 나아가 슈퍼글로벌(super-global)이란 말까지 나온다. 뭔가 엄청난 교육개혁이 있을 듯한 뉘앙스다. 하지만 실제로 어떤 일이 일어나고 있는지는 막상 와 닿는 게 없다. 국제사회에서 생존할 수 있는 힘을 키울 필요성은 커지겠지만, 다문화와 영어를 이해하는 것과 동시에 확실한 일본어를 쓰는 능력과 일본적인 화합, 그리고 배려의 마음은 그 근저에 확고하게 뿌리내리고 있으면 좋겠다.(id 031)
- 아이들이 이탈리아에서 받는 교육(IB가 아니다)에서는 말하는 법과 쓰는 법을 똑같이 중시한다. 그런 교육이야말로 장래에 타인에게 자신의 의견을 논리적으로 확실히 전달하고, 의견이 다른 사람을 배척하지 않고, 서로 존중하면서 이야기를 나눌 수 있는 훈련이 될 것이다. 내가 일본에서 받은 읽기·쓰기 중심의 교육은 그 부분이 부족해서 외국에서 생활할 때 나름 고생했는데, 그것은 어학 이전에 필수적인 스킬이라고 생각한다. 일본에서도 그런 부분에 중점을 둔 교육이 확산되면 좋겠다.(id 033)
- IB의 철학은 학생이 뚜렷한 목적을 갖고 명확하게 자신의 주장을 펼칠 수 있는 능력의 개발에 초점을 둡니다. 학생들은 독자적이고도 창의적으로 생각할 수 있게 되지요. IB의 이러한 철학과 일본의 입시는 완전히 동떨어져 있습니다. IB 도입의 배경은 어떤 것일까요(공부가 부족해 죄송합

니다). 입시가 바뀌지 않으면 일본의 교육은 바뀌지 않습니다. 일본에서 IB가 도입되고, 그 영향으로 대학입시가 바뀌는 데까지 간다면 좀 더 깊이 있게 사고하는 인간이 키워지지 않을까요.(id 034)

- 주입식 교육이기 때문에 사람들 앞에서 자기표현이나 자기주장, 의견교환, 토론을 잘 하지 못하는 점은 단점일 것이다. 반면에 주입식 교육이기에 수업 방해 등이 벌어지지 않고, 학습환경 또한 나쁘지 않다. 학력 위주로 판단되는 입시제도는 문제라고 생각한다. 면접을 통해 개개인을 알아가면서 각 학생의 가능성을 끌어낼 수 있지 않을까. 또 영어교육은, 의사소통능력보다는 대학입시준비를 위한 것인 듯하다.(id 035)
- 내신은 필요 없다. 성적은 전부 투명하게 처리해야 한다. 답이 없는 교육도 해야 한다. 계산기를 사용하는 수업도 해야 한다. 입학의 문은 넓히고, 졸업 기준을 엄정하게 해야 한다. 교수와 교사가 더 공부해야 한다. '인간이란 무엇인가'를 좀 더 성찰하는 학습이 필요하다(이지메, 자살과 관련해서).(id 036)
- 일본의 대학에서 IB 인지도가 커지는 것을 매우 기쁘게 생각합니다. 앞으로의 일본 교육계에 필수적인 프로그램이라고 생각합니다. 지금의 일본학생들은 모두 자리에 앉아 칠판에 적힌 걸 열심히 옮겨 적습니다. 적혀 있는 내용을 복사하는 형태의 교육에선 당연히 아이들의 창조성과 사고력이 키워질 수 없을 겁니다. 좀 더 많은 일본의 선생님들이 IB워크숍에 참석해서 그 프로그램의 훌륭함을 느끼시면 좋겠습니다.(id 037)
- IBDP에서 2년간 열심히 공부해도 IB점수를 활용할 수 있는 일본 대학의 수는 얼마 안 됩니다. IB졸업학위를 받아도 소논문을 쓰거나 다시 입시준비를 해야 하니 학생 입장에서는 무척 힘들지요.(id 040)
- 일본의 교육에는 교원 간 학습모임이나(일본의 학교문화로서) 학생 한 사람 한 사람을 소중히 여기는 풍토 등 좋은 점이 많다고 생각한다. 그러나 교원-수업의 획일화(전체적인 수준을 끌어올리기 위한 규칙)가 진행되어 스킬이나 테크닉(PC, 문서처리) 등의 수준은 높아진 반면, 교원 자신의 사고방식이나 인간성의 경직화가 진행되고 있다. 베이비붐 세대라 불리는 선생님

들이 가지고 있던, 인생의 본질적인 면을 추구하는(문학이면 문학) 역량이 나 자세가 사라지고 있다(나 또한 그런 교육을 받았고, 이는 판단하기 쉬운 테크닉과 스킬로 평가되기 때문이다).(id 041)

- '학교의 교풍, 역사, 지도법 등의 차이보다 성적으로 학교를 평가'하는 교육환경 속에서 각 학교의 개성을 살릴 기회가 줄어들고, 결국 학생들의 개성을 존중할 기회가 줄어드는 점은 매우 안타까운 일이라고 생각한다. 또한 다양한 직업전문교육이 좀 더 중시되고 평가되어야 할 것이다(전문학교는 결코 공부를 못해서 일반 학교에 가지 못한 학생들이 모이는 장소가 아니다).(id 042)
- 귀국자녀에 대해 너무 관대하다.(id 043)
- 4월 입학과 귀국자녀의 입시 타이밍에 개선할 점이 있다. '글로벌'이라 불리는 것에 비해 내용은 여전히 국내용이라는 느낌이다.(id 044)
- IB점수로 들어갈 수 있는 대학이 더 늘어나고, 어떤 대학에 몇 점이면 들어갈 수 있는지 명확하게 제시되면 좋겠다. IBDP와 대학의 연계에 대해 좀 더 잘 이해할 수 있는 출판물이 나오면 좋겠다.(id 045)
- 불명(id 046)
- 불명(id 047)
- 강의 형식의 수업(선생님의 판서내용을 노트에 옮겨 적는 시간이 자기 의견을 말하는 시간보다 긴 수업)이 좀 더 쌍방향의 형태로 바뀌면 좋겠다고 생각한다.(id 048)
- 개인적으로는 일본의 교육에도 훌륭한 점이 있다고 생각합니다. 특히 초등학교 교육은 평생의 재산이라고 생각합니다. IB는 확실히 공부할 양이 많긴 하지만, 일본의 학생들에게도 잘 맞지 않을까요. 일본학생들은 암기는 물론이고 많은 과제를 처리하는 정신력도 갖고 있고, 창의력도 나름 풍부합니다. 자신의 의견을 말하지 못한다는 지적도 있지만, 저는 그렇게 생각하지 않습니다. 어느 나라든 자기 의견을 확실히 말할 수 있는 학생이 있는가 하면 말하지 못하는 학생이 있습니다. 이런 훈련이나 기회의 빈도가 많아질수록 점점 성장해갈 수 있습니다. 저는 일본어B(표준레벨·고

급레벨)와 일본어 TOK의 IB워크숍 리더인데, 양쪽 다 틀림없이 미래에 아이들에게 도움이 될 내용이라고 확신합니다. 그래서 미력하나마 지금 근무하는 국제학교의 학생들은 물론, 일본의 학생들에게도 도움이 될 수 있다면 기꺼이 그 역할을 하고 싶습니다.(id 049)

문23. 성별

성별	도수(명)	퍼센트(%)	유효 퍼센트(%)	누적 퍼센트(%)
남성	5	10.2	10.2	10.2
여성	44	89.8	89.8	100.0
합계	**49**	**100.0**	**100.0**	

문24. 현재 살고 있는 나라

국가	도수	퍼센트	유효 퍼센트	누적 퍼센트
미국	3	6.1	6.1	6.1
네덜란드	2	4.1	4.1	10.2
벨기에	1	2.0	2.0	12.2
프랑스	2	4.1	4.1	16.3
이탈리아	2	4.1	4.1	20.4
스위스	3	6.1	6.1	26.5
영국	2	4.1	4.1	30.6
독일	5	10.2	10.2	40.8
말레이시아	1	2.0	2.0	42.9
인도네시아	1	2.0	2.0	44.9
싱가포르	3	6.1	6.1	51.0
태국	2	4.1	4.1	55.1
일본	15	30.6	30.6	85.7
한국	1	2.0	2.0	87.8
베트남	1	2.0	2.0	89.8
중국	4	8.2	8.2	98.0
타이완	1	2.0	2.0	100.0
합계	**49**	**100.0**	**100.0**	

문25. 연령

연령	도수	퍼센트	유효 퍼센트	누적 퍼센트
26-30세	2	4.1	4.1	4.1
31-35세	2	4.1	4.1	8.2
36-40세	16	32.7	32.7	40.8
41-45세	9	18.4	18.4	59.2
46-50세	5	10.2	10.2	69.4
51-55세	6	12.2	12.2	81.6
56-60세	3	6.1	6.1	87.8
61세 이상	5	10.2	10.2	98.0
불명	1	2.0	2.0	100.0
합계	**49**	**100.0**	**100.0**	

4장

IB 수강자의 그 후

4-1

수강자 조사-
IBDP 수강 전부터 졸업까지

이와사키 구미코

1. 조사 목적

IB 수강자 조사는 2004년부터 2006년까지 당시 암스테르담 국제학교, 뒤셀도르프 국제학교, 파리 국제학교에 다녔던 고교생을 대상으로 실시한 것이다. 이미 10년 이상 세월이 흐른 과거의 데이터지만 여기에 재수록하는 이유는 지금 시점에서도 앞으로 IB를 수강할 학생들의 공감을 살 만한 내용이라고 판단했기 때문이다. 수강자 조사는 2004년에 IBDP(고등학교프로그램)를 시작한 학생을 대상으로 2년에 걸쳐 수강 직전, 수강 도중, 그리고 종료 시까지 3회에 걸쳐 인터뷰를 하고 추적조사를 실시했다. 그에 따라 IBDP를 수강하는 동안 어떤 심리적 변화가 있었는지, 그리고 최종적으로 어떤 능력을 획득했다고 실감하는지를 명확히 하는 것을 목적으로 했다. 아울러 2004~2006년의 3년간 각각의 국제학교에서 IBDP를 수료한 졸업생들에게도 질문지 조사를 의뢰했다.

2. 조사 방법

(1) 연구1: 국제학교 졸업 시 조사

암스테르담 국제학교, 뒤셀도르프 국제학교, 파리 국제학교에서 IBDP를 수강한 학생을 대상으로 2004년, 2005년, 2006년 6월의 졸업 시점에서 질문지 응답을 요청했다. 각 연도의 졸업생에게 질문지 조사를 실시한 이유는 IB 수강자의 총 수가 한정적인 상황에서 양적 조사로서 일정 이상의 응답 수를 확보하기 위해서였다. 그렇기 때문에 다른 연도이긴 하지만 IB학위 수료 시점(통상은 학교 졸업 시)에서 연령층이 동일하다는 공통의 조건 아래 집계처리를 진행했다.

질문지 조사는 각 학교의 IB 일본인교사가 인터넷으로 배포, 회수(일부 직접 건네고 우편으로 회수)하는 방식을 취했다. 응답 수는 2004년에 25명 중 19명으로 회수율은 76.0퍼센트, 2005년에 19명 중 15명으로 회수율은 78.9퍼센트다. 2006년엔 25명 중 23명의 응답을 얻어 회수율은 92.0퍼센트다. 전체 응답 수는 57로, 회수율은 82.6퍼센트, 무효응답 1이 있었기 때문에 유효응답 수는 56이다(도표4-1-2 참조).

2006년도는 연구2의 인터뷰 조사 대상자와 동일하며, 필자와 직

도표4-1-1 **조사의 개요**

	조사대상자	조사 방법	조사 시기
연구1: 졸업 시 조사	IBDP 수강자 최종학년(12학년) **56명**	특정시점·최종학년 조사 질문지 조사	1회 2004년(6월 졸업생) 2회 2005년(6월 졸업생) 3회 2006년(6월 졸업생)
연구2: 추적조사	동일 코호트 (2004년 9월 현재 11학년, IBDP 수강자) **25명** (내수 1명은 IBDP 자퇴, 외수 3명은 귀국)	추적조사 및 인터뷰 조사	1회 2004년 9월 2회 2005년 9월 3회 2006년 6월

도표4-1-2 **졸업 시 조사(연구1) 대상자 내역**

학교명	연도 (년)	대상자 수 (명)	응답자 수			회수율 (%)
			남	여	계	
암스테르담 국제학교	2004	8	2	1	3	37.5
	2005	2	2	0	2	100.0
	2006	3	3	0	3	100.0
뒤셀도르프 국제학교	2004	8	2	1	3	37.5
	2005	2	2	0	2	100.0
	2006	3	3	0	3	100.0
파리 국제학교	2004	12	5	6	11	91.7
	2005	15	8	3	11	73.3
	2006	15	6	7	13	86.7
합계		**69**	**31**	**26**	**57**	**82.6**

주1: 회수율은 응답자 수/대상자 수

주2: 응답자 수 57 가운데 무효 1, 유효응답 수는 56이다

도표4-1-3 **추적조사(연구2) 대상자 내역**

학교명	성별		합계	비고
	남	여		
암스테르담 국제학교	3	0	3	외수(外数): 1명(여) 귀국
뒤셀도르프 국제학교	2	5	7	내수(内数): IB 사퇴 1명(여) 포함
파리 국제학교	6	9	15	내수: 1명 신규, 외수: 2명(여) 귀국
합계	**11**	**14**	**25**	

도표4-1-4 **질문지 조사와 인터뷰 조사 대상자의 관계**

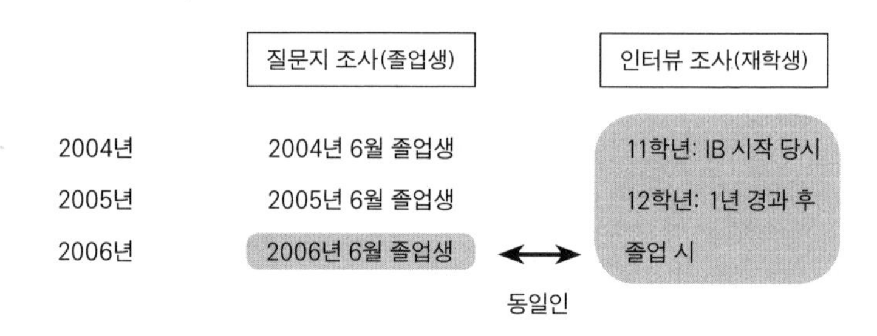

접 접촉한 학생들이 있어서 높은 수치를 나타낸다. 다만 1명의 응답에 대해선 부족한 부분이 많아서 무효응답 처리를 했기 때문에 분석 대상은 22명이다. 학교별, 남녀별 대상자 수는 도표4-1-2에 표시한 대로다.

(2) 연구2: 동일 코호트 추적 조사

양적 조사를 보완하기 위해 동일 코호트를 특정하여 IB 시작 때부터 졸업 시까지 인터뷰 조사에 의한 추적조사를 실시했다. 코호트는 2004년 9월에 11학년이 되어 IBDP를 시작한 학생으로 2004년 9월 개시 때, 2005년 9월의 1년 경과 시, 그리고 2006년 6월 수료 시의 3회에 걸쳐 인터뷰를 실시했다. 인터뷰 시간은 1인당 45분(수업이 비어 있는 시간 충당)을 상정, 인터뷰는 대략적인 내용을 정하고 청취하는 반구성적(semi-structured) 면접법을 따랐다.

대상자는 암스테르담 국제학교가 4명, 뒤셀도르프 국제학교 7명, 파리 국제학교 17명으로 합계 28명이다. 다만, 암스테르담 국제학교 1명, 파리 국제학교 2명이 중간에 귀국했기 때문에 최종적으로 추적조사가 가능했던 것은 25명이다. 그중 뒤셀도르프 국제학교의 1명은 IBDP를 도중에 그만두었지만 인터뷰는 계속해서 실시했기 때문에 내수(內数)가 되었고, 다른 학생들과 마찬가지로 질문지 조사도 병행해서 실시했다. 2006년의 질문지 조사 대상자는 동일 코호트 추적조사자와 동일하다.

인터뷰 조사자에 대해서는 부친의 직업, 부모의 학력, 본인의 학교 이력(일본/외국, 공립/사립, 외국의 경우 현지 학교, 일본인학교, 국제학교 등)도 함께 질문했다. 간략히 소개하면, 부친의 직업으로는 상사, 제조업, 항공사, 은행이 많고, 모친은 부친의 부임으로 함께 오게 된 전업주부다. 부친의 학력의 특징으로는 게이오, 와세다, 도시샤 등 사립대 출신이 많다는 것이다.

본인의 학교이력을 정리한 것이 도표4-1-5다. 많은 학생이 초등학교 입학 전후로 적어도 1회 이상 해외 경험을 했고, 인터뷰 대상이 됐을 때는 두 번째 해외생활인 경우가 많았다. 그리고 일부는 일본에 귀국하지 않고 외국에서 외국으로 이동한 경우다.

도표4-1-5 **인터뷰 대상자의 학교이력**

No	식별번호	성별	학교 이력
1	암스테르담 국제학교1	남	네덜란드(4-8세 현지유치원), 일본인학교(1년간)→일본(지바, 오사카[4년간], 공립 초·중학교)→네덜란드(암스테르담 국제학교)
2	암스테르담 국제학교2	남	일본(출생-2세까지 오키나와, 초등학교 1학년까지 효고, 초등학교 5학년까지 오사카, 중학교 1학년까지 미야자키, 중학교 3학년까지 요코하마, 전부 공립 학교)→네덜란드(일본인학교, 암스테르담 국제학교)
3	암스테르담 국제학교3	남	미국 로스앤젤레스 근교(유치원-초등학교 4학년까지 현지 학교[5년간])→일본(하마마쓰, 초·중학교 2학년까지 공립학교)→네덜란드(암스테르담 국제학교)
4	뒤셀도르프 국제학교1	여	미국 미시간(출생-5세까지)→일본(요코하마, 공립초등학교 4학년까지)→미국 미시간(현지 중학교[2년간], 토요일 일본인보습학교)→독일(중학교 1학년부터 뒤셀도르프 국제학교)
5	뒤셀도르프 국제학교2	여	일본(초등학교→중학교 2학년까지 사립여자학교)→독일(일본인학교에서 중학교 수료, 고등학교부터 뒤셀도르프 국제학교)
6	뒤셀도르프 국제학교3	여	독일(1세-초등학교 2학년까지 현지 유치원·일본인학교)→일본(가나가와 현 공립초등학교)→독일(초등학교 6학년·중학교까지 일본인학교, 고등학교 1학년부터 뒤셀도르프 국제학교
7	뒤셀도르프 국제학교4	여	미국 뉴욕(3-5세까지 현지 유치원, 초등학교 3학년까지 현지 학교, 토요일 일본인보습학교)→일본(공립초등학교, 중학교→독일(중학교 3학년, 9학년 여름부터 뒤셀도르프 국제학교)
8	뒤셀도르프 국제학교5	여	멕시코(4년간 현지 유치원)→일본(유치원, 공립초등학교·중학교·고등학교[고등학교 3개월])→독일(뒤셀도르프 국제학교)
9	뒤셀도르프 국제학교6	남	홍콩(20개월부터 5세까지 현지 유치원)→일본(요코하마, 공립초등학교 3학년까지[3년간])→싱가포르(초등학교 3학년부터 일본인학교)→홍콩(초등학교 4-5학년 일본인학교)→일본(초등학교 6학년-중학교 3학년까지 요코하마, 공립초·중학교)→독일(뒤셀도르프 국제학교)
10	뒤셀도르프 국제학교7	남	일본(도치기, 도쿄, 이바라키)→독일(초등학교 5학년부터 중학교 3학년까지 일본인학교, 그 후 뒤셀도르프 국제학교)
11	파리 국제학교1	남	프랑스 파리(3세부터 초등학교 3학년까지 현지 학교, 일본인학교로 전학해 중학교 수료, 그 후 파리 국제학교)
12	파리 국제학교2	남	일본(나고야)→스웨덴(중학교 1학년부터 예테보리 국제학교[3년간])→프랑스(10학년부터 파리 국제학교)
13	파리 국제학교3	여	캐나다(3개월-2세/3세-9세 현지 학교)→나고야(고등학교 2학년까지 사립중·고등학교 국제부)→파리(고등학교 2학년부터 파리 국제학교)
14	파리 국제학교4	남	미국 텍사스(오스틴, 출생부터 5세까지)→프랑스(초등학교 1학년까지 파리 국제학교)→미국(국제학교)→프랑스(4년 전부터 파리 국제학교)
15	파리 국제학교5	여	일본(오이타, 기사라즈, 초등학교 3학년까지 공립초·중학교)→미국(초등학교 4학년부터 중학교 중간까지 일본인학교)→벨기에(일본인학교와 국제학교)→프랑스(11학년부터 파리 국제학교)

16	파리 국제학교6	여	싱가포르(유치원까지[4년간])→일본(오사카)→프랑스(중학교 3학년 8월부터 파리 국제학교)
17	파리 국제학교7	남	일본(공립초등학교 2학년까지 야마나시, 중학교 1학년까지 도쿄)→프랑스(7학년부터 파리 국제학교)
18	파리 국제학교8	남	일본(오사카)→프랑스(일본의 고등학교 1학년부터 파리 국제학교)
19	파리 국제학교9	여	오스트레일리아 시드니(5세부터 7세까지 현지 유치원, 초등학교)→일본(나리타)→나고야(6학년부터 중학교 2학년 공립초·중학교)→프랑스(파리 국제학교)
20	파리 국제학교10	여	일본(오사카)→프랑스(14.5세부터 현지 학교[3년간])→11학년부터 파리 국제학교)
21	파리 국제학교11	여	일본(도쿄)→프랑스(3세부터 9세, 현지 유치원, 초등학교 EAB 1-2학년)→도쿄(공립초·중학교)→프랑스(EAB 8학년→파리 국제학교 9학년)
22	파리 국제학교12	여	일본(요코하마, 공립중학교 2학년까지)→프랑스(파리 국제학교)
23	파리 국제학교13	여	일본(요코하마)→그리스(유치원 2년 반)→사우디아라비아(유치원부터 일본인학교 3학년까지)→일본(오사카, 가나가와, 사이타마)→프랑스(8학년부터 파리 국제학교)
24	파리 국제학교14	남	프랑스(파리, 10세부터 현지 학교→10학년부터 파리 국제학교)
25	파리 국제학교15	여	일본(도쿄, 공립초등학교 4학년까지)→파리(일본인학교[2개월], EAB 10학년)→일본(1년 반 국립대학원부속고등학교)→프랑스(파리 국제학교)

주: EAB: École active bilingue(파리에 있는 사립학교)
응답자 본인의 표기를 바탕으로 하기 때문에 일부 정합성이 부족함

3. 조사 결과

(1) IB에 대한 이미지 변천사: 시작 시/ 도중/ 종료 시

2년에 걸친 3회의 인터뷰 조사(연구2)에서 학생들의 IB에 대한 이미지 변천사를 추적했다. 조사 대상자 가운데 몇 명을 선별해 2004년 9월의 IB 개시 시점, 2005년 9월의 1학년 종료 시점, 그리고 2006년 6월

의 졸업 시점까지 3회의 응답내용을 소개한다.

응답들을 유형화해보면, '목표지향형', '몰입형', '회의형'의 세 가지로 분류된다.

첫 번째 유형인 도달점에 목표를 두는 '목표지향형'에 속한 학생은 사례1부터 사례3까지다. 끝난 직후의 성취감, 대학입학, 인생의 통과의례처럼 목표에 도달하기까지 시간의 길이는 다르지만, 그 수단으로서 IB를 바라보고 있다. 역시 대학입학을 위해 IB를 수강하고 있다는 것이 많은 학생들의 진짜 속내인 듯하다.

사례1: 목표지향형[싫지만 대학입학을 위해 수강](암스테르담 국제학교/재학생2/남)

2004년

- 저보다 한 살 위인 선배들 중에는 IB를 선택하지 않은 사람이 많습니다. 이유는 역시 힘들기 때문이라고 들었습니다. IB를 공부하던 한 선배는 할아버지가 돌아가셔서 몇 주간 일본에 갔다가 돌아왔는데, 따라갈 수 없었다고 합니다. 대개는 중간에 그만둡니다. IB는 공부가 힘들기 때문에 그만큼 대학에 들어가기 쉬울 거라는 기대가 있습니다.

2005년

- 11학년 때보다 갑자기 많이 바빠졌습니다. 말하자면, 해야 할 게 너무 많습니다. 이렇게까지 열심히 하고 있으니 대학에 들어갈 때 IB 성적이 도움이 되면 좋겠습니다. IB 자체가 도움이 된다기보다는 지금 하고 있는 공부와 지식이 어쨌든 취직활동 등에 도움이 되지 않을까 생각합니다. 솔직히 IB 공부는 즐겁지 않습니다.

2006년

- IB가 시작됐을 때는 막연히 'IB가 뭐지' 하는 심정이었고, IB에 대해 아는 게 전혀 없었습니다. 12학년이 되고 올해 1월에 모의시험을 보니 공부를 열심히 하지 않으면 힘들겠다는 생각이 들었습니다. 저의 성적표를 보고 나서 하게 된 생각입니다만.

사례2: 목표지향형[생각만큼 힘들지 않음. 성취감](뒤셀도르프 국제학교/재학생1/여)

2004년

- 10학년 때 IBDP를 마친 선배한테 '성취감이 있다', '외국대학에 들어가는 데 유리하다'고 들었습니다. 정말로 힘들어지면 그만두리라 생각했습니다. 하지만 가능한 한 계속해보고 싶었습니다. 숙제 양이 장난이 아니라는 생각이 듭니다. 올해 들어 독일인 전학생이 많이 늘었습니다. 독일인 중엔 IBDP를 수료하기 위해 오는 학생이 많습니다. IB를 선택하는 이유는 제 자신의 능력을 키우기 위해서입니다.

2005년

- 작년에도 같은 말을 한 듯한데, 일단 목표에 도달하는 것이 목적입니다. 생각보다 바쁘네요. 그럴 거라 각오는 했지만요. 그렇지만, 뭔가 훨씬 더 힘들 거라고 생각했었습니다.

2006년

- IB는 처음 시작할 때 '힘들겠다' 생각했지만, 공부 한 가지만 놓고 보면 그렇게까지 힘들지는 않습니다. 애초에 힘들겠다는 생각밖에 없었기 때문인지 그다지 갭(gap)은 크지 않네요. 오히려 IB를 하면서 즐거웠습니다. 아마 모두들 끝까지 해낼 수 있을 거라고 생각합니다.

사례3: 목표지향형[통과의례이자, 자랑거리](파리 국제학교/재학생7/남)

2004년

- IB는 개인의 능력을 끌어내주는 프로그램이며, 지필고사처럼 '문1부터 문10까지 답하시오' 같은 것은 아니에요. 자신의 의견을 말하고, 서로의 생각이 전혀 달라도 그 나름의 생각에 대한 평가가 주어집니다. 그 점이 좋습니다. IB는 더 큰 것을 이루기 위한 통과의례라고 생각합니다.

2005년

- 앞으로 IB가 더욱 인기를 끌지도 모르고, 그때 '난 IB 땄다고!' 말할 수 있다면 자랑거리겠지요. IB가 어렵다고 들었기 때문에, 과연 어떨까 생각하면서 11학년이 됐어요. 막상 11학년이 지나고 보니 '그렇게까지 어렵지는 않은데'라고 생각되는 부분이 있습니다. 물론, 제가 여유 있게 받을 수 있는 수업이었다는 뜻은 아니에요. 생각했던 것보다 의외로 쉽게 핵심까지 도달할 수 있었어요. 저는 성적이 좋지는 않지만, 합격선 부근에 있다고 생각합니다.

2006년

- IB의 좋은 점은 일본에서의 일반 시험과 달리 개개인의 능력을 키워주는 부분입니다. 제가 좋아하는 부분을 특화해서 성장시켜주는 게 IB의 장점이라고 생각합니다. 일반적인 입시공부와는 다른 경험을 할 수 있지요. IB를 한다는 게 어떤 의미에서는 자신감으로 연결됩니다.

두 번째 유형은 눈앞의 것을 성취하는 동안 프로그램 종료에 이르렀다는, '몰입형'이라 불리는 학생들이다.

사례4: 몰입형[어느새 끝](뒤셀도르프 국제학교/재학생4/여)

2004년

- IB는 힘들고 바쁘다고 들었습니다. 솔직히 아무런 기대가 없습니다. IB를 선택하지 않는 사람들이 있는 건, 일본 대학에선 필요가 없기 때문이라고 생각합니다.

2005년

- 솔직히 말해서, 작년엔 생각만큼 바쁘지 않았습니다. 정말로 정신없이 뛰어다니는 느낌일 거라 짐작하고 있었지만, 그렇지 않았어요. 계획대로만 하면 숙제도 제때 마칠 수 있었고요. 날마다 다르긴 하지만, 공부는 12시 정도까지 하고 있습니다. 단점으로는 IB를 선택하지 않은 아이들에 비해 자유시간이 적다는 것입니다. 그리고 이건 개인적인 얘기지만, 저는 스케줄이 맞지 않아서 독일어수업을 못 들었는데 IB를 선택하는 학생에겐 무리였어요. IB에 기대하는 것은 생각하는 능력입니다.

2006년

- 처음엔 '중간에 그만둬도 되니까 한번 해보자' 하는 심정으로 시작했는데, 어찌어찌 마지막까지 왔다는 느낌이 듭니다. 그만두지 않았으니까요. 과제가 계속 주어지기 때문에 마지막엔 정말 힘들었지만 나름 저력이 생긴 것 같아요. 어떻게든 눈앞에 주어진 과제를 해내야 한다는 식으로 접근하다 보니 어느새 끝이 나서 짧다는 생각도 들고, 드디어 끝났다고 생각하니 길었던 것도 같고 그렇습니다.

사례5: 몰입형[눈앞의 것 하다 보니 2년](파리 국제학교/재학생2/남)

2004년

- IB는 45점 만점 가운데 24점을 받으면 합격한다고 들었습니다. 과제논문(Extended Essay, EE)을 써야 한다거나, 다소의 고생은 고생도 아니라는 생각이 들 거라는 언질도 있었습니다. IB에 기대하는 건 자신감입니다. 대학에 들어가서 어려운 과제가 주어져도, 'IB도 해냈으니 이 정도는 할 수 있다'는 자신감을 키우고 싶어요.

2005년

- 해보니 정말 힘듭니다. 과제물이 많고, 전문용어가 많아서, 그걸 하나하나 이해하는 게 벅찹니다. 날마다 집에 오면 과제를 해야 하니 '후' 한숨 돌릴 여유도 없어요.

2006년

- 최근 2년간 여러 가지 일이 너무 많아서 처음의 느낌을 잊어버렸어요. 무척 힘들었습니다. 산적한 과제물을 처리하면서 수업내용을 복습하거나 예습하거나, 공부에 푹 빠져 지낸 2년이었다고 생각합니다. 반복해서 과제물 얘기를 하게 되는데 정말로 많았기 때문에 다른 생각을 할 여유가 없었고, 눈앞의 일들을 하나하나 처리하다 보니, 어느새 2년이 지나 있었다는 느낌이 듭니다.

세 번째 유형은 일본의 교육과 비교해 IB의 교육효과를 회의적으로 보는 학생으로, '회의형'이라 칭한다. '회의형'은 교육에 대한 의식이 높고 상대적으로 성적 우수자로 인정된다.

사례6: 회의형[일본에서의 몰이해가 걱정, 시간관리의 어려움](암스테르담 국제학교/재학생3/남)

2004년

- 생활패턴이 엉망이라서 힘듭니다. 이 학교는 닥치는 대로 해내야 할 정도로 숙제가 많을 때도 있어요. 밤에는 '공부해야 되는데'라는 걱정도 많이 합니다. 밤을 새우지 않으면 안 돼요. 내일, 모레 있을 시험을 생각하면 우울해질 때도 많았습니다. 그런데도 IB는 일본에서 일부밖에 이해받지 못해요. 시간적 제약은 있지만, 실은 IB 이외의 다른 공부도 해보고 싶다는 생각이 듭니다. IB에서 무엇을 배우고 싶은가 하면, 직업과 연결되는 것들입니다.

2005년

- 무척 불규칙한 생활을 하고 있습니다. 예를 들면 밤에 잠자는 시간이 언젠지 몰라요. 심할 때는 오후 4시나 5시에 잠들어버려서, 밤낮이 뒤바뀐 생활을 하거나 반대로 너무 늦은 시간인 오전 3시나 4시까지 깨어있어요. 특히 과제 마감일에 그렇지요. 계획적으로 하지 않으면 어느새 그런 패턴이에요. 저는 시간관리가 무척 서툰 편인데, IB는 시간관리를 잘 못하면 상당히 힘들어요.

2006년

- 과연 일본보다 수준이 높은 것을 선택했을까, 싶습니다. 지금 일본의 참고서를 보면 풀지 못하는 문제투성이고, 최근엔 '이 정도로 못하면 곤란하지 않을까' 생각합니다. 예를 들면 일본 교과서의 미적분 같은 것도 어려운 문제는 못 풀어요. IB는 일본의 암기식과 달리 대중화할 수 있는 게 아니고, 어느 정도 톱클래스, 일본의 학교에서도 상위 4분

의 1 정도밖에 해낼 수 없지 않을까 하는 느낌이에요.

사례7: 회의형[일본의 입시공부에 비해 편함](뒤셀도르프 국제학교/재학생2/여)

2004년

- 일본에서 입시공부를 하는 아이들에 비해 지금 하는 공부의 양은 아주 부족하다고 느껴요. 국립대학을 목표로 하는 일본 학생들 중엔 매일 학원에 가고 토요일에도 8시간씩 공부하는 아이들이 있을 거라 생각합니다. 그에 비해 우리는 IB학위를 취득하지 않아도 좀 더 쉬운, 귀국자녀 전형이라는 걸 이용해 와세다나 게이오대학에 들어갈 수 있잖아요. IB에는 아무런 기대가 없어요. IB학위가 있다는 것은, 이해할 수 있을지 모르겠지만 제가 해야 하는 건 공부니까 그다지 다를 건 없다고 생각해요. 게다가 IB학위를 취득한다고 해서 대단한 건 아니죠. IB를 해냈다는 성취감이란, 엄청난 고생을 하면 끈기가 좋아진다고 할까, 노력할 수 있게 된다는 정도의 의미라고 생각합니다. IB를 그만두는 경우도, 사실 사람에 따라 여러 이유가 있는 듯합니다. 예를 들면, 선배 중에 그림을 그리고 싶어 했던 선배가 있었는데, IB를 계속하면 그림을 그릴 수 없다고 했어요. 자기가 가고 싶은 미대에 IB는 필요없으니까요. 이런저런 이유로 다른 것을 하고 싶다는 사람도 있습니다.

2005년

- 힘들기는 해도 듣던 만큼은 아니랄까요. 평범하게 학교에 가서 수업을 듣고 시험을 치르면, 그것으로 IB학위를 받을 수 있는 거잖아요. 제 입장에선 왜 모두가 취득하지 않는지 모르겠어요. 1교과만 더 하면 되는 건데요. 그 다음 고급레벨과 표준레벨을 결정하고요. 그렇다면 SAT를 고

민하느니 이걸 해버리는 게 낫지 않을까 생각해요. 내가 바쁘게 하는 것일 테지만, 매번 숙제가 많이 나오니 그걸 해내는 데 점점 피곤해져서 그냥 잠자코 따라가게 돼요. 그것이 결과적으로 바쁜 이유가 되지요.

2006년

- 힘들다, 힘들다, 들었지만 그 정도로 어렵지는 않았어요. 물론 힘들었지요. 그렇지만 잠을 못 잘 정도는 아니었어요. 앞으로 뭔가를 적어낼 때 'IB학위 취득'이라고 쓸 수 있으니, 미래에 도움이 되지 않을까 생각하고 있습니다.

IB프로그램 수료 때 다시 한 번 수강하겠는지 그 의향을 묻는 질문지 조사를 3년치 집계해본 결과, 60퍼센트가 '수강하겠다'이며, '수강하지 않겠다'와 '모르겠다'는 각각 20퍼센트였다(도표4-1-6). 다시 수강하겠다는 학생들이 직접적으로 IB프로그램을 긍정한다고는 할 수 없지만, 재수강을 희망한다는 응답 중 많은 경우는 IB학위 취득까지의 과정에서 인간적으로 성장한 점과 프로그램의 내용에 대한 긍정을 그 이유로 들고 있다. 그 외에도 성취감·충실감, 학위, 대학입시의 유리함 등이 거론되었다.

도표4-1-6 **재수강 의향을 묻는 질문에 대한 답변**

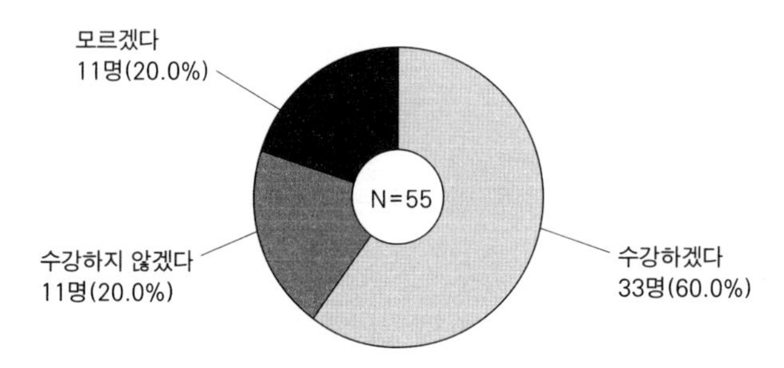

이하는 질문지 조사에서 재수강을 희망한다고 응답한 학생이, 그 이유로 자유기술한 내용이다.

능력·인간적 성장

- 사고력, 성찰력, 표현력, 문제해결력, 어학능력. 지금 내가 키워야 한다고 생각하는 능력을 키울 수 있기 때문에
- 배울 점이 많기 때문에. IB의 학업스타일이 '생각을 하게 한다'는 점에 방점을 찍고 있어서 지식의 양은 부족한 부분도 있지만, 학습한 내용을 다양한 일상에서 활용하는 능력을 키울 수 있다. 그런 이유로 다시 한 번 기회가 주어진다면 이상적인 상태에서 여러 과목의 실력을 향상시키고 싶고 충분히 그럴 수 있을 거라 본다.

성취감·충실감

- IB를 선택해서 너무 즐거웠고 배운 것도 많았다. IB학위를 취득한 것을 후회하지 않는다. IB를 선택하지 않았다면 더 즐거운 일이 많았을 거라고 단언할 수도 없다. 그리고 IB학위를 취득하기까지 무척 바빴지만, 그 과정 역시 즐겁고 성취감이 있었다. 선택하지 않을 이유가 없다.
- IB를 통해 귀중한 것을 엄청나게 얻을 수 있었고, 도전하는 것은 좋은 일이라고 생각하므로

자격·대학입시에 유리

- IB학위를 취득하기까지 그 기간은 무척 가혹했지만 그것을 이겨냄으로써 나 자신에 대한 자신감이 생겼기 때문에. 그리고 IB학위를 취득하지 않았으면 지금 다니는 대학에 수월하게 들어올 수 없었을 것이다.

점수에 대한 불만에서 재도전

- 내 점수에 만족하지 않는다. 미국의 SAT는 토플과 마찬가지로 몇 번이나 시험을 볼 수 있는데 IB는 왜 안 되나, 하는 의문이 든다.
- 2년밖에 공부를 할 수 없는데 첫 1년은 영어 때문에 너무 바빴다. 다시 한 번 할 수 있다면 어학에 대한 불안감이 전보다 적을 테니 수업에 대한 이해도가 달라질 거라 생각한다.
- 좀 더 좋은 점수를 받을 수 있을 거라 생각하므로
- 정신력이 강해진 덕분인지, 재수강 때는 강한 의지로 도전할 수 있을 것 같다. 그리고 한 번 해본 것이니까, 다음번엔 시간을 허비하지 않고 잘 쓸 수 있을 것 같다.
- 일단 IBDP를 마친 후라면 IB라는 자격을 취득하기 위한 전체적인 '흐름'이 손에 잡혀 있으니 시간 배분이나 공부 등 부족했던 부분을 보충할 수 있다고 생각하기 때문에

참고로, '수강하지 않겠다'고 답변한 학생은 '충분히 능력을 쏟아냈다', 혹은 '이제 충분하다' 등 긴장감 유지가 힘들다는 점을 이유로 들고 있다.

(2) 인상 깊은 교과

학생들은 6개 과목군에서 각각 1과목씩을 선택하고 그중 3~4과목을 고급레벨, 나머지를 표준레벨로 수강한다. 여기서는 인상 깊은 과목으로 언급한 것을 발췌, 게재한다(과목명은 2004~2006년 당시. 현재의 과목명과 상세 내용은 '1-1 IB커리큘럼의 개요'를 참조할 것).

그룹1(제1언어):

거의 전원이 제1언어로 일본어A1(A레벨은 모어 혹은 그에 준하는 고도의 언어능력)을 고급레벨로 선택했다. 미국 태생인 한 명만 영어A1을 선택했다.

[일본어]

- 일본인이 일본에서 배울 수 없는 것들도 많습니다. 『호조키』(方丈記, 가마쿠라 시대의 것으로 일본의 3대 수필 중 하나-옮긴이), 『오쿠노호소미치(奥の細道)』, 아베 고보, 미시마 유키오의 『금각사』 등을 한 페이지, 한 페이지 상세히 정독할 일은 기본적으로 없지 않을까요(파리 국제학교/재학생14/남).

그룹2(제2언어):

거의 전원 영어B(B레벨은 외국어로서 배운 적이 있는 수준)를 고급레벨로 선택했다. 앞의 제1언어에서 영어A1을 선택한 학생은 불어B를 고급레벨로 선택했다. 같은 영어B라고 해도 영어권의 해외 경험자와 그렇지 않은 학생이 혼재해 있어서 영어실력의 차이는 큰 걸로 보인다.

- 예상했던 것보다 수준이 낮다는 느낌이 드네요. 올해부터 12학년은 ESL이 없어져서 모두 뒤섞여 있는데, 같은 반에 외국인이면서 영어를 무척 잘하는 학생이 한 명 있었어요. 상대적으로 너무 못하면 차이가 많이 나니까 수업을 듣기 어렵지 않을까 생각합니다(뒤셀도르프 국제학교/재학생6/남).

참고로 그룹6의 선택과목으로, 영어B(고급레벨 1명), 프랑스어B(고급레벨 3명), 초급독일어(표준레벨 1명)를 선택한 학생들이 있다.

그룹3(개인과 사회):

'비즈니스와 경영학', '경제학', '지리학', '역사학', '이슬람역사학', '글로벌 사회의 정보공학'(표준레벨 한정), '철학', '심리학', '사회 및 문화인류학' 중에서 선택. 인터뷰 대상자가 이 그룹에서 가장 많이 선택하는 과목은 '지리학'(고급레벨 1명, 표준레벨 10명), 이어서 '역사학'(표준레벨 6명), '심리학'(표준레벨 4명), '경제학'(고급레벨 1명, 표준레벨 4명), '글로벌 사회의 정보공학'(표준레벨 1명)이다. 그룹6에서의 선택과목과 합산했기 때문에 총 수는 인터뷰 대상자 25명보다 많은 수치를 보인다.

[지리]

- 현장조사차 스페인에 갔습니다. 한 가지는 바르셀로나 거리를 실제로 걸으면서 어디에 낙서가 많은지 분류하는 과제였습니다. 데이터를 내고 그것을 토대로 무엇을 말할 수 있을지 검토했습니다. 두 번째는 해변인데, 예를 들면 파도가 바람에 밀려 오면 자갈들이 어떤 움직임을 보이는지, 실제로 보고 데이터를 뽑아서 조사해보기 위해 인공해변을 만들었어요(암스테르담 국제학교/재학생2/남).

[역사]

- 역사는 여러 책을 읽고 조사해서 리포트를 쓰는 방식이기 때문에 책 한 권을 완전히 읽는 건 불가능합니다. 제가 필요로 하는 부분만 찾아서 읽으면 돼요. 이번 과제를 위해 빌린 책은 8권 정도네요. 미국 도서관이나 여기(파리 국제학교) 도서관에서 책을 빌리거나 인터넷으로 조사해봅니다(파리 국제학교/재학생12/여).

[심리학]

- 심리학의 학습이론 부분에서, 음악이 인간의 기억력과 어떤 관계가 있는지 실험을 해봅니다. 구체적으로 음악을 들려주고 '이 부분을 암기

하시오'라고 합니다. 그리고 5분 후에 '다시 한 번 들어보시오'라고 합니다(뒤셀도르프 국제학교/재학생1/여).

• 심리학 같은 주제에 대해, 숙제로 원서 20쪽을 불쑥 읽어오라고 건네주면 '헉' 소리가 절로 납니다(뒤셀도르프 국제학교/재학생7/남).

[경제]

• 경제학은 미시경제학이 끝나고 거시경제학을 학습하고 있는데, 예전에 암스테르담의 슈퍼마켓 업계의 시장조사를 했습니다(암스테르담 국제학교/재학생1/남).

• 12학년까지 했던 것 중 경제학의 국내총생산(GDP) 부분이 가장 재미있었습니다. 세계의 1인당 GDP를 비교하면서 10개국 정도 암기했거든요. 역시 개발도상국은 낮고, 일본과 미국은 높아서 수치상으로 보면 빈부격차가 정말 크다는 걸 알게 됐습니다. 실제로 가보지 않으면 얼마나 가난한지 알 수 없겠지만, 수치를 보면 '이만큼이나 차이가 나는구나' 하는 점을 객관적으로 알 수 있지 않을까요(암스테르담 국제학교/재학생1/남).

그룹4(실험과학):

그룹4의 과목으로는 '생리학', '화학', '물리학', '환경시스템'(표준레벨 한정), '디자인공학'이 있다. 조사 대상자의 선택 내역은 '화학'(고급레벨 6명, 표준레벨 8명), '생리학'(고급레벨 2명, 표준레벨 8명), '물리학'(고급레벨 4명, 표준레벨 6명)이다. 이과 과목은 비교적 언어의 영향이 적어서인지 그룹6의 선택과목 중에서 정하는 학생도 많다.

[화학]

• 일본은 어떤지 모르지만 IB의 화학은 뭔가 정해져 있는 부분을 편중

되게 선택하는 듯한 생각이 듭니다. 예를 들면 의학적 화학이라든가. 배우는 분야는 적은데 문제가 어려워요(암스테르담 국제학교/재학생3/남).

[생물]

- 올해 5월에 지리와 생물 과제 때문에 영국 웨일즈에 가서 실험을 5종류 정도 했습니다. 그런 실험이 가능한 시설에 일주일간 머무르며 그곳에 있는 교사의 안내를 받아 강이나 숲에 가거나 바다에 가서 뭔가를 측정하고 조사하고 그랬어요. 가서 실험하지 않으면 리포트를 쓸 수 없으니까요. 강에선 오염도를 조사하고, 바다 쪽 모래언덕에 가서 바다에서 점점 멀어질수록 식물의 종류가 어떻게 바뀌는지 알아보고, 숲에 들어가서 나무의 생장방식을 살펴보고, 이끼가 자라는지 어떤지 확인해보는 것 등이요. 생물을 선택한 학생은 조사하고 싶은 주제를 정해 하루 동안 실험을 하고 난 후 작성한 보고서가 IB점수에서 가장 중요하다고 들었습니다(파리 국제학교/재학생9/여).
- 생명공학을 선택했는데, 유전자를 다른 박테리아에 넣어 그것을 인간에게 감염시키면, 그 박테리아로 하여금 일을 하게 해서 일시적으로 병을 낫게 할 수 있다는 이야기를 들었습니다. 아버지께 그 이야기를 했더니 "최첨단 이야기다. 대단하다."라는 반응을 보이셨어요. 나중엔 다운증후군의 구조도 배웠고요(파리 국제학교/재학생3/여).

[물리학]

- 예를 들면 블랙홀 같은, 문득 머릿속에 떠오른 것을 질문하면 선생님이 뭐든 대답해주셨어요. 그런 게 정말로 재미있었습니다. 제너럴일렉트릭(GE)에서 근무하다 나중에 선생님이 되신 분이었습니다. 전공은 아마 '레이저' 관련이었던 거 같은데, 정말로 다양한 것들을 알고 계셨습니다(파리 국제학교/재학생1/남).

그룹5(수학과 정보처리학):

수학은 필수과목으로 '수학연구'(표준레벨), '수학'(표준레벨), '수학(고급레벨)', '고등수학'(고급레벨)이 있다. 고급레벨의 '수학'과 '고등수학'은 합쳐서 10명, 표준레벨의 '수학'은 13명, '수학연구'는 2명이다.

- 완전암기라면 완전암기 방식인데, 수학은 일본 쪽 수준이 높아요. 그래서 여기 수학을 선택한 아이들도 일본에 가면 수학이 매우 어렵다고 느낍니다(파리 국제학교/재학생8/남).
- IB밖에 하지 않았기 때문에 일본의 교육과 비교하는 것은 불가능하지만, 수학의 경우를 예로 들어보겠습니다. 더스카치하우스(영국의 의류브랜드. 일본에도 매장이 다수 있다-옮긴이)의 스노우플레이크(눈송이) 문양, 즉 정삼각형의 각 변에서 가운데 3분의 1씩을 잘라낸 후, 전체적으로 별모양이 되도록 잘라낸 부분에 같은 길이의 변 두 개를 바깥쪽으로 모서리가 생기게 연결합니다. 그 결과 최종 모양은 어떻게 되는지, 둘레의 길이가 얼마나 되는지, 면적은 어떻게 되는지 계산합니다(파리 국제학교/재학생1/남).

그룹6(예술과 선택과목):

'미술', '음악', '연극' 과목이 있는데, 그룹5의 수학을 제외한 그룹1부터 그룹4까지에서 한 과목을 선택할 수도 있다. '미술'(고급레벨 5명, 표준레벨 2명), '음악'(표준레벨 2명) 이외의 나머지 16명은 그룹1부터 그룹4까지에서 한 과목을 선택했다.

[미술]

- 미술을 선택한 학생들은 이탈리아의 피렌체와 로마를 4박 일정으로 방문해서 도시 곳곳에서 사생을 하거나 미술관을 둘러보았다고 합

니다(파리 국제학교/재학생9/여).

- 전시회까지 작품이 완성되지 않아서 마감하는 게 힘들었습니다. 스스로 주제를 정하고 거기에 초점을 맞추어 만들어가는 것이었는데, 저는 오렌지주스의 과즙을 주제로 정했습니다. 미술실에서는 그림도구를 사용해 밤 8시까지 작업을 하고, 집에서는 PC로 병의 라벨을 만들곤 했습니다(파리 국제학교/재학생12/여).
- 제가 만든 것은 날개의 부조(浮彫)였습니다. 주제는 먼저 동화 같은 것에서 발상을 시작했지만, 너무 광범위해서 일단 떠오르는 대로 '천사'를 정해놓고, 거기서 어떻게 할지 고민하다 미술관에 갔습니다. 여기 미술관은 기독교 계열의 그림이 많아서 수많은 천사그림을 보며 '와, 많다'라고 생각하다 날개를 떠올리게 됐습니다. 작품에는 잡화점에서 파는 인공날개를 붙였습니다(파리 국제학교/재학생6/여).
- 테마는 쉽사리 정하지 못했지만 착각, 환상, 속임수그림 같은 것으로 최소한의 작품 수를 간신히 채워 전시회를 열었습니다. 전시회를 할 때 뭔가 '해냈다'라는 성취감을 느꼈습니다. 일본에서는 전문학교에 가지 않으면 그만큼 깊이 있게 경험해볼 기회가 없다고 생각합니다. 일반적인 6교과 중 하나로 선택한 것에 비해서는 내용 면에서도 깊이가 있었다고 생각합니다(파리 국제학교/재학생9/여).

[음악]

- 진짜 하고 싶은 사람 6명만 모여 있으니 뭔가 토론회 같은 느낌이 들어 무척 흥미가 생겼습니다. 이번 5월에 볼 시험은 CD에 들어 있는 다섯 가지 음악을 듣고 곡의 구성과 음악적 하모니, 음악의 역사와 어떻게 맞물려 있는지 분석하는 것입니다(파리 국제학교/재학생4/남).

요건1 과제논문(Extended Essay, EE)

- 심리학 과목에서 동성애와 우울증의 관계를 조사하고 있습니다. 일설에는 동성애자가 우울증에 빠지기 쉽다는 설과, 반대로 우울증인 사람이 동성애 같은 특수한 방향으로 나아가기 쉽다는 설이 있습니다. 제가 내린 결론은, 동성애인 사람은 우울증에 걸리기 쉽지만, 직접적인 관련이 있는 게 아니라, 무언가 인과관계는 있다는 것입니다. 선생님께 무척 칭찬받았어요(뒤셀도르프 국제학교/재학생4/여).

요건2 지식론(Theory of Knowledge, TOK)

- 얼마 전엔 정치에 대해 이야기를 했습니다. 정치에 참여할 수 있는 것은 독일에선 18세부터라고 하는데 정말로 그렇게 정해도 되는 걸까, 예를 들어 나이로 정하거나, 학력으로 정하거나, 아니면 다른 기준을 설정하는 편이 좋은가, 라는 이야기를 나눴습니다(뒤셀도르프 국제학교/재학생4/여).
- 생각한다는 것은 무엇인가, 인간은 어떤 식으로 생각하는가, 이성과 감정은 어떤 식으로 사람의 인생에 영향을 미치는가, 또는 사람의 인생에서 환경이 사물을 판단하는 데 어떤 식으로 영향을 미치는가 등등 인간이 평소 무의식적으로 하고 있는 행위에 대해 생각하는 것이 TOK입니다. 기본적으로는 재미있었어요. 개인적으론 '아, 이렇게 생각할 수도 있구나'라는 걸 느꼈고, 많은 공부가 되었습니다(파리 국제학교/재학생14/남).
- 석유회사 광고는 어느 정도 신뢰할 수 있을까를 조사했습니다. 공신력 있는 타임지에 실리는 것이기 때문에 어느 정도 사실을 포함하지 않으면 신뢰성을 잃을 수 있으므로 잘못된 정보를 내보내지는 않는다고

생각합니다. 다만, 통계 데이터라는 게 다소 과장된 건 아닌지 조사해 본 것입니다(파리 국제학교/재학생13/여).

요건3 창조성·활동·봉사(Creativity·Activity·Service, CAS)

- 창조성에서는 '노래하는 16'(Singing 16)이라고, 선생님, 학생, 학부모가 함께하는 합창단 활동을 하는데 교내에서 점심시간에 30분만 노래하는 것이라서 그걸 선택했습니다. 그리고 봉사는 한 달간 탄자니아에 가서 3주 동안 아이들을 가르치고, 나머지 일주일은 사파리와 킬리만자로 관광을 했습니다. 참가비가 상당히 비쌌는데 2,000~3,000유로(한화로 400만 원 정도)였습니다(뒤셀도르프 국제학교/재학생1/여).
- 아침과 방과 후에 초등학생이 안전하게 길을 건널 수 있도록 '건널목 안전지킴이' 봉사활동을 합니다. '프로젝트 탄자니아'를 통해 여름방학 한 달간 탄자니아에 다녀왔는데 다른 문화를 접해볼 수 있었고, 새로운 친구들도 생겨서 즐거웠습니다. 참가자는 전부 15명입니다. 선생님이 다섯 분 함께 갔습니다. 탄자니아의 몬두비라는 곳인데, 비슷한 또래의 친구들을 가르치는 그룹과 초등학교에서 가르치는 그룹으로 나뉩니다. 저는 초등학교였지만, 초등학교라고 해도 나이가 10세부터 18세 정도까지 다양했습니다. 선생님 1명당 4명의 학생에게 영어와 이과 및 컴퓨터, 계산법을 가르쳤습니다(뒤셀도르프 국제학교/재학생3/여).

(3) IB의 교육효과

이와 같은 IB프로그램을 2년간 경험한 후 학생들은 어떤 능력이 생겼다고 느낄까.

- 2년째 IB가 시작됐을 때 썼던 노트를 보면, 지금은 알고 있는 단어인데 위에 일본어로 의미를 적어놓은 게 보입니다. 지금은 쉽게 읽을 수 있게 되었으니 확실히 실력이 늘었다고 느낍니다(파리 국제학교/재학생8/남).

학생들은 영어 실험리포트, 에세이 같은 과제물, 사회봉사활동 등의 과제수행을 위해 상당량의 공부를 하면서 시간관리 능력이나 인내력, 그리고 2년간 해냈다는 성취감과 자존감을 얻은 듯하다. 또한 에세이나 논문 집필은 글쓰기에 대한 저항감의 해소, 스스로 생각하는 힘과 프레젠테이션 능력의 향상으로 이어진다. 특히 영어 어휘력과 표현력의 향상, 계획성과 시간관리 능력, 사고력, 문장력, 인내력에 대해 언급하는 경우가 많았다.

도표4-1-7은 질문지 조사를 집계한 결과다. 70퍼센트 이상이 '그렇게 생각한다'고 응답한 항목은 '이론적으로 생각하는 능력', '어학력', '다문화를 수용하는 능력', '정보를 수집하는 능력', '자기표현력', '문제를 발견하는 능력'이다. 대부분이 '문제발견·정보수집·표현능력'으로 정리되는 연구지향적 능력이다. 반면에 '인맥형성 능력', '인간관계를 원활히 하는 능력', '체력' 항목에 대한 응답률은 낮다. 참고로, '기타'라고 응답한 학생은 16명인데, 정신력, 인내력, 근성, 자신감, 모국어 능력, 유연한 발상과 감성지수 등이 자유기술에서 언급되었다.

(4) IB 수강의 단점

IB를 수강할 때의 단점은 무엇일까. 졸업 시에 학생들에게 물어보니 복안적(複眼的)·비판적 사고, 낙제, 교사와의 관계를 언급했다. 먼저 복안적·비판적 사고는 장점이라고도 언급하면서, 다음과 같은 이야기를 들려주었다.

- IB를 하다 보면 삐딱해져요. 항상 뭐든지 일단 의심하고 보니까요. 그것이 IB가 지향하는 방향이라고 생각합니다. 즉, 속아 넘어가지 않게 하는 것만이 아니라 진실을 꿰뚫어보는 힘이라는, 살아가는 데 중요한 능력을 키워준다고 생각합니다. IB는 그런 눈(복안적 사고)을 두 개 더 붙이는 수술을 해준 것 같은 느낌이랄까요(암스테르담 국제학교/재학생1/남).
- 배우는 동안 뭐든지 의심하는 습관을 들이면서, 들은 적도 없는 여러 새로운 것들을 흡수하기가 쉬워졌고, 세세하게 생각해보는 것이 강조되는 만큼 생각하는 능력도 키워졌어요(파리 국제학교/재학생3/남).
- 아마도 분석능력은 향상된 듯해요. 생물과목은 실험을 하고 리포트를 쓰는데, 스스로 분석해서 트렌드를 발견하고 그래프로 만드는 게 재미있었습니다. 역사과목도 역사책이나 위인의 연설문을 읽고, 그게 무엇을 위한 것인지, 역사를 이해하는 데 어떤 역할을 하는지, 하는 분석이 중시되어서 좋았습니다(파리 국제학교/재학생3/여).

복안적·비판적 사고(왜곡된 시선)

- 저 자신을 분석해보면, 가끔 너무 삐딱합니다. IB가 요구하는, 좋은 면도 나쁜 면도 보는 자세가 정말 중요하다는 건 알지만, 순수하게 감동한다거나, 좋은 면만을 받아들이는 것도 자연스럽게 경험해보고 싶습니다. 모순되지만, 순수하게 받아들이는 것에 대한 동경 같은 게 있어서, IB를 하면서 후회할 때도 있습니다(암스테르담 국제학교/재학생1/남).

도표4-1-7 **습득한 능력('그렇게 생각한다'고 응답한 비율)**

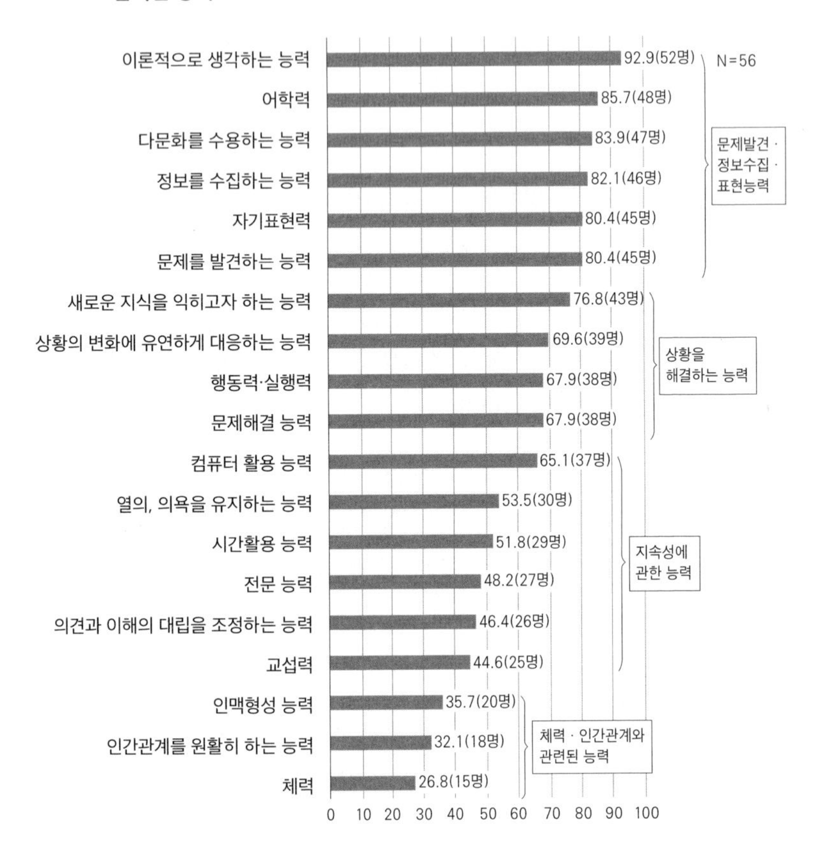

낙제

IB프로그램은 일정 수준의 과제달성과 성적을 요구한다. 그것을 채우지 못하면 낙제나 퇴학을 당할 수도 있다.

- IB라는 시스템은 못하는 아이들에겐 길이 열리지 않는다는 점이 무섭습니다. IB학위를 취득하지 못하는 학생이 나오는 겁니다. SAT는 누구든지 할 수 있잖아요. IB는 성적이 부족하면 증명서도 받을 수 없습

니다. 국제학교의 문제점 역시 시험점수가 부족하면 졸업이 불가능하고, 학교에서도 낙제를 시킨다는 것입니다. 낙제하면 학교에 오고 싶어도 그만둬야 하죠(암스테르담 국제학교/재학생3/남).

중간에 학부모의 전근이 결정될 때도 있다. 2년간 프로그램에 참가하지 않으면 IB졸업학위를 취득할 수 없기 때문에, 이 경우 아파트를 빌려서 혼자 자취를 하거나 홈스테이를 하면서 수료일까지 체류하게 된다.

- 프랑스인 가정에서 홈스테이를 하고 있습니다. 기숙사 같은 느낌입니다. 은행과 학교 수속문제나 생활 면에선 혼자 파리에 남는다는 게 정신적으로 부담이 됐지만, 공부는 전혀 문제될 게 없었습니다. 가족과 함께 있으면 수다를 많이 떨게 되니까 혼자 지내는 편이 공부에 집중할 수 있다고 생각합니다. 외로울 때도 있지만, 친구들이나 기숙사 사람들도 있어서 괜찮습니다(파리 국제학교/재학생11/여).

교사와의 관계

교사의 문제도 있다. 교과가 6교과뿐이므로 각 교사의 지도력과 인간성 등을 포함한 역량이 학생들에게 큰 영향을 미친다. 현실적인 문제로서 외국인 교사 중에는 아시아계 학생을 좋아하지 않는 이가 있다고 언급하는 학생들도 있다. 실제로 어느 교과의 교사와 잘 맞지 않아서 IB를 그만둔 학생도 있다. 이 부분에 대해 어떤 교사를 만나느냐는 운의 문제이기도 하다고 학생들은 말한다. 과목에 대한 흥미와 관심이 우선이지만, 교사 때문에 과목을 변경하는 경우도 있었다.

- IB를 계속하는 게 나았을 것 같습니다. 역사선생님이 싫어서 그만뒀지만, 지금 밑의 학년 아이들은 모두 IB를 하고 있습니다. 우리 때는

"해도 되고 안 해도 된다."라고 상당히 자유로운 선택인 것처럼 얘기했지만, 여동생 학년은 "가능하면 취득하라."라고 말하는 모양입니다. 일본 대학들도 IB를 수용하는 곳이 늘어난 듯합니다. 사실 수강과목도 거의 바뀌지 않았습니다. 바뀐 것은 역사가 빠지고, TOK가 없고, 대신에 IBDP에 포함되지 않은 독일어를 넣었을 뿐입니다. 일반 수업에선 IB수업의 절반 단위밖에 받을 수 없으니 조금 아깝다는 생각이 드네요(뒤셀도르프 국제학교/재학생5/여).

또한 졸업생의 질문지 조사에서는, IB는 7단계로 채점하는데 어느 정도 답안으로 어느 정도 평가를 받을 수 있는지 잘 모르겠다는 답변도 있었다. 학생에 따라선 평가기준을 충분히 이해하지 못해서 평가의 신뢰성과 타당성에 의문을 제기하는 목소리도 있었다.

4. IB교육의 특징

마지막으로 질문지 조사와 인터뷰 조사에 의한 수강자 조사를 돌아보면서 몇 가지 특징을 정리해보고자 한다.

(1) 대학과 직업에 대한 생각

조사 대상자들은 국제학교라는 환경, IB 수강이라는 두 가지 점에서 일본의 고교생들과 다른 체험을 한다. 많은 경우 부친의 해외 부임으로 2~3회째 해외 거주 중이었다. 질문지 응답자 56명 중 일본의 대학

진학자는 44명, 해외 대학 진학자는 12명이다. 해외 대학 진학을 희망하는 학생은 유년기에 미국이나 프랑스 현지 학교에 다녔던 학생들로 실용학문이나 기술 향상 목적의 진학(공학, 플루트, 발레 등)이 많다.

일본 대학에 진학하는 학생들은 대다수가 6월에 국제학교를 졸업한 후 일본에서 입시학원을 다닌다. 그중에서도 빨리 진학하고 싶은 경우엔 '9월 입학제도'를 실시하는 사립대학 등의 입시를 치른다. 국립대학을 지망하는 학생은 사립대학 합격 후 국립대학 시험일까지 입시 공부를 계속한다. 국립대학을 지망하는 학생들의 특징은 부친 혹은 양친이 국립대학 출신이라는 점이다.

진로 선택은 교사의 지도(파리), 현지 학원의 정보(뒤셀도르프, 암스테르담)와 선배 및 학부모의 정보에 의존하고 있었다. 일본의 입시생들과 다른 점은 학생들 사이에 동료의식이 있다는 점이라고 한다.

- 일본의 대학입시와 달리 우리끼리 하나가 되는 부분이 있습니다. 예를 들어 일본에서 "나, 대학입시 볼 거야."라고 하면, 나와 너는 경쟁자가 되고, 서로 돕거나 하지 않잖아요. 하지만 IB는 동기생 모두의 목적이 같고, 시험을 보는 것도 함께, 시험장에 가는 것도 함께합니다. 동료의식이 생기는 것은 좋은 일이라고 생각합니다(파리 국제학교/재학생7/남).

그러나 학생들은 IB프로그램이 일본에서 잘 알려져 있지 않은 점, 특히 대학입시 담당자들 사이에서 IB 인지도가 낮은 점에 대한 불안감도 갖고 있다.

- IB의 인지도가 좀 더 높아지면 좋겠지만, 아직은 시기상조라고 봅니다. 일본에서는 "IB가 뭐야?"라고 물어보니까요(뒤셀도르프 국제학교/재학생4/여).

- IB의 지명도가 무척 낮기 때문에 IB라고 하면 마치 프랑스의 바칼로레아를 일본어로 취득하는 것처럼 여긴다고 할까요, '일본인도 쉽게 딸 수 있는 바칼로레아'처럼 가이드북에도 적혀 있어요. 이건 아니라고 생각합니다. 일본어는 1교과밖에 없고, 전부 영어로 하는 수업이라는 것을 제대로 알려주고 싶어요(파리 국제학교/재학생7/남).

대학입시가 당면 목표이기 때문에 많은 학생들은 취직에 대한 현실적인 이미지가 없다. 남학생은 대다수가 일본 기업 취직을 희망하며, 그 후의 해외 부임을 기대한다. 일부 국제기관과 NGO 취업 희망자도 있지만, 어쨌든 일본인이라는 라벨을 달고 외국에서 거주하길 희망한다. 여학생들은 대다수가 어느 정도 이름 있는 대학 진학을 바라지만, 결혼 후에도 직업을 갖겠다는 의지가 아주 강하지는 않다. 해외 파견된 부친과 전업주부인 모친의 가정 패턴이 많기 때문인지 전업주부 지향이 강하고, 지속적으로 직업을 유지하기보다 어학능력을 살려 적당히 일하는 것을 지향하고 있다.

(2) IB를 통해 획득 가능한 자질·능력

IB를 수강하면서 획득하게 되는 자질 및 능력은 매우 높은 수준이다. IB프로그램을 통해 과제설정, 문제해결, 문장력, 프레젠테이션 능력이 배양되고, 비판적 사고력이 키워진다. 더 나아가 영어로 과제를 해결하기 때문에 영어의 학술어휘를 익히는 기회가 된다.

- 대학 1학년 수준의 것들을 조금 접한다고 들었는데, 그 경험이 도움이 될 거라 생각합니다. 어떤 과목이든 일단 리포트는 많이 썼기 때문에

논문이나 연구보고서에 강해졌다고 봅니다. 제가 가고 싶은 이과계열에선 특히 도움이 될 것입니다(파리 국제학교/재학생5/여).

많은 과제 수행을 위해선 시간관리 능력도 필요해진다. IB처럼 시간 집약적 긴장도가 높은 교육을 2년간 받고 나면 교수 1명이 100명 이상의 학생들을 앉혀놓고 강의하는 일본 대학(법률, 경제학부 등)의 모습을 아예 인생에서의 유예기간으로 여기고 받아들이거나, 혹은 진학 후 실망하는 경우가 많다. 또한 해외 체류기간에 관계없이 원어민 수준의 어학능력을 요구하기 때문인지 그 안에 있는 일본인학생들의 어학에 대한 자신감은 전체적으로 높지 않다. 국제학교 출신은 영어가 원어민 수준으로 유창할 거라는 일본사회의 선입견 때문에 내적 갈등을 겪는 일도 많은 듯하다. 그 외에 일본학생들의 수학실력이 높다는 것과, 중학교에서의 서클활동을 좋게 평가하는 목소리도 있다.

(3) IB프로그램의 탁월성

IT의 발전으로 정보가 넘쳐나는 현실에서 사물에 대한 비판적·복안적 사고는 정보의 선택과 처리를 위해 반드시 필요하다. 또한 지식의 구축을 위한 깊이 있는 사고는 현대사회에서 더한층 요구되는 자질이다.

최근에는 학교의 교육수준이 높다는 평가를 받기 위한 공립학교의 복권(상위층 순위 탈환) 방안으로 서구의 유명 공립학교들이 IB를(AP와 마찬가지로) 도입하는 경향이 있다. 이런 점도 IB프로그램이 지닌 내용의 깊이를 보여주는 하나의 척도가 될 수 있다. 그러나 이 프로그램을 수강하려면 일정 수준 이상의 지적 능력이 필요하며, 반드시 대중적인 교육내용과 합치되는 것은 아니다.

어떤 학생에게 IB프로그램이 적합한지 토론하기 위해서는 IB프로그램을 통해 양성되는 자질과 능력을 평가하는 위치에 있는 노동시장의 상황을 고려할 필요가 있을 것이다. 대학입학 관계자, 더 나아가 기업의 취업 담당자에게 IB가 폭넓게 인지되고 있는지 여부는 불명확하다. 그러나 비즈니스, 교육, 문화교류, 해외와의 인터페이스 역할을 할 수 있는 인물로 성장하는 데, IB를 수강한 학생들이 커다란 잠재력을 갖고 있다는 것은 명백하다. 이는 현재 IB가 공인된 자격으로서 폭넓게 인지되는지 여부와는 별도로, IB를 수강한 이들이 추후 자신의 능력을 사회 안에서 표출하는 가운데 교육내용의 탁월성이 비로소 인정되는 성질의 것일지도 모른다.

4-2

학부모들이 본 IB교육

야마토 요코

머리말

필자는 가족의 해외 부임에 동반하여 싱가포르, 일본, 홍콩, 상해로 거주지를 옮겨 다녔다. 그 와중에 세 아이를 키웠기 때문에 각 나라에서 해당 시점에 아이에게 가장 좋다고 여겨지는 3인 3색의 교육을 선택하게 됐다. 홍콩에서 상하이로 옮기던 그 시기가 마침 큰딸의 고등학교 기간과 겹쳤기 때문에 큰딸은 IBDP(고등학교프로그램-IB학위과정)를 운영하는 상하이의 국제학교로 옮겨서 2년간의 학위과정을 마치고 IB학위를 취득했다.

필자와 큰딸의 경험은 이미 10년 이상 전의 것이지만 필자의 동료 따님이 IBDP를 제공하는 일본 국내의 국제학교를 졸업한 것을 알게 되었고, IBDP를 이수한 당사자와 어머니를 인터뷰할 기회[1]가 주어졌다. IBDP를 2명의 체험 당사자와 그 학부모의 시각에서 돌아보고, IB란 무언가를 다시 묻는 기회를 제공하는 것이 이 원고의 취지다. 동료 모녀와 필자 모녀의 체험은 시기도, 국가도, IB교육에 이르기까지의 배경도, 그리고 무엇보다 IBDP를 이수한 본인들의 자질까지도 전혀 다르다. 따라서 두 사람이 받은 교육내용을 비교하는 것이 목적은 아니다. 이 원고의 목적은 IBDP를 이수한다는 것은 어떤 의미인가 하는 한 가지로 논점을 좁혀, 그 교육과정을 때때로 비판적으로 돌아보면서 IB교육의 의의를 생각하는 것이다.

1. IB 이수 상황과 그 후: IB점수가 만점인 사례

E씨: IBDP 이수(2009~2011: 일본 국내의 국제학교)

미국 출생. 미국인 아버지가 석사과정, 일본인 어머니가 박사과정 재학 중에 태어났다. 어린 시절부터 영재의 소질을 보여 3세에 이미 문장을 쓸 정도였다고 한다. 미국 현지 유치원을 다니다 5세 때부터 일본 거주. 초등학교 1학년 때부터 고등학교 졸업까지 국내의 국제학교에 재학. 이 학교는 본래 6세가 아니라, 5세에 입학허가를 받기 때문에 동급생보다 1년 아래다. 이 학교에서는 당시 9학년부터 IGCSE[2]의 교육과정을 도입했고, 11학년부터는 IBDP만 제공됐다. 이 국제학교의 1학년 전체 인원은 50명 전후다. 현재는 9, 10학년에 IGCSE가 아닌 MYP(중학교프로그램)를 도입하고 있고, 마지막 11, 12학년의 IBDP는 필수가 아닌 선택제다[3]. IBDP를 이수하지 않는 경우엔 학교 자체의 고등학교 학위가 수여된다. E씨의 제1언어는 영어, 5세까지는 생활언어와 교수언어 모두 영어였지만, 일본에서 거주하면서부터 교수언어는 주로 영어(일본어는 공식적인 문서 학습과 국제학교의 일본어 수업만), 생활언어는 영어와 일본어다.

E씨의 IB 이수과목 가운데 어학은 영어A1(고급레벨)과 스페인어B(표준레벨), 나머지 4과목은 수학(고급레벨), 역사(표준레벨), 물리(고급레벨), 음악(고급레벨)을 선택했다. 그리고 피아노와 바이올린 연주자이지만, 음악과목에서는 일본의 전통악기인 쟁(箏)을 전공악기로 선택했다. IBDP의 음악과목에서 '쟁'으로 이수자[4]를 배출한 것은 이 학교가 세계 최초라고 한다. 과제논문(Extended Essay, EE)은 음악을 선택, 「하드록과 일본 전통음악의 융합(The fusion of hard rock and traditional Japanese music)」이라는 제목으로 논문을 집필했다. E씨는 TOK(지식론)도 포함해 모든 과목에서 최고 평가를 받고, 만점인 45점으로 IB학위를 취득했다.

IB학위의 2011년 세계 평균은 30점이다. 2015년 시점에서, E씨가 졸업한 국제학교의 과거 6년간의 IB 평균점수는 32~34점이며 만점은 지금까지 한 명밖에 없다[5]. 만점을 기록한 학생은 전 세계 IB학위 취득자의 0.2퍼센트이며, 이 성적이면 세계의 어느 고등교육기관에서든 입학허가가 난다고 한다. E씨는 MIT(매사추세츠 공과대학)에 진학했는데 IB학위의 최종시험은 5월이지만 MIT의 입학허가는 전년도 12월에 이미 나왔기 때문에 IB결과 자체는 MIT입학과 직접적 관계가 없었다는 말이 된다. 미국의 대학입학 신청에는 SAT[6]의 결과가 필요하기 때문에 5월의 IB 최종시험 공부를 하면서 더불어 SAT I, SAT II도 준비를 해야 한다. 미국의 교육과정인 AP[7] 프로그램이라면 SAT의 교과별 시험과 실러버스가 겹치기 때문에 그다지 힘들지 않았을 테지만, IBDP와 SAT는 실러버스가 달라서 SAT 공부를 따로 해야 했던 것이다.

MIT에서 전공은 뇌인지과학(Brain and Cognitive Science)과 음악의 복수전공으로 학사학위[8]를 받았고 그 후 상담심리학 전공으로 보스턴 대학 석사과정에 진학했다. IBDP를 매우 우수한 성적으로 수료한 E씨에겐 IB의 어떤 점이 득이 되었을까?

E씨는 물리(고급레벨)와 수학(고급레벨)에서 최고 평점인 7을 받았기 때문에 MIT의 필수과목인 물리1과 수학1의 단위를 미리 취득할 수 있었던 점, 그리고 영어A(고급레벨)에서 7점을 받아 인문학의 2단위 중 1단위를 취득할 수 있었던 점을 들었다. 하지만 E씨가 MIT 1학년이었던 당시 미국에서 IB의 인지도는 AP만큼 높지 않아서 AP의 영어에서 최고점인 5를 받은 사람은 MIT 신입생 대상의 에세이평론의 수강이 면제된 반면, IB의 영어에서 최고점인 7을 받은 사람은 면제받지 못했다[9]고 한다. 그 외의 장점으로는 IB에서 글쓰기 훈련(지식론과 과제논문)을 많이 한 덕분에 MIT에서 리포트와 논문작성이 다른 학생들에 비해 수월했다는 점, IB 영어A(고급레벨)에서 단기간에 구두발표를 준비하는 훈련(본인은 정말로 힘들어서 두 번 다시 반복하고 싶지 않은 체험이었다고 함)을 많이 했기에 대학에서의 구두 프레젠테이션이 비교적 수월했던 점을 들었다. 이것은 IB에서 훈련되었다기보다는 본인의 자질에 기인한 부분이 큰 것으로 보인다.

2. IB 이수 상황과 그 후: 필자의 딸의 경우

IBDP 이수(2002~2004: 상해의 아메리칸스쿨)

일본 출생. 5세의 4월부터 싱가포르 거주. 현지 유치원을 졸업하고 일본인학교 입학. 초등학교 3학년 여름에 일본으로 귀국. 9월부터 공립 초등학교 3학년에 편입해 지역 공립중학교 1년 수료 시까지 일본의 교육과정 이수. 1999년 4월에 홍콩으로 이주. 5월부터 중학교 3학년까지의 과정밖에 없는 국제학교에 편입해 1년 남짓 다니다 졸업. 편입시험을 치고 영국학교군 학교(English Schools Foundation Schools)[10]의 10학년으로 들어가 (1)GCSE[11] 교육과정 이수. 2년간 GCSE(일부 IGCSE) 교과목을 이수한 후 O레벨 시험을 보고 A레벨의 진학기준을 충족시키는 결과를 받은 후 상해로 이주. 상해의 국제학교 편입시험을 보고 11학년으로 전학. 2002년 9월부터 2004년 6월 졸업까지 이 학교에서 IBDP를 이수하고 학위를 취득했다.

어린이집 및 유치원은 2곳, 초등학교 2곳, 중·고교 4곳 등 짧은 기간에 전학을 반복했다. 초등학교 입학부터 중학교 1년까지는 일본의 교육과정, 그 후 영어권 교육과정을 거쳤다. 모어와 생활언어 모두 일본어이고, 중학교 2학년 때부터 교수언어가 영어로 바뀌었다. 중학교 2학년 3월 시점에서 영어실력은 일본의 평범한 중학생 수준이었다. 고학년이 된 후 교수언어의 전환을 겪었기 때문에 고생이 많았다. 또 수학에 대한 두려움이 매우 컸다.

상해의 학교에서는 규정 단위를 수료하면 고등학교 학위를 수여하고, 많은 과목에서 AP코스도 이수할 수 있다. IBDP는 2년 고정으로 중간에 변경이 불가능하기 때문에 학생은 11학년에 올라가는 시점에서 IBDP 혹은 AP코스를 포함한 학교의 독자적 교육과정 중에서 선택할 수 있었다. 딸의 경우 그때까지 받아온 교육이 영국의 과정이고, 영국의 교육시스템에서는 2년간의 A레벨 과정에서 이수과목 수를 줄여 A레벨 시험을 4~5과목 보면 대학입학자격을 받을 수 있었다. 하지만 아메리칸스쿨로 전학한 이상 부모 입장에선 2년 만에 자격을 취득할 수 있는 IB밖에 선택지가 없다고 생각했다. 가장 큰 걱정은 IB에선 수학이 필수라는 점이었다. 딸은 초등학교 때부터 산수를 싫어했고, 중학교에 들어간 후론 수학에 대한 자신감 부족이 더 심해졌다. 그런데 전학한 학교의 IBDP 수학은 3종류 클래스(고급레벨, 표준레벨, 수학연구)가 있었으므로 어떻게든 될 거라고 생각했다.

딸의 이수과목은 경제학(고급레벨), 영어A1(표준레벨), 화학(고급레벨), 표준중국어B(표준레벨), 비주얼아트(고급레벨), 수학연구의 6과목이었다. 2004년에 IB학위시험을 봤는데 EE(과제논문)는 생물을 선택, 당뇨병을 주제로 집필하여 'Excellent(탁월)'를 받았고, TOK(지식론)는 'Good(우수)' 평가를 받아서 종합평가 37점으로 IB학위를 취득했다. 수학의 '수학연구'는 수학을 잘 못하는 학생도 이수가 가능하도록 주로 대수학 분야에 초점이 맞춰진 코스인데, 대학 진학 때 이과에서는 이 과목의 이수를 인정하지 않는 곳이 많다. 어학의 A1은 모어라는 의미이지만 본인의 모어인 일본어는 이 학교에서 선택지에 없었기 때문에 영어를 모어로 이수했다.

IB학위를 수여하는 최저 기준은 총점 24점. 2015년을 기준으로 이 학교의 과거 5년간의 평균은 34~35점이다[12]. 딸이 IB를 이수한 2003~2004년 당시, 학년 당 100명이 조금 안 되는 아이들 중 IB 이수자는 30명 전후였던 걸로 기억한다. 2015년의 고교 졸업자 수는

183명, 그중 IB 이수자는 78명에 이른다. 2014년까지는 계속해서 IB 이수자 수가 50명이 안 되다가 2015년에 이수자 수가 급격히 늘어난 것을 알 수 있다.

딸은 영국의 대학과 일본의 대학에 입학신청서를 제출했다. 영국의 경우, 영국입시기구인 UCAS[13]를 경유한 신청인데, IB의 결과가 나오기 전에 대학입학 신청이 시작되기 때문에 취득 예상점수를 사용한다. 결과적으로 딸은 일본의 국제기독교대학(이하 ICU) 교양학부에 가을 입학생으로 들어갔다. 2000년대 중후반 일본에서 IB학위는 별로 이해를 받지 못했다. 입학신청서에 확실하게 'IB학위' 기재란이 있었던 것은 관동지역에선 게이오대학 후지사와캠퍼스와 ICU의 2개 대학 정도였던 것으로 기억한다. IB학위를 갖고 있어서 유리했던 기억은 전혀 없다고 한다. 졸업 후 일본 기업에 취직했지만 취업활동 중에도 IB학위에 관해 굳이 적지 않았고, 언급하지도 않았다. 취직에 유리한 점도 일절 없었다[14]고 단언한다.

IB를 이수한 당시 기억은 아무튼 공부만 했다는 것, 모든 선생님이 인간미 넘치고, 열성적이어서 좋았다는 것, 그리고 영어실력은 IB를 이수했을 당시가 가장 좋았던 것만은 틀림없다는 점이다. ICU에서는 일본인학생들이 필수로 받는 영어수업 대신에, 해외 입학자는 일본어수업이 필수였기 때문에 대학에 입학한 후 그때까지 소홀했던 일본어를, 모어 화자로서 부끄럽지 않을 정도의 수준으로 끌어올릴 수 있었다고 한다. 특히 중등교육 단계에서 거듭된 전학으로 일본어는 주로 가정 내에서만 사용했고, IB외국어는 중국어를 이수했다. 당시에는 영어가 모어도 아닌데 영어를 제1언어로 이수해야 하는데다, 중국어까지 해야 하는가 불만도 있었지만, 지금은 중국어를 좀 더 열심히 공부했으면 좋았을 걸, 하는 게 본인의 이야기다.

3. CAS(창조성·활동·봉사)의 의의와 그 실태에 대해

IBDP가 전인적 프로그램이라 불리는 이유는 6개 분야로 이루어진 교과군뿐 아니라, CAS라는 교과 외 활동이 있기 때문이다. CAS는 Creativity(창조성), Activity(활동), Service(봉사)의 머리글자를 딴 것으로 E씨와 우리 딸이 IBDP를 수료했을 당시는 2년 동안 각각의 활동에 최소 50시간씩, 전체 150시간 이상을 할애하는 것이 IB학위 취득의 필수조건이었다. 현재는 그런 시간조건은 없어지고, 2년의 IBDP 이수기간 동안 각 활동에 균형 있게 주당 2~3시간을 할애하는 것을 추천할 뿐이다[15]. CAS의 시간요건을 채우지 못했다는 한 가지 이유 때문에 학업성적이 좋아도 IB학위를 받지 못하는 경우가 생겨났기 때문이라고 한다. 그러나 이 점을 E씨에게 전했더니 CAS의 150시간이 있는 것과 없는 것은 같은 IBDP라도 무게감이 완전히 다르다며 목소리를 높였다. 실제로 각각의 분야에서 최소 50시간, 합계 150시간이라는 제약이 있고 없고는 천지차이일 것이다. 'C'의 Creativity에는 예술활동과 사회활동의 고안과 실시 등이 포함되고, 'A'의 Activity는 개인과 단체의 스포츠경기 참가와 지역 및 국제사회에 대한 봉사활동 등이 포함된다. 'S'의 Service는 시설방문과 난민지원활동 등의 봉사활동인데 개인에 대한 학습지원도 포함된다. 'A'와 'S'의 구분이 어렵다는 생각도 들지만 확실한 해석은 존재하지 않는 것으로 보인다.

상해의 국제학교에서 IB를 이수한 딸의 경우, 해외라는 점도 있고 자유로이 지역활동에 참여할 수 있는 상황이 아니었다.[16] 그래서 마치 해외 수학여행 같은 형태의 봉사활동을 학교측에서 장기방학 기간에 기획했다. 일부러 높은 경비를 자비로 부담해서 태국의 산속으로 가서 현지인을 위한 주택건설에 참여하거나, 중국 내륙지역의 아이들에게 영어를 가르치는 프로젝트에 참가하기도 했다. 물론 해외 봉사활동은 나름 좋은 추억이 되었기에 결과적으로 좋았다고 말하고 싶지만, 봉사활동을 하는 데도 부모의 경제적 부담이 크고, 이미 고액의 학비를 지불한 걸 생각할 때 IB는 경제적으로 여유가 없으면 불가능한 프로그램이라는 걸 실감했다. Service에서는 본인이 잘 못하는 수학과목의 가정교사가 되어 수학을 못하는 중학생에게 무료로 가르치는 일을 했다. 이와 같은 매칭은 CAS의 코디네이터를 통해 이루어졌다. 그리고 잘 못하기 때문에 이해할 수 있는, 본인의 상황에 맞는 지도를 할 수 있었기 때문에 해당 학생의 요청으로 목표시간을 채운 후에도 가정교사 활동을 계속했다.

IB는 교과 분야만 해도 과제가 많기 때문에 시간이 아무리 많아도 부족하다. 게다가 시간적 조건이 붙어 있는 CAS가 있기 때문에 옆에서 봐도 IB 이수자들의 부담은 무거워 보였다. 그런 만큼 IB 이수자들은 상호간의 결속력이 강했던 듯하다.

일본의 국제학교에서 IB를 이수한 E씨의 경우 고교 3학년까지 음악과 예술부 활동을 계속했기 때문에 CAS의 'C'만으로 150시간이 넘었다고 한다. 'A'와 'S'는 흥미가 없었기 때문에 시간적 최소기준을 맞추기 위해 의무감으로 참여했다고 하는데 Service는 2009년에 개최된 요코하마개항박람회(開國博Y150)에 일본어·영어·스페인어 봉사자로 여름방학 동안 참가했다고 한다. Activity는 주말에 근처 문화센터에서 실시하는 요가와 '후키야'(吹矢, 일본의 전통놀이-옮긴이)로 시간을 채웠다고 한다. A와 S의 체험이 좋았다는 것은 부정할 수 없지만 그 100시간을 진짜 관심 있는 음악과 예술에 전념해서 실력을 키우는 편이 자신을 위해 더 낫지 않았을까 회고했다. E씨는 바이올린 연주자로 오케스트라에도 소속돼 있었지만 고등학교 3학년 때는 활동을 중단했다.

4. TOK(지식론)는 무엇인가

IB를 IB답게 만드는 또 하나의 요소는 TOK(Theory of Knowledge, 지식론)이다. IB의 이념을 실현시키는 철학 같은 것이라고나 할까. 그런데 IB학교들이 정의하는 TOK의 커리큘럼 설명을 읽어봐도 대체 어떤 것을 하는건지 아리송하다. 필자도 딸의 학교에서 매달 개최되던 월례보고회[17]에서 학부모가 소그룹으로 나뉘어 TOK 수업을 체험해보는 이벤트가 열려서 참석했다. 그러나 역시 '문화에 따라 다양한 사고회로가 존재한다는 얘기를 하고 싶은 걸까'라는 정도밖에 이해할 수 없는 난해한 이야기였다. 교사와 학생의 선문답 같은 느낌도 들고, 철학수업을 받는 듯한 기분도 들었다. 2014년 9월에 영국의 IB학교[18]를 방문했을 때도 TOK 수업을 견학했는데 역시 교사가 학생에게 질문하고 그에 대한 답변이 계속 이어지는 철학 문답 같았다.

딸은 너무 과거의 일이라서 TOK에 대해 기억하는 것은, 영화 「매트릭스(Matrix)」를 보고 모두 함께 토론했던 일뿐, 나머지는 무엇을 했는지 완전히 잊어버렸다고 한다. 딸의 학교에선 IB 교원은 모두 TOK를 담당해 한 학급당 10명 전후였고, 담당 교원은 2년간 고정이었다. 그리고 IB 담당교사는 AP반도 담당했는데, 교과담임으로서 선생님들은 모두 매력적이었다고 한다. E씨도 TOK에 대해 그다지 좋은 인상은 갖고 있지 않은 듯 재학 당시 했던 농담을 소개해주었다. 데카르트의 '나는 생각한다, 고로 나는 존재한다(I think therefore I am)'를 패러디해서 'IB, 고로 나는 헛소리(IB therefore I BS[Bull Shit])'라는 말이 있었다고 한다. 다만, TOK를 통해 에세이를 많이 썼던 경험이 MIT에 진학한 후 리포트과제를 하는 데 도움이 됐다는 건 인정했다.

5. EE(과제논문)는 무엇인가

TOK와 함께 IB에서 필수인, 장문의 에세이를 쓰는 과제논문(Extended Essay, EE)이 있는데, 아무리 우수한 에세이를 써도 TOK와 합쳐 3점밖에 받을 수 없다. 과제논문은 학생이 잘하는 교과 분야에서 관심 있는 주제를 독자적으로 정해 영어 4,000단어 정도의 논문을 작성하는 과제다. 4,000단어는 본문에 자료와 도표를 어느 정도 넣느냐에 따라 다르지만 A4용지 20~30장이다. 과제논문은 인용과 문헌일람 표기법도 국제표준에 맞춰야 하며, 우수한 과제논문의 경우 그대로 학술지에 투고할 수 있을 정도의 수준을 보인다.

일본의 고교에서는 통상 일본어로조차 논문 쓰는 교육을 하지 않는다. 작문과 논문은 전혀 별개의 것인데다, 일본어와 영어의 문장 전개도 크게 다르다. 과제논문은 스스로 논문의 주제를 찾는 것부터 시작되기 때문에 주입식 교육에 익숙해 있으면 주제를 찾는 단계에서부터 어려움을 겪을 수밖에 없다.

안타깝게도 딸의 과제논문을 읽을 기회는 없었지만, 생물과목으로 과제논문을 써야겠다고 생각한 것은 생물수업이 특히 재미있었기 때문이라며, 선생님의 인품에 감화되었다고 했다. 생물수업은 IB커리큘럼을 넘어 "여긴 시험에 안 나오지만 재미있는 부분이니 다룬다."라고 언질을 준 후 발전시키는 방식이어서 그만큼 수업내용에 깊이가 있었다고 한다. 딸의 과제논문이 당뇨병을 주제로 했다는 것은 알고 있는데 Excellent 평가를 받은 만큼, 어느 정도 완성도 있는 논문을 작성했을 것이다.

E씨의 과제논문은 음악과목에서, 전통음악 작곡가이자 록밴드도 하고 있는 사와이 히카루(沢井比河流)와의 인터뷰를 토대로 그의 전통음악 작품을 분석한 것이다. E씨의 과제논문은 십대의 고교생이 쓴 것이라곤 도저히 생각할 수 없을 만큼 예리한 분석이 돋보이는 훌륭한 논문으로 완성됐다. 사와이 히카루 씨와의 인터뷰는 학교가 주선했고, 그분에게 드릴 작은 선물과 사례금에 대해 학교측이 학부모에게 언질을 주었다. 학부모 입장에서는 그것만 준비하면 되는지, 인터뷰를 주선해준 선생님에 대한 사례는 어떻게 하면 되는지 애매해서 준비하는 데 마음고생을 조금 했다고 한다.

그 이야기를 들으니 필자도 상해 거주 당시 딸이 다니던 학교의 경제학 선생님으로부터 IB 이수자 2명의 인터뷰이가 되어달라는[19] 부탁을 받았던 일이 떠올랐다. 2명의 학생과 교원 2명도 함께였는데, 학생의 과제논문을 위해 학교가 이렇게까지 신경 쓰는가 싶어 놀라웠다. 필자는 학교 커뮤니티의 일원이기도 해서, 시내의 이탈리안 레스토랑에서 식사대접을 받으며 인터뷰를 했는데 사례는 일절 없었다.

6. 왜 IBDP를 선택했고, 무엇을 배웠는가

딸의 경우엔 재학 중 교육과정이 빈번히 바뀌어서 무언가 자격으로 남길 만한 것이 없을까 생각하다 IBDP의 이수를 선택했다. 이사할 때마다 다음 교육으로 연결되도록 고려한 결과이지만, 본인에겐 IB커리큘럼이 상당히 어려웠던 듯하다. 홍콩과 달리 상해에선 외국인학생이 스트레스를 풀 수 있는 장소가 가라오케 정도로 한정돼 있어서 언제나 무언가에 쫓기는 듯한 나날이었고(학교 커리큘럼만이 원인은 아니라고 생각하지만), 그로 인해 정신적 압박을 많이 받는 동급생도 있었다. 필자는 면학내용에 관해 딸에게 질문을 받는 일도, 상담요청을 받은 적도 없었다. 부모로서 할 수 있는 일은 쓸데없는 참견을 해서 딸의 신경이 날카로워지게 하지 않는 정도였다. 부모 입장에서 볼 때 딸은 IB커리큘럼을 이수하면서 시간관리 능력이 향상된 게 아닐까 생각한다.

E씨는 다니던 학교가 IB만 운영했기 때문에 선택의 여지가 없었다. 만약 학교에 IB와 AP라는 두 가지 선택지가 있었다면 AP를 이수했을 것이고, 그러고 싶었다고 회고한다. 당시 미국에서 IB는 AP코스만큼의 인지도가 없었고, AP에 비해 대학에서 수강 면제되는 과목이 적었던 점, 그리고 IB는 대학입학 신청에 필수인 SAT의 실러버스에 맞는 교육내용이 아니어서 IB와 SAT 양쪽 시험공부를 병행해야 했던 점 때문이다.

여기서 주의할 것은 AP 혹은 IB를 이수하면 '대학에서 일부 과목 이수가 면제된다'는 표현이다. 이것은 AP 및 IB에서 그 나름의 우수한 성적을 받은 경우에 한해서다. MIT의 경우 특별히 그 인정이 엄격해서 AP와 IB에서 각각 최고평점을 받아야 한다. 즉 AP의 5, IB의 고급레벨에서 7이 필수조건이다. AP는 평점 3 이상이 합격선[20]이고, IB는 총점 24점 이상일 때 학위인정이 된다[21]. 당연히 IB학위를 취득할 수 있는 최저수준의 점수로는 대학의 단위인정을 받을 수 없다[22]. IB학위과정을 수료해도 반드시 그것이 대학 진학 후 단위로 인정되는 것은 아니라는 말이다.

딸의 점수도 결코 나쁘진 않았지만, 10여 년 전의 일본은 IB학위를 수료하기까지 애쓴 과정과 그 의미를 제대로 평가해줄 만한 사회적 여건이 갖춰지지 않은 상황이었다. 입학신청 때 IB학위의 제출이 중등교육수료증(고교졸업자격)으로 인정되는 부분이 있었던 것은 다행이지만, 아무래도 최종점수는 그다지 관계가 없었던 듯하다. 딸이 취업활동 중에도 이력서에 IB학위에 대해 굳이 적지 않은 것은 그 나름의 이유가 있었다. 직접 IB를 겪어보지 않았으면서 그 과정의 노력을 전부 부정하는 듯한 면접관의 발언을 들었다는 것이다. '글로벌화', '글로벌 인재'라는 단어가 일상화된 요즘은 IB에 대한 이해도 그만큼 깊어졌을 거라 기대한다.

E씨는 타고난 소질이 많아서 무엇이든 이루어내는 듯 보이지만, 만점이라는 성적을 쉽게 받은 것은 결코 아니다. IBDP의 2년간은 한계에 이르기까지 필사적으로 도전했고, 본인의 말에 따르면 '이제 더는 못한다, 이렇게 계속할 수는 없다!'라고 몇 번이나 생각했다고 한다. 그럼에도 불구하고 마지막까지 완수하고 최고의 성적을 얻었기에, '어떤 곤경에 직면해도 계속 도전하면 반드시 길은 열린다'는 정신력이 키워진 것은 IB의 좋은 점이라고 했다. 그리고 IBDP 중에서도 괴물로 알려진 물리(고급레벨)와 수학(고급레벨)에는 담당 교사들도 크게 고전했다고 한다. 특히 물리수업에서는 처음부터 끝까지 IB의 과거 문제만 풀

었다고 한다. 물리(고급레벨)와 수학(고급레벨)은 모범답안이 있다고 해서 이해할 수 있는 게 아니라, 왜 그 답이 나오는지 도출해내야 한다. 그렇기 때문에 시험 때 IB 수학과 물리의 지정 공식자료집을 갖고 들어갈 수 있다. 암기력이 요구되는 게 아니라 사고력이 요구되기 때문이다. 학교에서 내는 물리문제를 집에서 (컴퓨터공학 전공자인) 아버지와 함께 풀면서 '이것도 아니고, 저것도 아니고' 하는 식으로 사고훈련을 한 것은 어려운 문제를 함께 고민할 수 있는, 혹은 함께 고민해주는 부모가 있기에 가능했던 일이기도 하다. 거기까지는 아니더라도 학부모가 IB학위과정이 상당히 장벽이 높은 교육과정임을 이해하지 못하면, 학생 본인이 고군분투할 수밖에 없다. 학교에 아이를 맡기고 그것으로 됐다고 안심해선 안 된다는 부분에서 양쪽 부모의 의견이 일치했다.

7. IB 교원의 중요성

IB를 이수한 두 사람이 공통적으로 하는 말은 IB선생님들이 교사로서 매력적인 분들이었다[23]는 것이다. E씨는 영어, 역사, 스페인어, 음악은 정말 재미있었다고 한다. 딸이 생물과목에서 과제논문을 쓰려고 결심하게 된 이유도 선생님이 특히 매력적이었기 때문이다. 과제가 힘들고 장벽이 높아도, 수업이 재미있으면 아이들은 헤쳐 나갈 수 있다. 새삼 교사로서 책임의 무게를 생각하게 되는 순간이다.

앞서 언급한 대로, 딸의 학교에서는 학부모를 대상으로 교장선생님이 매월 정례보고회를 열었다. 필자는 거의 매번 빠지지 않고 출석했는데, 교원채용에 관한 것이 주제였던 달이 있었다. 말하자면, 우리학교는 세계 최고 수준의 교원을 채용하고 있다는 것이다. 마침 보스턴에서 개최되는 국제채용박람회에 교장선생님이 다녀온 직후의 보고회였다. 매년 미국에서는 세계적인 채용박람회가 열리는데 교장선생님은 거기서 교원을 채용한다고 했다. 이 학교의 부스에는 오퍼조건이 좋기 때문에 인터뷰 희망자들의 줄이 계속 이어졌고, 한 사람 한 사람과 인터뷰해서 그중 최고라고 생각되는 교원을 채용했다는 것을 학부모들에게 내세웠다. 확실히 부모 입장에서 봐도 교원의 수준은 높았다.

학기마다 개최되었던 교원학부모회의(Teachers-Parents Meeting)에서는 아이를 담당하는 교원들과 개별면담이 가능하다. 필자가 가장 걱정했던 부분은 딸의 수학과목 이수문제였다. 곧장 수학 교과담임을 찾아가 "딸은 수학에 알레르기가 있는데 학위취득이 가능할까요?"라고 걱정을 토로했더니, 선생님의 답변이 그야말로 우문에 대한 현답이었다. "잘하는 과목은요?"라고 먼저 묻더니 다음과 같은 취지의 이야기를 하셨다. '아이한테 완벽함을 요구해선 안 된다. 잘하는 분야가 있다는 것은 좋은 일이다. 그 점을 최대한 칭찬해주는 것이 부모의 역할이다. 수학이 싫어도 이수해야 한다는 게 IB의 힘든 점이지만, 그럼에도 공부하는 것 자체를 평가해줘야 한다. 그리고 수학을 잘 못하는 아이들을 위해 수학연구(Mathematical Studies) 클래스가 있다.' 실은 처음엔 일반수학(표준레벨) 이수부터 시작했지만 도중에 힘들다고 해서 수학연구로 과목을 변경했다. 수학은 싫어했지만 수학연구로 변경한 뒤 딸은 '이렇게 쉬운 걸로 해도 되나?'라고 생각했던 듯하다. 일반수학(표준레벨)보다도 쉬운 내용인데 최종적으로 평가 6을 받아서 본인도 복잡한 심경이었던 듯하다.

영어선생님은 영국인으로 문학을 열렬히 사랑하는 매우 매력적인 분이었다. 코스가 막 시작됐을 때는 딸이 선생님에 대해 불만만 얘기했지만 시간이 지날수록 불만은 점점 감동으로 바뀌어갔던 걸로 기억한다. 마침 딸이 졸업하던 해에 영어선생님이 집안사정으로 본국으로 돌아가게 되어 작별인사 겸 졸업식장에서 졸업생을 보내는 교원 대표로 연설을 했다. 셰익스피어의 작품을 인용한 명연설로 학부모들로부터 큰 박수갈채를 받았던 장면이 강렬한 기억으로 남아있다. 이런 선생님께 지도받을 수 있다니 얼마나 큰 축복인가, 감동적이었다.

딸의 학교에선 IB를 가르치는 선생님이 AP코스도 함께 지도했다. 그리고 IB 교원 전원이 TOK를 담당했다. 선생님들이 담당하는 수업의 양은 상당한 것이었다. 딸에 의하면 선생님들끼리도 긴밀했고, 같은 코스를 이수하는 학생들 사이의 결속력도 강했다고 한다. 학생들끼리의 단합과 결속력에 대해선 E씨도 같은 이야기를 한다. 동급생과의 추억을 IB의 좋았던 점 가운데 하나로 꼽았는데, 특히 물리(고급레벨) 클래스는 함께 힘든 과정을 겪으면서 더욱 결속력이 강해졌다고 한다.

IB는 확실히 커리큘럼이 훌륭하다. 그 커리큘럼을 이해하고, 거기에 맞게 깊이 있는 학습법을 제대로 도입하여 학생들의 자기주도적 학습을 독려하는 교사의 역할은 무엇보다 중요하다. 바로 그런 이유로 IBO(국제바칼로레아기구)가 IB인정학교에 대해 교원의 정기적인 연수 참가를 요구하는 것일 테다. 교사의 자질이 IB 이수의 성공의 열쇠라고 해도 과언이 아닐 것이다.

마지막으로 E씨는 역사(표준레벨)를 이수했는데, IB 역사수업에서는 어떤 특정 시대·사건에 특화하여 깊이 파고드는 교육을 한다는 점도 언급하고 싶다. E씨의 역사교과 담임은 냉전시대의 전문가로 2년간의 역사(표준레벨)시간에 취급한 교과내용도 그 시대에 한정된 것이었다고 한다. IB시험의 설문을 보면 이해할 수 있듯이, 시험문제는 선별제로 시대와 주제를 한정해서 답할 수 있다. 그런 이유로 냉전에 관해서는 얼마든지 이야기할 수 있는 전문가가 되었지만, 좀 더 일반적인 것도 지식으로서 주입할 수 있길 바랐다는 것이 E씨 부모의 속내였다.

결론을 대신해

지금까지 언급한 대로 IBDP는 학생들에게 상당한 부담이 되는 교육과정이다. 학생 입장에서 "정말로 좋은 교육을 받았다. 자기성장을 할 수 있었다."라고 말할 수 있게 하려면 교사의 존재가 매우 중요하다. 일단 본인의 노력만으로 어떻게든 해낼 수 있는 게 아니라, 학교측의 체계적인 지원과, 경우에 따라서는 부모의 이해와 지원도 필요하다. 시간적으로 엄격한 교육과정이므로 학생 본인의 시간관리 노력은 물론이고 학부모도 IB학위 취득에 필요한 최소기준 등은 정확히 파악해둘 필요가 있다. 그리고 IBDP를 시작했지만, 중간에 일부 과목만 이수하고 평가증명서를 받는 것도 하나의 선택지로 고려할 수 있어야 한다. 그 정도의 마음의 여유가 없으면 자칫 학생을 압박할 수 있다. IBDP만을 제공하는 학교에서 IB학위 취득이 불가능할 경우, 학교의 고교졸업자격증이 나오는 구조는 반드시 필요하다.

지금은 많은 IB학교가 IB학위 취득 상황을 웹상에 공개하고 있어서 현실적으로 학교 간 경쟁도 벌어지고 있다. IB학위 취득자의 평균점수를 올리기 위해, 혹은 졸업생들을 조금이라도 인지도 높은 대학에 진학시키기 위해 학교나 부모가 학생 본인의 희망과는 다른 교과목의 이수를 추천하는 일도 있다. 어쨌든 학생 본인이 희망하는 진로를 고려할 때 어느 교과를 어떻게 선택하면 좋을지 상담하는 자리에 부모로서 함께할 수 있을 정도의 지식을 갖출 필요가 있다. 그런 점에서 IB는 부모도 함께 배우는 게 많은 교육과정임에는 틀림없다.

4-3

IB 졸업생의 사회진출 조사

이와사키 구미코

본 원고에서는 2004년에 실시한 IB 졸업생 8명의 사회진출에 대한 조사 결과를 재수록하고, 그 후 2014년에 실시한 4명의 인터뷰 조사 결과와 1명의 질문지 응답을 추가 게재한다. 2014년에 재조사를 실시한 것은 IB의 교육효과를 가늠하는 단서로서 당시 고교생이었던 수강자 조사 대상자를 다시 만나 대학, 사회인으로서의 생활에 대한 이야기를 듣고 싶었기 때문이다. 결과적으로, 뒤셀도르프 국제학교 졸업생 중 졸업연도가 다른 4명의 인터뷰 조사와, 사정상 직접 만나지 못하고 대신 질문지 답변을 송부해준 1명까지, 합계 5명의 응답을 받았다. 원래는 2004년 당시의 수강자 조사 대상자 전원을 대상으로 해야 하지만, 그 후 여러 제약으로 인해 지속적이고 체계적인 조사를 실시하지 못했다. 비록 체계적인 조사는 아니지만 고교시절 해외에서 IB를 접한 경험자의 목소리는 다양한 식견을 제공하는 것이기에 그 결과를 정리해서 싣는다.

1. 졸업생의 사회진출에 대한 조사의 목적

IB를 수강한 사람들은 그 후 어떤 직업을 갖고 어떤 생활을 하고 있을까. 통상, 교육효과를 살펴보기 위해서는 교육을 받은 사람들의 인생을 장기간에 걸쳐 추적할 필요가 있다. 여기선 하나의 사례로서 파리 국제학교, 암스테르담 국제학교, 뒤셀도르프 국제학교 졸업생 가운데 취직한 이들을 대상으로 한 인터뷰 조사 결과를 소개한다. 학교에서 IB학위를 취득한 이들은 먼저 어떤 대학을 선택했고, 어디에 취직했는가. 두 번째로 IB에 대해 어떤 인상과 기억을 갖고 있는가. 세 번째로 해외에서 교육받은 자로서 일본사회를 어떤 식으로 보고 있는가. 이러한 측면을 검토하기 위해 현재로부터 고교시절을 돌아보는 응답을 요구했다.

2. 조사 방법

대상자 선정에는 파리 국제학교, 암스테르담 국제학교, 뒤셀도르프 국제학교의 일본인교사에게 졸업 후 일정 기간이 지났고(10년 전후), 도쿄 도내에서 인터뷰 가능한 이들로 2~3명씩 추천을 의뢰했다. 실시 시기는 2004년 11월 말부터 2005년 12월까지 6명, 2006년 1월에 2명, 그 후 뒤셀도르프 국제학교의 일본인교사에게 의뢰해 2014년 7월에 1명, 8월에 3명까지 4명의 추가조사를 실시했다. 그리고 일본에 일시 귀국했을 때 연락을 취했지만 해외 거주지로 돌아간 상태라 인터뷰를 진행하지 못하고, 대신 질문지 형식으로 응답해준 1명의 답변을 합쳐 분류, 게재했다.

인터뷰는 주로 도쿄 도내에서 이루어졌고, 나고야 거주자는 도쿄 체류 중에 실시했다. 2014년에 실시한 4명에 대해서는 2명이 도쿄 도내, 1명은 사이타마 현 가와고에 시의 직장 근처에서, 또 1명은 미야기 현 센다이 시에서 실시했다. 연령은 인터뷰 당시다. 인터뷰 내용은 대략적으로 정해놓고 실시하는 반구성적 면접법으로, 시간은 1시간에서 1시간 30분을 상정했다. 내용을 테이프에 녹음한 다음 테이프 복기를 해서 최소한의 가필 수정 후 해당 부분을 발췌하여 본 원고에 게재했다. 대상자의 속성은 도표4-3-1 및 도표4-3-2와 같다.

[인터뷰 내용]

1. 출신지
2. IB학위 취득 단계까지의 학교 이력
    - 일본의 경우: 국립, 공립, 사립
    - 외국의 경우: 현지 학교, 일본인학교, 국제학교, 기타(보습학원 수강 유무 포함)
3. IB 당시의 인상
4. 수험 대학의 시험 내용, 합격 여부, 진학 대학
5. 취직한 곳

• 결정한 이유

• 그 후의 커리어(전직의 유무, 전직 희망 등)

6. IB가 일과 인생에 도움이 된 점

7. 일본인과 일본사회에 대한 의견

도표4-3-1 **졸업생 조사 대상자의 속성(2004~2006년 실시)**

사례 No	직업	성별	이직 경험	대학	졸업고교(년)	국제학교 입학 전 해외 경험
1	외국계증권사	남	없음	코넬대(미국) →런던정경대(영국)	암스테르담 국제학교(1997)	2~10세 미국 (현지 학교)
2	자동차회사	남	없음	와세다대 법학부	암스테르담 국제학교(1997)	0~7세 미국 (현지 학교)
3	물류회사	여	없음	조치대 법학부	암스테르담 국제학교(1997)	0~6세 미국 (현지 학교) 14~15세 영국 (아메리칸스쿨)
4	일미합병증권사 *후에 일본법인화	남	있음	도쿄대 법학부	뒤셀도르프 국제학교(1988)	
5	국립병원 산부인과의사	여	없음	사가의대 의학부	뒤셀도르프 국제학교(1990)	9~11세 미국 (현지 학교) 11~14세 미국 (일본인학교)
6	전통과자 제조판매회사	여	있음	릿쿄대 사회학부 관광학과	파리 국제학교 (1993)	
7	광고대리점	여	없음	국제기독교대 교양학부 →게이오대 문학부(재시험)	파리 국제학교 (1996)	11~12세 영국 (현지 학교)
8	신문사 (아르바이트)	여	있음	국제기독교대 교양학부	파리 국제학교 (1996)	11~12세 영국 (현지 학교)

주: No.7과 No.8은 쌍둥이 자매

도표4-3-2 **졸업생 조사 대상자 속성(2014년 실시)**

사례 No	직업	성별	이직 경험	대학	졸업고교(년)	국제학교 입학 전 해외 경험
9	타이어 업체	남	없음	게이오대 상학부	뒤셀도르프 국제학교(2004)	7~12세 캐나다 (현지 학교)
10	전업 주부	여	있음	오사카시립대 문학부→오사카대 인간과학연구과(석사과정)	뒤셀도르프 국제학교(2004)	9~14세 미국 (현지 학교)
11	게임 회사	남	있음	게이오대 환경정보학부	뒤셀도르프 국제학교(2004)	6~9세 오스트레일리아 (현지 학교)
12	식품 업체	여	없음	와세다대 공학부→와세다대 이공학연구과(석사과정)	뒤셀도르프 국제학교(2006)	3~9세 미국 (현지 학교)
13	현지 외국계 금융*	여	없음	프랭클린대 스위스정치학→위트레흐트대 대학원 환경정책(석사과정)→뮌헨공과대 경제연구과(박사과정)·박사학위 취득	뒤셀도르프 국제학교(2004)	5~6세 미국 (현지 유치원)

*질문지 응답

3. 조사 결과

(1) 대학과 취직의 패턴

대상자 13명이 입학한 대학과 취업의 패턴을 살펴보자. 도표4-3-1 및 도표 4-3-2의 순서대로 편의상 사례1부터 사례13으로 부른다.

● 사례1: 해외 대학 졸업, 외국계 회사에 취직

외국계 증권회사 근무(암스테르담 국제학교/남성/20대 후반)

코넬대학(미국)에 입학했다가 LSE(London School of Economics, 런던정경대)에 재입학, LSE 졸업 후 외국계 증권회사에서 증권애널리스트로 근무하고 있다. 국제학교에 입학하기 전엔 2~10세까지 8년간 미국(현지 학교)에서 지냈다.

[국제학교에 들어가기까지]

가나가와 현 후지사와 시에서 태어났습니다. 2세 때 미국으로 건너갔고, 방학 때마다 일본에 일시 귀국하긴 했지만 10세까지 미국에서 살면서 현지 학교에 다녔습니다. 일본에 돌아와선 초등학교 5학년부터 중학교 졸업 때까지 공립학교에 다녔고, 고등학교 때부터 네덜란드에서 살았습니다. 1997년에 암스테르담의 국제학교를 졸업했습니다. 미국에서 살 때 기본적으로 부모님이 "모국어를 소중히 해라." "책을 정확히 읽어라."라는 가르침을 항시 주셨기 때문에, 그럭저럭 일본어는 잊어버리지 않고 유지할 수 있었다고 생각합니다. 그래도 역시 초등학교 5학년 때 일본에 돌아와선 일본어도 한자도 무척 생소했습니다. 반대로 네덜란드에 갔을 때는 영어를 잊어버린 부분도 있었지만, 어딘가 깊은 곳에 남아 있었는지 금방 감각이 돌아오는 듯한 느낌이 들었습니다.

[대학입학]

대학은 미국 뉴욕 주에 있는 코넬대에 들어갔지만 맞지 않아서 1학년 때 관두고 유럽으로 돌아와 영국의 LSE에 재입학했습니다. 코넬대도 LSE도 전공은 경제학이었습니다.

IB 점수는 대학입시 때는 신경이 쓰였습니다. 일본에서의 진학을 전혀 고려하지 않은 건 아니라서 몇 점을 받은 사람이 게이오대에, 몇 점을 받은 사람이 메이지대에 들어갔는지, 하는 정보가 소문처럼 항상 돌아서 그게 신경이 쓰였습니다. 대학은 1지망은 프린스턴이었지만 실패했고, 코넬, UCLA, 미시간에 원서를 냈습니다. 코넬은 뉴욕이 좋았던 것과, 캠퍼스를 본 느낌이 충실해 보였고, 유유자적한 분위기가 좋아서 선택했습니다. LSE로 옮긴 것은 경제를 공부하기엔 더 나을 것 같아서였습니다.

경제를 선택한 이유는 아마도 아버지의 영향이 상당히 컸다고 생각합니다. 아버지도 저와 마찬가지로 어릴 때부터 돈과 경제의 구조에 대한 의문이 많았기 때문에 경제학을 공부하고 싶다는 생각을 고교 때부터 품고 계셨다고 합니다. 아버지는 학자는 아니지만 대학원까지 나오셨고, 경제학 책이 집에 많이 있어서 쉬운 책들은 저도 읽어보았습니다. 아버지는 예전엔 증권회사에 다니셨는데, 현재는 네덜란드에 있는 UN기관에서 근무하십니다.

일본의 대학에 가지 않은 것은 '일본은 공부하는 환경으로서는 그다지 바라직하지 않다'라는 선입견이 강했기 때문에 해외 대학을 졸업한 후에 다시 일본으로 돌아가고 싶다는 생각을 갖고 있었습니다. 그것은 매우 자연스러운 감정이었습니다. 일본의 대학을 고려했다면, 아마도 경제학을 중심으로 고민했을 텐데, 도쿄대는 어렵다고 해도 게이오대를 목표로 했을 겁니다. 만약 도쿄대에 들어갈 수 있었다면 대학의 명성을 우선했을지도 모르겠습니다. 경제학 수준도 최상일 테고, 논문을 읽어봐도 도쿄대에서 나오는 것들이 많아 입학을 선택했을 것입니다. 그 경우에도 취직의 방향은 지금과 크게 다르지 않았을 거라 생각하지만, 그게 과연 외국계 증권회사였을지는 모르겠습니다. 다만 지금의 커리어에 후회는 전혀 없습니다.

[취직·직업관]

취직은 일본에서 하고 싶었습니다. 해외를 전전해도 뿌리 자체는 100퍼센트 일본인이고, 그 일본인이라는 것이 토대가 되어 영어를 할 수 있다거나, 해외 경험이 있다는 게 부가가치로서 존재하는 것입니다. 그 부가가치를 살릴 수 있는 곳은 역시 일본이라고 생각해 일본으로 돌아오기로 했습니다.

현재의 증권회사는 미국계입니다. 대학을 졸업하기 전에 여름 인턴십 기회가 있어서 2개월 반 동안 지금의 회사에서 신세를 졌습니다. 일하는 사람들을 보면서 '아, 여기다' 싶었습니다. 영국의 LSE에서 2학년 때 증권사에서 입사설명회를 왔었는데, 그때 이야기를 하면서 관심이 점점 커졌던 것이 아마 영향을 끼쳤던 듯합니다.

이 일을 하기로 결정한 것은 기업의 주식을 조사하고 그 기업의 실적을 들여다보는 과정에서 거시적인 것과 미시적인 것을 둘 다 파악할 수 있고, 경제의 흐름을 읽을 수 있어서 무척 공부가 많이 되기 때문입니다. 그 주식이 지금 매수기인지 매도기인지를 기업을 대상으로 컨설팅을 한다는 점에선 컨설턴트에 가까운 일입니다. 지금 하는 일의 내용은 매우 만족하고 있으며 행복합니다. 하지만 향후 20년간 이런 식으로 일본에서 계속 일할 것인가, 그건 상상하기 어렵고 다시 해외에 나갈 수도 있는 만큼 5년 후나 10년 후의 모습은 잘 그려지지 않습니다.

지금 이 일을 하는 것에 대해 가장 기뻐하는 분들은 아마 부모님일 겁니다. 다만 두 분은 제가 너무 일을 많이 한다고 생각하십니다. 아침에도 일찍 나가야 하고, 밤늦게 들어오는 생활이 힘듭니다. 아침엔 늦어도 7시에 출근해서 밤엔 평균 12시를 넘깁니다. 공부가 되어 만족하지만 체력적으론 힘듭니다. 바쁜 팀과 그렇게까지 바쁘지 않은 팀이 있어서, 회사의 모두가 그런 건 아닙니다만.

전직할 가능성은 있겠지요. 100퍼센트 아니라고는 말할 수 없습니다. 지금 하는 일에 전혀 얽매이진 않습니다. 대학시절에 함께 살았던 인도인과 중국인 혼혈 친구는 현재 금융계에서 비슷한 일을 하고 있고, 이탈리아인 친구는 LSE를 졸업한 후 옥스퍼드 대학원에서 박사학위를 받고 지금 남미의 자동차업계에서 컨설턴트로 일하고 있습니다. 미래엔 저도 독립해서 컨설턴트로 일하고 싶지만, 아직은 습득해야 할 것들도 많고, 독립이니 뭐니 그런 건방진 소리를 할 단계는 아닙니다. 내년이면 25세가 되니까 완전 햇병아리입니다. 지금은 일 중심의 생활이어서, 여러 가지 관심사는 많지만 시간이 없고, 친구들과의 모임도 계속 빠져야 합니다. 일이 무척 재미있긴 하지만, 최종적으로는 가족과 여유 있게 보내고 싶다는 꿈은 있습니다.

성공에 대해선 물론 금전적인 것도 있지만, 그 이상으로 중요한 것은 역시 행복한 가정이지요. 결국엔 '능력'이라고 생각하는데 능력 있는 사람은 균형도 잡을 수 있으니까요. 저는 아직 어려서 상사들의 페이스(pace)에 휘말리지만, 언젠가 제 일을 컨트롤할 수 있는 날이 와서, 오늘은 조금 쉬어볼까, 금요일엔 일찍 퇴근하자, 주말엔 여행을 가야지, 그런 식으로 스스로 계획을 세울 수 있게 되면 좋겠습니다. 그렇게 되기까지 제 능력을 얼마나 키울 수 있느냐가 관건이라고 생각합니다. 지금 회사에서라면, 위로 올라가면 가능할 거라 생각합니다.

● 사례2: 일본 사립대학 졸업, 일본 기업에 취직

자동차회사 근무(암스테르담 국제학교/남성/20대 후반)

와세다대 법학부를 나와 일본 기업(대기업)에 취직했다. 태어나서 7세까지 미국에서 지냈다. 현재는 일본 기업의 사원으로서 해외영업을 맡고 있다.

[국제학교에 들어가기까지]

출신은 요코하마입니다. 태어난 곳은 나고야여서 취직하면서 다시 나고야로 돌아온 기분입니다. 태어나서 3개월 즈음에 미국 뉴욕에 가서 현지 유치원과 초등학교 1학년(7세)까지 다니다 요코하마로 돌아왔습니다. 요코하마의 초등학교는 공립이었는데, 일본에 계속 있을 거라 생각했기 때문에 중학교부터 중고일관교에 들어갔습니다. 중3때 네덜란드행이 결정됐을 때는 깜짝 놀랐습니다. 처음 소식을 전해준 것은 부모님이 아니라 서클의 고문선생님이었습니다. 선생님과 복도에서 만났는데 "네덜란드로 간다면서?"라고 하셨어요. 아버지는 제조업체의 해외영업을 담당했기 때문에 '아, 그렇구나' 뭐 그런 기분이었습니다.

[대학입학]

만약 네덜란드에 가지 않았으면 고교까지는 같은 학교에 다니면서 대학입시를 준비했을 겁니다. 일본에 귀국해서 귀국자녀 전문 입시학원에 들어갔습니다. 학원은 모든 학생을 받아주는 데가 아니라 IB점수와 토플점수 등을 보고 입학이 결정되므로 잠재력을 지닌 일정 수준의 학생들이 모였던 것 같습니다. 학생들의 드나듦이 꽤나 빈번했고 지도를 받는다기보다는 자기책임의 느낌이 강했습니다. 제 경우는 어머니가 아시는 분이 입시학원에 계셔서 그분한테서 부모님이 일시 귀국할 때마다 정보를 받곤 했던 것 같습니다. 제가 형제들 중 첫째여서 아마도 가장 고생했던 것 같습니다. 대학은 전부 법률 분야로 지원했습니다. 해외 대학에 갈 생각은 없었습니다. 일단은 일본에 돌아와야겠다고 마음먹고 있었고, 그 후 나가게 되면 나가는 거라고 생각했습니다.

저는 IB학위를 취득했으니 어디에 응시해야겠다는 생각은 없었지만, 대학 측에선 IB점수를 어느 정도는 보지 않았나 싶습니다. 2월까지 기다려서 국립도 지원했지만 안 됐습니다. 떨어진 곳은 히토쓰바시대학입니다. 필기는 통과했지만 면접에서 "왜 법학부에 들어오고 싶은가" 하는 질문에 딱히 할 말이 떠오르지 않았습니다. 정통적인 질문에 약한 편입니다. "자네는 법학부에서 어떤 걸 공부하고 싶은가"라는 질문에는 "이런 걸 하고 싶다"라고 나름 대답을 했습니다. 거기서 더 파고드는 질문에 대한 제 대답은 "음......" 이걸로 끝났어요. 최종적으로 2월에 와세다대학 법학부에 합격했습니다. 와세다의 시험내용은 잘 기억나지 않아요. 국어와 영어와 소논문이 있었던 것 같습니다. 저의 영어실력은 귀국자녀들 중에선 월등히 뛰어난 편도 아니고, 아마도 중상 정도였다고 봅니다. 하지만 소논문은 비교적 잘 작성한 것 같아요. 와세다대학 법학부의 국어시험이 어려워서 귀국자녀들은 기본적으로 힘들어하지만, 저는 중학교 입시도 치러봤고 중학교 3학년 때까지 일본에서 지냈기 때문에 일본어 자체가 그다지 어렵다는 느낌은 없었습니다. 시험지를 받아 든 순간 조금 어렵다고 느꼈지만 못 풀 정도는 아니었습니다. 아마도 그것이 합격한 이유라고 생각합니다. 합격률이 상당이 낮았는데 수험생 100~200명 가운데 합격자 수는 3~4명이었습니다.

[취직·직업관]

직업 선택에서 아버지의 영향은 있었습니다. 결과적으로는 아버지와 비슷한 일을 하고 있습니다. 회사도 취급품목도 다르지만 해외에서의 판매라는 점에선 같습니다. 처음엔 거기까지 생각하지 않았지만 최종적으로는 제가 무엇을 하고 싶은지 생각해봤을 때, 한 가지 확실한 것은 해외에 나가는 일, 단순히 해외에 나간다기보다는 일본을 대표해서 나가고 싶다는 바람이 있었습니다. 외국계는 전혀 고려하지 않았고 흥미도 없었습니다. 해외 거주가 길었던 탓인지 일본을 생각하는 마음이 강한 편입니다. 취직활동 당시는 '일본의 니즈를 해외에서 펼쳐, 결과적으로 해외의 지역사회를 좋게 바꾸고 싶다'는 생각에서 지금의 일에 의미를 두고 선택했습니다.

취직활동도 일본 제조업체의 해외영업만 고려했습니다. 깊이 생각하는 일을 잘 못해서 '결론적으로 하고 싶은 일은 이것이므로, 이걸로 되지 않을까?' 하는 단계에서 제 선에서 정리해버렸고 다른 가능성은 찾아보려고도 하지 않았습니다. 대체로 첫인상을 믿고 돌진하는 편입니다. 오랜 고심 끝에 선택했는데 나중에 후회하는 경험은 그다지 하고 싶지 않습니다. 아예 처음부터 '내가 하고 싶은 건 이거니까 이것밖에 없다' 그렇게 정리해버리면 설사 결과가 별로 좋지 않아도 제 판단으로 한 일이니 후회는 적을 거라 생각합니다.

지금 회사엔 만족하고 있습니다. '도쿄에 본사가 있는 편이 좋지 않을까' 생각하기도 하지만, 그래도 회사를 옮기고 싶다는 마음이 들 정도로 강하진 않습니다. 아마도 들어간 기업에 달린 문제겠지요. 친한 친구가 외국계 컨설팅회사에 들어갔는데, 벌써 몇 번째 이직을 했어요. 외국계에 들어간다는 게 그런 거겠지요. 여러 다양한 곳에서 자신의 커리어를 쌓아가는 것이요. 제 생각이 틀렸다고 보진 않아요. 개인적으로 무엇이 재미없다고 해서 금세 전직하는 사람도 있겠지만, 제 생각과는 차이가 있습니다. 제가 있는 회사는 지금이 정점이 아닐까 생각합니다. 정점을 넘었다고 해서 '그만둘까?' 고민하진 않을 겁니다. 오히려 거기서 노력해보는 게 재미있을 거라 생각합니다.

● **사례3: 일본 사립대학 졸업, 일본 기업에 취직**

물류회사 근무(암스테르담 국제학교/여성/20대 후반)

변호사를 목표로 조치대(上智大) 법학부에 입학, 외교관시험에 실패해서 현재의 물류회사에 입사했다. 태어나서 6세까지 미국에 거주, 14~15세 때 영국에서 아메리칸스쿨을 다녔다.

[국제학교에 들어가기까지]

태어난 곳은 미국 로스앤젤레스입니다. 일본의 초등학교 1학년 2학기 때 귀국해서 요코하마의 초등학교에 편입, 1년 정도 지나 요코하마 시 도즈카구로 이사해서 그곳 초등학교를 졸업했습니다. 중학교는 지역의 공립중학교에 진학했다가 중학교 3학년 5월에 아버지 일 때문에 영국 서리 주로 옮겨 고등학교 1학년 8월까지 영국에서 살았습니다. 네덜란드로 간 것이 1993년 8월입니다. 1996년에 일단 국제학교를 12학년에 졸업하는 형태였지만, IB는 12학년부터였기 때문에 졸업한 후에도 1년간 혼자 남았고, 최종적으로 1997년에 IB학위를 수료했습니다. 그리고 일본에 귀국한 것이 7월입니다.

영국에서 1년 3개월 동안 있다가 서서히 학교에 익숙해질 무렵 급작스럽게 네덜란드행 소식을 들었을 때는 '네덜란드는 영어 안 쓰잖아. 어떡하지'라는 걱정이 들어서 영국에 남고 싶었습니다. 영국에도 일본어보습학교가 있어서 주1회, 일본인들이 모여 일본어수업을 받았는데 재미도 있었고 친구들도 많았고, 학교생활도 어느 정도 익숙해질 무렵이었습니다. 그런데 네덜란드에 가면 다시 처음부터 친구를 사귀어야 하고, 네덜란드어도 모르니까 불안하고 싫었습니다.

국제학교에 가게 된 것은 우선 아버지 회사에서 가까운 곳에 집을 정하게 되었는데, 국제학교가 가깝고 일본인도 있어서 조금 영어를 못해도 지원을 받을 수 있는 체제도 갖춰져 있어서 결정했던 것 같습니다. 클래스에 일본인은 적었습니다. 20명 정도의 학생 중에 저를 포함해 3명이었습니다.

[대학입학]

귀국하기 1년쯤 전에 학교에 진로계획을 적어 내면서 진로에 대해 생각할 시간이 주어져 그때 여러 가지로 고려하다 법학부를 생각했습니다. 그 당시는 법조계, 이른바 변호사, 판사, 검사, 혹은 가정법원 조사관이 되고 싶었습니다.

시험을 본 대학은 사립은 가쿠슈인, 아오야마가쿠인, 게이오, 호세, 와세다, 그리고 조치대학입니다. 국립은 히토쓰바시입니다. 1지망은 히토쓰바시로 3월까지 기다려서 시험을 봤습니다. 입시학원에 들어가 귀국자녀 수험대책으로 영어와 소논문과 국어, 그리고 면접 연습도 1~2회 했습니다. 중간에 상당히 해이해졌습니다. 히토쓰바시의 시험은 영어과목이 일반 수험생과 같은 문제라서 어려웠어요. 하나의 문장이 3행 정도 이어지는데 그것을 일본어로 번역하는 문제였습니다. 국어실력과 문법실력이 있으면 장문도 번역할 수 있지만, 정말로 어렵다고 느꼈습니다.

[취직·직업관]

변호사가 되겠다는 생각은 지금 바뀌었습니다. 대학에 들어가 법률공부를 했지만, 틀림없이 피고인 이야기를 들으면 감정이입이 돼서 변호사 역할을 제대로 해내지 못할 것 같다는 생각이 들었습니다. 대학에서의 일반과목은 매우 좋아했지만, 전공인 법률과목은 성적이 그다지 좋지 않아 자신감을 상실한 점도 있습니다.

공무원은 안정적이라는 것에 끌려 외무전문직 시험을 보기 위해 1년간 학원을 다녔고 대학 4학년 6월에 시험을 봤지만 떨어졌습니다. 귀국자녀라는 자부심도 있어서 '영어를 쓰고 싶다', '쓸 수 있는 편이 좋다', '내가 국가와 국가의 연결다리가 되고 싶다', '공익적인 일을 하고 싶다'는 이유도 있었습니다. 하지만 역시 무직이 된다는 건 무서웠어요. 부모님도 사회적 보장이 없는 것보다는 일단 사회인이 되어 급여를 받고 스스로 자립하는 편이 좋다고 말씀하셔서, 민간기업 취직활동도 했습니다. 4월 말에 지금 일하는 회사의 내정을 받았습니다. 아버지가 항공 분야이긴 하지만, 물류회사에 계시기 때문에 저도 모르는 사이 물류에 관심을 갖게 되었고, 세계의 나라들과 직접적인 접점이 있을 것 같고, 저의 경험도 조금은 살릴 수 있지 않을까 해서입니다. 어학실력을 살릴 수 있다면 즉각적인 전력이 될 수 있다고 쉽게 생각해서 몇 개 회사에 이력서를 냈는데 그 첫 번째 회사였습니다. 그곳에 일단 합격해놓고 공무원시험을 봤지만 안 됐습니다.

취직한 지 현재 3년째입니다. 스트레스도 많고 성격과도 맞지 않습니다. 작년 2월부터 통역안내사시험 공부를 하고 있어서 자격증을 따면 직장을 그만둘지도 모르겠습니다. 조금은 회사에서 떨어져 지내고 싶다는 마음이 간절해진 상태입니다.

● 사례4: 일본 국제학교 졸업, 일본 기업에 취직, 유학 후 증권회사로 전직

일미합병 증권회사 근무(뒤셀도르프 국제학교/남성/30대 후반)

중고일관의 진학 명문교에서 국제학교로 전학했다. 뒤셀도르프는 첫 번째 해외 거주지다. 교토대 졸업 후 일본계 항공사에 취직했다. 사내 유학지원제도를 이용할 수 없어서 휴직계를 내고 자비로 미국 로체스터대학에 유학해 MBA를 취득한 후 전직해서 현재의 일미합병 증권사에 근무하고 있다.

[국제학교에 들어가기까지]

출신은 교토인데, 그곳 공립초등학교를 졸업하고 중학교는 나라 현에 있는 사립학교를 다녔습니다. 아버지는 제조업체 국제부에 근무하셔서 해외출장이 잦았는데 뒤셀도르프 부임은 업무의 연장선상이었습니다. 중3 여름쯤 뒤셀도르프에 가서 처음엔 일본인학교에 들어갔지만 1월 졸업까지 2~3개월밖에 다니지 못했습니다. 그다음은 국제학교에 들어가서 졸업까지 했습니다. 국제학교에 들어간 것은 9학년 중간, 1988년에 졸업하고 1989년에 대학에 입학했습니다. 뒤셀도르프에 가기 전까진 어릴 때 딱 한 번 해외여

행을 갔던 기억밖에 없었습니다. 아버지의 해외근무 이야기를 듣고 가족들 중에서 가장 좋아했던 게 저였습니다. 제가 들어갔을 땐 뒤셀도르프 국제학교에 일본인이 그다지 많지 않았습니다. 그래도 20명 정도는 있었던 걸로 기억합니다. 그 후와 비교하면 적은 편이었습니다. 유치원처럼 교정이 협소했어요. 뭔가 이국적인 분위기이면서 매우 작고 고즈넉한 곳이라는 이미지가 있었습니다. 지금은 전혀 다를 거라 생각합니다.

[대학입학]

일본에 돌아온 후 학원에는 다니지 않았습니다. 입시를 본 대학은 사립 중엔 게이오대, 와세다대, 국립은 도쿄대, 교토대 법학부, 경제학부 등이었습니다. 결국 교토대 법학부에 진학했습니다. 어쩐지 교토의 대학에 갈 것 같다는 예감이 들었습니다. 시험은 필기와 면접이었습니다. 논문을 쓰는 곳도 있었고, 일본어 테스트를 본 곳도 있었는데, 필기는 일반적으로 일본어가 가능하면 풀 수 있는 문제였습니다. 면접은 솔직히 말해서 그다지 인상에 남는 질문은 아니었습니다. 아마도 해외생활이 어땠는지 같은 일반적인 이야기가 주로 나왔고, 독일어로 말해봐라, 영어로 말해봐라, 그런 요구를 받은 것 같습니다.

학교 선생님께서 "그대로 유럽이나 미국의 대학에 가면 좋지 않을까? IB 점수도 괜찮으니 갈 수 있어."라고 말씀하셨지만, 외국대학을 졸업하고 일본에 돌아온다는 것은 거의 가능성이 없습니다. 일본에서 일하려면 일단 일본 대학에 들어가고, 그런 다음에도 해외에 가고 싶으면 충분히 갈 수 있으니 일본에서 좋아하는 것을 먼저 해보자는, 뭔가 결정하기 전의 유예기간이라는 의미에서 일본에 돌아왔습니다. 일본에서의 대학생활은 상상했던 그대로였기에 기대도 충격도 뭣도 없었습니다.

[취직·직업관]

취직은 원래 이과 지망이기도 했지만, 뭔가 커다란 물건을 만들고 싶어서 중공업, 선박, 비행기, 우주선, 철강 같은 대형 제조업체에 지원했습니다. 선택 기준은 큰 물건을 만들 수 있는 곳, 그 업계에서 넘버원인 곳이었습니다. 원래 친척 중에 이공계 사람들이 많아서 어린 시절부터 그런 것을 좋아했어요. 그런 업계의 정보는 친척들도 갖고 있었고, 전화번호부처럼 한 묶음씩 배달되는 취업정보지에서 직접 조사하다가 결국은 항공회사에 취직했습니다. 전형적인 사무직은 아니었고 시스템엔지니어였습니다.

원래 해외유학을 고려해 큰 회사에 들어갔지만, 결국 유학은 휴직해서 자비로 갔습니다. 간 곳은 미국의 로체스터대학(MBA)입니다. 1학년 때 무척 힘들었다는 기억이 있습니다. IB와 비슷한 느낌이었습니다. 꽉 짜여있는 가운데 닥치는 대로 해내야 했습니다. 인내심이 없으면 불가능했겠죠. 돌아오기 전에 어떻게 할까 고민하다 항공회사를 그만두고 전직했습니다. 휴직해서 다녀온 자비유학이었으니 퇴직 타이밍이 그때였든 나중이 됐든 그 차이뿐이었지요. 미국에서 MBA과정 2년차에 지금의 직장을 찾았습니다. 커리어포럼 같은 것이 미국에서 열리는데 거기서 입사 인터뷰를 했습니다. 결정타는 면접 때 회사에 대한 인상이 좋았다는 것과, 또 하나는 새로 생긴 회사여서 앞으로 어떻게 될지, 아직 그 시점에선 알 수 없다는 것, 그 점도 나름 재미있겠다고 생각했습니다. 어차피 완전히 새로운 업계에서 시작한다면 그편이 좋을 것 같다는 생각이 들었어요. 여기서는 주로 자금조달 지원, 주식, 채권, 그리고 M&A를 담당하고 있는데 매수나 매각 규모가 크기 때문에 그런 점에선 재미있을지도 모르겠네요.

● 사례5: 일본 국립대학(의학부) 졸업, 의사가 된 사례

산부인과 의사(뒤셀도르프 국제학교/여성/30대 전반)

9세부터 14세까지 미국 거주. 9~11세까지 현지 학교, 11~14세까지는 일본인학교를 다녔다. 15세부터 뒤셀도르프에서 생활했다. 어릴 때부터 수의사가 되고 싶었지만 의학부에 진학. 현재 산부인과의사로서 국제적인 의료센터에서 근무하고 있다.

[국제학교에 들어가기까지]

자란 곳은 가나가와 현 가와사키 시입니다. 공립초등학교에서 3학년 1학기까지 마치고 아버지의 해외근무가 결정되어 미국 디트로이트에 갔습니다. 현지 초등학교와 토요일마다 일본어보습학교에 다니는 생활이 이어졌습니다. 아버지는 철을 가공하는 기계회사의 영업직으로 출장도 무척 잦았기 때문에 지금 생각해보면 예정된 해외근무였지만, 어릴 때여서 전후 사정은 잘 몰랐어요. 미국은 어느 집이나 넓은 정원이 있고 중산층 가정이 많은 지역이었던 곳으로 기억합니다. 그곳에서 초등학교 5학년 1학기까지 2년 정도 있었습니다. 다음으로 아버지가 시카고로 전근하면서 시카고의 일본인학교를 중2 초까지 다녔습니다. 기본적으로는 완전히 일본의 학교와 동일했습니다.

중2가 될 시점에 귀국해 1학기만 일단 회사 사택에 들어갔는데, 그 후 집을 사서 이사를 했습니다. 고교입시 자체는 무난히 치렀지만, 입시 전후로 다시 아버지의 독일근무가 결정되었는데, 독일은 왠지 모르게 가보고 싶은 나라여서 기뻤어요. 뒤셀도르프 국제학교에는 일본인이 꽤 많았어요. 위아래 학년 합쳐서 10여 명의 일본인이 동시에 들어온 터라 뭔가 따뜻한 분위기였어요. 서로 비슷한 처지였기에 공립학교에 다닐 때와는 다른 안정감 같은 게 있었습니다.

[대학입학]

의사가 되려고 마음먹은 것은 정말 우연인데, 원래 초등학교 때부터 수의사가 되고 싶었습니다. 대학도 수의학과 시험을 쳤는데 떨어졌습니다. 사가 현에 외가가 있어서 들른 김에 사가 의과대학 시험을 치렀습니다. 사가 의과대학은 귀국자녀 전형으로 IB 결과를 제출하고 서류심사 후 지역 고등학교의 추천 입학시험을 보는 아이들과 함께 시험을 봤습니다. 아버지와 상담했을 때 미래에 무엇을 하고 싶으냐는 질문에 "일하고 싶다"고 말했더니 "여자는 자격증을 가지고 직업을 갖는 게 장기적인 안목에선 좋다."라고 말씀하셔서 결정했습니다.

[취직·직업관]

최종적으로 지금의 직장을 선택하게 된 이유는 의료교육을 하고, 무엇보다 소아과나 산부인과가 있다는 것이 결정적이었습니다. 소아과도 가보았지만, 성격적으론 역시 외과계열이 잘 맞는다는 것과 주산기(周産期)에 아이가 태어난다는 명징한 부분이 마음에 들어서 산부인과의가 되었습니다. 여기가 첫 직장이지만, 국제라는 이름이 붙어 있어서, 단지 그거 하나만 보고 시험을 보러 온 셈입니다. 처음엔 병원에 고용된 연수의로 아침 9시부터 3시까지 6시간만 일하게 되어 있어서 시급 천 얼마에, 주말에도 수당이 나오지 않았습니다. 지금의 신분은 의료계 국가공무원입니다.

● 사례6: 일본 사립대학 졸업, 수차례 전직

전통과자 제조판매회사(식품기획) 근무(파리 국제학교/여성/30대 전반)

중학교 때 프랑스에 가서 스위스 호텔학교에 들어가는 것도 고려했지만 릿쿄대학 사회학부 관광학과에 진학. 그 후 식자재상사, 치과 임플란트 판매회사 등을 거쳐 현재 전통과자 제조판매회사에서 근무하고 있다. 푸드코디네이터 자격증을 갖고 있으며 식품과 의료 관련 업체에 관심이 있다.

[국제학교에 들어가기까지]

도쿄 도 이타하시 구에서 태어났고 사립초등학교에 들어가 중학교까지 다녔습니다. 초등학교는 남녀공학이었고, 제가 있던 당시 중·고교는 여학교였지만 지금은 남녀공학이 되었습니다. 중·고교의 4년 반을 프랑스에서 지냈습니다. 처음 1년은 16구에 있는 국제학교인 EAB(École active bilingue)의 브리티시 섹션이라는 곳에 다녔는데 학년 당 10명밖에 없었습니다. IB와 영국의 O레벨과 A레벨을 수강할 수 있는 클래스에 들어갔습니다. 아버지가 아는 일본인 한 분이 먼저 가 계셨고, 아무런 정보가 없었기 때문에 일단 그곳에 들어갔습니다. 일본인은 우리 학년엔 저를 포함해 2명이었습니다. 처음 반년 정도는 아무것도 모르는 상태로 지냈습니다. 시험을 봐도 거의 백지로 내야 했습니다. 진로지도 같은 걸 받았는데 담당자인 프랑스인 여교사가 무척 엄하고, 자기 일은 스스로 어떻게든 해내라는 식이었어요. 또 1명의 일본인 여자애는 1년 유급해서 공부하고 있었습니다. 일본 중학교에선 나름 성적도 좋았기 때문에 정말로 분발했고, 이를 악물고 공부했더니 반년쯤 지나자 조금 편해졌습니다. 하지만 공부하는 사이 뭔가 방향성이 틀리지 않나 느꼈습니다. EAB에 있으면 A레벨, O레벨이라는 영국학제의 자격밖에 공부하지 못하기 때문에 지평을 그 이상으로 넓힐 수 없습니다. 영국에 간다면 상관없지만, 그래도 '내가 장래에 무엇을 하고 싶은가' 하는 희망과는 일치하지 않았습니다. 그래서 스스로 조사해보았습니다. ISP(파리 국제학교)가 3배 정도 수업료는 비쌉니다. 먼저 부모님과 상의했는데 승낙해주셔서 직접 교장선생님께 연락을 드리고 약속을 잡아서 상담을 받으러 갔습니다. 학교 분위기도 좋았고 시설도 EAB보다 정비된 느낌이었습니다.

EAB의 O레벨 클래스가 ISP의 10학년에 해당합니다. 그래서 ISP에선 10학년부터 시작했습니다.

[대학입학]

대학은 릿쿄대학 사회학부 관광학과에 갔습니다. 당시 일본의 관광이 활황이었고 그 선두주자 격인 학교에 가고 싶었습니다. 마침 처음 붙은 학교가 릿쿄였고요. 대학입시 때 저는 거의 공부를 하지 않았습니다. IB의 시험결과를 제출하고, 추가로 대학 자체 시험이 있었습니다. 학원도 다녔지만 내용이 너무 쉬워서 지루해하다 일주일 만에 그만뒀습니다. 국립도 몇 군데 응시했는데 가장 가고 싶었던 곳은 규슈대학이었지만 불합격했고, 그 외에 도야마대학이나 시즈오카대학이나 가나자와대학에도 응시했지만 부모님이 너무 먼 곳은 가지 말라고 하셔서 릿쿄대로 정했습니다. 국립대 시험은 1월, 2월까지 걸리잖아요. 릿쿄대는 상대적으로 빨라서 결과가 나온 것은 11월 즈음이었던 것 같습니다.

[취직·직업관]

취직은 식품 관련 일을 하고 싶었던 것과, 역시 영어가 가능하니까 해외에서 활약할 수 있는 일을 찾다가 무역회사 상품개발팀이 있어서 맨 처음 그곳에 취직했습니다. 제가 주로 담당한 국가는 태국이었습니다. 새우, 중국채소, 냉동야채, 닭고기, 그리고 새우에 빵가루를 묻힌 가공식품 등을 다루는 식자재상사 같은 곳에서 무역사무와 상품개발 일을 했습니다. 실제로 태국 현지에 가서 명함 교환을 하고 직접 공장견학을 신청해서 사장님을 대동하고 "이런 건 어떨까요?" 하는 식으로 교섭도 했습니다. 회사 수입이 불안정해서 무역과 함께 국내 도매업도 했는데 무역 환율로 인해 수익이 널뛰기를 하는 바람에 영업사무와 여러 일을 같이 해내다 몸이 힘들어졌습니다. 그래서 1년 정도 다니다 그만두었습니다.

그 후 인력회사 소개로 스웨덴에 본사가 있는 외국계 치과임플란트 판매 회사에 들어갔습니다. 매우 아카데믹한 회사에서 새로운 제품을 취급하는 부서인데 시작부터 발전해가는 과정을 2년간 경험하면서 의료지식을 얻을 수 있었고, 더욱이 고교시절 공부한 생물의 전문용어를 활용할 수 있어서 좋았습니다. 그때 IB 생물을 하길 잘했다고 생각했습니다. 회사에서도 필요한 인재로 대접받았습니다. 그러나 역시 2년 만에 그만뒀습니다. 외국계는 움직임이 빨라서 본사의 CEO가 바뀌면 지사도 철학도 파워도 180도 바뀌더군요.

그 후 P&G의 자회사인 펫푸드 회사에서 근무했습니다. 무척 재밌었지만 반년쯤 지나자 외국계 치과임플란트 회사에서 함께 일했던 사람이 새롭게 치과의컨설턴트 회사를 차리고 도와달라고 해서 옮겼는데 그 회사도 금세 문을 닫고 말았습니다. 그 후 식품 관련 일이 하고 싶어서 지금의 회사에 들어왔습니다. 지금은 식품 일에 대한 관심이 커져서 직접 푸드코디네이터 자격증을 따고 회사와는 별도로 푸드코디네이터 일도 하고 있습니다. 앞의 치과임플란트 쪽 일도 무척 재미있었기 때문에 지금은 그 일과 식품 관련업의 두 분야 사이에서 방황한다고 할까요.

● **사례7: 일본 사립대학 졸업, 일본 기업에 취직**

광고대리점 근무(파리 국제학교/여성/20대 후반 *사례8의 쌍둥이 동생)

국제학교를 6월에 졸업한 후 서류심사로 국제기독교대학(ICU)에 합격해 쌍둥이 언니와 함께 9월에 입학했다. 같은 해 10월, 게이오대 문학부에 합격해서 국제기독교대학을 자퇴하고 이듬해 4월부터 게이오대 문학부에 들어갔다. 현재는 광고대리점에서 근무하고 있다. 11~12세 때 영국에서 거주했다.

[국제학교에 들어가기까지]

출신지는 도쿄입니다. 외국 경험은 공립초등학교를 다니던 5학년 때 영국으로 건너가 현지 초등학교를 2년간 다녔고, 중학교 때 일본으로 돌아와 귀국자녀 전형으로 사립여자중학교에 들어갔습니다. 그 후 중학교 3학년부터 고등학교 3학년까지 파리에서 살았습니다.

영국의 현지 학교는 런던에서 2시간 정도 떨어진 시골에 있었습니다. 정말 작은 마을입니다. 학교에 일본인은 저와 언니(사례8)를 빼고 2명 있었습니다. 무척 재미있었습니다. 정말 좋았어요. 초등학교 5학년이었기 때문에 영어도 금세 말할 수 있게 되었고, 고생한 것은 첫날 딱 하루뿐이었어요. 일본의 중학교는 사립여자학교로 귀국자녀가 많은 편이었습니다. 영어는 귀국자녀 대상의 영어 클래스를 선택했습니다. 프랑스에 가기로 결정됐을 때는 싫었습니다. 중학교 생활이 즐거웠기 때문에 엄마에게 울면서 '가기 싫다'고 말했습니다.

[대학입학]

부모님은 일본 대학을 나와서 좋은 곳에 취직하길 바라셨습니다. 거기에 반발해서 계속 영국 대학에 가고 싶다고 싸우다가 결국 설득에 실패한 채 '일본에 돌아간다'로 결론이 납니다. 일본 대학에 가고 싶지 않았지만, 6월에 귀국해 7월부터 학원에 다녀야 했습니다.

학교에 따라 여러 입시스타일이 있는데, 예를 들어 게이오대 같은 곳은 비교적 IB점수를 중시하기 때문에 별도의 입시준비는 많이 안 해도 되지만, 그 외의 학교들은 일반적인 입시 전반에 대한 준비가 필요해서 모두 공부해야 했습니다. 저와 언니는 파리에 있을 때 ICU에 응시해 서류전형으로 합격해서 8월 한 달 만에 학원을 그만두고 9월부터 ICU에 다녔습니다. 9월에 입학해서 10월인가 11월경 게이오대학 시험이 있었어요. 거기에도 응시해서 붙었기 때문에 두 달 정도 다니던 ICU를 그만두고 이듬해 4월까지 기다렸다가 게이오대 문학부에 입학했습니다. 사실 ICU도 무척 좋은 학교이고 재미있었기 때문에 많이 망설였습니다. 그러나 ICU는 학교도 작고, 9월 입학생으로 고정돼버리는데다, 언니와 함께 초등학교부터 계속 같은 학교여서 항상 같은 친구들과 어울리는 게 조금 답답하던 상태였어요. 이쯤에서 생활을 바꾸는 게 좋지 않을까 싶어 게이오대에 가기로 했습니다. 언니도 게이오대 입시를 치렀지만 마침 저만 붙게 돼서 저 혼자 학교를 바꿨습니다. IB의 점수라는 게, 어떤 학부는 몇 점 이상이면 붙는다거나, 어디서 그런 정보가 나오는지 몰라도 잘 맞았던 거 같아요. 언니와 나는 1~2점 차이였는데, 제가 문학부 커트라인이었어요. 문학부에선 사회학 커뮤니케이션을 전공했습니다. 그리고 지금 광고대리점에서 근무하고 있습니다.

[취직·직업관]

고교시절, 잡지 편집이 재미있어 보여서 미디어 관련 일을 하고 싶었고, 문학부 중에서도 가장 미디어와 가까운 과를 선택했다고 할까요. 현재의 회사에 입사한 것은 정말 운과 인연이었다고 생각합니다. 나름 이름 있는 대학을 나와 체육회(체육활동과 관련된 대학 내 서클. 조직적이고, 위계질서와 협동을 중시하는 '군대식 문화'라는 비판도 있다. '체육회 출신'이라는 점이 취업에 유리하게 작용하기도 한다-옮긴이) 활동도 했었고, 어학도 가능하니 면접 때 상당히 높은 점수를 받을 수 있었습니다. 거기에 마침 면접관과 이야기가 잘 통해서 그걸로 합격했다는 느낌이 들었습니다. 입사한 후론 계속 고민 중입니다. 일한 지 4년째입니다. 올해 4월이면 5년째입니다 1, 2년차엔 무조건 3년만 지나면 그만둘 거라고 생각했습니다. 체력적으로도 힘들고, 전형적인 일본회사의 불합리함도 견디기 어려웠어요. 그나마 업무내용은 3, 4년쯤 되니 익숙해져서 재미는 있습니다. 그래도 5, 6년쯤 되면 책임지는 자리에 올라가게 되는데 책임감을 갖고 일하는 건 좋아하지 않아서 그땐 어떻게 해야 할지 지금부터 고민하고 있습니다.

● 사례8: 일본 사립대학 졸업, 전직 후 아르바이트를 하는 사례

신문사 아르바이트(파리 국제학교/여성/20대 후반 *사례7의 쌍둥이 언니)

사례7의 쌍둥이 언니다. 동생과 마찬가지로 국제학교를 6월에 졸업한 후, 서류심사로 국제기독교대학(ICU)에 합격, 9월에 입학했다. 종합직으로 과자제조업체에서 근무하다 3년 만에 퇴직. 현재는 신문사에서 이벤트 관련 아르바이트를 하고 있다.

[국제학교에 들어가기까지]

태어난 곳은 효고 현이지만 자란 곳은 도쿄입니다. 초등학교는 도쿄의 공립학교를 나왔고, 사립중학교를 다니다가 3학년 때 파리에 갔습니다. 중학교 생활이 즐거웠고, 친구들도 많이 생겼기 때문에 아버지의 해외 부임이 결정되고 나서 처음엔 가기 싫다고 말했습니다. 하지만 어쩔 수 없이 부모님을 따라갔습니다. 그전에 초등학교 5학년부터 6학년까지 영국에서 2년간 지내며 영국 현지 학교에 다녔습니다. 영국의 현지 학교에선 말을 전혀 하지 못했지만 시골이어서 모두 환영해주었고, 공부내용이 매우 쉬웠어요. 학교에서 그림을 그리던 기억밖에 없습니다.

아버지가 다니시던 회사의 관련 연구기관이 영국에 있어서 자원해서 가신 걸 보면, 부모님 모두 영국에 가는 걸 원하셨던 듯합니다. 영국에서는 매우 유유자적한 생활을 했습니다. 공부도 많이 하지 않고 재미있었기 때문에 영국에 더 머물고 싶었습니다. 일본에 돌아온 후 공부하는 게 무척 힘들었습니다.

파리에는 아버지의 전근 때문에 가게 됐습니다. 국제학교에는 9학년부터

들어가 4년간 다녔습니다. 아버지는 3년째에 귀국하셨지만, 중간에 일본의 고등학교에 다녀도 절대로 따라갈 수 없다고 해서 1년간 저와 동생과 어머니 셋이서 파리에서 지냈습니다.

[대학입학]

대학은 일본의 대학에 가고 싶었습니다. 일본 대학생활이 어딘지 모르게 즐거워 보였고, 그래서 동경했습니다. IB 공부를 하면서 교육의 역할이 크다는 걸 깨닫고 교육에 흥미를 갖게 된데다 아이들을 좋아해서 교육심리학 같은 분야를 공부하고 싶었습니다. 마침 ICU에 교육심리학 전공이 있어서 더욱 끌렸습니다. 하지만 교육심리 쪽은 교육학과 안에서도 성적이 좋은 사람밖에 전공할 수 없었습니다. 저는 들어가지 못했고 결국 교육커뮤니케이션을 전공했습니다. 국립대 입시는 별로 고려하지 않았습니다. ICU는 서류만으로 9월 입학이 가능하므로 파리에 사는 동안 서류를 보내놓고 일본에 돌아오니 이미 합격통지서가 와 있었습니다. 다른 학교 시험을 보는 것도 귀찮아져서 그대로 진학했습니다. 학원은 한 달 정도 다녔지만 공부한 기억은 별로 없습니다. 다른 나라에서 돌아온 친구들을 많이 만났는데, IB를 이수한 친구는 전혀 없고 'IB가 뭐야?'라는 분위기였습니다. 미국에서 귀국한 친구들은 모두 SAT를 공부하고 있었습니다. '나는 공부만 했구나' 싶은 기분이랄까요. 부모님은 어느 정도 이름 있는 대학이라면 괜찮다고 여기신 게 아닌가 싶습니다. 외국대학에 간다고 했으면 반대하셨을 거라 생각합니다.

[취직·직업관]

지금은 아르바이트를 하는데 신문사 사업본부에서 스포츠이벤트 관련 일을 하고 있습니다. 주로 하는 일은 해외의 축구클럽팀이나 미국의 야구클럽팀과 필요한 커뮤니케이션을 하고, 그 외에 이벤트와 직접 관련된 일을 하고 있습니다.

처음엔 일본의 과자제조업체에 종합직으로 입사했습니다. 들어갔더니 남녀차별이 심하고, 종합직이라고 했지만 실제로 여성은 일반직 취급이었습니다. 유니폼도 입고, 차 심부름이나 잡무, 특히 저는 총무부 총무과라는 곳에 있었는데 충격이었습니다. 일본 속담에 차가운 돌도 그 위에 3년간 앉아 있으면 따뜻해진다고 했으니, 적어도 3년은 근무하자고 마음먹었습니다. 무척 애쓴 끝에 3년간 일하고 그만두었습니다. 그 후로 여러 가지 일들을 하고 있습니다. 전부 아르바이트지만, 다양한 일의 세계를 들여다보고 싶었습니다. 그동안 화랑에서도 일해봤고, 국제문화협회라는 미스인터내셔널사무국에서도 일했습니다. 일자리는 전부 친구가 소개해줍니다. 제가 너무 빈둥거리며 살고 있다고 생각해서인지 "이런 거 모집 중인데, 조금은 일도 하는 게 좋지 않겠어?"라고 알려줘요. 지금 하는 일도 친구가 찾아준 겁니다.

● 사례9: 일본 사립대학 졸업, 일본 기업에 취직

타이어업체 근무(뒤셀도르프 국제학교/남성/20대 후반)

초등학교 시절을 보낸 런던에서 아이스하키를 시작했다. 대학 선택은 미래에 해외근무가 가능한 학부로 경제학부, 상학부를 고려, 최종적으로 아이스하키부가 있다는 이유로 게이오대학 상학부에 진학, 졸업 때까지 아이스하키를 계속했다. 일본 제조업체의 해외사업부 근무. 인터뷰는 미국 근무가 시작되기 몇 주 전에 이루어졌다.

[국제학교에 들어가기까지]

유치원까지는 도쿄에 살았고, 초등학교 시절엔 아버지의 일 때문에 캐나다 토론토에서 6년간 지냈습니다. 중학교는 일본에 돌아와 도쿄의 사립중학교 국제부에 들어갔습니다. 그 후 고등학교 1학년 때부터 뒤셀도르프 국제학교에 다녔습니다. 아버지는 가전업체 영업부 직원이었습니다. 캐나다 토론토에서는 현지인들과 섞일 수 있다는 이유에서 캐나다의 국가 스포츠인 아이스하키를 시작했습니다. 그때부터 대학 졸업 때까지 아이스하키를 계속했습니다. 현지 학교는 처음엔 힘들었지만 괴로웠던 일은 그다지 기억이 안 나고 대체로 즐거웠던 것 같습니다. 일본에 돌아와 충격은 받았을지 모르지만 중학교의 국제부는 전원 귀국자녀여서 금세 친숙해졌습니다. 안타깝게도 남자학교였습니다.

유럽은 역사도 깊고 오래되고, 그래서 가보고 싶은 곳이었습니다. 뒤셀도르프에 가기로 정해졌을 때는 캐나다와 전혀 다르지만 불안하기보다는 오히려 설렜습니다. 어쨌든 해외에 나가고 싶다는 생각을 하고 있었고, 중학교 때도 친구들을 만나러 혼자 캐나다에 다녀오곤 했습니다. 뒤셀도르프의 첫 인상은 학교에 일본인이 30명 정도 있어서 아무튼 '일본인이 많구나' 였습니다. 기왕 독일에 갔는데 일본인만 만나는 건 일본과 다를 바 없겠다 싶어 일본인들과도 잘 지내는 한편, 외국인 친구들과도 잘 지내려고 의식적으로 노력했습니다.

[대학입학]

대학에 진학하는 시점에선 무엇이 하고 싶은지 생각하지 않았습니다. 다만, 문과를 지망하려는 생각은 있었습니다. 장래에 다시 해외로 나가고 싶다는 희망을 품고 있었고, 아버지도 문과 출신으로 해외영업부였기 때문에 그런 커리어라면 해외에 갈 수 있겠다고 생각한 것입니다. 대학 졸업 후엔 기업에 들어갈 걸 고려하고 있었기 때문에 지망학부는 상학부 혹은 경제학부로 정했습니다. 그리고 대학에서도 아이스하키를 계속하고 싶어서 그 점도 고려했습니다. 아이스하키부가 강하고 학업도 제대로 하는 와세다나 게이오를 생각했고, 일본에 돌아와 실제로 대학을 둘러보니 게이오대가 마음에 들어서 1지망으로 입시를 치렀습니다. 일본에 돌아온 게 8월 즈음이고 귀국자녀 특별전형이기에 입시는 9월, 실질적으로 2개월간 입시학원을 다녔습니다. 거기서 논문 쓰는 법 등의 지도를 받았습니다.

게이오대는 1차 선발이 서류심사로 IB 예상점수와 함께 SAT도 제출했습니다. IB는 결국 마지막까지 점수를 알 수 없기에, 예를 들어 게이오대에 지원할 때 예상점수를 제시하는데 만에 하나 예상점수보다 낮으면 어떡하나, 불안한 생각이 들었기 때문입니다. SAT는 1,200점 정도였는데 1,300점 정도는 받는 편이 좋다고 생각합니다. 토플점수는 좋았습니다. 2차 선발은 어디나 논문과 면접이었습니다. 시험을 친 곳은 게이오대 상학부와 경제학부, 와세다대 상학부, 조치대 경영학부였습니다. 결과적으로 게이오대 상학부만 합격해서 그곳에 진학했습니다. 와세다대는 필기시험이 주라서 일본어실력이 부족하면 붙기 어려워요. 아마도 주변 수험생들의 평균이 높았던 게 아닐까 생각합니다. IB점수도 38점 정도는 꽤 많았기 때문에 그걸 보면 '역시 힘들겠구나'라고 생각했던 기억이 납니다. 선발과정에서 게이오대는 해외에서의 성적이나 과외활동을 중시하는 반면, 와세다대는 당일 시험결과를 많이 본다는 인상을 받았습니다. 해외 대학도 고려하고 있었기에 캐나다의 브리티시콜럼비아대학(UBC)에도 합격했지만, 가정 사정으로 일본 대학에 진학하기로 했습니다.

당시 게이오대의 아이스하키부는 서서히 강해지기 시작할 무렵이었습니다. 체육회 소속이었는데, 여러 가지 규율이 무척 엄격해서 1년차엔 고생했습니다. 우선 누군가가 실수를 하면 기본적으로 그 학년 전체가 연대책임을 집니다. 이른바 단체 책임으로 동료의식을 키워준다는 좋은 취지지만, 해외에서 경험한 것과는 전혀 달랐습니다. 그리고 1년차엔 잡무를 전부 맡아 해야 합니다. 해외였다면 '모두 함께 하자'는 식이었을 텐데, 엄청난 차이가 느껴졌습니다. '이런 사회구나'라고 납득하려고 했지만, 처음엔 견디기 힘들었습니다. 그만둘까도 몇 번이나 생각했지만, 지금 와서 돌아보면 즐거웠던 기억도 있습니다. 공부는 대충 하고, 기본적으로는 서클활동만 했습니다. 상학부라고 해도 경제 분야의 공부를 하는 것이었는데, 고등학교 때도 해봤기 때문에 전혀 어렵다고는 생각하지 않았습니다. 영어에서 일본어로 바뀌었을 뿐이라는 느낌이 들었습니다.

[취직·직업관]

국제학교를 졸업하고 10년이 됩니다. 일본 제조업체의 해외사업부에 있고, 지금은 유럽 전반의 사업관리를 맡고 있습니다. 얼마 전 갑자기 미국 부임이 정해져 곧 떠나게 됩니다. 미국은 가장 큰 시장이자, 처음 경험해보는 시장입니다. 이번에 2년간의 부임인데, 1년째에 경영기획 부문에서 미국의 비즈니스 전반을 배운 뒤 2년째엔 영업활동을 하게 됩니다. 연수도 겸하게 될 것 같습니다.

취직은, 해외 기업에서 일하고 싶다는 생각이 조금 있었지만, 집안 사정이 있어서 일본 기업에서 해외로 나갈 수 있는 곳으로 제조업계과 항공업계를 처음에 고려했습니다. 대학 2학년 때는 파일럿이 되고 싶었지만, 서클활동을 하다 손목 분쇄골절을 당했는데, 파일럿은 신체검사가 엄격하다고 들어서 포기하고 대신 지상근무도 괜찮겠다고 생각해서 항공업계도 응시했습니다. 1지망은 항공업계였습니다 지금의 제조업체에 채용된 것은 글로벌기업이라 해외 경험을 높이 사서 해외요원으로 채용해준 거라 생각합니다. 몇 군데 내정을 받았지만 인사 담당자와 다른 사원들을 소개받아 이야기를 나눠보고 이곳으로 결정했습니다.

회사 안에서 해외로 나가는 사람들 중엔 해외 경험이 있는 이들이 많습니다. 일본에서 나고 자란 사람도 있지만, 그런 사람들은 학력이 우수하고,

대학시절 유학경험이 있는 경우가 많습니다. 회사에는 외국인 사원도 있고, 전화회의나 현지와의 커뮤니케이션이 영어로 이루어지기 때문에 채용 시에 어학을 중시한다고 생각합니다. 외부세계에 대해 개방적일 수 있는지는 경험에서 비롯되는 것이며, 그런 경험은 젊을 때 할수록 좋다고 생각합니다. 아무래도 계속 일본에서 지내다 사회인이 되면 일본적인 고정관념이 생겨난다고 봅니다. 제 경우엔 아버지 덕분에 여러 곳을 다녀봤기에 '다양한 사람들이 있다'는 것을 어릴 때부터 알 수 있었습니다. 덕분에 매우 유연한 태도로 사람들과 접촉하게 된 것 같습니다.

향후 커리어는 미국에 2년 갔다가 일단 일본에 돌아오고 거기서 다시 아마 다른 지역에 부임하게 되지 않을까 싶습니다. 어디든 원하는 나라를 선택하라고 한다면 개인적으로 캐나다를 좋아하지만, 업무 차원에선 여러 도전이 가능한 신흥국가에 가보고 싶어요. 예전에 아프리카 시장을 담당했었고, 아프리카 서쪽에 있는 코트디부와르, 나이지리아, 세네갈 등 가보고 싶은 나라가 무수히 많습니다. 브라질이나 러시아도 좋고요.

● **사례10: 일본 공립대학 졸업, 국립대학원 수료, 일본 기업에 취직, 퇴직하고 전업주부**(뒤셀도르프 국제학교/여성/20대 후반)

심리학을 전공하고 싶어서 귀국자녀 전형으로 오사카 시립대학에 입학. 그 후 오사카대학 대학원을 수료하고 일본 기업에 취직했다. 수년 뒤 퇴사해 배우자의 근무지인 지방도시(센다이)에서 전업주부로 지낸다. 지역에서 스포츠를 즐기며, 어학실력을 활용해 지인 회사의 영어 코디네이터 업무를 시간이 있을 때 자유롭게 맡아 하고 있다.

[국제학교에 들어가기까지]

히로시마 현 히로시마 시에서 태어나 8세 때까지 거기서 자랐습니다. 초등학교는 바로 근처에 있는 초등학교였습니다. 그러다 초등학교 3학년부터 중학교 2학년까지 미국의 디트로이트에서 현지 공립초등학교와 중학교를 다녔습니다. 중학교 2학년 2학기 때 일본으로 돌아와 중학교 3학년 1학기가 끝날 때까지 1년간 다시 히로시마 공립중학교, 그 후 뒤셀도르프의 일본인 중학교에서 3학년 2학기에서 3학기에 걸쳐 3~4개월 다니다가, 뒤셀도르프 국제학교에 진학해서 졸업했습니다.

미국의 디트로이트에 가기로 정해졌을 때는 아무것도 모른 채 미국에 간다는 통보를 받아서 한 달 전에 아버지가 집을 구하기 위해 먼저 출국했습니다. 어머니는 정신이 없으셔서, 마침 학교가 소풍인가 뭔가 해서 도시락을 집에서 가져가야 했는데, 도시락 만드는 걸 잊어버리실 정도였습니다. 도시락 없이 동생과 학교에 갔는데 "오늘은 급식 안 나와."라고 선생님이 말씀하셔서 당황했던 일이 기억납니다. 어머니는 비행기를 처음 타보셔서, 가는 내내 유치원생이었던 막내동생까지 아이 셋을 부둥켜안고 계셨습니다. 아무튼 미국에 가는구나, 멍한 느낌이었습니다.

아무것도 모른 채 현지 학교에 들어갔는데, 일본인은 2명 정도였습니다. 3학년 때였는데 미국은 먼저 다가가지 않으면 절대 아무도 곁에 와주지 않더군요. 그래서 별로 재미도 없고, 말도 못하고, 스쿨버스를 타면 어디 앉아야 할지 고민하곤 했습니다. 3년 정도 지나 간신히 '내가 뭔가를 하지 않으면 아무것도 얻을 수 없다'는 걸 알고 나서, 가능한 한 먼저 웃으면서 다가가게 되었습니다. 집안의 어른들도 새로운 문화적 충격에 어리둥절해 있는 상태였고, 아이인데도 '힘들다'는 생각이 들었습니다. 그래서 처음엔 '왜 이런 생활을 해야 하나' 싶어서 부모님을 많이 원망했습니다. 하지만 서서히 익숙해졌습니다.

미국에는 5년 있었습니다. 현지 학교에 다니며 토요일엔 일본어보습학교에 다녔어요. 그래서 양쪽 공부를 해야 했지요. 당시엔 힘들었습니다. 보습학교라는 곳은 일본인과 만날 수 있는 기회였지만, 딱히 즐겁지는 않았어요. 일본인과 만나고 싶다는 생각이 안 들었어요. 생활은 역시 현지 학교가 재미있었습니다. 저는 악기를 좋아해서 5학년 때부터 바이올린을 켤 기회가 있었는데 '바이올린을 하고 싶다'고 했더니 시켜주었고, 음악이 좋아서 합창단도 했습니다. 그리고 지역 오케스트라도 학생들은 공짜로 들을 수 있었고, 교육환경이 잘 정비되어 있었습니다.

주변에 조금씩 현지 친구들이 생겨나니 마지막엔 돌아오고 싶지 않았습니다. 하지만 어쩔 수 없이 또 귀국해야 했습니다. 귀국이 정해졌을 땐 너무 쓸쓸해서 반년 후에 혼자 미국에 가서 친구 집에서 한 달간 홈스테이를 했습니다.

일본에 돌아왔을 때 일본의 인상은 최악이었어요. 전혀 저와 맞지 않았고, 주변 시선으로 볼 땐 제가 폭주하는 듯 여겨졌는지, 부모님이 몇 번이나 학교에 불려오셨습니다. 일본의 학교엔 1년밖에 안 다녔지만, 나가기 전에 선생님께서 "3년 치 다 보내고 가는구나."라고 하셨을 정도예요. 일본의 학교에 익숙해지려고 노력은 했지만, 모두 얌전하고, 자기주장도 하지 않고, 심지어 모두 함께 화장실까지 가는 걸 보고 경악했어요. 학생들의 책상이 모두 앞의 칠판을 향해 있다는 것도 믿을 수 없었어요.

동생들도 힘들어 보였지만, 학교에선 제가 가장 문제아였던 듯합니다. 아마 부모님도 그렇게 생각하셨을 겁니다. 어느 날 아버지께서 "독일에 갈래?" 하고 물어보셨는데, 저는 곧바로 가겠다고 대답했습니다. 남동생과 여동생은 아무 말도 안 했습니다. 저는 제가 생각한 것을 확실히 말하고, 금세 행동을 취합니다. 학교는 외딴 시골이고 귀국자녀는 우리가 처음이라 당황스러운 일이 많았던 듯합니다. 귀국자녀라는 걸 숨기고 지내는 방법도 있다고 알게 되어 그다음 귀국했을 때는 아무한테도 말하지 않았습니다. 지금 센다이 사람들에게도 제가 귀국자녀라는 말은 전혀 하지 않았습니다.

뒤셀도르프에서는 일본인학교는 재미가 없었고, 국제학교에 다닐 땐 즐거웠습니다. 일본인은 많았지만 다양한 나라의 사람들이 있고, 하고 싶은 일은 하고 싶다고 말할 수 있고, 선생님도 귀 기울여 들어주셨고, 규칙은 확실히 있었지만 자유롭게 뭐든지 할 수 있었습니다.

일본에선 원래 수줍음 많고 말수가 적은 아이였어요. 초등학교 때는 성적도 나쁘고, 무슨 일에든 나서지 않는, 매우 움츠러든 상태였지만, 미국에 가서 스스로 나서서 행동하지 않으면 친구도 사귈 수 없다는 걸 알고 바뀐 거라 생각합니다. 그대로 일본에서 자랐다면 저의 원래 모습도 바뀌지 않았을 겁니다. 금세 침울해지는 성격이 되었을 거라 생각합니다.

독일에선 별로 성실하지 않았습니다. 학교가 끝나면 친구와 함께 돌아와 그대로 술을 마시러 나가거나, 오케스트라와 스포츠 활동을 했기에 늦을 때는 10시쯤 집에 돌아올 때도 있었습니다. 귀가시간이 10시여서 넘기면 엄청 혼이 나고, 새벽 3시까지 설교를 들어야 할 때도 있었습니다. 모두가 'IB는 힘들다', 'IB를 하면서 스케줄 관리가 가능해졌다'고 말하지만, 저는 그런 건 전혀 느끼지 못했습니다. 에세이라면, 형식적으로 쓰는 게 아니라 진솔하게 자신의 체험이나 예시를 넣어서 무게가 확실히 느껴지게 쓰면 점수를 주었기 때문에 그걸 고려하면서 적었습니다.

[대학입학]

대학은 오사카 시립대입니다. 시립대는 심리학이 있어서 선택했습니다. 하지만 1년째는 종합교육인가 뭔가 해서 심리학 진도는 안 나가고, 3학년이 되어서도 인원 수가 많아 성적순으로 선발한다는 이야기를 듣고, 맹렬히 항의편지를 쓰고, 학장까지 만나고 해서 간신히 심리학 수업을 들었습니다. 1년째부터 심리학을 공부할 수 없다면 의미가 없다고 생각해 다른 곳에 갈까 고민하면서 미국의 대학 등도 찾아봤습니다. 하지만 돈이 없으니 "그냥 열심히 해봐라."라는 부모님 말씀에 일단 졸업했습니다. 왜 오사카 시립대에 갔느냐 하면, 심리학에서 하고 싶은 분야였던 생리심리학 선생님이 계셨기 때문입니다. 국제학교에서 수면 시 뇌의 움직임, 뇌파와 뇌 전달물질의 움직임을 조사하면서 매우 즐거웠던 것과, TOK가 좋아서 인간이란 뭘까, 깊이 생각해보다가 세포에까지 관심이 갔던 겁니다. 그래서 생각한 것이 생리심리학이었습니다. 의학부에 가라는 권유도 받았지만, 그렇게까지 공부를 잘하지 못했습니다. 시립대는 시험도 없었고, 귀국자녀 전형인데다, 형제들도 있으니 반드시 국공립을 가라는 말을 들었고, 도쿄는 물가가 비싸고, 해서 결정하게 된 것입니다. 하지만 4년간 했지만 뭔가 확실히 잡히지 않았어요. 낭비였다곤 할 수 없지만, 뭔가를 해냈다는 기분이 그다지 안 들어 좀 더 수준이 높은 곳에 가서 해보자 싶어 오사카대학의 대학원에 갔습니다.

일본의 대학생들은 모두 엄청 성실하고 머리가 좋았습니다. '머리가 좋다'는 것은 '주어진 테스트를 잘 푼다는 의미에서 머리가 좋다'는 뜻입니다. 모두 100점을 받을 수 있는 사람들이었습니다. 하지만 이야기를 나눠보면 전혀 재미없었어요. 그래서 친구도 없었고요. 맞지 않는다고 생각한 순간부터 이야기를 하지 않았고, 계속 배구만 했습니다. 스포츠에선 모두 자신을 오픈하고 확 즐길 수 있으니까 재미있었어요. 지적인 의미에서의 충족감은 없었습니다. 친구들과 좀 더 깊이 있는 이야기를 나누고 싶었어요. 하지만 그런 식으로 저의 속내를 확실히 말할 수 있는 친구는 단 한 명밖에 없었고, 그 친구와는 하숙집이 가까워서 함께 자주 어울렸습니다.

입시는 IB와 전혀 관계없었고, 토플과 SAT 점수를 제출했습니다. 학원은 2개월간 다녔습니다. 여러 나라에서 돌아온 사람들 10여 명이 모인 클래스로 재미있었습니다. 지금도 그때 친구들과 연락합니다.

대학을 졸업하고 바로 취직할 생각은 없었어요. 무슨 일을 할 것인가 아직 명확하지 않았고, 좀 더 공부하고 싶었어요. 4년 중 첫 2년은 확실하게 심리학 공부를 하고 그 후 실험을 하는 4년간이었다면 좋았겠지만, 학문적으로 전혀 충족되지 않았어요. 그래서 '할 수 있는 데까지 공부해보자' 생각했어요. 세포연구라는 건 끝이 없고, 깊이 들어갈수록 점점 여러 가지 공부가 하고 싶어집니다. 문득 오사카대학이 떠올라 인간과학 생리학 석사과정에 진학했습니다. 거기서 하고 싶은 만큼 최대한 공부해보고 취직하자고 생각했습니다. 테마는 뇌의 신경전달물질인 글루타민산으로, 그 물질의 GABA(감마아미노뷰티르酸)라는 전달물질이 행동에 어떤 영향을 미치는지 연구했습니다. 명절 연휴도 휴가도 없이 열심히 2년간 몰입했습니다.

[취직·직업관]

석사과정에서 연구는 실컷 해봤다는 심정이어서 취직은 전혀 다른 분야에서 하고자 마음먹었습니다. 저는 일본에서 태어난 일본인으로서 일본의 이야기를 세계에 퍼트리는 역할을 해야겠다고 생각하고, 일본의 제조업체에 들어갔습니다. '메이드 인 재팬(Made in Japan)'은 독일에서도 미국에서도 매우 강력합니다. '메이드 인 재팬'이라 적혀 있기만 해도 '이거 엄청 품질이 좋다'라고 생각해주기 때문에 일본의 제조업체, 그것도 세계에 거점이 있는 곳을 선택했습니다. 그런데 실은 판단 착오였어요. 가고 싶은 곳은 신발회사였습니다. 신기에 매우 편하고 세련되면서도 예쁜 신발을 만드는 회사에 가고 싶었습니다. 하지만 실제로 가보니 제가 생각했던 신발회사가 아니라 같은 회사명을 가진 모니터기자재 회사였습니다. 결국 거기 취직했습니다. 부서는 영업부였습니다. 본사는 지방이었지만 희망한 것도 아닌데 근무지는 도쿄로 결정됐습니다. 작은 회사로 정말 좋은 물건만 만드니까 '절대적으로 자신이 있다', '절대 지지 않는다'라는 분위기의 자존심 강한 곳이어서 그것에 끌렸습니다. 하지만 1년 반 만에 그만두었습니다. 맞지 않았어요. 우선 도쿄가 맞지 않았고, 일도 마찬가지였어요. 업무상 메일에 적혀 있는, 빙빙 돌려 말하는 식의 내용이 정말 무엇을 말하고 싶은지 알 수 없었어요. '나한테 뭘 원하는 거지?', '이 구구절절한 메일내용을 정독해봐야 하는 거야?' 싶은, 논리적이지 않은 메일이 너무 많았어요. 기술영업이라서 다른 기업 사람들과도 함께 일했는데 '대체 언제까지 일하는 거야' 싶을 정도로 도쿄의 모든 사람들은 맹렬히 일하더군요. 저의 논리에 맞지 않는, 왜 이런 일을 해야 하는가 싶은 것들이 너무 많아서 저 스스로도 이제 더 이상은 위험하다고 느낄 정도로 금방 터질 것 같은 시점에서 그만두고 히로시마로 돌아왔습니다.

히로시마에 돌아와 한 달 정도 지난 시점에서 지인의 회사 일을 거들어 주게 되었습니다. 대학 1학년 때부터 서너 살 위의 친구에게 꾸준히 영어 개인교습을 했습니다. 그 친구 아버지가 자영업을 하고 있어서 전부터 조금씩 도와주고는 했었습니다. 의료계의 방사선기계 관련 소프트웨어 회사입니다. 지금은 이 회사의 디자인을 하거나 카탈로그를 만들거나, 통역이나 해외 연락업무를 돕고 있습니다. 센다이에 있어도 할 수 있는 일이라서 도와드리는 겁니다.

● 사례11: 일본 사립대학 졸업, 일본 기업에 취직, 창업, 일본 기업에 재취직 게임회사 근무(뒤셀도르프 국제학교/남성/20대 후반)

초등학교까지 오스트레일리아에서 생활, 뒤셀도르프는 두 번째 해외 거주지다. 국제학교에서 게이오대학SFC(쇼난 후지사와 캠퍼스)에 진학했다. 창업을 포함, 수차례 전직을 경험했고 현재는 게임회사에 근무 중이다.

[국제학교에 들어가기까지]

해외거주는 뒤셀도르프가 두 번째입니다. 아버지의 해외근무로 유치원부터 초등학교 3학년까지 4년간 오스트레일리아에서 보냈습니다. 그리고 오사카에 돌아와 공립초등학교, 중학교에 진학했고, 중학교 2학년 때 다시 아버지의 해외부임으로 독일에 갔습니다. 아버지는 자동차회사의 해외사업부에 계셔서 해외에 가면 승진하고, 돌아와서 다시 승진하시고 그랬습니다. 독일 이후에도 다시 중동에 나갔다 오셨습니다. 이제 해외사업부라는 부서는 없어졌고, 지금 부모님은 히로시마에 계십니다.

일본의 공립초등학교에 들어갔을 때의 기억은 일본어를 잘 못해서, 스트레스로 살이 많이 쪘다는 겁니다. 오스트레일리아에서는 매주 토요일마다 보습학교를 다니면서 일본의 교육에 따라가기 위해 공부했습니다. 독서는 초등학교 3학년 수준의 수업내용을 따라갈 수 있는 정도였지만, 한자는 쓰기 순서가 복잡해서 지금도 부끄러울 때가 있습니다.

뒤셀도르프에서는 일본인학교부터 시작했습니다. 신선하고, 긍정적인 기분으로 다녔습니다. 일본에선 친구도 많았기 때문에 그립기도 했습니다. 오스트레일리아의 기억은 거의 없습니다. 역시 독일이 좀 더 기억에 남아 있습니다.

일본인학교에서 다음 진학 선택지가 몇 군데 있었는데 가장 가고 싶은 곳은 국제학교였습니다. 도인(桐蔭) 독일분교나 도카이(東海) 덴마크분교 같은 일본의 사립학교 분교에 진학하는 아이들도 있었습니다. 김나지움에 가는 선택지는 없었습니다. 오스트레일리아에서 배우면서 영어를 좋아하게 되어 국제학교는 개인적으로도 가고 싶은 생각이 있었습니다. 일본인학교에서 20명 정도가 같이 들어가기 때문에 일본의 클래스가 그대로 올라가는 느낌은 있습니다. 처음엔 ESL, 제2언어용 보습클래스에 들어가는데, 일본인만 있었습니다. 일단 영어시험 성적과 관계없이 전원이 들어옵니다. 수료시험을 2회 치르는데 저는 1회째에 합격해서 그 다음부터는 국제학교의 원어민 친구들과 함께 수업을 받게 되었습니다. 같은 학년의 일본인 중엔 입학했다가 바로 일본으로 돌아가는 경우도 있고, 중간에 들어오는 학생도 있어서 최종적으로 일본인은 30명 정도 있었던 것 같습니다. 그 집단이 IBDP를 듣거나 일반 수업을 듣거나, 하는 식으로 여러 갈래로 나뉩니다. 그 30명 중 IBDP를 수료한 사람은 5명 정도입니다. 그중 3명은 역시 저처럼 과거에 해외에 나간 적이 있어서 어느 정도 영어가 가능한 아이들이었습니다. 영어실력, 예를 들면 '토플이 500점은 넘어야 한다.'라는 설명을 듣고 시작했지만 중도탈락한 사람도 있습니다. 최종적으로 남은 사람이 5명입니다. 처음엔 8명 정도 있었던 것 같습니다. 모두가 '해낼 수 있을 거야'라고 생각하고 수강하지만, 역시 수업수준이 높아서 따라가기 힘들어요. 계속 나쁜 성적을 받으면 대학진학에 영향이 있으니까 IB를 그만둔 사람 중 한 명은 귀국자녀 입시전형으로, 또 한 명은 국립대학에 센터시험은 보지 않고 면접과 소논문으로 진학했다고 들었습니다. 보통 수업을 받은 아이들은 귀국자녀 전형에 맞춰 SAT나 토플을 준비하기 위해, 그리고 일정 이상의 성적 유지와 소논문 작성 및 면접에 대비해 모두 소논문 전문학원에 다녔습니다. 학원은 독일에 있었습니다. IB 수강생들도 학원에 갔습니다. 저

역시 고등학교 3학년 마지막 학기에 대학입시가 가까워질 무렵부터 다니기 시작했습니다. 일본에 귀국한 후 다시 학원에 가서 소논문 공부를 했습니다.

[대학입학]

IB점수는 38점이었습니다. 일본인 중에선 2~3번째 정도였습니다. 40점이나 42점을 받은 학생도 있었습니다. 42점을 받은 학생은 그대로 독일에 남아 스위스의 대학에 간 듯합니다. 저는 해외 대학에 가는 선택지는 고려하지 않았습니다. 영어는 어디까지나 제2언어이고, IB를 했다고 해도 원어민만큼 영어를 잘할 수 있는 것도 아니고 일본어가 더 나았으니까요. 그렇다면 잘하는 일본어 필드에서 해보자, 생각해서 일본의 대학 중에서도 비교적 국제적 색채가 강한 대학을 선택할 요량이었습니다.

일본에 돌아와 귀국자녀를 대상으로 하는 오사카의 작은 학원에 들어갔습니다. 거기 간 것은 저뿐이었습니다. 모두들 요요기제미나 가와이주쿠 같은 유명 입시학원에 갔습니다. 오사카는 요요기제미, 도쿄는 가와이주쿠를 선택하는 분위기였습니다. 대학은 게이오대학SFC입니다. AO입시가 아니라 일반입시입니다. 귀국자녀 전형으로 게이오, 와세다, 조치에 원서를 냈는데 서류는 통과했지만 면접에서 떨어졌습니다. 저는 역사를 공부하고 싶어서 나름 집요하게 도전했습니다. 게이오대도 문학부만 응시했고, 와세다대도 제1문학부, 조치대도 마찬가지로 한 군데만 도전했는데 전부 떨어졌어요. 중복지원을 했으면 좋았겠지만 전혀 고려하지 않았습니다. 결국 일반입시로 게이오대SFC 종합정책학부에 들어갔습니다. 컴퓨터도 할 수 있고, 생물도 할 수 있고, 법률도 할 수 있는 교양학부 같은 곳입니다. 테크놀로지 쪽이 강한 학부여서 데이터마이닝(대규모로 저장된 데이터 안에서 통계적 규칙이나 패턴을 찾아내는 것-옮긴이) 계열 연구실에 들어가 사회학과 데이터분석을 공부했습니다. 대학공부를 하면서 고생한 기억은 그다지 없고, 딱히 IB를 했던 게 강점으로 작용했다고 느낀 적도 없습니다. 다만 "뭐든 자유롭게 해 보세요."라는 주문을 받았을 때 제가 좋아하는 주제를 수월하게 선택할 수 있었다고 할까요. 그러고 보니 독일에서는 술을 16세 때부터 마실 수 있으니 매주 술자리가 있었고, 대학에 들어가 술을 처음 먹은 건 아니네요. 그게 장점일까요.

[취직·직업관]

취직할 때는 막연히 IT계, 웹 쪽으로 가고 싶었습니다. 대학에선 패션업체와 함께 고객데이터를 가지고 데이터마이닝으로 소비동향을 찾아내는 연구를 하곤 했습니다. 취직은 2009년 즈음, 트위터나 페이스북이 등장했는데 그것에 엄청 끌려서 웹 관련 회사에 입사해 게임제작을 했습니다. 게임에는 처음엔 관심이 없었지만, 들어가 보니 게임 분야가 가장 인기였기 때문에 지금까지 8년 정도 계속 게임을 만들고 있습니다. 콘셉트(concept) 단계부터 들어가는 경우도 있고, 구조부터 들어가는 경우도 있습니다. 주제가 정해져서 거기서부터 기획을 시작하기도 하고, 막연히 좀비를 차로 치는 게임이 있으면 재미있겠다는 생각에서 시작하기도 하고, 다양합니다.

제가 IB에서 지금 도움이 된다고 느끼는 것은 '여유를 넘어선 여유'입니다. 저희들은 '초(超)여유'라고 말합니다. 해외에선 주말에 학교과제가 비교적 수월할 때는 술을 마시고, 수학시험에서 답이 틀려도 점수를 받을 수 없는 게 아니며, 기본적으로 영문법은 일일이 따지지 않기 때문에 원하는 대로 구조를 짜낼 수 있는, 그런 자유로운 환경이었어요. 술을 마시는 것은 사회생활의 기회입니다. 술자리를 좋아해서 히키코모리(은둔형 외톨이-옮긴이)는 될 수 없겠네요.

일본사회는 엄격하잖아요. 저는 그런 부분은 피하고 싶었습니다. 게임업계나 IT업계는 은행이나 상사와 비교할 때, 양복을 입지 않아도 되고, 잔업은 있지만 접대골프 같은 건 없습니다. 출근은 11시에 해서 22시까지 일하거나, 혹은 집에서 해도 됩니다. 그런 의미에선 해외생활이 완전히 그런 체질로 만들어버렸을지도 모릅니다. 부모님은 IT계열 진로에 전혀 반대하지 않았습니다. "네가 정한 거니 됐다."라고요.

저는 세 번 전직을 했습니다. 처음 회사를 옮겨 계속 게임을 만들었는데 친구와 창업하면서 그만뒀습니다. 그리고 조금 지나 보니 친구와 생각이 맞지 않다는 걸 알게 됐고, 올해 아이가 태어나는 점도 고려해야 했습니다. 창업해도 바로 돈이 들어오는 게 아니라서, 다시 취직을 결심하고 지금 회사에 들어왔습니다. 또다시 창업을 할지도 모르지만, 한 번 창업해서 회사를 만드는 것이 의외로 쉽다는 걸 알게 됐기 때문에 지금은 회사에서 제대로 게임을 만들고 매출을 올리는 것에 집중하고자 합니다. 철새생활을 해본 결과 게임을 만드는 한편, 친구의 인력소개회사를 돕거나, 친구의 인터넷회사 앱을 만들거나 하는 식으로 여러 개의 옵션을 동시에 가지고 가는 게 리스크 헤지(risk hedge, 위험분산-옮긴이)가 된다는 걸 알게 됐습니다. 이런 유연한 삶의 방식이 가능한 것과 생존능력이 생긴 것은 어쩌면 IB나 국제학교 덕분일지 모릅니다. 해외에서는 모르는 것투성이라서 일단 벽에 부딪치면서 배워야 하는데, 그런 경험이 일본에서 계속 지냈던 사람보다 많을지 모릅니다. 힘든 일도 있었다고 생각하지만, 비교적 긍정적인 성격입니다.

외국에 진출하고 싶은 꿈은 있습니다. 지금 회사는 해외에 게임을 출시하는 것을 전제로 만들어진 회사라서 그런 기회는 있을 거라 생각합니다. 상사에 가면 영어가 되는 사람은 수두룩하지만 게임업계는 대졸이 필수가 아니라, 고졸도 있고 중졸도 있습니다. 그만큼 영어가 가능한 것은 장점이 되므로 이 업계를 선택하길 잘했다고 생각합니다.

● 사례12: 일본 사립대학 졸업, 대학원 수료, 일본 기업에 취직

식품업체 근무(뒤셀도르프 국제학교/여성/20대 후반)

뒤셀도르프 국제학교에서 와세다대 이공학부에 진학, 대학원 석사 과정을 거쳐 제1지망인 식품업체에 취직, 연구소에서 식품개발연구를 하고 있다.

[국제학교에 들어가기까지]

미국에서 9세 때 일본으로 돌아왔는데, 그때 일본과 미국은 다르다고 생각했습니다. 당시 초등학교 3학년으로 일본어를 할 수 있었던 덕분에 금세 친구가 생겨 일본생활은 재미있었습니다. 일본에선 할머니가 함께 생활하셨기 때문에 독일행이 정해졌을 때 그대로 할머니와 일본에 남는 선택지도 있었습니다. 그렇게 할까도 생각했지만 "이런 기회는 다시없는데 독일에 같이 가면 어때?"라는 어머니의 권유에 '정말, 기회인데 가보자' 그렇게 됐습니다.

독일이 좋았던 점은 여러 가지가 있지만, 무엇보다 근처에 소가 함께 사는 유유자적한 생활이었습니다. 뒤셀도르프는 3분의 1이 일본인으로 일본인과 이야기할 기회가 많지만, 아무리 그래도 다양한 나라 사람들과 관계를 맺게 됩니다. 독일생활도 즐겁고 독일이 좋았습니다. 고등학생이라는 예민한 시기에 외국에서 산다는 건 본인에겐 나름의 충격이 있을 수도 있지만, 저는 어디든 살면 고향이라고 생각하기 때문에 어디에 가든 재미있을 것 같습니다. 지금은 일본에 있어서 일본이 좋긴 하지만, 다시 독일에 가고 싶습니다. 국제결혼도 가능합니다.

제 아이가 태어나면 아이도 귀국자녀로 만들고 싶은가 하는 질문을 종종 받는데, 오히려 평범한 공립학교를 다니면서 거리낌 없이 자라길 바랍니다. 진학 명문교에 보내고 싶은 생각도 없고, 좋은 학교에 가서 좋은 대

학을 졸업하고 좋은 기업에 취직하라고도 말하지 않을 겁니다. 극단적으로 벗어나지만 않으면 되지요. 외국에도 부모님 일 때문에 따라갔고 선택지가 국제학교밖에 없었기 때문에 선택한 것이지, 제가 의도한 게 아니에요. 만약 가지 않고 일본에 남았다면 그것도 나름대로 좋았을 거라 생각합니다.

[대학입학]

고등학교를 6월에 졸업하고 귀국해서 귀국자녀 전형 입시학원인 가와이주쿠에 약 반 년간 다녔습니다. 가와이주쿠는 같은 귀국자녀인 아이들이 많이 모여 있어서 무척 재미있었습니다. 보통의 학교처럼 매일 수업을 받고, 함께 밥을 먹고, 즐겁게 입시공부를 했습니다. 그리고 귀국자녀 입시전형으로 와세다대 이공학부 응용화학과에 들어갔습니다. 이과에 들어가려면 IB 과목 중 물리를 고급레벨로 취득하는 편이 낫다고 들어서 물리를 선택했지만 물리학과를 지원할 생각은 없었습니다. 같은 국제학교 친구들은 저 외엔 전부 문과에 진학했습니다. 이과는 저뿐이었지만 설명회에서 이야기를 들어보니 귀국자녀는 문헌을 읽을 때 영어가 도움이 되어 유리하다고 했습니다. 실제로 연구실에 들어가서 논문을 읽을 일이 많았기 때문에 영어 특기가 도움이 됐습니다.

응용화학과 연구실에서는 생물화학과에 들어갔는데 유기화학, 무기화학, 촉매화학, 전기화학 등 화학을 폭넓게 응용해 연구하는 학과였습니다. 학부 때는 그것을 전부 조금씩 공부하고 3학년 말에 연구실에 배치되어 그때 자신이 연구하고 싶은 분야를 선택하는 겁니다. 와세다의 이공계가 1지망이긴 했지만, 부모님의 바람도 있고 해서 도쿄공대도 마지막까지 응시했지만 안 됐습니다. 왜 화학이었냐 하면, 귀국자녀 입시에는 면접이 있는데, 미래에 어떤 일을 하고 싶은가 하는 질문을 받으면 생활용품, 세제나 식품 관련 업체에서 일하고 싶다는 이야기를 해야겠다고 입시 때부터 생각하고 있었습니다.

IBDP를 이수한 덕분에 과제물 작성에 익숙해진 건 있습니다. 일본의 고등학교에서는 '이 문제를 푸시오'라는 숙제는 있어도 2주 안에 리포트를 쓰는 일은 많지 않을 거라고 생각합니다. 저는 대학에서 매주 실험을 하고 매주 리포트를 써야 하는 생활에 그다지 저항감은 없었지만, 주변 친구들은 상당히 힘들어 했습니다.

대학 3학년 때는 식품업체에 취직을 고려하기 시작했고, 식품 분야로 가려면 생물 쪽이 낫겠다고 생각해서 생물화학 연구실에 들어갔습니다. 재미있었습니다. 연구실은 선배가 후배를 지도하는 형태로, 팀으로 나뉩니다. 이 팀은 효소에 대해, 저 팀은 아미노산에 대해 연구하는 식이었습니다. 저는 효소를 이용해 향료를 만드는 팀에 들어가 연구하고, 졸업논문과 석사논문은 식물에서 얻을 수 있는 효소를 이용해 기름에서 향료를 만드는 것에 대해 썼습니다. 취직면접에선 왜 화장품업계에 가지 않았느냐는 질문을 받았는데 "저는 식품을 하고 싶어서 식품회사에 지원한 것입니다."라고 대답했습니다. 대학 4년을 마치고 이과라면 대학원까지 가는 게 유리하다고 해서 대학원에 진학했습니다. 계속 연구하는 것보다 취직해서 기업에서 뭔가를 하고 싶다는 생각을 갖고 있었기 때문에 박사과정이라는 선택지는 제 머릿속엔 없었습니다.

대학입시에선 IB학위가 있어서 선택지가 넓었다고 생각합니다. 입시에서 IB 혹은 SAT 과목을 지정하는 대학이 많았습니다. 국제학교에서 IB학위를 취득하지 않은 아이들은 자신이 지원하고 싶은 대학을 사전에 조사해보고, SAT가 필수라는 정보를 입수한 경우엔 해당 과목을 수강했습니다. 저는 IB학위를 취득했기에 대체로 문제없었는데 선택지를 제한하지 않은 것은 잘했다고 생각합니다. IB는 CAS나 과제논문, 고급레벨과 표준레벨을 3과목씩 선택해야 하는 게 너무 힘들어서 중간에 관두는 아이들도 있었지만, 저는 그것을 힘들다고 느끼지 않았습니다. 일반적으로 수업을 받고 IB학위를 취득할 수 있다면 취득하는 편이 좋다고 생각했습니다.

아버지는 상사맨입니다. 3세부터 9세 때까지는 미국에서 지냈습니다. 중학교 3학년 여름방학 때 독일에 갔습니다. 9학년 시작이 8월이라서 그때 들어간 셈입니다. 영어는 처음 반년은 힘들었고 마지막까지 완벽해지진 않았지만, 일본에서 바로 왔거나 일본인학교를 졸업하고 온 아이들에 비하면 잘하는 편이었다고 생각합니다.

[취직·직업관]

취직할 땐 해외 경험이 많은 점이 좋은 평가를 받았다고 생각합니다. '과자' 쪽 일을 하고 싶어서 여러 제과회사에 응시했습니다. 지금 회사는 예부터 널리 알려진 안정적인 기업이라는 이미지가 있어서 1지망이었습니다. 지금은 카카오열매 연구를 하고 있습니다. 구체적으로 카카오열매를 어떤 식으로 구우면 맛있는 초콜릿을 만들 수 있는가, 하는 연구를 팀으로 하고 있습니다. 초콜릿 일로 선배들은 매년 수차례 남아프리카에 갑니다. 열매는 수입하고 있지만 나무 키우는 법 등을 현지에 가서 지도하곤 합니다.

출근은 9시고 정시퇴근이 17시 40분이지만 모두 대체로 18시에서 20시 사이에 돌아갑니다. 카카오열매가 맛있다고 느끼는 것도 사람에 따라 다른데, 이런 식으로 구우면 쌉쌀한 초콜릿을 만들 수 있고, 저런 식으로 구우면 단맛이 강한 초콜릿이 만들어진다는 식의 연구입니다. 저는 응용화학 전공으로 화학 분야를 폭넓게 다뤄봤기 때문에 깊이 알지는 못해도 조금씩이나마 접해본 적 있는 내용들이 대부분이어서 회사생활에 적응하기 수월한 면이 있습니다. 그 점은 다행이라고 생각합니다.

저는 이과에 진학해 대학원까지 갔기 때문에 사회에 나온 지 2년째입니다. 이 일은 계속 하고 싶지만 정년까지 있을지는 모르겠습니다. 연구소 내에서의 이동이나, 아니면 공장에 가거나, 본사에서 상품기획을 하는 식으로, 수년마다 이동이 이루어지는 회사이므로 지금 하는 일을 계속 할 가능성은 없다고 봅니다. 하지만 지금 부서가 무척 마음에 들기 때문에 한 차례 다른 부서로 이동하더라도 다시 돌아오고 싶은 마음은 있습니다.

IB 공부는 지금 하는 일의 기초적인 부분에서 도움이 되고 있다고 생각합니다. 주변의 일본인들은 과제에 쫓기는 상황에 익숙하지 않은 듯한 인상을 받았습니다. 예를 들면 한 번에 세 가지 정도 과제가 주어지면 마감까지 일주일이 남아 있어도 모두 우왕좌왕 하는 모습을 볼 때, '하나하나 하면 될 텐데 익숙하지 않구나' 하는 생각이 듭니다. 지금 직장에서도 시간에 쫓길 때는 있지만 위기감은 별로 없습니다. 사회인이 되어보니, 국제학교에 가서 득을 보는 것은 우선 어학이 가능하다는 점, 외국인을 봐도 주눅이 안 드는 점, 그리고 여러 문화를 알게 되어 시야가 매우 넓어졌다는 점입니다. 예를 들어 일본인 중에서도 이상한 행동을 하는 사람들이 있잖아요. '아, 분위기 파악 못하네' 싶은 사람이 있어도 저는 그 사람을 있는 그대로 받아들일 수 있음을 종종 느낍니다.

● **사례13: 해외 대학 졸업, 해외 대학원**(석사·박사과정)**을 수료하고 박사학위 취득, 해외에서 현지 외국계기업에 취직**(뒤셀도르프 국제학교/여성/20대 후반)

뒤셀도르프 국제학교에서 스위스 사립대학에 진학. 졸업 후 네덜란드의 위트레흐트대학 대학원에서 석사학위 취득. 그 후 독일 뮌헨공과대학 대학원에서 박사학위 취득. 현재 독일의 종합금융회사에서 근무. 질문지 응답이어서 쓰여 있는 사실을 기술한다.

[국제학교에 들어가기까지]

5~6세 유치원 때 미국에서 살았고, 15~19세까지 독일에서 지내면서 뒤셀도르프 국제학교에 다녔습니다.

[대학입학]

1지망은 미국의 조지워싱턴대학이었지만 최종적으로 스위스의 프랭클린대학에 진학, 정치학과 커뮤니케이션학을 전공했습니다. 학교를 정할 때는 국제적인 분위기일 것, 배우고 싶은 학부가 있을 것, 그리고 해외 경험이 입시에 유리한 곳을 고려했습니다. 프랭클린대학의 입시는 일반입시로, 일본에서 말하는 AO입시와 비슷한 형태입니다. 대학에선 IB의 고급레벨에서 5점을 받으면 대학단위로 인정되어 결과적으로 월반이 가능했고, 4년이 아닌 3년 만에 학사학위를 받고 졸업할 수 있었습니다. 대학 졸업 후 위트레흐트대학 대학원에 진학해 환경정책을 전공, 지속가능한 발전에 대해 연구하여 석사학위 취득, 독일에 돌아와 뮌헨 공과대학 대학원 박사과정에 들어가 환경정치학 환경정책을 전공하여 수료와 동시에 박사학위를 취득했습니다. 국제학교 시절엔 외교관이 되고 싶었습니다. 그리고 '커리어우먼이 되고 싶다'는 막연한 꿈을 갖고 있었던 기억이 납니다.

[취직·직업관]

현재 독일에 있는 종합금융회사 본사의 지속가능성 부문에서 기업의 지속가능한 발전 및 사회환경 책임과 관련된 일을 하고 있습니다. 일본인으로서 독일기업의 본사에서 근무하며 영어, 독일어를 쓰는 나날입니다. 그리고 글로벌한 관점에서 지속가능성을 생각한다는 점에서 글로벌한 삶의 방식을 영위하고 있다고 생각합니다. 뮌헨 공과대학 박사과정 재학 당시 대학에 남아 연구자가 될지, 기업에서 일할지 고민할 때 지금 일하는 부서에서 학생 아르바이트 모집을 했습니다. 1년 반, 아르바이트로 일하다 그 후 정직원으로 채용되어 지금에 이릅니다. 해외에선 기업 자체가 아니라 포지션에 응모하는 일이 많고, 저의 경우도 그랬습니다. 원하던 일이고, 사풍도 좋아 보였고, 사회공헌도가 높은 점, 장래성이나 기술력도 고려해 현재의 직장으로 결정했습니다.

(3) IB의 인상

인터뷰에선 IB 당시의 기억과 IB가 일과 인생에 도움이 된 점을 들어보았다. 그러나 구체적으로 도움이 되었다는 대답은 적었다. IB에 대한 인상과 기억은 시간이 많이 흐른 탓도 있어서 애매한 경우가 많았고, 다른 교육제도와 비교할 수 없으며, 해외 경험의 영향인지 IB의 영향인지 판별이 불가능하므로 응답하기 힘들다는 사람도 있었다.

● 사례1: 외국계 증권회사 근무(암스테르담 국제학교/남성/20대 후반)

IB를 선택한 이유: 학교의 추천

IB학위를 받은 것은 대략 7명이었습니다. 전원에 가까웠어요. 모처럼 그런 기회가 주어졌으니 대충 하기보다 확실하게 IBDP를 이수해서 균형 잡힌 교육을 받는 것이 중요하다고 생각했습니다. 수업도 재미있었어요. IB는 네덜란드에 간 이후에 접했고, IBDP가 시작되기 수개월 전에 알게 됐습니다. 선배들 이야기를 들어보니 '엄청 힘들다', '공부가 어렵다'는 이미지가 무척 강했습니다. 사람에 따라 다르겠지만, '영어수준이 따라가기 힘들다'거나 '영어가 아니라 오히려 내용이 무척 어렵다'라거나 '시간적으로도 힘들다'라는 이야기를 들었습니다. 지금 돌아보면 당시엔 힘들었습니다. 영어 때문에 그다지 고생하진 않았지만 내용의 수준이 높았던 것 같습니다.

IBDP를 이수한 경험과, 해외거주 경험을 둘로 나누어 생각하긴 어렵지만, IB프로그램은 6교과에 초점을 맞춘 게 실은 무척 훌륭한 점이라고 생각합니다. '내가 잘할 수 있는 건 고급레벨로 선택하고, 조금 흥미 있는 건 표준레벨로 선택하자.' 그렇게 제 안에서 의식적으로 자신 있는 것, 그렇지 않은 것, 흥미 있는 것을 일찍부터 나누어 생각해보는 수밖에 없었어요. 꼭 옵션제가 좋다는 건 아니지만, 역시 의식을 한다는 건 중요하다고 봅니다.

IB가 지금 직장생활이나 인생에서 어떤 도움이 되느냐 하면, 균형이라는 부분이 크네요. CAS나 과제논문도 있었고, 여러 교과들이 있어서 본인이 스스로 균형을 맞춰 공부해야 했습니다. 그런 점에서 고교생활이 실은 무척 도움이 되었고, 덕분에 매우 균형 잡힌 인간이 되었다고 생각해요. 그리고 역시 영어실력입니다. 영어는 어느 분야를 가든 써먹을 수 있어요. 어떤 의미에선 무기이니까요. 그 두 가지가 크다고 생각합니다.

IB를 해서 놓친 것은 또래의 일본인들과 고교시절에 경험한 것을 이야기해도 공유 불가능한 점, 그리고 고등학교와 대학이 해외여서 학문적 어휘도 영어 쪽이 당연히 많아요.

● 사례2: 자동차회사 근무(암스테르담 국제학교/남성/20대 후반)

IB를 선택한 이유: 본인 의지, 부모의 희망

IB는 필수가 아닙니다. 그러나 반대로 IB를 선택하지 않을 이유가 없었어요. IB가 어렵다는 건 당연히 알고 있었지만 '어려우면 중간에 안 하면 되지' 하는 생각이 제 안에 있어서 '어차피 하는 거 어려운 쪽을 선택하자'라고 생각했던 것 같아요. 가능성이 거의 제로라면 모를까, 어떻게든 딸 수 있지 않을까 하는 자신감은 있었습니다.

IB요? 뭔가 열심히 공부했다는 이미지 정도밖에 솔직히 남아 있지 않습니다. 어렵기는 했습니다. 다만 그 어렵다는 정도가, 말하자면 일반적인 공부의 어려움이지요. 일본에서 수험생으로 지내는 경우도 그럴 거라 생각합니다. IB라서 뭔가 특별히 더 힘들다는 것은 잘 모르겠습니다. IB는 자신이 미처 인지하지 못한 부분에서 여러 가지로 도움이 되고 있다고 생각하지만, 특별히 IB를 해서 좋았다, IB 덕분이다, 그런 것은 없습니다.

● 사례3: 물류회사 근무(암스테르담 국제학교/여성/20대 후반)

IB를 선택한 이유: 본인 의지, 부모의 희망

IB에 대해서는 전혀 알지 못했어요. 무척 수준이 높다는 인상이었고, IB 학위가 없으면 대학에 못 가는 건가, 하는 정도였습니다. IB는 2년 동안 매일 꾸준히 공부하다가 그걸 집대성한 시험을 보는 느낌이었습니다. 매일매일 해야 하는 공부가 힘들었습니다. 선생님들이 11학년은 3시간 정도, 12학년은 4시간 정도는 반드시 방과 후 책상 앞에 앉아서 해야 할 정도의 숙제를 내셨거든요. 그게 날마다 공부를 한다는 동기부여에는 도움이 됐겠지요. 수업태도나 출석일수, 수업에서의 발표태도나, 리포트 내용도 전부 평가받는 겁니다. 리포트를 제출하면 IB의 7단계 중 얼마라는 점수가 나오고 그것들을 전부 통틀어 종합적으로 평가하기 때문에 한시도 방심할 수 없어요. 좋은 점은 시험이라는 압박감이 없다는 점을 들 수 있겠습니다.

생물시간에는 돼지 해부를 했습니다. 지리과목에선 모두가 일주일간 프랑스에 가서 그곳 해변의 파도의 모습이라든가 마을의 구성 등을 여러 방면에서 관측했습니다. 이런 경험들이 무언가를 설명할 때 실제 사물을 보고, 그것을 증거로 상황에 대한 이론을 세우는 연습이 되었다고 생각합니다. 대학의 강의는, 제가 다닌 곳은 인원 수가 많아서 대강당에서 교수님이 혼자 이야기하는 분위기였습니다. 그것과 비교하면 IB는 인원 수가 적은 가운데 무척 농밀한 시간을 보내니, 수업시간에 멍 때릴 수가 없었어요. 항상 적당한 긴장감 속에서 '공부해야지' 하고 마음을 다잡을 수 있었습니다.

● 사례4: 일미합병 증권회사 근무(뒤셀도르프 국제학교/남성/30대 후반)

IB를 선택한 이유: 본인 의지

IB는 독일에 가기 전 대학입시에 대해 조사할 때 읽은 기억이 있습니다. 그때는 김나지움에 흥미가 있어서 아비투어를 염두에 두고 있었는데, IB가 좀 더 국제적으로 폭넓게 운용되겠지, 좀 더 활용도가 좋겠지, 뭐 그런 이미지를 갖고 있었습니다.

IB는 필수는 아닙니다. 아무튼 수강하는 학생이 많지 않았습니다. 학교 안에서도 극소수였고, 일본인은 거의 없었습니다. 저보다 한 학년 위는 일본인이 1명이었고, 우리 학년에서도 기본적으로 저 혼자였습니다. 나중에 또 1명이 들어왔지만, 중간에 일본으로 돌아갔습니다. 그 친구는 귀국자녀 특별전형으로 SAT와 토플 결과를 가지고 도쿄대에 들어간 걸로 알고 있습니다.

왜 IB를 선택했는가. 돌이켜보면, 지금 생각해도 신기한 일이네요. IB학위를 취득하는 게 가장 적절한 선택이 아닐까 하는 이미지가 있었던 듯합니다. 그리고 또 하나, 수업이 나름 재미있었어요. 원래 중학교 입시를 치렀기 때문에 암기나 주입식같이 짧은 시간에 답을 찾는 시험엔 익숙했습니다. 딱히 그런 훈련이 싫었던 건 아니었어요. 다만 생각하면서 여러 가지를 적어낸다는 것은 IB 때가 처음이었던 것 같은데, 거기서 특별한 재미를 느낀 게 아닌가 싶어요. '준비 땡' 하는 순간부터 마라톤을 하는 듯한 기분이랄까요. IB를 통해 얻은 게 있다면 역시 생각하는 힘이네요. 자신의 머리를 써서 생각하는 과정의 즐거움이랄까요.

● 사례5: 산부인과 의사(뒤셀도르프 국제학교/여성/30대 전반)

IB를 선택한 이유: 본인 의지, 부모의 희망

처음엔 IB 수강을 고려하지 않았어요. 국제학교에선 수학클래스든 뭐든 쉬워요. 부족한 것은 어학뿐이라는 느낌이죠. 친구들 중에는 브랜드 제품을 사는 일에 관심을 쏟는 아이들도 있었지만, 저희 집은 검소한 편이라 또래 일본인 친구들에 대해서도 위화감이 있었어요. 계기가 된 것은 월반의 경험입니다. 고1 때 첫 학년을 조금 낮추는 형태로 쉬운 클래스에 들어갔는데 교과서를 한 권 빌려서 직접 공부한 뒤 시험을 봤더니 한 단계 위 클래스로 월반시켜 주겠다고 하더라고요. 그때 뭔가 해볼 만하겠다는 의욕이 생겼습니다. 그래서 여름방학이 끝날 때 시험을 보았는데 다시 상위클래스에 들어갔다가 그 위의 클래스에 들어갔더니, 그 다음 클래스가 IB였습니다. IB는 수업내용이 흥미를 끌 만한 것들로, 경제학이라면 실제 주식을 사보거나 하는 점이 실천적이라고 느꼈습니다. 처음엔 무척 성적이 나빠서 부모님까지 불려가고, 1년 더 천천히 해서 13학년 졸업을 해도 좋지 않겠냐는 제안을 받았어요. 하지만 그건 싫다고 하고, 열심히 해서 12학년에 간신히 끝냈습니다.

IB를 선택한 것은 당시 저 하나였습니다. 성적이 나빠서 1년 더하는 것도 생각해보라는 권유에, '하지만 나는 할 수 있어'라며 철부지 같은 고집을 부려도 아무도 무시하지 않고 들어주셨고, 그렇다면 적극 지원해주겠다는 태도로 움직여주셨습니다. 선배들 중엔 교토대 의학부에 진학한 분도 있다고 하는데, 그렇게까지 IB가 특별하진 않다고 생각합니다. 수준으로 치면 일본의 진학 명문교들이 오히려 더 높지 않을까요. 다만 대학 수업에 가까운 형식인 것 같기는 합니다.

● 사례6: 전통과자 제조판매회사 근무(파리 국제학교/여성/30대 전반)

IB를 선택한 이유: 본인 의지

EAB(École active bilingue)의 O레벨 클래스가 ISP(파리 국제학교)의 10학년에 해당합니다. 그때까지 해온 공부와 달라서 다시 한 번 10학년을 하기로 하고, IB준비과정 코스부터 시작했습니다. IB의 경우엔 잘하는 과목은 점수를 잘 받아놓고, 잘 못하는 과목은 어느 정도 열심히 노력해서 나름의 점수를 받자는 분위기였다면, O레벨, A레벨 때는 가능한 한 열심히 공부해서 일단은 붙어야 한다는 분위기였습니다. 그렇기 때문에 선택하는 교과는 3교과로 적지만, 대신에 좀 더 깊이가 있다고 할까, 공부하는 범위가 상당히 넓었습니다. A레벨은 선택한 교과가 바로 대학의 전공이 되기 때문에 고교 때부터 전공을 정하고 공부해야 하는데 저는 거기까지 정하지 못했어요. 하지만 영국에 가서 A레벨에 합격하기 위해 학원 같은 데 다니면서 재수, 삼수하는 일본인들도 꽤 있었습니다. 그 모습을 보면서, 그렇게까지 공부에 시간을 들이긴 꺼려졌어요. IB는 교과가 많아서 바쁘고, 과연 따라갈 수 있을까 하는 불안감은 있었습니다. 숙제도 많고, 그 숙제가 IB의 점수에 반영되기 때문에 상당히 힘들었습니다. 그래도 고교 때 고생한 덕분에 대학에 들어가선 무척 수월했습니다. IB의 미술선생님은 정말 만능 아티스트로, 그 선생님을 포함해 모든 선생님이 대단한 전문가였습니다. '어떻게 하면 이 아이를 IB에 합격시킬까'

플러스 '어떻게 하면 정말 즐겁게 공부하게 할 수 있을까' 하는 걸 깊이 고민해주셨습니다. 제가 처음으로 선생님과 신뢰관계를 구축할 수 있었던 것이 ISP에서였습니다.

● **사례7: 광고대리점 근무**(파리 국제학교/여성/20대 후반 *사례8의 쌍둥이 동생)

IB를 선택한 이유: 학교의 추천

IB는 다른 것과 비교하면 유연하다는 점은 있지만, 테스트 자체는 기억하는 걸 쏟아내는 방식으로 전날 머릿속에 집어넣는 느낌입니다. 저는 그런 부분을 상당히 잘해서, 성적도 나름 좋았습니다. 파리에 가서 에세이 쓰기에 익숙해지기까지 무척 고생했습니다. 기억만 하는 게 아니라 수업에서 배운 것을 어떻게 이해하고 자기 언어로 문장화하는가 하는 연습을 엄청 많이 했는데, 결과적으론 그런 공부를 하길 잘했다고 생각합니다. 역사시험은 두 가지 정도 질문이 나오고 그것에 대해 스스로 답을 전개하는 방식이라 도중에 끝나지 않을 때도 있고요. IB의 이미지요? '힘들다!' 두 번 다시 하고 싶지 않아요. 도움이 됐는지 어떤지, 다 잊어버렸어요. 하지만 일본의 학교보다는 ISP에 오길 잘했다고 생각합니다. 대학에 들어가서 일반적인 입시를 치른 사람들 이야기를 들어보면 모두 아침부터 저녁까지 학교에 다니고, 그 후엔 학원에 가서 공부만 했다고 해요. IB는 공부뿐 아니라, 무엇을 공부하면 좋을지 모를 때 여러 가지 것들을 시도할 수 있었어요. IB가 인생에 도움이 됐는가 생각해보면, 일본에 있었다면 일본 학교에 다니면서 입시공부를 하고 어딘가의 대학에 들어갔을지 모르지만, 지금처럼 자유롭게 살지는 않았을 거라 봅니다. 일본의 대학은 공부를 전혀 안 하잖아요. 저 역시 IB에서 충분히 공부했으니 대학에선 그냥 놀자, 그렇게 생각했습니다.

● 사례8: 신문사 아르바이트(파리 국제학교/여성/20대 후반 *사례7의 쌍둥이 언니)

IB를 선택한 이유: 학교의 추천

이미지는 힘들다는 것이었습니다. 실제로 해보니 어려웠습니다. 예를 들면 일본어시험은 3~4시간 이어지고, 에세이뿐 아니라 시험도 있어요. 1년에 2회 정도 종료시험 같은 학기말시험이 매번 있고 마지막에 5월엔가 최종시험이 있는데, 일단은 써야 하는 게 많아서 힘들었습니다. IB의 공부내용은 그다지 도움이 된다고 생각하지 않지만, 한 가지 생각에 치우치지 않고 여러 각도에서 사물을 본다거나, 일반적인 업무방식, 생각하는 방식 면에서 균형을 잡는 데는 IB가 제 안에선 상당히 크게 작용하고 있다고 생각합니다. 예를 들면 뭐랄까요, 뭔가 내가 하고 싶은 것은 나답게 하고 싶다거나, 그런 부분은 아마도 프랑스에서 살면서 생각하게 됐을지 모르겠어요. 공부하는 게 너무 힘들었기 때문에 다른 면에선 만족스럽지 않았어요. 좀 더 놀고 싶었어요. 프랑스까지 갔으니 미술관에도 가고 싶었어요. 좋았던 점도 역시 실컷 공부할 수 있었다는 점일까요.

● 사례9: 타이어업체 근무(뒤셀도르프 국제학교/남성/20대 후반)

IB를 선택한 이유: 본인 의지

외국인들은 IB를 많이 선택하지만, 일본인은 그렇지 않아서 30명 중 선택한 것은 5명이었습니다. 커리큘럼을 보고 '공부를 많이 해야겠구나' 싶으면서도, 일본의 교육처럼 수동적으로 배우는 게 아니라 리포트를 쓰는 것이 재미있겠다는 생각이 들었습니다. IB가 일본의 대학에 가는 데 불리한 점은 없습니다. 저는 IB와 SAT를 입시에서 제출했지만 IB 쪽이 쓰임이 있었습니다. 토플도 봤습니다. 부모님도 모처럼의 기회니 좋지 않겠냐고 말씀하셨습니다. 제 성격상 도전하고 싶은 것이 있으면 '일단 해보자' 다짐했던 기억이 납니다. IB를 수강하던 친구들끼리 모여 '힘들다', '리포트는 어떻게 해야 하지', 그런 이야기를 많이 나누었습니다. 똑같이 힘든 입장이어서 서로 사이가 좋았습니다. 실제로 해보니 구체적으로는 리포트가 많은 점과, 내용도 고급레벨인 경우 무척 난이도가 높아서 힘들었습니다. 경제학을 선택했는데, 처음엔 용어조차 몰라서 사전을 찾아가며 공부했습니다. 모르는 것투성이였던 학교생활 외에, 뒤셀도르프의 로컬팀 소속으로 아이스하키도 했는데 연습시간이 주6일이나 됐습니다. CAS의 '활동(Activity)'은 아이스하키, '봉사(Service)'로는 학교 체육관을 빌려 아이들에게 그랜드하키를 가르쳤습니다. 최종시험 점수는 34~35였습니다. 개인적으론 그 점수에 만족합니다.

● **사례10: 전업주부**(뒤셀도르프 국제학교/여성/20대 후반)

IB를 선택한 이유: 본인 의지

뒤셀도르프에서 전원 필수가 아닌 IB를 왜 선택했느냐 하면, 기왕에 하는 거 힘든 걸 해보자는 생각에서였습니다. 살아 있는 이상 여러 가지 것을 해보지 않는다는 것도 아까운 일이다 싶어서, 움직일 수 있는 한 스포츠도 해야겠다고 생각했습니다. 국제학교는 계절에 따라 여러 스포츠를 선택할 수 있어서 소프트볼이나 농구 매니저, 겨울엔 배구를 했습니다. 국제학교에서 스포츠팀은 선발식으로 뽑는데, 원하는 사람들 중에서 모집한 후 강팀과 약팀의 두 팀으로 나누어 그 팀들을 여러 곳에 원정을 보냅니다. 그렇게 유럽의 여러 곳에 가서, 예를 들어 암스테르담이라면 암스테르담의 국제학교 학생들과 시합을 하고 현지 학생 집에 묵었습니다. 무척 재미있었습니다.

IB가 어렵다는 것은 아마도 거짓말일 겁니다. 모두들 어렵다고 말하지

만, 저는 어렵다고 생각한 적은 없습니다. 영어의 토대가 갖추어져 있느냐 없느냐의 문제라고 생각합니다. 고급레벨은 일본어, 영어, 수학을, 표준레벨은 심리학, 물리학, 독일어를 선택했습니다. 일본어 과목에서 모리 오가이의 『아베일족(阿部一族)』, 오에 겐자부로의 『새싹 뽑기, 어린 짐승 쏘기(芽むしり仔撃ち)』 같은 책을 읽었는데 그 내용은 지금도 기억하고 있습니다.

TOK(지식론)는 '플라톤의 동굴'이라는 철학 개념과 매우 비슷하다고 생각했습니다. 저는 당시 TOK가 가장 좋았어요. 플라톤이 수천 년 전에 말한 것이 지금도 통한다고 생각했습니다. TOK에서는 '왜 이것은 진실이라고 할 수 있는가'에 대해 토론했습니다. IBDP 중에서 TOK가 가장 도움이 되었다고 생각합니다. 그게 없었다면 계속 '나는 왜 여기에 있는가' 고민했을 겁니다. 평가는 에세이와 프레젠테이션과 토론으로 이루어졌습니다. 토론의 주제 가운데 가장 기억에 남는 것은 인공수정한 수정란을 동결하는 것의 윤리적 문제에 대해서입니다. 당시 전혀 아는 게 없는 채 토론을 했었는데, 요새 간신히 그런 기술이 있는 걸 알게 됐습니다. 지금 생각하면 최첨단이었네요. 충격적이면서도, 한편으론 모두 무엇에 대해 논쟁하고 있는지 제대로 몰랐습니다. 어쨌든 TOK는 지금도 파일을 전부 갖고 있고, 어디든 갖고 다닐 정도로 좋아했습니다.

CAS(창조성·활동·봉사)에서는 '교통안전지킴이'라고 해서, 오렌지색 유니폼을 입고 아침 일찍 건널목 앞에 서서 아이들의 등하교 안전지도를 2인조로 했습니다. 교통안전지킴이 봉사 외에 오케스트라에서 바이올린 연주와, 배구를 계속했습니다. IB가 고생스럽다거나 바쁘다고는 생각하지 않았습니다. 끝나고 나서 발레도 했고, 친구들과 편히 놀기도 했고, 술도 마시러 다녔고, 나름 충실하게 보냈습니다.

● 사례11: 게임회사 근무(뒤셀도르프 국제학교/남성/20대 후반)

IB를 선택한 이유: 본인 의지

IB를 제가 하고 싶어 했는지 어땠는지 잘 기억나지 않습니다. 그다지 숭고한 동기는 없었다고 생각합니다. 대학입시는 의식하지 않았습니다. 어려운 과정에 도전하고 있다고, 나름 멋을 부리고 싶었던 게 아닐까요. IB 자체보다 영어권 환경에서 공부할 수 있다는 점에 끌렸을지도 모릅니다. 만약 제가 오스트레일리아에 갔다는 전제가 없었으면 일본에 IB학교가 있어도 가지 않았을 거라 생각합니다.

고급레벨은 미술, 일본어, 역사, 표준레벨은 수학, 생물, 영어를 선택했습니다. 인상 깊었던 과목은 역사입니다. 제 입장에선 가장 도전적인 과목이었습니다. 일본의 역사교육은 조몬시대(縄文時代, 일본의 선사시대 중 BC 13000년경부터 BC 300년까지의 기간-옮긴이)부터 근대까지 약 2000년의 역사를 일본사, 세계사라는 형태로 3년간 배웁니다. 반면 국제학교에서는 1700년대 후반부터 1970년 무렵까지 독일 주변과 프랑스, 이탈리아의 역사 170년 정도를 2년이나 3년에 걸쳐 배웠습니다. 무척 농밀합니다. 그 안에서 깊이 파고드는 겁니다. 기본적으로 토론형식의 수업이 많고 숙제에도 자기 의견을 씁니다. 절대적인 진리란 없기 때문에 정답도 없지만, 제대로 논리적 구조를 세워서 써내면 점수가 주어집니다. 그 점이 무척 인상적이었습니다. 고급레벨 클래스였기 때문에 자유연구 같은 숙제도 많았는데 자신이 좋아하는 주제를 정하고, 어떤 나라든 어떤 시대든 좋으니 조사해서 제출하는 식이었습니다. 프레젠테이션 수업에서 저는 사카모토 료마(坂本龍馬, 일본 에도시대의 무사로 실질적인 일본의 근대화를 이끈 인물-옮긴이)의 암살에 대해 조사해서 발표했습니다. 매우 좋은 점수를 받았던 것 같습니다. 자료는 일본에서 공수했습니다. 미술은 선생님이 정해주신 테마로 그림을 그렸는데, 매우 자유로운 수업이었습니다. 가장 재미있었지만, 점수는 가장 낮았습니다. 미술시험도 시험관에게 자신의 작품에 대해 프레젠테이션을 하는 건데, 작품에 대해 열정적으로 표현해야 합니다. 수학도 재미있었습니다. 미적분이나 그래프의 면적 구하기 등을 했습니다. 채점방식이 독특한데, 일본은 정답이 맞지 않으면 0점이지만, IB에선 계산식과 과정이 맞으면 답이 틀려도 일정 점수가 주어졌습니다. 그 덕분에 꽤나 점수가 좋았습니다. TOK가 뭐였더라? TOK, 귀에 익은 울림이지만 거의 기억이 안 납니다. 과제논문에 대해서도 기억이 안 나요. 뭘 썼더라? 하여간 그런 게 있었네요. 무척 힘들었던 거 같아요. 과제논문의 주제가 진주만인가 그랬습니다. 당시 진주만에 관한 자료를 닥치는 대로 읽었던 것만 떠오르네요.

● 사례12: 식품업체 근무(뒤셀도르프 국제학교/여성/20대 후반)

IB를 선택한 이유: 본인 의지

IB에서 선택한 과목은 고급레벨의 경우에 일본어, 수학, 물리입니다. 표준레벨은 영어A2와 화학, 심리학입니다. IB의 수학과 물리에선 공식집을 보면서 계산기를 이용해 풀어도 되고, 공식은 암기하지 않아도 됩니다. 대학에 들어가 보니 실험에서 얼마나 많은 공식을 쓸 수 있느냐가 중요하기 때문에 굳이 공식을 암기할 필요는 없다고 생각합니다. 일본의 고등학교에서 배우는 수학과 범위가 다르기도 해서, 대학입학 초기엔 수업을 전혀 따라갈 수 없었습니다. 입시공부에서 일본의 고교생이 하는 것과 같은 범위를 했지만, 적응하기 힘들었어요. 나는 절대 불가능할 거라 생각한 적도 있습니다.

IB의 평가는 '이런 게 가능하면 몇 점'이라는 채점기준표(rubric)를 사전에 받았습니다. 공정하고, 알고 있으면 좋은 점수를 받든 나쁜 점수를 받든 납득할 수 있고, 사전에 준비할 수 있다는 점도 좋다고 생각합니다. 반면 채점기준표에는 실은 구멍이 있었습니다. 구체적으로 어떤 부분은 하지 않아도 넘어갈 수 있다는 것을 사전에 파악할 수 있는 것입니다.

CAS 중에서 '봉사(Service)'는 탄자니아에 가서 3주 정도 현지의 비슷한 또래 아이들 15명에게 공부를 가르쳤습니다. 독일에서도 15명이 왔는데 공동생활을 했고, 마지막 일주일은 탄자니아 관광을 했습니다. 탄자니아는 좋았습니다. 저는 현지 생활에 잘 맞아서 식사도 좋았고, 일요일에 모두가 함께 양동이를 이용해 세탁을 하는 것도 재미있었습니다. 봉사는 탄자니아에서만 50시간, 한 번 가면 전부 채워졌습니다. '활동(Activity)'은 배구를 2년간 했습니다. '창조성(Creativity)'은 일본인들을 모아 소란부시(옛날 어부들이 생선이 많이 잡히길 기원하며 추던 춤-옮긴이)를 문화제에서 발표하고, 중학교 아이들이 연극을 하는 데 필요한 의상을 만들었습니다.

● **사례13: 해외에서 현지 외국계 금융회사 근무**(뒤셀도르프 국제학교/여성/20대 후반)

IB를 선택한 이유: 불명

IB과목은 일본어A1, 수학, 화학, 역사(유럽)를 고급레벨로, 영어A2와 독일어B를 표준레벨로 선택했습니다. 인상 깊었던 것은 일본문학에서 했던 『하나오카 세이슈의 아내』(華岡青洲の妻, 1931년생 소설가 아리요시 사와코의 작품으로 여류문학상을 수상했다-옮긴이)입니다. 수학과목에서 악전고투했는데 최종시험 직전까지 수학만 엄청나게 공부했던 기억이 남아 있습니다. 선생님이 예상하셨던 3~4점을 넘어 6점을 받았던 게 지금도 기억납니다. 그리고 역사에선 다양한 이론이 있다는 걸 알게 됐습니다. CAS

에서 기억에 남는 건 모의UN 참석차 헤이그에 갔던 것과 학습장애를 가진 학생들을 위해 수학 프린트물을 만들었던 일입니다. 과제논문은 역사과목에서 2.26사건(일본에서 1936년에 일어난 청년 장교들의 쿠데타 기도-옮긴이)에 대해 썼습니다. IB점수는 40점이었습니다.

IB를 통해 학습을 이끌어가는 능력과 문학작품을 읽어내는 능력, 어학능력이 향상됐다고 생각합니다. 교섭능력, 상황 변화에 유연하게 대응하는 능력과 다문화를 수용하는 능력은 IB보다는 국제학교에서의 생활을 통해 배운 거라 봅니다. 이과와 문과의 균형이 잡혀 있다는 점에서 IB를 하길 잘했다고 생각합니다.

(4) 일본 사회에 대해

● **사례1: 외국계 증권회사 근무**(암스테르담 국제학교/남성/25세)

지금 일본에서 살면서 느끼는 것은 확고한 자기 의견을 가진 사람이 무척 적다는 것이에요. 종교든 뭐든 주제는 상관없어요. 정치에 대해서나, 일본 경제에 대해서나 위기의식, 문제의식이 별로 없어요. 해외라면 아마 반쯤 싸움으로 번질 정도로 열정적인 대화가 오고갈 만한 사안인데....... 일본은 평화로운 나라이고 경제적으로 유복해서 유유자적한 느낌이 듭니다. 좋은 점이기도 하지만, 좀 더 열의가 있어도 좋지 않을까 생각합니다. 그러기 위해선 항상 도전하지 않으면 안 되겠지요. 강한 의견을 가진 사람들 중엔 지기 싫어하는 성격이 많아요. 그래서 사물에 대해 '왜, 왜' 하고 항시 의문을 품고 그것을 끝까지 추궁하지 않으면 자기 안에서 정리가 안 되는 부분이 있어요. 그럴 때 인간은 좀 더 나아지자, 나아지자, 결심하게 되고, 일이든 공부든 개인적인 상황에 대해서든 자기 의견을 갖게 된다고 생각합니다.

● **사례2: 자동차회사 근무**(암스테르담 국제학교/남성/20대 후반)

정치나 사회에 관심을 갖지 않는다고 할까, 기대하지 않는 풍조가 두드러지는 게 걱정스럽습니다. 정치를 봐도 가장 현저하게 나타나는 게 낮은 투표율입니다. 무엇을 하든 '좋아요, 이제 우리끼리 어떻게든 해보죠'라는 풍조가 강해지는 게 아닐까 싶습니다. 또 걱정스러운 부분은 자포자기하는 사람이 너무 많아 보인다는 점입니다. 일본인은 역시 타인의 시선을 너무 신경 써요. 곤경에 처한 사람이 있으면 손을 내밀고 싶어도 주변 시선이 신경 쓰여서, 타인에게 손을 내민다는 아주 자연스런 감정에조차 저항감을 느끼는 부분이요. 반대로 유럽의 경우엔 손 내밀지 않는 게 악입니다. 곤경에 처한 사람을 도와주는 일에 저항감을 느낀다는 건 이상한 이야기잖아요. 아마 그 배경에는 타자에 대해 무관심하게 지내는 게 전제가 된 사회가 있다고 생각합니다.

● **사례3: 물류회사 근무**(암스테르담 국제학교/여성/20대 후반)

저와 비슷한 또래의 여직원들이 집단을 만들어 언제나 함께 뭔가를 하고 행동하는 모습이 유치해 보이고, 일본적이라 느껴져 익숙해지지 않습니다. 해외에선 업무 중엔 협력하지만 기본적으론 개인이잖아요. 집단으로 뭔가를 하지 않으면 안 되는 듯한, 그런 분위기가 싫어요. 남자들은 담대하게 개인 대 개인으로 지냅니다. 반면에 여자들은 종합직도 일반직도 파견직도 모두 함께, 모두 친구처럼 지내려고 합니다. 마치 동네 여고생들 같아요. 해외에서 지낸 게 영향을 미치는 것일지 모르지만, 회사에 들어와 여자 상사를 대하는 태도나, 높임말을 제대로 쓰지 않는 것도 묘하게 신경 쓰입니다. 저도 고집이 있어서, 나만은 저러지 말고 진화해야지, 하면서 발버둥치는 부분이 있습니다. 일본에 돌아왔을 때 받은 인상이라서 특별히 외국의 경우가 특수하다는 생각은 들지 않았습니다. 처음부터 일본이 특수하다고 생각했습니다. 똑같은 책가방을 메고, 똑같은 교복을 입어야 하고…… 왜 이렇게 세세한 부분까지 정해놓아야 하는지 이해할 수 없었습니다. 해외에선 전혀 신경 쓰지 않으니까요. 그런 의미에서 보면 어쨌든 외국에선 일본에서보다 개성을 더 많이 표출할 수 있네요.

● **사례4: 일미합병 증권회사 근무**(뒤셀도르프 국제학교/남성/30대 후반)

일본의 교육이 어떤 식인지는 신문으로 잠깐 보는 정도이지만 지금 이대로 괜찮을까, 걱정스럽습니다. 학력이 떨어진다는 것을 최근 12년간 보고 듣게 되었으니까요. 이 회사에 있는 사람들은 나름 우수한 인재일 테고, 실제로 세상에서 벌어지고 있는 일과는 조금 괴리가 있을지 모르겠지만요. 역시 자아라는 것이 명확히 서 있다는 것이 포인트 같습니다. 타인을 돕는 자원봉사 역시 유럽이나 미국이 강하지요. 일본은 자기라는 것이 명확히 확립돼 있지 않고, 자원봉사를 통해 타인을 도와주는 일도 별로 없다는 느낌이 듭니다. 돌아보면 저도 마찬가지고요. 옛날엔 커뮤니티라는 게 그런 역할, 타인을 돕는 기능을 했을 테지요. 유럽이나 미국은 기독교가 근간에 있어서 자원봉사나 타인을 돕는 정신이 뿌리 내려 있는 거라 생각하지만, 일본은 그런 종교가 없는 가운데 교육이나 커뮤니티라는 형태로 보완하는 수밖에 없을 것이고, 그것이 일본사회에 맞는 게 아닐까 생각합니다. 결국은 커뮤니티의 부활이 필요하겠지요. 옛날처럼 마을 개념의 커뮤니티가 아니라 아마도 시민들의 네트워크 형태로요.

● 사례5: 산부인과 의사(뒤셀도르프 국제학교/여성/30대 전반)

여기에 와서 홈리스(homeless, 노숙자)나, 가부키초(歌舞伎町, 술집, 카바레 등 성인업소가 많은 도쿄의 동네-옮긴이)에서 일하는 노동자들과 태어나서 처음으로 접점을 갖게 되었습니다. 원래 아이는 주변의 기대와 사랑 속에 태어나는 거라고 저는 생각하고 있었는데, 그런 아이를 마치 물건 대하듯 하는 사람들....... 눈앞에서 전개되는 현실에 마냥 질질 끌려가는 듯한 제 모습을 봅니다. 불법노동을 하는 사람들은 제가 겪어온 세상의 모습과 전혀 다르기 때문에 그들과 경험을 공유하긴 어렵습니다. 머릿속으로 떠올린 주제를 학생의 수준에서 토론하던 그 시절의 TOK는 그냥 학문이었고, 저는 그 당시 매우 만족했지만, 막상 겪어본 현실은 완전히 달랐습니다. 현실이 이렇게 다르니 생각하는 방식도 다르겠지요. 다른 세계를 받아들이는 것에 저항은 없을지 모르지만, 현실은 역시 너무나 크고, 제가 봐온 세계는 아름다운 이상세계였다는 것을 알게 되었습니다. 축복 속에 태어나 소중히 키워져서 IB학교에 다니는 일본인은 물론이고, 외국인이라도 부모가 그 나름의 지위가 있어서 제대로 보호받는 환경에서 이상적으로 살아온 아이가 교실에 앉아서 "자, 진실은 뭐지?" 하면서 열정적으로 대화를 나눕니다. 그들의 대화는 비교적 논조가 깊고 훌륭하다고 정리해버리면 그걸로 끝인 건가, 잘 모르겠어요. 아동상담소에 오는 아이들은 가족력이나 여러 면에서 참혹한 수준입니다. 악순환의 고리 속에서 빙글빙글 돌고 있다는 인상을 받을 때가 많습니다.

● 사례6: 전통과자 제조판매업체 근무(파리 국제학교/여성/30대 전반)

일본인이라는 의식은 있습니다. 프랑스에 도착한 후로 저는 외부인이었으니까요. 그때 '아, 나는 일본인이구나' 생각했습니다. "어느 나라에서 왔니?"라는 물음에 '일본'이라고 대답하면 "그래, 일본에는 이런 게 있지?", "○○에 대해 알고 있니?"라는 질문이 돌아올 때 말입니다. 상대방은 저를 일본인이라고 보고 있는데, 저는 일본에 대해 대답하지 못할 때마다 창피했어요. 동시에 '아, 나는 역시 일본인이구나' 깨달았습니다. 프랑스는 내가 하고 싶은 것, 내가 생각하는 것, 느끼는 것을 계속 표현하지 않으면 존재감이 없어지는 사회라고 생각합니다. 처음에는 익숙해지는 게 힘들었지만 지금은 그 편이 맞다고 생각합니다. 오히려 일본적인 회사에 있으니 숨 막힐 듯한 갭을 느낍니다. 아무도 자신의 의견을 말하지 않아요. 물론 어설프게 그런 소리를 했다가는 "자, 그럼 당신이 해."라며 일을 전부 떠맡기거나, 그걸 핑계 삼아 강요하거나 하는 통에 말하지 않게 된다는 걸 너무 잘 알고 있습니다.

● 사례7: 광고대리점 근무(파리 국제학교/여성/20대 후반)

일본인이라고 자각하게 된 것은 사회에 나와서입니다. 파리에선 여러 나라 사람들이 섞여서 모두들 꽤나 제멋대로 지냈고, 국적은 달라도 친구들 사이에서 딱히 차이를 느끼는 일이 없었습니다. 그런데 일본회사에서 일을 하게 되면서 해외와 커뮤니케이션할 일이 늘어났는데 그때 제가 일하는 방식이 무척 일본인답다, 세세하다는 것을 느끼게 됐습니다. 외국은 '적당히, 적당히' 하는 게 많잖아요. 언니는 인생을 즐기고 있는 느낌이 들어 부러워요. 저는 이미 전형적인 일본회사에 들어와버렸고, 싫다, 싫다, 하면서도 좀처럼 그곳에서 빠져나오지 못해요. 언니도 그런 전형적인 회사에 들어갔지만 3년 만에 그만두고 그 후 아르바이트를 하면서 여러 경험을 쌓고 있는 게 부럽습니다. 얽매여 있는 건지, 지금 시점에서 회사를 그만두는 것이 아까운 건지, 나름 재미있는 일을 하면서 그 나름의 급여도 받고 있는 환경에 마냥 붙들려 있네요. 회사에 있는 동안 소중한 경험과 기회를 놓치고 있는지도 모른다는 생각을 합니다. 적어도 3년간은 이 회사에 있다가 충분히 즐겼다고 느껴지면 그만둘까 합니다. 그 다음에 무슨 일을 할지 아무것도 정하진 않았지만, 아마도 제가 해온 일들을 살릴 수 있는 곳으로 전직해서 너무 힘들게 애쓰지 않으면서, 길고 얇게 일하고 싶습니다. 파리에서 고교를 졸업하고 돌아왔을 때 뭐든지 모두 함께 해야 한다는 분위기에 위화감이 들고 익숙해지지 않았어요. 일본사회는 모두가 함께 같은 것을 하면 안심하는 풍조가 있잖습니까. 그런 환경 속에서 정작 제가 진짜 하고 싶은 것을 잃어버리는 게 무섭게 느껴졌어요.

● 사례8: 신문사 아르바이트(파리 국제학교/여성/20대 후반)

프랑스는 모두 함께 흘러가지 않고, 자기를 정립하고 살아가는 부분이 큽니다. 일본사회 안에서 저는 흘러가지 않고 지낼 수 있다고 생각합니다. ISP에 있을 때도 그다지 일본인들과 무리 짓고 싶지 않았어요. 하지만 일본에서 살면 외국에서 살 때보다 저도 모르게 '모두 좋은 것을 입고 있으니 나도 좋은 게 갖고 싶다'거나, '모두 좋은 레스토랑에 가니까 나도 좋은 레스토랑에 가고 싶다'거나, 그런 식으로 조금 흐르는 대로 흘러가는 부분은 있습니다.

● 사례9: 타이어업체 근무(뒤셀도르프 국제학교/남성/20대 후반)

일본은 전차나 버스가 정시에 와요. 그리고 주말에도 어디나 열려 있고, 서비스도 좋습니다. 해외에선 뭐든 늦는 게 당연하지요. 독일의 경우 토요일엔 가게가 열려 있지만 일요일엔 전부 닫아버려서, 여유는 있지만 아무것도 할 수 없습니다. 양쪽 다 좋은 면이 있다고 생각합니다. 개인적으로 어느 쪽이 좋은가 하면 해외가 좋습니다. 지금 도쿄에 살고 있어서인지 모르겠지만, 도쿄는 사람이 많고 붐비잖아요. 표현이 맞을지 모르지만, 압박감이 느껴지고, 시간도 빨리 가고, 여유가 없어요. 해외에서는 시간도 천천히 가고, 마음의 여유를 가질 수 있어요. 하늘이 넓게 느껴집니다.

● 사례10: 전업주부(뒤셀도르프 국제학교/여성/20대 후반)

저는 일본생활을 동경하고 있었습니다. 교복이 입고 싶었어요. 매달 할머니가 만화책을 보내주셨는데 그것이 무척 재미있었고, 뒤셀도르프의 일본인거리에서 비디오를 빌려보면서 동경하는 마음이 커졌습니다. 대학을 일본으로 정한 것은 역시 일본인이기에, 일본을 알지 못하면 일본인이라고 말할 수 없다고 생각한 측면도 있습니다. 정체성이 몹시 흔들리고 있었습니다. "너, 일본인 아니잖아."라고, 일본에 돌아와서 그런 말을 들었을 때 고민이 되어 뒤셀도르프 시절의 친구한테 상담했더니 "지구인이라고 생각하면 되지 않을까?"라고 말해주었습니다. 물론 돈이 있었으면 미국 대학에 갔을 겁니다. 경제적 사정 때문에 일본 대학을 택한 것도 있습니다. 돌아온 후, '일본인이란 무엇일까' 많이 생각해봤지만 시간이 갈수록 그 문제는 흐지부지되고 말았습니다. 일본의 운치, 예를 들어 일본의 옛날 집은 창문에 자개 장식 같은 게 붙어 있곤 했는데 지금은 그런 기술이 없다고 합니다. 그런 것들이나 일본 그릇을 보거나, 일본 과자를 먹거나, 역사를 공부하거나, 기모노를 입어보거나, 그런 것들을 해보면서 요즘에는 '조금은 일본인이 되었나' 생각하게 됐습니다.

● **사례11: 게임회사 근무**(뒤셀도르프 국제학교/남성/20대 후반)

뒤셀도르프는 상사, 은행 같은 일본 기업이 많은 도시이고, 일본인 아이들도 많아서 비교적 무리를 짓기 쉽다고 생각합니다. 노르트라인베스트팔렌 주에는 쾰른도 있고, 큰 도시도 많은데 주에서 뒤셀도르프에 상업 기능을 계획적으로 집약시켜놓았다고 들었습니다. 그래서 예부터 일본 기업이 많았는지 모르겠습니다. 일본인들을 위한 가게도 많습니다. 뒤셀도르프 시절의 일본인 네트워크는 지금도 이어지고 있습니다. 그 네트워크가 취직에 도움이 된 점은 전혀 없었습니다. IT계열이어서 해외근무의 가능성은 없을지도 모릅니다.

● **사례12: 식품업체 근무**(뒤셀도르프 국제학교/여성/20대 후반)

일본인들을 보면서 '안타깝다'거나 '일본인들 멋지다'라고 생각할 때가 있습니다. 무엇보다도 세심한 배려라는 강점은 훌륭합니다. 안타까운 건 배타적인 부분, 섬나라 근성 같은 부분입니다. 무라하치부(村八分, 일본 에도시대에 촌락공동체 내의 질서를 어긴 자에 대해 집단이 가하는 사적 규제. 자신과 다른 사람들에 대한 따돌림이나 이지메-옮긴이)처럼요. 예를 들면 외국인에 대해서도 '외국인'이라는 이미지를 갖고 있다고 생각합니다. 유럽은 여러 외국인이 섞여 있어서 이탈리아 사람이 어떻고, 프랑스 사람이 어떻고, 이렇게 말은 하지만 "외국인은......" 이런 식으로 얘기하진 않거든요. 하지만 일본인은 일본인과 일본인이 아닌 자 사이의 벽이 너무 두꺼워요.

비단 국적 이야기뿐 아니라, 예를 들면 "○○부의 사람들은 모두 그래"라는 식으로 전형적인 딱지를 붙이고 싶어 한다고 느낄 때가 있습니다. IB에서 양쪽 입장, 즉 다른 입장이 되어보는 토론수업을 많이 했습니다. 그 경험이 크기 때문에 일본의 교육에서도 토론형식처럼 학생이 참가할 수 있는 수업이 늘어나면 좋을 거라 생각합니다. 참가형 수업은 재미있었습니다. 고등학교 때까지는 수업 중에 졸린 적이 한 번도 없었습니다. 대학에 들어와서 수업 중에 졸린다는 게 이런 거구나, 이해했습니다.
스스로 결정하는 자기주도형 교육을 하면 자신감을 가지고 살아갈 길을 발견할 수 있게 된다고 생각합니다. 예를 들어 같은 국제학교에 다녔지만 불만을 품는 아이도 있었습니다. 부모님의 일 때문에 해외에 와야 했다는 것 때문에요. 사실은 일본의 여고생이 되고 싶었다는 친구도 있었습니다. 그런 친구들은 IB를 선택하지 않았습니다. 일본을 동경하고, 일본에서 유행하는 것을 열심히 습득하려고 했습니다. '기왕 독일에 왔으니 독일에서만 할 수 있는 걸 하면 좋을 텐데.' 저는 그렇게 생각했지만, 그 친구들에겐 '독일에 왔기 때문에 일본의 유행에 뒤처지고 싶지 않아', '언젠가는 일본으로 돌아가는데 그때 뒤처지지 않도록' 하는 마음이 컸다고 생각합니다. 유행하는 TV프로그램이라든가 최신 일본 유행가를 항상 체크하려고 했습니다. 한 번이라도 일본인 이외의 친구와 친해지는 경험을 하거나, 독일에서만의 무언가를 즐겨본다면 점점 다른 것을 해보고 싶은 마음이 생길 텐데, 껍질이 부서지지 않아서 그 첫 발을 떼지 못한 것일지 모릅니다. 뒤셀도르프는 일본인이 많아서 장점도 많았지만, 단점도 있었다고 생각합니다. 당시 일본인끼리 몰려다니는 게 학교의 문제가 되기도 했습니다.

● 사례13: 해외에서 현지 외국계금융회사 근무(뒤셀도르프 국제학교/여성/20대 후반)

일본사회에 대해서는 여성이 커리어를 쌓는 환경이 정비되고 있긴 하지만 아직 멀었다는 이미지가 강합니다. '모난 돌이 정 맞는다'는 게 정말일까요. 실제로 체험해본 적이 없어서 알고 싶어요. 일본인은 겸손하게 말하는 건지 모르지만, 유럽이 앞서간다는 이미지를 갖고 있는 것처럼 여겨질 때가 있습니다. 일본 기업에서 의뢰가 올 때 그런 느낌이 들 때가 많습니다. 취직 당시 독일에서는 학력이나 전공을 그다지 중시하지 않고 저라는 개인 자체를 판단했습니다. 일본에선 대학의 간판이 중요시되고, 즉각적인 전투력보다 신입을 선호하는 경향이 있지 않나요? 문과에선 학력을 쌓을수록 취직할 곳을 찾기 힘들다는 말을 들은 적도 있습니다.

4. 졸업생은 어떤 인생을 지향하는가

(1) 진학·취직의 패턴

대학은 거의 '유명대학'이며 '하고 싶은 전공이 있다'는 목적의식을 갖고 입학했다. 일본 대학의 경우 귀국자녀 전형으로 사립대학에 입학하는 사례가 많았다. 취직은 오랜 해외생활을 하면서 해외 대학에 갔다가 외국계에 취직한 경우도 있지만, 수차례 해외생활을 경험한 학생은 일본 대학을 거쳐 일본 기업의 해외부서 등 일본인으로서 해외와 접촉하는 일에 종사하는 사례가 많다. 여자들의 경우는 한 군데 기업을 고집하지 않는 경향이 있고, 수차례 전직하면서 해외 경험에서 쌓은 어학능력과 기타 능력을 발휘하는 이들도 있다. IB의 효과에 대해선 의식하고 있는 경우가 적었다. 이것은 다른 교육체제와 비교할 수 없기 때문에 그 효과를 객관적으로 평가할 수 없다는 측면도 있을 것이다. 또한 해외에 있었다는 사실 자체가 크다고도 할 수 있다.

(2) 인생관

많은 경우 유럽적인 인생관을 갖고 있다. 일도 중요하지만, 생활을 즐기고 싶다는 욕구가 강하다. 다른 사람들에게 휘둘리지 않고 자신의 의지와 판단에 따라 주체적인 삶을 살고 싶다는 바람이 있다. 적극적이고 긍정적인 인생관을 갖고 있다. 유럽의 생활과 거기서 접한 문화의 영향이 강한 것으로 보인다.

(3) 일본사회

의사가 된 여학생 사례의 경우, 고등학교까지의 해외 환경이 현재의 국립병원 산부인과에서 아동상담소 등을 전전하다 온 일본인 아동과의 접촉보다도 위화감이 적었다고 말한다. 그리고 TOK의 토론이 탁상공론일 뿐, 현실의 무게를 담기 어렵다고 말한다. 직면하는 현실과 자신이 자란 환경과의 괴리에 당황할 때가 많은 것이다. 이것은 국적의 차이라기보다 사회계층의 차이가 상호이해를 방해하는 것일지 모른다. 일본사회에 관해서는 일정 거리를 두고 객관적인 평가를 내리고 있다. 이 점은 해외생활 자체가 가치에 대한 하나의 판단기준으로 작용한 것으로도 볼 수 있다. IB교육의 효과인지, 해외생활에서 얻은 경험에 의한 것인지 모르겠지만, 인터뷰이에게서 인생의 깊이와 농도가 느껴진다. 일본과는 다른 환경에서 감수성이 예민한 시기를 보내면서 쌓아올린 각자의 언어는 일본인이란 무엇인가, 해외에서 생활한다는 것의 의미는 무엇일까, 하는 질문을 새삼 우리에게 던지는 내용이었다.

5장

일본의 글로벌화를 위해

5-1

IB 정책 추진 관계자의 목소리

쓰보야 뉴웰 이쿠코

[편집자주]

쓰보야 뉴웰 이쿠코 씨는 IBO(국제바칼로레아기구) 아시아태평양지구 위원(현 IB일본 대사), 도쿄 국제학교 이사장으로 IB 정책 추진의 핵심에 계신 분이다. 아래 기록은 쓰보야 씨의 인터뷰내용(2017년 9월 7일 주식회사 도쿄국제학교그룹에서 실시)을 문장화한 후 본인에게 의뢰하여 가필, 수정을 거친 것이다. 편집과정에서 일부 고유명사 등은 익명화했지만, 쓰보야 씨의 분위기가 전달될 수 있도록 최소한의 수정만 했다. 쓰보야 씨가 글로벌 인재교육에 관여하게 된 이력도 건설적이고 용기를 주는 내용이지만, 동시에 IB를 자신의 학교에 도입한 이유, 일본에서 IB 정책을 추진하면서 겪은 고생담 등 생생한 이야기를 들을 수 있다.

1. 고교시절의 체험

처음 교육현장에 발을 들인 것은 1985년입니다. 도쿄 미나토 구 미타에 있는 한 절의 경내에서 직접 만든 LTE(Learning Through English, 영어를 통한 학습-옮긴이)라는 커리큘럼을 가지고 작은 영어학원을 시작했습니다. 학원의 미션은 한마디로 'I am special. You are special.(나는 특별하다. 너는 특별하다)' 즉 제가 지금 이 자리에 있는 것은 바로 You, 물론 가족, 지역사람들, 세계, 공기, 물, 모든 것에 의해 살고 있는 덕분이라는 것을 영어로 가르치는 학원이었습니다. 1985년 12월이었습니다. 학원 자리를 찾기 위해 자전거로 여기저기 둘러보다가 피곤해서 절의 경내에 앉아 주스를 마셨습니다. 그때 그곳에 다이쇼시대(大正時代, 1912~26)에 지어진 무척 낡고 작은 서양건물이 서 있는 걸 보게 됐습니다. 마침 비어 있었습니다. 주지스님께 여쭸더니 유명한 극작가의 예전 거주지인데 돌아가신 후엔 근처에 사시는 연고자 분이 관리하신다고 했습니다. 그분께 부탁드렸더니 흔쾌히 빌려주신다고 하셨습니다. 이사 와서 직접 페인트칠을 하고, 직접 전단지를 만들어서 뿌리고, 혼자 영어를 가르치기 시작했습니다. 이것이 교육과의 첫 인연입니다.

저는 지가사키(茅ヶ崎) 시에서 태어나 미국의 대학에 들어갔고, 미국에서 창업도 해보았습니다. 일본 대학에도 갔는데, 환경학과에서 문화인류학을 배웠습니다. 고등학교는 일본의 인문계 고등학교였습니다. 부모님은 제가 일본의 대학에 갈 걸로 생각하고 있었습니다. 그런데 동급생 중에 트럼펫을 부는 남자아이가 있었는데, 프로 수준의 재능을 보여 "미국 대학에 학비도 내줄 테니 들어가라"는 제안을 받았다는 이야기를 들었습니다. 미국의 대학에 가는, 그런 길도 있다는 걸 알

고 미국 대학에 가려면 어떻게 해야 될까, 저도 생각했습니다. 그러기 위해선 토플을 봐야 한다는 걸 알게 됐습니다. 그건 어디서 보면 되는 걸까, 생각했습니다. 당시 언니가 요코하마의 대학에 다녔는데 언니네 대학 근처에 국제학교가 있다는 걸 떠올려 바로 찾아갔습니다. 그랬더니 거기 국제학교 선생님이 "토플시험은 학교 내에서 실시하니까 같이 보게 해줄게."라고 말씀해주셨습니다. 그 국제학교 선생님께는 대학에 들어갈 때까지 여러 가지로 신세를 졌습니다. 대신에 근처 교회에도 다니라는 말씀을 듣고, 열심히 교회도 다녔습니다. 고교 3학년 봄에 트럼펫 부는 친구와 미국 유학 준비를 시작했고, 제가 국제학교를 찾아간 것은 고교 3학년 5월 즈음, 그해 가을에 토플을 본 것 같습니다. 그 이듬해 미국의 대학에 원서를 냈습니다. 부모님께 말씀드린 것이 미국으로 떠나기 2주 전입니다. 입학할 대학도 기숙사도 정해지고 돈까지 보낸 뒤였습니다. 비용은 잡지와 그림의 모델 아르바이트를 해서 모았습니다. 부모님은 저의 미국행을 전혀 이해하지 못하셨습니다.

2. 미국에서의 대학생활과 창업

미국의 대학을 정할 때는 앞의 국제학교 선생님께서 제안해주신 몇 군데에 원서를 냈습니다. 그때 토플점수는 450점 정도였습니다. 그래서 미국의 유명한 대학엔 들어가지 못했습니다. 지금 생각하면 그 선생님은 칼리지 카운슬러처럼 여러 가지를 해주셨습니다. 대학은 외진 시골에 있는 학교였는데 거기서 제가 일본인 혹은 아시아인이라는 의식이 생겨났다고 생각합니다. 주변에 소와 양과 옥수수 밭밖에 없는, 그런 곳이었습니다. 미국에선 영어를 그다지 잘하지 못했기 때문에 힘들었습니다. 카세트에 수업내용을 전부 녹음해서 집에 돌아와 테이프를 멈춤, 멈춤, 하며 몇 번씩 듣고 공부했습니다. 반년 정도는 그런 식이었습니다.

창업도 했습니다. 우연히 길고양이를 키우게 돼 스시라는 이름을 붙이고 스시를 위해 직접 장난감을 만들었습니다. 그랬더니 스시가 몇 시간씩 갖고 노는 겁니다. '이건 팔리겠다' 생각하고 야간작업을 해가며 만들어 판 것이 맨 처음 시작한 사업입니다. 동물병원에 전단지를 두고 왔더니 장난감이 상당량 팔리게 됐습니다. 하지만 야간작업을 하면서 만드는 게 힘들어서 금방 그만뒀습니다.

그러는 사이 일본에 일시귀국할 일이 생겼습니다. 그때 50센트짜리 중고 티셔츠와 2달러짜리 중고 청바지를 입고 귀국했습니다. 문득, 일본은 옷이 비싸니 미국의 50센트짜리 티셔츠를 1달러에 팔면 어떨까 생각했습니다. 2달러짜리 바지도 4달러에 팔 수 있지 않을까 싶었습니다. 일단 패션 하면 하라주쿠니까, '이런 물건 사세요' 하는 식으로 일일이 하라주쿠의 멋진 옷가게들을 돌아다녔습니다. 그 당시 중고옷을 입는 건 홈리스밖에 없을 때여서 모두들 거절했지만, 딱 한 군데에서 주인이 "너, 참 재밌는 소리를 하는구나" 하면서 도매업체를 소개해주었습니다. 그분이 "미국에 가면 샘플을 보내라"고 해서 귀국 후 샘플을 보냈더니 3개월 후부터 주문이 들어왔습니다. 그때 회사를 설립해 3년간 경영했습니다. 월 100만 엔어치 정도 주문이 들어왔는데, 나중엔 부모님이 울면서 "제발 부탁이니, 일단 일본에 돌아오라"고 하셨습니다. 당시 이미 300만 엔 정도 모였을 때라 그 돈으로 절 경내에

학원을 연 겁니다. 여기까지가 앞의 학원 시작 전까지 있었던 이야기입니다.

학원은 'I am special. You are special'이라는, 제가 만든 커리큘럼의 평판이 좋아서 점점 원생들이 늘어났습니다. 미타에 학원을 열고 나서 얼마 후 또 한 군데 메구로에도 학원을 열었습니다. 두 학원을 오가는 동안 결혼해서 2년 연속으로 아이가 태어났습니다. 그때는 커리큘럼 만드는 일에 푹 빠져 지냈는데, 아이들이 자랄수록 제 아이들을 위한 유치원을 만들고 싶어졌습니다. 그래서 유치원 커리큘럼을 선정하고 유치원을 설립했습니다. 딸이 5세가 됐을 때 '오리지널12'라고, 12명의 학생들을 모아 초등교육코스를 만들었습니다. 그게 100명까지 늘어나서 이사를 한 곳이 기업의 사원 기숙사였습니다. 그때 중등교육코스가 만들어졌습니다. 그 다음 이사한 곳이 미나토 구의 폐교입니다.

3. 두 개의 학교를 세우다

직접 국제학교를 세우면서 국제학교라는 세계와 인연을 맺게 되었습니다. 그때 일정 수의 학생이 고교 1학년이 되면 국제학교에서 전학을 권유받는다는 것을 알게 됐습니다. 국제학교는 고교를 졸업하고 어느 대학을 가느냐가 평가와 연결되는데, 고교 1학년 때 대학입학준비코스를 수강하기 힘들 거라 생각되는 학생들이 전학을 권유받으면 가족과 떨어져 다른 나라로 가는 사례가 많았습니다. 그 이유를 조사해보니 학생들은 발달장애이거나 학습장애인 경우가 많았습니다. 그 아이들을 위해 NPO(비영리단체)학교를 만들었고 지금도 운영하고 있습니다. 이 학교는 정원이 40명밖에 안 되는 작은 학교지만 올해(2017년)는 16개국의 중학생, 고등학생이 들어옵니다. 그리고 개별학습을 통해 거의 100퍼센트 가까운 아이들이 대학에 진학합니다.

제가 운영하고 있는, 딸을 위해 만든 국제학교에는 약 340명의 학생이 있는데, 대부분이 주재원 자녀입니다. 그중 3분의 1이 공무원, 대사관 관계자입니다. 이 학교에는 다양한 종교와 국적의 아이들이 있습니다. 대체로 매년 50개국에서 60개국의 아이들이 적을 두고 있습니다.

학교를 시작했을 때는 모인 학생들이 대부분 3~4년밖에 일본에 머물지 않는 주재원 자녀들이었습니다. 학생들은 그 다음엔 어느 나라로 가게 될지 알 수 없습니다. 그렇다면 학부모가 어느 나라에 부임하든 지속할 수 있는 프로그램을 운영할 필요가 있었습니다. 여러 가지로 조사한 끝에 만나게 된 것이 IB입니다. 마침 1996년에 IB PYP(초등학교프로그램)가 막 생겨났을 무렵입니다. 그래서 PYP가 좋겠다는 생각이 들어 신청해서 인정학교가 되었습니다. 제가 운영하는 학교에 PYP 과정이 생긴 것이 1997년이므로 정말로 초창기입니다. 제가 운영하는 국제학교에는 5세부터 15세까지의 학생들이 있습니다. 4세의 취학전 교육이 있고, 5세의 유치부부터 초등학교 5학년까지, 그리고 6학년부터 8학년까지가 중등교육이고 8학년 때 졸업합니다. 주재원의 배우자는 비자문제로 풀타임 직장을 가질 수 없기 때문에 자국에서 맞벌이를 했던 사람도 일본에서는 전업주부로 지내는 경우가 많습니다. 그런 가정은 특히 교육열이 높습니다.

4. 아시아태평양지구의 위원으로

2007년의 일인데, 한 국회의원 분께서 자신이 쓴 책의 내용과 정책을 함께 고민하고 싶다고 하셔서 1년에 10회 정도 하는 모임을 꾸리게 되었습니다. 그때 저는 2회에 걸쳐 IB를 일본 교육에 도입함으로써 일본의 초등 및 중등교육에 새로운 숨결을 불어넣을 뿐 아니라, 이로써 고등교육의 입학심사 모습도 바꿀 수 있다는 내용으로 프레젠테이션을 했습니다. IB의 훌륭한 점은 개념교육과, 학습법을 배우는 부분에 있습니다. 일본의 교육은 높은 기초학력과 서클활동 등에서 키워지는 공생의 정신 등 훌륭한 점도 많지만, 약점은 자기긍정감과 전달력의 부족이 아닌가 생각합니다. 이 부분을 IB로 보충할 수 있다면 균형을 잡을 수 있다고 생각한 것입니다. 그 후 그때의 공부모임 멤버가 학교를 방문해서 "쓰보야 씨, 이건 대단하네요. 일본도 합시다."라고 말씀해주셨습니다.

저에게 IB의 아시아태평양지구 위원장에게서 전화가 온 것은 2012년 5월이었습니다. 그리고 그해 6월에 둘째딸이 고교를 졸업했습니다. 그때까지는 국내업무는 맡아 했지만 국제적인 일은 해외출장이 있어서 거절했었습니다. 엄마로서 아침밥과 도시락, 저녁밥까지 챙기는 일이 가장 중요했으니까요. 아시아태평양지구의 위원이 되어달라는 전화는 딸이 한 달 후 졸업을 앞두고 있던 시기였습니다. 물론 저는 흔쾌히 수락했습니다.

이듬해 3월에 IB 200개교를 목표로, 다수의 과목에서 일본어에 의한 IB학위시험을 실시한다는 내용으로 문부과학성과 IBO(국제바칼로레아기구) 사이에 합의가 이루어졌습니다. 그때까지 IB를 배우면 영어를 잘하게 된다는 오해가 있었습니다. 당시는 IB학위과정(IBDP) 수료시험이 유럽언어의 중심인 영어, 스페인어, 프랑스어로밖에 제공되지 않았습니다. 그로 인해 오해가 생겨난 것이지만, PYP나 MYP(중학교프로그램)는 모어로 학습해도 문제는 없었습니다. 이 합의의 훌륭한 부분은 IBDP(고등학교프로그램-IB학위과정)의 많은 과목을 일본어로 선택해서 수료시험을 볼 수 있게 됐다는 점입니다. 이로써 일부 영어에 능숙한 학생뿐 아니라 다수의 일본인학생을 대상으로 IB교육이 실시 가능해진 것입니다. 최종 수료시험 점수표에는 어떤 언어로 시험을 치렀다는 기재는 없습니다.

IB학교를 200개까지 늘린다는 목표를 달성하기 위해서는 일본 대학의 문을 개방해야 했습니다. 거액의 수업료를 감당할 수 있는 국제학교의 일부 부유층만 IB를 배울 수 있는 게 아니라 이제부터 더 많은 학생이 IB를 배우고, 국내외 대학에 진학하게 되길 바랐기 때문입니다. 이걸 실현하기 위해선 국내에 위원회 조직을 만드는 게 선결과제라 판단했습니다. 누구를 위원장으로 내세울까 생각하다 중립적인 생각을 가진 국제파 선생님께 부탁을 드리러 갔습니다. 그 외에 대학의 문을 개방하는 일이라면, 주요 대학의 학장 등이 들어와야 하므로 여러 대학의 학장님, 부학장님께 부탁을 드려야겠다고 생각했습니다. 그리고 경단련, 교육위원회, 학자들께도 참여를 부탁드렸고, 이런 저의 생각을 받아들여 문부과학성에서 위원회가 발족한 것입니다. 그 후 교육재생실행회의의 제4차 제언에서도 거론된 덕분에 쓰쿠바대학을 필두로 많은 대학의 문이 열렸습니다. 그리고 학습지도요령과 IB의 각 과목별 대응, 외국인에 대한 특별교육 면허장 수여 촉진, 그리고 교원양성문제 등 여러 선결과제 해결을 위해 다양한 노력을 하고 있습니다. 특히 다마가와가쿠인(玉川学園), 가쿠게대학(学芸大学), 쓰쿠바대학(筑波大学) 등에서 교원양성과정을 시작하게 되어 IB의 도입에 따른 가장 시급한 과제도 해결됐습니다.

한편 지금까지 외국인교원이 특별교원 면허장을 받는 데는 무척 어려움이 따랐습니다. 면허문제뿐 아니라, 외국인교원은 일본인 조력자가 없으면 가르칠 수가 없었던 것입니다. 현재 그 조건도 상당히 완화되었습니다. 그 결과 외국인교사를 고용하기 쉬워졌습니다. 특별교원 자격증이 있으면 10년간은 가르칠 수 있습니다. 조건만 맞으면 되는 것입니다.

5. IB의 미래를 향해

IB와 관련된 활동은 전부 사회봉사입니다. 저는 사립 외의 공립학교들 중에서 IB인정학교가 늘어나길 간절히 바라고 있습니다. 지역의 공립초등학교를 나와 IB인정학교에서 중등교육을 받고 IB학위과정을 수료한 뒤 지역의 국립대학에 들어가는 코스라면 개인이 과도하게 교육비를 부담하지 않아도 되고, 결과적으로 모두가 다양한 교육의 혜택을 누릴 수 있지 않을까요. 저의 목표는 각 지자체의 정령도시에 최소한 1개의 초등학교, 중학교, 고등학교 과정의 공립 IB인정학교를 만드는 것입니다. 그렇게 되면 지역의 교사들은 그 학교를 모델로 연구와 공부를 하고, 각자의 현장에서 배운 것을 실천할 수 있을 거라 생각합니다. IB에는 경제적 부담이 발생합니다. 그리고 신청부터 인정까지 2년 정도가 걸립니다. 그러나 이렇게 지자체의 모든 학교가 배울 수 있다면, 비용대비 효과는 매우 크지 않을까 생각합니다.

한 가지 과제는 IB학위과정 수료시험의 비용을 개인이 부담하는 문제입니다. 제가 운영하는 학교는 중학교 과정까지밖에 없어서 인식하지 못했지만, 이 사실을 알았을 때 벼락을 맞은 기분이 들면서 잠시 멍해졌습니다. '나는 얼마나 경솔하게 여러 학교와 교육위원회에 IB를 하라고 제안해왔는가' 자신을 책망했습니다. 거기서 미력하나마 학생들이 시험비용에 대해 경제적 지원을 받을 수 있는 구조를 만들었습니다. 가정의 연수입이 400만 엔(한화로 약 4,000만 원) 이하는 반액, 300만 엔 이하는 전액을 지원하고 있습니다. 개인적으로 어떻게든 허덕이면서 쥐어짜고 있지만 향후 인원이 늘어날 걸로 예상되어 불안합니다. 경제격차가 교육격차로 이어지지 않도록 힘을 보태고 싶습니다.

또 한 가지, IB 아시아태평양지구의 위원들을 일본으로 초청했습니다. 일본의 200개교 프로젝트와 관련해 위원 여러분에게 꼭 협조를 부탁드리고 싶었습니다. 당시 일본이 관민일체가 되어 애쓰는 모습을 보여드렸고, 그 결과 2017년 세계대회를 일본에서 개최하는 것에 위원들께서 찬성해주었습니다. 세계대회에는 전 세계에서 1,000명 이상의 교육자가 모입니다. 그 자리에서 일본의 높은 교육수준을 IB교육의 리더들에게 어필할 수 있고, 일본의 교육자가 전 세계 교육자와 만나 서로 자극을 받는 좋은 기회가 될 거라 생각합니다.

IB의 교육내용에서 우리가 배울 점이 많을 것입니다. 물론 저는 일본의 교육도 훌륭하다고 생각합니다. 이타성을 키워주고, 문화적 수준이 높은 일본인을 키워내는 게 일본의 교육입니다. 저는 일본인의 이러한 가치관이 널리 퍼진다면 세계평화에 기여할 거라고 생각합니다. 그러나 그러기 위해선 일본인들이 더욱 자신감을 갖고 전달력을 끌어올려야 합니다. 일본인은 성실하고 근면하고 이타적인데 왜 세계에서 정당하게 평가받지 못할까요. 역시 전달력과 전략을 세우는 능력, 행동력이 절대적으로 부족하기 때문이라고 생각합니다.

중국은 전략을 세워 실행하는 게 빠릅니다. 북경과 상해에서 IB학교를 집중적으로 늘리고 세계를 향해 리더들을 배출한다는 전략과, PYP와 중국 국내 커리큘럼과의 접점을 검토하는 검토위원회도 불과 10개월 만에 꾸려졌습니다. 과연 중국답습니다. 일본도 그 정도 전략을 세워 실천해야겠지요. IB를 일본의 교육에 도입하여 일본 아이들이 좀 더 일본의 훌륭한 면을 세계에 전파해주길 간절히 바랍니다. 그러기 위해 저는 할 수 있는 한 최선을 다할 것입니다.

5-2

교육의 국내성과 국제성

사가라 노리아키

1. 머리말: 교육이란 무엇인가

'교육'이란 무엇인가. 일본어사전 『고지엔(広辞苑)』(第7版, 이와나미서점, 2018년)에 따르면 "가르쳐 키워주는 것. 바람직한 지식·기능·규범 등의 학습을 촉진하는 의도적인 노력의 제반 활동"이라고 한다. 교육의 프랑스어 번역은 'éducation'이고 영어 번역은 'education'이다. '끌어낸다'를 의미하는 라틴어 'duco'(혹은 'ducere')를 어원으로 하고 있다. 라루스판 『프랑스어사전』(1988년)은 'éducation'이라는 단어가 1690년에는 '사회의 좋은 습관에 대한 지식'이라는 의미로, 1864년에는 '개인 또는 집단에 의한 도덕적·지적·문화적 획득물의 총체'라는 의미로 사용되었다고 기술하고 있다. 대상자에게 무언가를 가르침으로써 인간적인 성장을 촉진하는 것이 교육이라는 행위이며, 단순한 지식의 부여를 의미하는 것이 아니라는 점은 앞서 언급한 일본어와 프랑스어 사전에 기술된 것을 봐도 명백하다. 현재 일본어에선 교육을 '지육·덕육·체육'의 세 가지로 분류해 표현하는 것이 일반적으로 받아들여지고 있으며, 최근엔 '식육'(食育)이라는 신조어도 등장한 것은 주지의 사실이다.

2. 교육의 주체

두말할 것도 없이 교육의 대상은 일반적으로 연소자다. 그 이유는 다름 아닌 그(그녀)가 인간으로서의 성장과정에 있기 때문이다. 그렇다면 교육의 행위주체(액터)는 누구인가. 본래 인간은 모두 교육의 주체가 될 수 있고, 또한 주체가 되지 않으면 안 된다. '학교교육'의 주체는 학교이고, '가정교육'의 주체는 가정이며, 그리고 '사회교육'은 지역사회가 주체가 된다. 부모가 자기 아이의 양육을 책임지는 '가정교육'은 부모자식 간의 인연이 그 기반이 된다. '사회교육'의 경우는 부모만큼 강고하진 않아도 지역사회의 주민들 간에 나름의 인연이 존재할 것이다. 그렇다면 '학교교육'이 의지해서 설 수 있는 기반은 무엇일까. '가정교육'과 '학교교육', 그리고 '사회교육'의 사명과 목적은 각각 독자적인 부분과, 서로 겹치는 부분이 있을 텐데, 원래 '학교교육'의 주된 사명과 목적은 어디에 존재하는가.

3. 학교의 설립자

가정과 지역사회는 이른바 자연발생적인 인연에 의해 영위되는 인간 집단으로, 가정과 지역사회의 구성원들끼리 명확한 목적의식을 공유하고 있는 것은 아니다. 그러나 학교는 특정 목적과 사명을 가진, 매우 합목적성이 높은 제도이자 조직이다. 학교는 누가 무엇을 위해 설립했을까. 옛 상황을 보면, 서구사회에서는 사제와 수도사의 양성을 목적으로 주로 가톨릭교회와 수도회가 학교를 설립했다. 에도시대의 일본에서는 대부분의 번(藩, 1만 석 이상의 영토를 보유했던 봉건영주인 다이묘[大名]가 지배했던 영역-옮긴이)이 무사의 자제들을 위해 번교(藩校)를 두었다. 『개설일본사(概説日本史)』(사사키 준노스케 외 편, 요시카와홍문관, 2002년)에 따르면 전국에 255개의 번교가 있었다고 한다.

오늘의 일본사회에서 '학교'라 불리는 조직, 기관은 주로 학교교육법 제1조 '학교의 범위'에 명기돼 있는 '유치원, 초등학교, 중학교, 의무교육학교, 고등학교, 중등교육학교, 특별지원학교, 대학 및 고등전문학교'(속칭 1조교)이지만 그 외에도 전수학교, 각종학교, 기타 특별한 법률에 의거한 시설(경찰대학교, 자치대학교, 방위대학교 등)이 존재한다는 것은 더 말할 것도 없다.

그렇다면 학교를 설립할 수 있는 것은 누구인가. 2006년에 전면 개정된 교육기준법 제6조에 따르면 "법률이 정한 학교(필자 주: 1조교)는 공공의 성질을 지닌 것으로 국가, 지방공공단체 및 법률이 정한 법인만이 이것을 설립할 수 있다"고 명시돼 있다. 또한 학교교육법 제2조 '학교의 설립자'에서도 "학교는 국가, 지방공공단체 및 사립학교법 제3조가 규정하는 학교법인만이 이것을 설립할 수 있다"고 되어 있다.

교육기준법 및 학교교육법이 규정하는 이런 조문들의 의도는 개인이나 민법상 법인 등에겐 학교 설립을 허가하지 않는다는 뜻이다.

'법률이 정한 학교', 즉 '1조교'는 '공공의 성질을 갖는 것'이므로, 학교 설립자는 본래 국가 그 자체가 되어야 한다. 그러나 국가로부터 일정 권한을 위임받은 지방공공단체 및 국가의 법률에 의해 허가된 학교법인도 학교 설립에 관여할 수 있다는 것이 학교교육법 제2조의 진의다.

4. 학교교육의 목적

그렇다면 학교교육은 왜 '공공의 성질'을 갖는 것일까. 그 대답은 교육기준법 제1조 '교육의 목적'에서 찾을 수 있다. 즉 "교육은 인격의 완성을 목표로, 평화롭고 민주적인 국가 및 사회의 구성원으로서 필요한 자질을 갖춘, 심신이 건강한 국민의 육성을 위하여 실시돼야 한다"고 기술돼 있다. 그중에서도 특히 '국가 및 사회 구성원의 육성'이야말로 교육의 '공공의 성질'을 여실히 말해주는 것이라 할 수 있다. 국가 및 사회에 장래 유위(有爲)한 자국민, 환언하면 '좋은 국민'을 육성하기 위해서는 국가 자신이 그 책임을 져야 한다. 국가(및 그 권한을 위임받는 지방공공단체 및 국가로부터 인가를 받은 학교법인)가 학교교육에 종사하는 이유는 바로 여기에 있다. 근대사회의 성립 이래 모든 국가는 정도의 차이는 있지만, 예외 없이 국민의 교육에 관여해왔다. 그 이유를 단적으로 말하면, '좋은 국민'을 육성하는 것 외에는 다른 어떤 이유도 존재하지 않는다. 그 어떤 나라든 자국민을 '좋은 국민'으로 교육한다는 강한 의지를 가지고 있지만, 타국의 국민을 교육한다는 의도는 털끝만큼도 없다. 우리나라에는 많은 국제학교(인터내셔널스쿨)와 외국인학교(내셔널스쿨, 민족학교라고도 불린다)가 존재하지만 일본정부가 이 학교들을 '1조교'로 인정하지 않는 것은 일본인 자녀의 교육을 목적으로 하지 않기 때문이다.

5. 좋은 국민

'좋은 국민'의 자질로서 요구되는 것은 무엇인가에 대한 답은 국가에 따라 다르고, 또한 국가별로도 시대에 따라서 달라질 것이다. 앞서 언급한 교육기본법 제1조의 '평화롭고 민주적인 국가 및 사회의 구성원으로서 필요한 자질을 갖춘 심신이 건강한 국민'이라는 것이 '좋은 국민'에 요구되는 기본적 자질임은 명백하다. 또한 현행 학교지도요령의 '교육과정편성의 일반 방침'에도 "인간존중의 정신과 생명에 대한 경외심을 가정, 학교, 기타 사회의 구체적 생활 속에서 구현하고, 풍요로운 마음을 지니며, 개성 넘치는 문화의 창조와 민주적인 사회 및 국가 발전을 위해 노력하고, 나아가 평화적인 국제사회에 공헌하는, 미래를 개척하는 주체성을 가진 일본인"의 육성이 명문화되어 있다. 여기서 말하는 '인간존중의 정신', '생명에 대한 경외심', '풍요로운 마음' 등도 학교교육이 지향하는 '좋은 국민'의 자질이라고 할 수 있다.

교육기본법과 학습지도요령에서는 직접 언급하지 않지만 애국심과 국가에 대한 충성심 등도 '좋은 국민'의 자질로서 가르쳐야 할 것이다. 애국심과 충성심이라는 표현이 너무 정치적이라는 비판을 받는다면 '국민 그리고 사회의 일원으로서 자격'과 '귀속의식'을 영어의 '아이덴

티티'(정체성)와 동의어라고 할 때 '국민으로서의 정체성'으로 바꿔 말할 수 있을 것이다. 덧붙여 준법정신과 공덕심(公德心) 등도 '좋은 국민'의 육성을 위해 함양해야 할 덕목이다.

좋은 국민을 육성하기 위해 성장과정에 있는 젊은이들에게 '국민으로서의 정체성'(자각, 귀속본능)과 자긍심, 애국심, 국가에 대한 충성심, 국민들 간의 단결력 등이 뿌리내리게 하는 것은 국가의 당연한 책무일 것이다. 이런 것은 동서양을 불문하고, 국민에 대한 국가의 통제력의 정도에 관계없이 모든 국가가 실시하고 있다. 조국에서 태어난 것을 자랑스럽게 여기지 못하는 사람만큼 불행한 국민은 없을 것이다. 자기 나라를 사랑할 수 없는 국민을 거느리는 국가도 마찬가지로 불행하다.

6. 가치관의 계승으로서의 교육

국가는 좋은 국민을 육성하기 위해 특별히 학교교육이라는 형태의 교육활동에 종사한다. 앞서 살펴본 교육기준법 제1조의 내용을 보지 않더라도 '교육의 목적'은 단순히 젊은이들에게 지식과 기술을 부여하는 것만이 아니다. 교육이라는 행위에는 민족과 사회 구성원의 공통된 생활습관과 가치관, 도덕률, 더 나아가 미적 감각 등을 가르치는 것도 포함되어 있다. 요약하자면, 교육이란 문화의 계승 기능을 의미한다고 해도 과언이 아닐 것이다. 반복하지만, 교육은 보편적인 지식과 기술뿐 아니라, 민족사회·국가사회와 그 구성원들 사이에서 공유하는 고유의 문화에 내포된 가치관과 당위와 금기 등도 부여하는 것이다. 그렇기 때문에 '읽기, 쓰기, 계산'(영어에서도 reading, writing, arithmetic을 '3Rs' 라고 한다)뿐 아니라 도덕교육(국가에 따라선 종교교육), 보건체육, 예술교육 등도 커리큘럼 안에 포함시키는 것이다. 산수(수학)와 이과 등 이른바 자연과학은 국가에 따라 교육내용에서 크게 차이 나는 경우는 없을 것이다. 문화와 가치관의 차이는 있어도 정리와 공리, 혹은 실험결과가 다를 수는 없기 때문이다. 그러나 국어(언어)와 역사 등의 교과는 국가와 민족에 따라 교육내용은 말할 것도 없고 교육방법도 현저히 달라지는 것은 자명한 이치다.

7. 언어교육

초등교육에서 국어(언어)교육은 무엇보다 모어(母語)교육이 되어야 한다. 모어를 습득하는 과정에서 아이는 부모와의 정신적 유대를 강고히 하고 민족사회의 공통된 가치관과 도덕률을 자기 것으로 만들어 간다. 일반적으로 공통의 언어를 사용하는 사회에서는 문화와 가치관 등도 공유된다. 오늘날 국제사회에서 일본과 같은 단일언어 국가는 오히려 예외적인 존재이며, 많은 국가에선 일상어로서 복수언어를 사용한다. 전 세계에 몇 개의 언어가 존재하는가는 아무도 모르는 수수께끼이지만, 학설에 따르면 3,000개에서 1만 개까지 있다고 한다(데이비드 크리스털 저 『언어의 죽음(Language Death)』). 그 중간쯤인 6,000개 언어라고 치고, 이것을 전 세계 독립국가의 수인 200(UN가맹국은 현재 193개국이다)으로 나눠보자. 그러면 국가별 언어 수는 30이 된다. 즉, 평균적으로 한 나라에서 30개의 언어가 쓰이고 있는 셈이다.

이와 같은 국가에서는 국어(언어 혹은 모어)교육이 다양한 문제에 직면한다는 걸 쉽게 이해할 수 있다. 예를 들어 스페인에서는 대다수 국민이 카스티야어를 일상언어로 쓰지만 북서부에서는 갈리시아어, 대서양 연안의 프랑스 국경 가까이에선 바스크어, 그리고 북동부에는 카탈루냐어가 각 지방의 일상언어로 지금도 사용되고 있다. 그러나 1936년에 발발한 스페인내란 후 프랑코 총통은 독재정권을 수립하고 갈리시아어, 바스크어, 카탈루냐어의 사용을 전면 금지했다. 갈리시아, 바스크, 카탈루냐 각지의 자치권이 인정되고, 고유의 언어 사용이 스페인 헌법에 보장된 것은 프랑크 사후 3년이 지난 1978년이 되어서다.

스페인의 사례가 보여주듯이 복수언어가 쓰이는 사회에서는 다수파의 언어가 우선시되고 소수자의 일상적 언어활동이 탄압을 받는 경우가 드물지 않다. 입법, 사법, 행정 등 국가운영이 다수파의 언어에 의해 시행되는 것은 더 말할 것도 없고, 교육 또한 다수파의 언어로만 전 국민에게 실시되는 경우가 적지 않다. 이 점은 프랑스처럼 민주주의 전통이 뿌리 깊이 살아 있는 국가도 예외는 아니다. 브루타뉴 반도의 켈트어계 전통언어인 브루통어 교육이 바스크어, 카탈루냐어, 옥시탕어와 함께 허용된 것은 겨우 1951년에 이르러서다(코르시카어의 교육은 좀 더 늦은 1974년에 해금되었다. Dominique et Michèle Frémy, QUID 2004, Robert Laffont, 2004).

아이들에게 애국심과 국가에 대한 충성심을 심어주고, 국민으로서의 자각과 자긍심을 촉진시키기 위해서는 교육이 국내에서 동일한 내용, 동일한 방법으로 시행되는 것이 바람직하다. 그런 이유로 복수언어 사회에서도 국가는 다수파 언어만으로 교육을 실시하는 쪽을 선택하는 것이다.

8. 역사교육

국가가 교육에 관여할 때 좀 더 크고 많은 문제를 내포할 가능성이 있는 것은 사회과학 분야 교과, 그중에서도 특히 역사일 것이다. 역사교육은 자국의 성립부터 오늘날 국가의 모습에 이르기까지를 아동, 학생에게 가르침으로써 국민적 자각과 자긍심, 애국심 등을 함양하는 것을 주요 목적으로 한다. 그러나 연표처럼 단순히 역사적 사실을 망라해서 교시하는 것만으로는 그 목적을 달성할 수 없다. 일본을 비롯해 인류사회 안에서 예부터 존속해온 민족의 입장에서 볼 때, 국가의 성립에 관한 역사는 건국신화의 영역이라고 말할 수밖에 없는 경우가 적지 않다. 역사학적으로 혹은 고고학적으로 입증할 수 없는 먼 옛날의 사건을 역사적 사실로서 가르치는가, 혹은 신화로서 가르치는가는 국가의 교육정책상의 문제일 것이다.

건국과 관련된 역사뿐 아니라, 예를 들면 타국과의 전쟁과 식민지화, 국내의 소수민족에 대한 탄압 등을 어떤 식으로 기술하고 가르치느냐는 매우 중요한 과제다. '좋은 국민'을 육성하기 위해서 국가는 역사의 부정적 측면을 은폐할까, 말을 바꿀까, 하는 여러 선택에 직면해야 할지 모른다. 국민으로서의 자긍심과 애국심을 흐릿하게 만드는 역사적 사실에 대해 아동, 학생에게 알리고 싶지 않은 것이 위정자의 본심일 것이다. 그러나 그것은 진실을 가르쳐야 한다는, 교육에 요구되는 당연한 윤리를 무시하는 일이 될 수 있다.

9. 국내교육에서 국제교육으로

반복해서 말해온 것처럼 교육의 최대 목적은 '좋은 국민'을 육성하는 것이다. 선진국과 개발도상국을 불문하고, 또한 민주주의국가인지 독재국가인지에 관계없이 아마도 모든 국가들이 그렇게 생각해왔을 것이다. 바꿔 말하면, 교육이라는 행위는 압도적으로 국내적이라는 인식이 일반적이었던 것이다. 교육은 무엇보다 국익을 존중하는 국가적 행위라는 표현도 가능할 것이다. 국가 간 국익은 툭하면 서로 충돌한다. 당연히 개별 국가 간의 교육목표와 교육적 가치 또한 대립하기 십상이다. 이런 사실은 국제사회에서 교육과 관련한 정부 간 조직이 탄생한 것이 최근 70년 전후에 불과하다는 점에서도 명백해진다.

국제사회는 19세기 후반 이후 다양한 분야의 정부 간 조직을 창설해왔다. 몇 가지 예를 들면, 국제전기통신연합(ITU, 1865년), 일반우편연합(IPU, 1874년), 국제도량위연합(1875년), 국제저작권동맹(1886년), 국제철도수송연합(1890년) 등이며, ITU나 IPU 등은 지금도 UN의 전문기관으로 존속하고 있다. 이런 조직들은 국제행정연합(International Administrative Unions)이라 불린다. 산업혁명을 경유한 국제사회에선 사람들의 다양한 활동에서 국가 간 협력이 필수라는 인식을 갖게 된 결과 탄생한 것이다. 이 국제행정연합이 발전한 연장선상에 제1차 세계대전 후에 탄생한 국제연맹과 국제노동기구(ILO)를 거쳐, 지금의 UN과 그 전문기관이 존재하는 것이라 할 수 있다.

교육 분야의 국제협력을 목적으로 한 정부 간 조직으로는 제1차 세계대전 후에 국제교육국(International Bureau of Education, IBE)이라는, 유럽 각국의 교육 관련 정보교환을 목적으로 한 조직이 제네바에 설립되었지만 극히 소규모였다. 제2차 세계대전 후 유엔교육과학문화기관(UNESCO, 유네스코)을 필두로 아랍연맹교육문화과학기관(ALECSO)과 동남아시아교육부장관기구(SEAMEO) 등이 발족했다. 이 점은 제2차 세계대전을 거치면서 간신히 교육 분야에서 국제협력의 필요성이 인식되기에 이르렀다는 사실을 말해준다.

유네스코는 설립조약(유네스코헌장)의 전문에서 "인류 역사에서 서로의 풍습과 생활에 대한 무지가 의심과 불신의 원인이 되었으며, 이로 인한 차이점들로 인해 인류는 자주 전쟁으로 치달았다"고 서술하고 '정의, 자유, 평화를 위한...... 교육'을 제창했다. 이 헌장 전문이야말로 유네스코가 지금까지 적극적으로 추진해온 국제이해교육(Education for International Understanding)의 연원이라고 할 수 있다. 또한 유네스코헌장 제1조 '목적 및 임무'는 "이 기관의 목적은...... 교육, 과학 및 문화를 통해 각국의 국민 간 협력을 추진함으로써 평화 및 안전에 공헌하는 것이다."라고 명시하고 있으며 국제평화 및 안전의 실현과 유지를 위해서는 교육, 과학, 문화 분야의 국가 간 협력이 불가결하다는 인식을 표명하고 있다.

10. 글로벌 이슈

제2차 세계대전 후의 국제사회에서는 수많은 개발도상국이 독립했다. 선진국과 개발도상국 간의 경제적 격차는 확대일로를 걸어왔고, 개발문제가 세계적 관심을 불러일으키게 되었다. 또한 자유주의권과 사회주의권 간의 냉전구조가 전 지구적으로 확대되어 핵전쟁에 대한 공포가 현실화됐다. 20세기의 끝자락이 가까워질수록 이런 개발문제와 핵 문제에 더해 환경, 식량, 인구, 전염병, 난민 등 일개 국가가 단독으로 해결할 수 없는 대규모의 심각한 문제들이 '전 지구적 제반 문제'(글로벌 이슈)로서 부각되었다.

글로벌 이슈의 해결에는 국가 간 협력이 불가피하며, 그 점을 전 세계 모든 아이들이 알 필요가 있다는 점에서 유네스코는 국제이해교육의 일환으로 환경교육, 인구교육, 평화교육 등을 적극 추진하도록 가맹국에 요청했다. 운송과 통신수단이 급속히 발달하고 산업의 국제 분업이 촉진된 결과, 사람과 물건과 돈, 그리고 정보의 이동이 활발해지고, '좁아지는 세계', '우주선 지구호', 더 나아가 국가 간 및 전체 국민 간의 '상호의존성'이라는 표현이 유행하게 되었다.

교육을 받는 아이들은 지금 단순히 산수(수학)나 이과처럼 모든 국가의 교육에서 공통되는 보편적 교과와 자국에 관한 내용만 배우면 되는 게 아니라, 국제사회에서 살아가는 의미, 타자와 함께 사는 의의도 배워야 하는 것이다. 1990년대 이후 유네스코가 유엔개발계획(UNDP)과 유엔아동기금(UNICEF, 유니세프) 등과 함께 2015년까지 세계의 모든 아이들이 기초교육을 받을 수 있게 한다는 내용의 '모두를 위한 교육'(Education for All)과 일본이 국제사회에 제창한 '지속가능한 발전을 위한 교육'(Education for Sustainable Development) 등을 보면, 교육이 일개 국가의 국익을 추구하면서 '좋은 국민'을 육성하기 위해서만 실행되던 시대는 이미 지나갔다고 간주해야 한다. 유네스코는 앞서 언급한 국제이해교육의 틀 안에서 글로벌 이슈에 더해 기본적 인권, 자유, 관용, 비폭력, 민주주의, 타자와의 공생 같은 '보편적 가치'를 교육 안에 도입하도록 각 가맹국 정부에 권고하고 있다.

11. '문명의 충돌'과 교육

1993년에 하버드대 정치학 교수인 새뮤얼 헌팅턴(Samuel Huntington)은 저서 『문명의 충돌(The Clash of Civilizations and the Remaking of World Order)』에서 21세기의 전쟁은 이데올로기의 대립이 아니라 서구 대 비서구라는 문명의 충돌에 의해 일어난다는 대담한 예언을 했다. 그의 예언이 공표된 당시는 문제를 너무 단순화했다거나 황당무계하다는 부정적 혹은 냉소적 반응이 많았다. 하지만 21세기가 되어 빈발하는 무력항쟁의 대부분은 국가 간 전쟁이 아니라 민족 간 혹은 종파 간 항쟁이며 대부분이 한 나라 안에서 촉발된 것을 고려하면 헌팅턴의 '문명의 충돌' 설은 타당하다고 단언할 수밖에 없다.

앞서 소개한 유네스코헌장 전문에 '서로의 풍습과 생활을 모른다'는 부분이 있었다. 이 '풍습과 생활'이란 바로 헌팅턴이 말하는 '문명'(헌팅턴은 문화와 문명을 혼동하고 있다. 그는 오히려 '문화'[cultures]라고 써야 했다)일 것이다. 헌팅턴의 지적을 되새기지 않더라도 역사상 인류가 일으킨 수많은 전쟁과 무력분쟁은 바로 다문화간 항쟁이었다. 본래 문화에 우열은 없을 텐데, 민족과 국가는 왕왕 자기 문화의 우월성을 주장하고, 타자의 문화를 무시하거나 혹은 탄압한다. 특히 제국주의전쟁은 문화전쟁의 색이 농후했다고 할 수 있다.

문화의 특징을 열거해보자.

① 모든 민족·사회집단은 고유의 문화를 가진다.

② 문화는 민족·사회집단의 구성원이 공유하는 것이다.

③ 문화에는 언어, 예술, 복장, 식생활, 건축, 축제 등의 외형적 생활양식뿐 아니라 가치관, 도덕률, 종교 등의 내면적 생활양식도 포

함된다.

④ 문화는 학습에 의해 세대를 넘어 계승된다.

⑤ 문화는 민족·사회집단 구성원의 정체성의 원천이다.

⑥ 서로 다른 문화 사이에 우열의 관계는 존재하지 않는다.

이상 여섯 가지에 걸친 문화의 특징이 민족·사회집단 구성원의 아이들에 대한 교육과 밀접한 관련이 있다는 건 더 말할 것도 없다. 특히 서로 다른 문화 사이에 우열관계는 있을 수 없다는 것을 가르치는 일이야말로 바로 교육의 역할이다. 오늘날 교육은 자기 문화를 사랑하고 계승하고자 하는 의지를 키워주는 것뿐 아니라, 타자의 문화를 존중하는 것도 가르쳐야 한다. 지금의 교육은 단순히 '좋은 국민'을 육성하는 것만을 목표로 해서는 안 되며, 국가는 '좋은 국제인'을 키우는 일에 교육의 목표를 두어야 한다. '좋은 국제인'이란 어떤 사람을 의미하는가. 그것은 이미 언급한 대로 기본적 인권, 자유, 관용, 비폭력, 민주주의 등의 '보편적 가치'를 체화하고 자신의 정체성과 타자의 그것을 동시에 존중하는 공생의 정신을 넉넉하게 지닌 사람을 말한다.

12. 국가사회의 다양화

앞서 다민족국가의 언어교육의 어려움에 대해 언급했다. 이 점은 단순히 언어교육에만 국한되는 게 아니라, 역사교육과 공민교육도 마찬가지일 것이다. 국민이 국가를 형성하고 있다는 의식, 즉 국민국가라는 의식이 농후해진 것은 최근 200년 정도의 일이지만, 단일민족이라는 의식은 생활습관, 언어, 종교, 가치관 등을 공유하면서 몇 세대에 걸쳐 면면이 이어져온 것이다. 따라서 국민으로서의 정체성과 민족으로서의 그것을 비교하면 압도적으로 후자가 강고하다. 금세기 들어 한 국가 안에서 민족분쟁이 빈번히 발생하게 된 것은 바로 이와 같은 배경이 있기 때문이다.

단일민족, 단일국가를 형성하고 있는 문자 그대로의 '국민국가'에서는 국민으로서의 정체성과 민족으로서의 정체성이 겹치기 때문에 그 사회는 다민족사회에 비해 압도적으로 안정도가 높다. 바로 일본이 전형적인 예라고 해도 과언이 아닐 것이다. 즉, 약 1억 2,600만 명의 국민이 일본어만을 일상언어로 사용하고, 종교간 분쟁은 거의 없으며, 가치관과 도덕관도 국민들 사이에 공유되어 있다. 교육수준과 소득수준도 대체로 작은 격차에 머문다. 이처럼 동질성이 높은 국가사회에서는 국민간의 무력분쟁은 물론 범죄 발생률도 낮다.

그런데 일본에 거주하는 외국인 수가 2015년 217만 명에 도달했다. 그중 22.9퍼센트가 한국 및 조선인, 30.2퍼센트가 중국인, 10.3퍼센트가 필리핀인 등이다. 현재 재일외국인이 일본의 전체 인구에서 차지하는 비율은 1.72퍼센트에 불과하지만, 이 비율은 향후 급속히 상승해 갈 게 틀림없다(법무성 입국관리국 홈페이지). 그 증가의 주역은 이주노동자다. 한 나라의 사회에 외국인이 늘어나는 현상은 일본에만 일어나는 일이 아니다. 대개의 선진국에서 비슷한 현상이 벌어지고 있는 것이다. 조금 오래된 데이터지만, 예를 들자면 프랑스에서는 외국인 비율이 6.9퍼센트에 이른다(프랑스 외무성 편, 호리 모모코 역 『현대의 프랑스(現代のフランス)』 하라서방, 2005년). 독일에서는 전체인구 8,420만 명 가운데 약 9퍼센트에 해당하는 750만 명이 외국에서 온 이민자라고 한다

(독일연방공화국 주일대사관 홈페이지). 외국인노동자를 받아들이는 것의 시비는 각국의 산업정책, 노동정책, 경제정책 등에 따라 크게 달라지는 게 당연하다. 외국인노동자의 흡수는 교육정책상으로도 결코 소홀히 할 수 없는 중요한 문제이지만, 지금까지는 그다지 문제시되지 않았다. 외국인노동자는 당연히 좀 더 나은 생활을 찾아 선진국으로 온다. 즉 경제적 동기에서 조국을 떠나는 것이다. 이들 이주노동자는 젊은층이 많을 것으로 추측된다. 적응력이 뛰어나고, 중노동을 견딜 수 있는 체력이 필요하기 때문이다.

젊은 사람이 결혼을 하고 남녀 간에 아이가 생기는 것은 자연의 섭리다. 그리고 아이가 학령기에 이르면 학교에 가야 한다. 가난한 이주노동자의 아이가 통학할 수 있는 학교는 무상교육을 받을 수 있는 국공립학교로 한정된다고 할 수 있을 것이다. 본 원고의 서두에 서술한 대로, 국립 혹은 공립학교는 '좋은 국민'을 육성하기 위해서 설치된 곳으로, 외국인 자녀를 교육하는 경우는 상정돼 있지 않다. 외국인 자녀는 출신국가, 즉 부모나라의 언어와 생활습관, 가치관 등에 대해 가정 이외의 장소에서 배울 기회가 거의 주어지지 않는다. 그(그녀)들의 대부분은 출신국가로 돌아간다는 가능성을 배제하고 평생 이주국가에서 보내게 될 것이다. 국가는 이런 외국인 자녀들을 자국민으로서 교육해야 하는가 아닌가. 이 부분은 지극히 고도의 정치적 판단을 요하는 문제다.

아동의 권리조약(아이의 권리조약) 제29조 (c)항은 "아동의 부모, 아동의 문화적 동일성, 언어 및 가치관, 아동의 거주국 및 출신국의 국민적 가치관과 더불어 자신의 문명과는 다른 문명에 대한 존중심을 육성하는 것"을 교육이 지향해야 한다고 명기하고 있다. 일본을 포함해 외국인노동자를 다수 받아들이고 있는 나라의 정부가 이 조약의 정신을 존중할 의사가 있는 한, 외국인 자녀는 이주국가의 자녀에게 제공되는 교육과 완전히 동일한 교육을 받을 권리와 동시에, 출신국가의 문화적 정체성(동일성), 언어, 가치관을 함양하는 교육도 더불어 누릴 권리를 보장받아야 하는 게 아닌가.

이상적인 교육이란 어떠해야 하는가를 고려할 때, 무엇보다 국내성과 국제성의 균형을 유지하면서, 한편으로 아동과 학생의 문화적 배경에 대해서도 충분한 배려를 하는 것이 중요할 것이다. 그런 교육을 받은 젊은이들이야말로 '좋은 국민'이면서 동시에 '좋은 국제인'이 될 자격을 갖게 되는 것이다. 좀 더 부연하면, 개인이 속하는 모든 사회, 즉 가정, 지역사회, 국가사회, 그리고 국제사회의 입장에서 완전한 인간을 키워내는 것이야말로 교육의 궁극적 목표라고 말할 수 있다.

IB 용어 해설

IB(International Baccalaureate): 국제바칼로레아

스위스의 재단법인 IBO가 인정하는 교육프로그램·자격의 총칭

- IBO(International Baccalaureate Organization): 재단법인 국제바칼로레아기구

  스위스 민법에 의거, 국제교육의 추진을 목적으로 하는 비영리 교육단체. 본부는 스위스 제네바에 있다.

DP(Diploma Programme, IBDP): 고등학교프로그램(IB학위과정)

중등교육과정의 마지막 2년간 공통 커리큘럼을 설정, 최종시험을 거쳐 IB학위과정의 수료가 가능한 프로그램. 수료자는 세계의 많은 나라에서 대학입학자격과 동등한 자격을 소지한 것으로 인정받는다.

- EE(Extended Essay): 과제논문

  6교과 가운데 1교과와 관련된 연구과제를 정해 독자적으로 조사연구한 내용을 영문 4,000단어 이내, 일본어의 경우 8,000자 이내의 학술논문으로 작성한다. IB학위과정 수료의 3요건 가운데 하나

- TOK(Theory of Knowledge): 지식론

  학제적인 관점에서 개개의 학문 분야의 지식체계를 검토하고, 이성과 객관적 정신을 함양하는 것을 중시한다. 지식의 이론과 강의와 연습에 2년에 걸쳐 100시간 이상의 학습시간을 투여하며, 소논문과 발표작품을 제출한다. IB학위과정 수료의 3요건 가운데 하나

- CAS(Creativity, Activity, Service): 창조성·활동·봉사

  학문 이외의 생활, 지역에 기초한 봉사활동을 통한 체험과 공동작업을 통한 협동성을 중시하여, 2년에 걸친 예술, 음악, 연극 등의 창조적 활동과 스

포츠 및 봉사활동으로 IB학위과정 수료의 3요건 가운데 하나다. CAS는 원래 '창조성·행동·봉사(Creativity·Action·Service)'였는데, 2015년에 지금의 '창조성·활동·봉사(Creativity·Activity·Service)'로 변경됐다.

- HL(Higher Level): 고급레벨

  학생은 IB학위과정을 수료하기 위해 6교과군 가운데 3~4교과를 고급레벨로 이수해야 한다. 고급레벨은 1교과당 2년간 240시간 이상의 단위시간 수를 채워야 한다.

- SL(Standard Level): 표준레벨

  학생은 IB학위과정을 수료하기 위해 6교과군 가운데 2~3교과를 표준레벨로 이수해야 한다. 표준레벨은 1교과당 2년간 150시간 이상의 단위시간 수를 채워야 한다.

- Certificate: 과목별 평가증명서

  IB 교과군 가운데 1교과 혹은 몇 개 교과의 시험을 본 사람에게 수여되는 증명서

MYP(Middle Years Programme): 중학교프로그램

11세부터 16세까지를 대상으로 한 과정. 1994년 창설

- Approaches to Learning: 효과적 학습법을 키워주는 '학습에의 접근법'

  MYP의 5가지 기본 개념 가운데 하나

- Community Service: 사회봉사(지역서비스)

  MYP의 5가지 기본 개념 가운데 하나

- Health and Social Education: 건강과 사회교육

  MYP의 5가지 기본 개념 가운데 하나

- Environment: 환경

  MYP의 5가지 기본 개념 가운데 하나

- Homo Faber: 도구의 인간

  인류의 창조성을 습득하는 '도구의 인간'. 호모 파베르, Man the Maker
  중학교프로그램의 5가지 기본 개념 가운데 하나

PYP(Primary Years Programme): 초등학교프로그램

3세부터 12세까지를 대상으로 한 과정. 1997년 창설

- Transdisciplinary Approach: 교과 초월적 지식의 탐구

  PYP에서는 '무엇을 배우고 싶은가', '어떻게 하면 가장 잘 배울 수 있는가', '어떻게 하면 무엇을 배웠는지 알 수 있는가'라는 세 가지 질문을 중심으로 커리큘럼을 구성한다.

- Inquirers(탐구하는 사람):

  지식과 목적 있는 행동을 탐구하는 사람

  PYP의 10가지 목표 가운데 하나

- Thinkers(사고하는 사람):

  창조적인 사고를 할 수 있는 사람

  PYP의 10가지 목표 가운데 하나

- Communicators(소통하는 사람):

  2개 국어 이상의 정보를 이해할 수 있고, 의사를 전달할 수 있는 사람

  PYP의 10가지 목표 가운데 하나

- Risk-takers(도전하는 사람):

  미지의 개념과 상황에 두려워하지 않고 도전하는 사람

  PYP의 10가지 목표 가운데 하나

- Knowledgeable(지식을 갖춘 사람):

  세계의 중요한 테마에 박식한 사람

  PYP의 10가지 목표 가운데 하나

- Principled(도덕적 신념이 강한 사람):

  정당하고 공평한 도덕관을 가진 사람

  PYP의 10가지 목표 가운데 하나

- Caring(배려하는 사람):

  주변 사람의 기분과 입장을 배려하는 사람

  PYP의 10가지 목표 가운데 하나

- Open-minded(열린 마음을 갖춘 사람):

  넓은 시야를 가지고 다른 문화·가치관·전통을 중시하며 이해할 수 있는 사람

  PYP의 10가지 목표 가운데 하나
- Well-balanced(균형을 갖춘 사람):

  정신과 신체의 균형을 갖춘 사람

  PYP의 10가지 목표 가운데 하나
- Reflective(성찰하는 사람):

  자신이 배운 것을 이성적으로 살펴보고, 장단점을 분석할 수 있는 사람

  PYP의 10가지 목표 가운데 하나

Chief Examiner: 주임 시험관

IB시험의 평가자로 세계에 약 3,000명이 있다. IBO가 선임한다. 평가는 과목당 7단계로 이루어진다. 6과목 전부 최고점을 받으면 7점×6과목 해서 42점. 거기에 과제논문(EE)과 지식론(TOK)의 평가가 우수한 경우 3점이 추가되어 합계 45점 만점이 된다. 합격기준은 6과목 합계 24점 이상

Dual Language Diploma Programme: 2중언어 IBDP

문부과학성과 IBO의 합의로 IBDP 일부 과목의 수업과 시험, 평가를 일본어로 실시하기로 확정. 2015년 4월부터 일본 국내의 일부 인정학교에서 시행. 일본어로 실시 가능한 과목은 경제, 지리, 역사, 생물, 화학, 물리, 수학연구, 음악, 미술, 지식론(TOK), 과제논문(EE), 창조성·활동·봉사(CAS). 다만, 일본어에 의한 IBDP라도 6과목 중 2과목(통상 그룹2의 외국어 외에 추가 1과목)은 영어 등으로 이수할 필요가 있다.

맺음말

맺음말을 쓰면서, 새삼 이 책을 발간할 수 있었던 것에 안도감과 감개무량함을 느낀다. 이 책의 발간은 필자에겐 최근 수년간 품고 있던 무거운 숙제였다. 사가라 노리아키 선생과 함께 『IB: 세계가 인정하는 탁월한 교육프로그램』을 발간한 것은 10년도 더 전의 일이다. 당시엔 비슷한 책도 없었고, IB를 수강한 학생들의 육성을 녹취, 수록한 것이 사람들의 관심을 모아서였는지, 책은 증쇄를 거듭할 수 있었다. 그 후 IB가 정책적으로 추진됨에 따라 IB에 종사하는 교원, 수강학생, 그리고 연구자들에 의해 많은 관련 서적이 출간되었다. 이제 IB를 사회에 알리는 계몽의 시대는 끝났다고 생각된다. 향후는 다양한 사람들이 IB에 관여해 실천과 연구의 세계를 더욱 발전시켜갈 것이다.

IB는 모든 사람에게 맞는 프로그램은 아니다. IB학위과정(IBDP)을 수강하기 위해서는 학생 자신이 먼저 학습에 대한 적극적 열의와 자기결정성을 지녀야 한다. IB교육이 효과를 보기 위해서는 그 이전의 개인학습과 지식의 축적, 그리고 무엇보다도 학생의 의욕이 중요할 것이다. IB의 수업은 '거꾸로 수업'(Flipped Learning)과 마찬가지다. 즉 학생이 집에서 미리 학습한 지식을 가지고 학교라는 장 안에서 교원, 동료 학생들과 상호작용을 통해 더욱 발전시키는 식으로 수업이 진행된다. 주인공은 학습자이며, 교원은 학습의 조력자, 컨설턴트 역할인 것이다.

고령화와 더불어 학교와 대학을 졸업한 이후의 시간이 길어지고, 또한 새로운 지식과 기술의 습득이 고용의 유지와 확보에 필수적인 현 시대를 살아가는 사람들은 스스로 지속적인 학습을 해나갈 필요가 있다. IB는 평생에 걸친 학습자로서 자기주도적으로 학습할 수 있는 자질과 능력을 육성하는 프로그램임에 틀림없다. 한편, 학습에 적극적으로 참여하지 못하며 자기주도성이 떨어지는 학생도 있다. 이런 학생에 대해서는 기초적인 내용을 반복해서 지도한다거나 동기부여를 하는 등 교사가 코치나 촉진자 역할을 해야 한다. 즉, 단계적으로 학습지원을 함으로써 IB프로그램을 수강할 수 있는 발판을 마련해줘야 하는 것이다.

IB 수업에서는 일정 수준 이상의 학습준비가 된 학생, 그리고 열의와 뛰어난 식견을 갖춘 교원 간의 쌍방 교류에 의해 혁신적인 학습의 장이 창조된다. 교원과 학생이라는 수직적 관계가 아니라 수평적인 네트워크 속에서 그 구심점인 교원이 학생들과 지식 및 학습으로 연결될 때라야 창조적 발상이 탄생할 것이다. 즉, IB란 교원과 학생에 의한, 학습하는 조직의 창조이며 자기주도적 학습을 실시할 수 있는 성인 학습자를 육성하는 프로그램인 것이다.

집필을 마치며 스스로 묻는다. 이 책의 출간이라는 오랜 숙제를 마치게 된 나는 앞으로도 이 숙제의 내용을 계속 파고들 것인가, 아니면 이것으로 충분하다고 생각할까. 이 질문에 대한 답은 서두르지 않고 조금 시간을 두고 내 안의 목소리에 귀를 기울이다 보면 저절로 나올 것이다.

이와사키 구미코

※이 책은 2012~2015년도 과학연구비 조성금 「IB에 의한 일본형 공립 고교 모델의 구축에 관한 실증연구(国際バカロレアによる日本型公立高校モデルの構築に関する実証研究)」(과제번호 24531087)의 연구 성과 가운데 일부이다.

주석 및 참고문헌

책머리에

〈주〉

1 Mitchell, K. E., Levin, A.S. & Krumboltz, J.D., Planned Happenstance: Constructing Unexpected Career Opportunities, Journal of Counselling & Development, Volume 77, 1999.

2 2004~2006년도 과학연구비 보조금「재외교육기관에 재학 중인 일본인 고교생의 커리어 의식-일본에서 자라는 청소년과의 비교-(在外教育機関に学ぶ日本人高校生のキャリア意識-日本で育つ青少年との比較-)」(조사번호 16530557)

2012~2015년도 과학연구비 보조금「IB에 의한 일본형 공립고등학교 모델 구축에 관한 실증연구(国際バカロレアによる日本型公立高校モデルの構築に関する実証研究)」(조사번호 24531087)

3 『IB: 세계가 인정하는 탁월한 교육프로그램』(아카시서점, 2007년)에서 재수록한 원고는 다음 세 가지-원문 그대로인 것, 가필·수정한 것, 증보한 것-이다. 그 외에 일부 칼럼으로 발췌·수록한 것이 있다.

4장 IB 수강자의 그 후
4-1 IB 수강자 조사를 반추하며
4-3 IB 졸업생의 사회진출 조사(일부 증보)
5장 일본의 글로벌화를 위하여
5-2 교육의 국내성과 국제성

1

〈주〉

1 IBO(2014)「DP: 원칙에서 실천으로(DP: 原則から実践へ)」p.25.

2 같은 책 p.43.

3 같은 책 p.10.

〈참고문헌〉

International Business Organization (IBO) (2011) *Japanese A Prescribed list of authors.*
International Business Organization (IBO) (2012) *Extended Essay Guide.*
International Business Organization (IBO) (2013) *Language A: Literature guide.*
International Business Organization (IBO) (2014) *Prescribed literature in translation list.*
IBO 공식사이트 http://www.ibo.org
IBO(2014)「IB교육이란?」

http://www.ibo.org/globalassets/digital-tookit/brochures/what-is-an-ib-education-jp.pdf
IBO(2014) 「'언어A: 문학' 지도 안내서」
http://www.ibo.org/globalassets/publications/dp-language-a-literature-jp.pdf
IBO(2014) 「'지식론'(TOK) 지도 안내서」
http://www.ibo.org/contentassets/93f68f8b322141c9b113fb3e3fe11659/tok-guide-jp.pdf
IBO(2014) 「『'창조성·활동·봉사'(CAS) 지도 안내서」
http://www.ibo.org/globalassets/publications/cas-guide-2017-jp.pdf
IBO(2014) 「'과제논문'(Extended Essay) 지도 안내서」
http://www.ibo.org/globalassets/publications/extended-essay-jp.pdf
IBO(2014) 「일관된 국제교육을 목표로」
http://www.ibo.org/globalassets/publications/towards-a-continuum-of-international-education-jp.pdf
IBO(2014) 「DP: 원칙에서 실천으로」
http://www.ibo.org/globalassets/publications/dp-from-principles-to-practice-jp.pdf

2-1

〈주〉

1 IBO, The IB Diploma Statistical Bulletin: May 2011 Examination Session, 2011, p.14

2 영국은 잉글랜드, 스코틀랜드, 웨일스 그리고 북아일랜드로 구성돼 있으며, 학교교육은 각 지역의 의회에 권한이 이양돼 있다. 여기서는 주로 인구의 80퍼센트를 차지하는 잉글랜드의 교육에 대해, 편의상 '영국'이라 서술한다.

3 5~11세까지가 초등교육, 11~16세까지가 중등교육에 해당한다.

4 학교이사회는 학부모, 교직원, 지방교육당국의 직원, 지역주민, 운영모체의 대표로 구성된다. 교장은 이사회의 의사결정에 참석하며, 전체 학교 운영의 책임을 지는 입장에 있다.

5 심화교육 칼리지는 다시 일반 심화교육 칼리지(General FE)와 고등전문학교(Tertiary Colleges), 전문 칼리지(Specialist Colleges: 주로 농업, 원예, 연극, 댄스 등의 전문학교)와, 성인교육기관으로 나뉜다.

6 초등교육 수료시인 11세에 시행되는 학력테스트인 일레븐플러스(Eleven Plus)에 의해 선발된 아동에 한해, 11~18세의 학생을 대상으로 대학진학 준비 교육을 하는 그래머스쿨에 진학이 인정되었다. 일레븐플러스에 합격하지 못한 대다수 학생들은 실용과목을 중시하는 11~15세를 대상으로 하는 중등학교인 모던스쿨(Modern School)에 진학했다. 공업·기술교육에 중점을 둔 11~16세를 대상으로 한 테크니컬스쿨(Technical School)은 실제로는 별로 많지 않아서 전체의 15~20퍼센트에 머물렀다.

7 특색 있는 중등학교란, 특정한 한두 과목(과학, 수학&컴퓨팅, 인문과목, 언어, 비즈니스&엔터프라이즈, 공학, 음악, 예술, 스포츠 등)을 전문적으로 제공하는 학교로, 교육부로부터 특별학교(Special School) 인정을 받은 곳이다.

8 Exley, S. 'More colleges are saying "I do" to the Pre-U', FE news, TES magazine, 13 April 2012.

9 Cambridge International Examinations, Cambridge Pre-U: A guide for schools, May

2013, p.24.

10 Garner. R., 'State schools lead the way in uptake of International Baccalaureate', The Independent, 14 August 2012.

11 IBO의 IB Answers팀으로부터 직접 입수한 데이터 「UK IBDP Schools from 1971-2014」에서.

12 IBO 웹사이트에서, 'Country: United Kingdom', 'Programme: DP' 및 'Type: State School'로 검색한 결과
http://www.ibo.org/en/programmes/find-an-ib-school/?SearchFields.Country=GB&SearchFields.ProgrammeDP=true) [2014/12/13 접속]

13 ①커뮤니티스쿨(Community Schools): 지방자치단체가 입학 기준을 설정, 교직원을 고용하고 학교의 대지와 건물을 소유한다. ②파운데이션·트러스트스쿨(Foundation and Trust Schools): 학교이사회가 입학 기준 설정, 교직원 고용 등의 운영을 담당하고, 학교이사회 혹은 자선단체가 학교의 토지, 건물을 소유한다. 트러스트스쿨에서는 일반 기업과 자선단체 등의 외부 단체와 교육기금(Education Trust)을 설립해 운영한다. ③자선단체운영학교(Voluntary aided schools): 종교학교(Religious Schools) 혹은 신앙학교(Faith Schools)를 말하며, 학교이사회가 교직원을 고용하고 입학 기준을 정한다. 학교의 건물과 대지는 자선단체나 교회가 소유하는 경우가 많다. ④자선단체관리학교(Voluntary controlled schools): 커뮤니티스쿨과 자선단체운영학교의 중간 형태로 지방자치단체가 교직원을 고용, 입학기준을 설정하지만, 대지와 건물은 자선단체(많은 경우에 교회)가 소유, 학교이사회의 일부를 자선단체가 지명한다.

14 아카데미는 실력을 불문하고 모든 아동 및 학생을 대상으로 하며, 국가로부터 예산을 받아 운영하는 '독립된' 공립학교이다. 아카데미프로그램은 성적불량 학교를 개혁하기 위한 대책으로 2000년 3월에 도입되어 대부분 사회·경제적으로 가장 소외된 지역의 학교를 대상으로 외부 지원을 받아 교육성과를 개선하는 것이 목적이었다. 2010년 제정된 아카데미법에 의해 적용 범위가 확대되어 모든 공립 초·중학교 및 특수학교가 아카데미를 신청(신설 혹은 기존 형태로부터의 전환)할 수 있게 되었다. 당초엔 교육기준청의 사전 시찰 결과 '좋음'(good) 혹은 '더 좋음'(better)이라는 평가를 받은 학교로 한정돼 있었지만, 현재는 조건이 없어져 모든 공립학교가 신청할 수 있게 되었다. 2014년 시점에선 잉글랜드의 공립초등학교 가운데 9퍼센트(1만 6,799개교 가운데 1,522개교), 공립중학교의 54퍼센트(3,326개교 가운데 1,798개교)가 아카데미다. Ofsted, Ofsted Annual Report 2012/13: Schools. 2013, p.19.

15 Bolton, P., Grammar School Statistics. House of Commons Library, SN/SG/1398, 17 December 2013, p9.

16 GOV.UK, Funding education for 16 to 19-year-olds, Schools and colleges -collection(http://www.gov.uk/government/collections/funding-education-for-16-to-19-year-olds) [2011/10/16 접속].

17 Education Funding Agency, EFA funding rates and formula: 2013 to 2014 academic year, July 2014, p.3.

18 1파운드=185엔으로 환산.

19 도표2-1-6은 UCAS 웹사이트의 A레벨에 관한 페이지(http://www.ucas.com/how-it-all-

works/explore-your-options/entry-requirements/tariff-tables/gce-a)를 토대로 작성.

20 도표2-1-7(1) 및 도표2-1-7(2)는 UCAS의 발행 자료 「International Qualifications 2013」을 토대로 작성.

21 UCAS, UCAS Tariff tables: New tariff points for entry to higher education from 2017, September 2014.

22 UCAS의 2012년 데이터에서 http://www.ucas.com/news-events/news/2013/ucas-end-cycle-report-2012).

23 Haydon. C., 'Why the Bacc is the way forward', The Independent, 18 September 2008.

24 톤브리지그래머스쿨의 식스폼 입학 안내(Tonbridge Grammar School, Entry To The Sixth Form)에서 발췌.

25 Business Intelligence, Research & Evaluation, 2011 Census Key Statistics Table 2001: Ethnic group, Kent County Council, 2011.

26 사례연구에서 거론된 다트포드그래머스쿨이 소재한 다트포드 지구 주민들의 주간 평균 소득은 544.00파운드, 톤브리지그래머스쿨이 소재한 톤브리지 모린 지구는 600.00파운드로 좀 더 부유한 지역이다. Business Intelligence, Research & Evaluation, Business Intelligence Statistical Bulletin: January 2014, Earnings in Kent 2013, Kent County Council, 2014.

27 켄트 주에서 IB학위과정을 운영하는 공립학교의 일람표는 이하의 자료를 참고해서 작성했다.

①2013년에 켄트 주에서 IB학위과정을 운영한 학교의 목록은 교육부 자격평가부서(Qualifications and Assessment Division)의 머라이언 퀸글리(Marian Quingley) 씨로부터 입수한 자료(「Number of students entered for an International Baccalaureate Diploma by institution, subject and grade achieved」)를 토대로 했다. 이 자료는 2013년에 IB학위과정을 실제로 운영한 공립학교의 리스트로, 전체 66개교가 올라 있다.

②IB 등록 날짜 데이터는 IBO 웹사이트(http://www.ibo.org/en/programmes/find-an-ib-school/?SearchFields.Country=GB&SearchFields.ProgrammeDP=true)를 참조[2014/12/13 접속].

③아카데미 등록 날짜 및 입학 방침에 관한 데이터는 교육부의 학교정보 웹사이트 'EduBase2'(http://www.education.gov.uk/edubase/home.xhtml)에서 입수[2014/10/22 접속].

④A레벨과의 병설 상황 및 특기사항에 대해서는 각 학교의 웹사이트에서 입수. 다트포드그래머스쿨(http://www.dartfordgrammarschool.org.uk/), 톤브리지그래머스쿨(http://www.tgs.kent.sch.uk/), 노튼크나치불스쿨(http://www.nks.kent.sch.uk/), 바튼코트그래머스쿨(http://www.bartoncourt.org/) 및 댄코트그래머스쿨(http:/dancourt.kent.sch.uk/) 전부 [2011/10/22 접속].

28 교육부 웹사이트 EduBase2의 다트포드그래머스쿨 데이터에서 (http://www.education.gov.uk/edubase/establishment/summary.xhtml?urn=136359) [2014/11/20 접속].

29 교육부 웹사이트 EduBase2의 다트포드그래머스쿨 데이터에서 (http://www.education.gov.uk/edubase/establishmentlsummary.xhtml?urn=136417) [2014/11/20 접속].

30 교육부 웹사이트 「School Performance Table, 2012-13(2013/12/11 갱신)」을 토대로 작성(http://www.education.gov.uk/cgi-bin/schools/performance/scho01pl?urn=136417)[2014/11/20

접속].

31 교육부 웹사이트의 교직에 관한 정보(http://www.education.gov.uk/get-into-teaching/about-teaching/salary) 참조[2014/12/19 접속].

32 교육부 웹사이트 School Performance Table, 2012-13 Pupil characteristics data, School characteristics: Pupil population(2013/12/11 갱신)(http://www.education.gov.uk/cgi-bin/schools/ performance/group.pl?qtype=LA&superview=sec&view=cqs&sort=&ord=&no=886&pg=1) 참조[2014/11/20 접속].

33 교육부 웹사이트 School Performance Table, KS4 2013 Results: Cohort Information (2013/12/11 갱신) (http://www.educalion.gov.uk/cgi-bin/schools/performance/group.pl?qtype=LA&superview=sec&view=aat&set=10&sort=&ord=&tab=94&no=886&pg=1; http://www.education.gov.uk/cgi-bin/schools/performance/group.pl?qtype=LA&superview=sec&view=aat&set=l&sort=&ord=&tab=149&no=886&pg=1) 참조 [2014/11/20 접속].

34 선데이타임스(*The Sunday Times*) 웹사이트상의 「The Sunday Times School Guide」(http://www.thesundaytimes.co.uk/sto/Parent_Power/) 참조.

35 러셀그룹(Russell Group)은 1994년에 17개 연구대학들이 모여 설립한 영국의 대학 연합. 버밍엄대학, 브리스톨대학, 캠브리지대학, 에든버러대학, 글라스고대학, 임페리얼칼리지 런던, 리즈대학, 리버풀대학, 런던정경대학(LSE), 맨체스터대학, 뉴캐슬대학, 노팅엄대학, 옥스퍼드대학, 셰필드대학, 사우샘프턴대학, 런던대학 유니버시티칼리지(UCL), 워릭대학으로 구성됨(알파벳순).

36 대학에 진학하기 전 1년간 휴학 기간을 갖고 사회 경험 등을 쌓는 것을 갭이어(Gap Year)라고 한다.

37 Haydon, c., 'Why the Bacc is the way forward', The Independent, 18 September 2008.

38 Bolton, P., Grammar School Statistics, House of Commons Library, SN/SG/1398, 17 December 2013, p.5

39 Davis, R., 'International baccalaureate gaining ground in state schools', The Guardian, 7 September 2010.

〈참고문헌〉

Barton Court Grammar School 홈페이지, http://www.bartoncourt.org [2014/10/22 접속].

Bolton, P., Grammar School Statistics, House of Commons Library, SN/SG/1398, 17 December 2013.

Business Intelligence, Research & Evaluation, 2011 Census Key Statistics Table 2001: Ethnic group, Kent County Council, 2011.

Business Intelligence, Research & Evaluation, Business Intelligence Statistical Bulletin: January 2014, Earnings in Kent 2013, Kent County Council, 2014.

Cambridge International Examinations, Cambridge Pre-U: A guide for schools, May 2013.

Dane Court Grammar School 홈페이지, http://danecourt.kent.sch.uk/ [2014/10/22 접속].

Dartford Grammar School 홈페이지, http://www.dartfordgrammarschool.org.uk/

[2014/10/22 접속].
Davis, R., 'International baccalaureate gaining ground in state schools', *The Guardian*, 7 September 2010.
Department for Education 홈페이지, Get into Teaching: Teacher salaries,
http://www.education.gov.uk/get-into-teaching/about-teaching/salary [2014/12/19 접속].
Department for Education 홈페이지, School Performance Table, 2012-13,
http://www.education.gov.uk/cgi-bin/schools/performance/school.pl?urn=136417 [2014/11/20 접속].
Department for Education 홈페이지, School performance Table, KS4 2013
Results: Cohort Information, http://www.education.gov.uk/cgi-bin/schools/performance/group.pl?qtype= LA&superview=sec&view=aat&set=10&sort=&ord=&tab=94&no=886&pg=1 및 http://www.education.gov.uk/cgi-bin/srhools/performance/group.pl?qtype= LA&superview=sec&view=aat&set=1&sort=&ord=&tab=149&no=886&pg=1 [2014/11/20 접속].
Department for Education 홈페이지, School Performance Table, 2012-13 Pupil characteristics data, School characteristics: pupil population, http://www.education.gov.uk/cgi-bin/schools/ performance/group.pl?qtype=LA&superview=sec&view=cqs&sort=&ord=&no=886&pg=1 [2014/11/20 접속].
EduBase2 홈페이지, http://www.education.gov.uk/cdubasc/homc.xhtml [2011/10/22 접속].
EduBase2 홈페이지, Establishment: Dartford Grammar School.
http://www.education.gov.uk/edubasedestablishmentIsummary.xhtml?urn=136359 [2014/11/20 접속].
EduBase2 홈페이지, Establishment: Tonbridge Grammar School,
http://www.education.gov,uk/edubase/establishment/summary.xhtml?urn=136417 [2014/11/20 접속].
Education Funding Agency, EFA funding rates and formular: 2013 to 2014 academic year, July 2014.
Exley, S. 'More colleges are saying "1 do" to the Pre-U', FE news, TES magazine, 13 April 2012.
Garner, R., 'State schools lead the way in uptake of International Baccalaureate', The Independent, 14 August 2012.
GOV.UK 홈페이지, *Funding education for 16 to 19-year-olds, Schools and colleges-collection*, http://www.gov.uk/governmentlcollections/fundingeducation-for-16-to-19-year-olds [2014/10/16 접속].
Haydon, C., 'Why the Bacc is the way forward', *The Independent*, 18 September 2008.
lB Answers, *UK IB DP Schools from 1971-2014* [2012/4/9 이메일 답변]
International Baccalaureate Organization, The IB Diploma Statistical Bulletin: May 2014 Examination Session, 2014.
International Baccalaureate Organization 홈페이지, *Find an IB School*, http://www.ibo.org/en/programmes/find-an-ib-school/?SearchFields.Country=GB&SearchFields.

ProgrammeDP=true [2014/12/13 접속].
Ofsted, *Ofsted Annual Report 2012/13: Schools*, 2013.
Quingley, M., Number of students entered for an International Baccalaureate Diploma by institution, subject and grade achieved, Qualifications and Assessment Division, Department for Education [2014/9/12 회의자료].
UCAS, International Qualifications 2013, 2012.
UCAS, UCAS Tariff tables: New tariff points for entry to higher education from 2017, September 2014.
UCAS 홈페이지, *UCAS End of Cycle Report 2012*, http://www.ucas.com/newsevents/news/2013/ucas-end-cycle-report-2012 [2013/7/10 접속].
UCAS 홈페이지 *Entry Requirements: Tariff Tables: GCE-A Level*, http://www.ucas.com/how-it-all-works/cxplore-your-options/entry-requirements/tarifftables/gce-a [2014/12/19 접속].
The Norton Knatchbull School 홈페이지, http://www.nks.kent.sch.uk/ [2014/10/22 접속].
The Sunday Times 홈페이지, *The Sunday Times School Guide*, http://www.thesundaytimes.co.uk/sto/Parent_Power/ [2014/10/22 접속].
Tonbridge Grammar School 홈페이지, http://www.tgs.kent.sch.uk/ [2014/10122 접속].
Tonbridge Grammar School, *Entry to the Sixth Form*, 2014.

2-2

〈주〉

1 최근에 남미, 특히 에콰도르에 IB의 진출이 두드러진다. 전년도보다 약 2배 늘어난 150개교가 IB학위과정만 운영한다. 2012년 9월 미국 조사 때 만난 IB 아메리카지역 담당자는 "북미에는 이미 상당수 투입돼 있기 때문에 앞으로는 남미에 힘을 쏟을 것"이라고 전했다.
2 미국대사관 레퍼런스 자료실/아메리칸센터·레퍼런스 자료실「한눈에 보는 미국교육(早わかり『アメリカ教育』)」2010. (http://americancenceterjapan.com/aboutusaltranslations/3327/) [2017/05/08 접속].
3 기타노 아키오「미국의 학력 향상 정책」오모모 도시유키·우에스기 다카미치·이노구치 준조·우에다 다케오(편)『교육개혁의 국제비교(教育改革の国際比較)』미네르바서방, 2007년, 111쪽.
4 Jay Mathews, Ian Hill, *SUPER test*, 2005. p.108.

2-3

〈참고문헌〉

Recognition-Association of German International School (http://www.agis-schools.org/recognition) 2017/05/08 접속
Vereinbarung über die Anerkennung des "International Baccalaureate Diploma/Diplôme

du Baccalauréat International" (http://www.kmk.org/fileadmin/veroeffentlichungen_beschluesse/1986/1986_03_10-Vereinbarung-Baccalaureate-Dipl.pdf)
IB-WorldschoolGoetheschule Essen (http://www.goetheshule-essen.de)
N aktuell 7 (07.2013) 6 Leibniz-Institut für Länderkunde(https://www.finanzverwaltung.nrw.de/de/besoldungstabellen-fuer-beamtinnen-und-bearnte)
INTERNATIONALE SCHULBILDUNG IN NORDRHEIN-WESTFALEN (http://www.schulministerium.nrw.de/)

2-4

〈주〉

1 IB학교에 관한 기본 데이터(학교 수, 지역, 코스 등)는 IBO의 홈페이지 'Find an IB World School'에서 발췌했다.
http://www.ibo.org/en/programmes/find-an-ib-school/?SearchFields.Region=&SearchFields.Country=CN&SearchFields.Keywords=&SearchFields.Language=&SearchFields.BoardingFacilities=&SearchFields.SchoolGender=
[2015/02/18 접속].
2017년 11월 현재 IB인정학교 수는 118개교에 이른다.

2 법적 명칭은 '외국인자녀학교'지만 본문에서는 통칭 '국제학교'라 한다.

3 2017년 11월 현재, 도입 학교 118개교의 코스별 수는 각각 DP(96), MYP(35), PYP(53), IBCC(2)로 전체 프로그램 수는 186개다.

4 2017년 11월 현재, 가장 많은 것은 상해시로 변함없이 31개교이며, 2위부터 4위는 각각 북경시 21개교, 광동성 20개교, 강소성 16개교 순이다. 이 4개 직할시성에 약 88개교가 분포, 전체의 70퍼센트 이상을 차지한다. 나머지 동부 직할시성인 천진시, 길림성, 산동성, 절강성, 복건성에는 2~4개교가 도입됐고, 중부에는 사천성 8개교와 협서성 2개교를 제외하면 하남성, 호북성, 호남성, 안시성, 강서성, 중경시에 각 1개교씩 있으며 다른 성, 자치구에는 없다.

5 2017년 11월 현재, 현지 공립학교의 경우에 22개교 가운데 DP가 도입된 곳이 20개교이고 그중 4개교가 MYP 병설이다. 그 외에 MYP 혹은 PYP만 도입한 학교가 1개교씩이다. 국제학교와 현지 사립학교 중에는 DP 외에 MYP와 PYP를 도입한 학교가 적지 않지만, 현지 공립학교의 거의 대부분이 DP만 도입한 실정에는 변함이 없다.

6 그 제도적 경위에 관해서는 2003년 문부과학성 『'외국인 교육에 관한 조사연구' 위탁연구보고서(「外国人教育に関する調査研究」委託研究報告書)』(황 단청·히토미 마리코 「중국의 외국인자녀」 국제커리큘럼연구회 『외국에서 외국인학교의 입지 등에 관한 조사연구(諸外国における外国人学校の位置づけに関する調査研究)』 2004년 3월)를 참조할 것.

7 중국 교육부 홈페이지 '인가받은 외국인자녀학교 명단 공포, 2012년 11월 26일 116교'
http://www.moe.gov.cn/jyb_sjzl/moe_166/moe_344/moe_506/tnull_6243.html
[2017/12/03 접속].

8 홍콩, 마카오, 타이완 및 화교를 포함. 현재 일부 지역에서는 그 대상이 현지 학생까지 확대되는 경향이 있다.

9 중국어에선 중학교와 고등학교가 각각 '초급중학'과 '고급중학', 약어로 '초중'과 '고중'으로 불리지만 학교명은 중고일관교 포함 특별한 구분 없이 '○○중학'으로 쓴다.

10 Yoko Yamato and Mark Bray, 'Economic development and the market place for education: Dynamics of the international school sector in Shanghai, China', Journal of research in international education, vo1.5(l), 57-82, 2006.

11 王纾然, 「공립중학 국제부의 교육환경연구(公立中学国際部的教育環境研究)」『中國教育: 教育与評論』2005년 4월, p.118.

12 상해시교육위원회 『상해시 교육국제화 공정 십이오 행동계획(上海市教育国際化工程十二五行動計画)』 p.8.

13 같은 책.

14 예를 들면 상해시립W중학의 학교소개책자에 2002년에 국제부 설립이라고 적혀 있지만 그 이름이 시교육위원회 명단에는 없다.

15 이하의 논문을 참조할 것.

황 단청 「중국의 IB 도입 개요 및 그 배경에 대해(中国における国際バカロレア導入の概況及びその背景について)」『国立教育政策研究所紀要(국립교육정책연구소기요) 제142집』 2013년 3월, p.157.

황 단청 「중국 공립학교의 국제 교육프로그램 도입과 그 입지에 대해(中国の公立高校における国際教育プログラムの導入とその位置づけ)」『목백대학종합과학연구(目白大学総合科学研究) 제10호』2014년 3월 p.89.

16 상해시교육위원회, 앞의 책, p.2.

17 상해시교육위원회, 앞의 책, p.7.

18 본문에 나오는 IB학위과정을 운영하는 공립학교 15개의 자료는 아래의 각 학교 홈페이지 국제부 관련 부문에서 [2015/05/19 접속].

BS교 : http://www.bndsedu.com/fsmcms2.8/html/main/coll/column_1_1.html

BW교: http://www.bj55iss.com

CS교: http://sdgj.cdhuaying.com/StaticPage.aspx?id=12

DS교: http://www.msannu.cn/18/1ist.htm

FF교: http://www.fdis.net.cn/en/AboutPrincipals

JF교: http://www.jdfz.sh.cn/gjb/index.htm

NS교: http://58.213.145.l48/Press/Default.aspx

NW교: http://www.nfts.com.cn/s/2/tl2/p/41/c/30/1ist.htm

RF교: http://icc.rdfz.cn

SW교: http://www.weiyu.sh.cn/cms/index.php?m=conLenL&c=index&a=lists&catid=14

SZ교: http://www.shsid.org/interCN.action?method=list&single=l&sideNav=1401

TS교: http://www.tjsyzx.cn/index.php/Detail/Getdetail/[forefatherid/8/secondid/134

XS교: http://www.nbxiaoshi.net/xsi_ch/

WD교: http://www.wxyzedu.net;/Category_4/Index.aspx

ZX교: http://www.zjgzsis.com/aboutl?108_5.html

19 李震·中島悠久, 「글로벌 시대의 아시아 교육전략: 일본, 중국, 카타르의 IB 실태를 단서 삼아(グローバル時代におけるアジアの教育戦略：日本·中国·カタールにおけるIBの実体を手がかりに)」(2014년 8월)라는 보고서에서 RF교에 대해 언급한 걸 보면, 2013년 가을경, 2013년에 시작한 IB학위과정의 학생 35명, 1999년에 시작한 A레벨 코스 120명, AP 코스 60명 전원이 중국국적이다(p.18, p.20). A레벨과 AP 졸업생 전원이 해외 대학에 진학했는데 구체적으로 보면 미국 75퍼센트, 영국 20퍼센트, 기타 5퍼센트다(p.20). 또한 IB학위과정의 합격선은 북경시의 고교졸업자격시험 만점 570점 중 545점이며, 학교면접과 필기시험 결과 외에 중학교의 추천서가 필요하다(pp.19~20).

20 CS교와 동일한 홈페이지.

21 자료는 아래 홈페이지에서 [2015/05/19 접속].
http://www.dipo

22 Moosung Lee et al., 'A Study of the International Baccalaureate Diploma in China: Program's Impact on Student Preparation for University Studies Abroad'(http://www.ibo.org/contentassets/d1cOaccb5b804676ae9e782b78c8bcle/ibchinafullreportenglish.pdf) [2018년 1월 22일 접속]에 의하면 중국의 2002~2012년 IB학위과정 졸업생의 72퍼센트가 세계 상위 500대 대학에 입학했다(p.l). 다만 보고서의 결론 가운데 하나는 IB학위과정 재학생의 대다수는 중국계이면서 외국국적이라는 것이다. 학생의 60.89퍼센트는 구미 국적이며 28.19퍼센트는 아시아 국가의 국적이다(p.76).

2-5

〈주〉

1 이 중 2개교는 중국반환 이후에 생긴 새로운 범주의 학교로 나머지 5개교와는 학교 운영형태가 다르다.

2 2014년 현재 취학 전엔 9.7퍼센트, 초등학교는 7.6퍼센트, 중등학교는 5.2퍼센트다.

3 홍콩인이란 '홍콩영구거민증'을 가지고 홍콩에 거주하는 사람을 말하며, 여권 발급국가와는 무관하다. 해외 여권 혹은 영주권을 가진 사람이 적지 않다.

4 "'중국'의 일원으로서 민족적·문화적 정체성을 육성하는 한편, 홍콩이라는 특수한 역사적 배경에서 비롯된, 동서 문명을 연결하는 교두보라는 관점에서의 인재육성"을 개혁의 청사진으로 명시하고 있다.

5 (International) General Certificate of Education. 영국의 대학입학자격시험인 GCE A레벨 및 그 국제판.

6 구체적으로는 졸저 「홍콩의 대학입학자격통일시험 개혁: 새로운 시험(2012)이 목표로 하는 인재육성(香港の大学入学資格統一試験改革：新試験(2012)が目指す人材育成)」, 『국립교육정책소기요(国立教育政策所紀要)』 제143호, 2014년, pp.117~133을 참조할 것.

7 홍콩의 A레벨 시험에서도 마지막 수년간은 개혁의 과정에서 영어와 더불어 중국어 시험 문제도 출제되었고, 수험생은 시험 언어를 선택할 수 있었다.

8 B군에서 선택과목을 골라도 진학할 수는 있지만, 성적을 점수화할 때 불리해진다.

9 많은 경우 홍콩인의 모어는 광동어이며, 표준중국어는 따로 학습하지 않으면 익힐 수 없는 언어다. 또한 주로 남아시아와 동남아시아 출신으로 중국어가 모어가 아닌 소수민족

도 적지 않다.

10 IBO 홈페이지 IB학교 일람 http://www.ibo.org/en/programmes/find-an-ib-school/?SearchFields.Region=&SearchFields.Country=HK&SearchFields

11 Enrolment Statistics 2001, Education Department Statistics Section, 2002에서.

12 도표2-5-2의 학교통계와 도표2-5-7의 IB학교 리스트는 통계년도가 다르기 때문에 숫자가 일치하지 않는다.

13 홍콩의 국제학교 발전 및 교육과정에 관해서는 Yamato(2003) "Education in the Market Place - Hong Kong's International Schools and their Mode of Operation" CERC, the University of Hong Kong을 참조할 것.

14 Insider's Perspective: Increased Provision of International School Places (21 Apr. 2014) EDB 홈페이지에서, 언론보도. http://www.edb.gov.hk/en/about-edb/press/insiderperspective/insiderpcrspective20140421.html [2015/04/25 접속]

15 1998년부터 시작된 '모어교육정책'. 이에 따라 많은 중등교육학교의 교수언어가 모어인 광동어로 지정되었고, 일부 엘리트학교만 철저한 영어교육 학교가 되었다. 우여곡절을 거쳐 그 구분은 유연해졌고 현재는 각 학교가 교과별로 교수언어를 신청하고 인정을 받으면 영어도 교수언어로 쓸 수 있게 되었다.

16 초등학교와 중학교 입학 시 선발 방법이 그때까지 학교별 입학생 결정방식이었던 것이, 대부분 컴퓨터에 의한 중앙분배방식(Central Allocation System)으로 변경되었다. 이 중앙분배방식이 도입된 당시는 학교 재량으로 결정할 수 있는 입학생의 비율이 10퍼센트로 제한돼 있었지만 몇 회에 걸친 조정 끝에 2015년 이후에는 학교 재량 비율이 30퍼센트까지 올라갔다.

17 신 교육과정에서는 새롭게 '일반교양과정'이 개설되었다. 교과서가 없고, 게다가 필수과목이어서 교사 부담이 크고, 학교별로 독자적 모색이 필요하다.

18 각 교과의 성적은 5부터 1까지 5단계 평가. 특별히 우수한 경우에 5*, 더욱 우수한 경우에 5**가 주어진다. 1 이하는 평가 불가능.

19 Legislative Council Panel on Education.

20 http://www.ibo.org/globalassets/digital-tookit/pd/ib-educator-cerlificate-en.pdf [2015/01/25 접속].

21 http://www.ibo.org/globalassets/digital-tookit/pd/ib-Ieadership-certificates-unien.pdf [2015/04/25 접속].

22 Flinders University, Adelaide, Australia; Royal Roads University, Victoria, Canada; Hong Kong University of Education, Hong Kong.

〈참고문헌〉

[일본어]

문부과학성(2014년 4월)「IB 일본자문위원회 참고자료집(国際バカロレア日本アドバイザリー委員会 参考資料集)」http://www.mext.go.jp/a_menu/kokusai/ib/_icsFiles/afíeldfíle/2014/04/15/1326221_06_1_1.pdf [2015/04/25 접속].

야마토 요코(2005)「홍콩의 외국인학교와 국제학교 - 중국 반환 후의 새로운 움직임에 주목하여 (香港の外国人学校と国際学校-中国返還後の新たな動きに注目して)」후쿠타 세이지·미토

미즈코(편저)『세계의 외국인학교(世界の外国人学校)』pp.125~148, 도신도
야마토 요코(2014)「연재/IB의 현재㊱ 홍콩의 IB학교 사례」『문부과학교육통신(文部科学教育通信)』2014년 12월 8일호, pp.28~31, 지어스교육신사
야마토 요코(2015)「연재/글로벌화와 아시아의 교육전략 3 홍콩의 콘텍스트로 보는 글로벌 인재육성(グローバル化とアジアの教育戦略3 香港のコンテクストから見るグローバル人材育成)」『동아(東亜)』NO.576, 2015년 6월호, pp.98~106, 가잔카이
야마토 요코(2017 a)「홍콩의 대학입시에서 격차시정 조치 - 교육 기회의 확대와 능력주의의 철저(香港の大学入試における格差是正措置ー教育機会の拡大と能力主義の徹底)」오가와 요시카즈(편)『아시아의 대학입시에서 격차수정 조치(アジアの大学入試における格差是正措置)』고등교육연구총서135, pp.39~55, 히로시마대학 고등교육연구센터
야마토 요코(2017 b)「홍콩의 입시 종류와 지역 외 진학 국가의 다양화 - 대학진학 정원이 적은 홍콩의 대책(香港における入試の種類と地域外進学先の多様化ー大学進学枠が小さい香港の対策ー)」대표연구자: 오가와 요시카즈『아시아의 대학입시의 다양화와 고교-대학 연계 프로그램의 표준화에 관한 국제 비교연구(アジアの大学入試における多様化と高大接続プログラムの標準化に関する国際比較研究)』2015~2017년도 과학연구비지원금(기반연구(B)) 중간보고서, pp.114~126.

[영어]
홍콩특별행정구 정부 교육부 홈페이지 hrtp://www.cdb.gov.hk/cn/index.html [2015/04/25 접속].
홍콩교육학원(현 홍콩교육대학) 홈페이지
http://www.ied.edu.hk/fehd/en/programmes.php?id=38 [2015/04/25 접속].
http://www.ied.edu.hk/iema/ibcertificates.html [2015/04/25 접속].
http://www.ied.edu.hk/web/highlights_allan_walker_speeches.html [2015/04/25 접속].
홍콩시험평가기관(HKEAA) Subject information http://www.hkeaa.edu.hk/cn/hkdse/assessment/subect_Information [2017/11/23 접속].
Bray, Mark and Pedro Ieong (1996) 'Education and Social Change: the Growth and Diversification of the International Schools Sector in Hong Kong'. International Education, Vol. 25, No.2, pp.49-73.
Education Commission (1999) "Education Blueprint for the 21st Century: Review of Academic System AIMS of Education Consultation Document", January 1999.
IBO (2014) "IB Teaching and Learning Certificate: University directory 2015" IB Professional Development: Developing Leaders in International Education retrieved from http://www.ibo.org/globalassets/digital-tookitlpd/ ib-educator-certificate-uni-en.pdf.
IBO (2015) "IB Leadership Certificate: University directory 2015" IB Professional Development: Developing Leaders in International Education retrieved from http://www.ibo.org/globalassets/digital-tookit/pd/ib-leadership-certificates-uni-en.pdf.
Legislative Council Panel on Education (2014) "Admission to University Grants Committee-funded undergraduate and research postgraduate programmes" (For

discussion on 10 February 2014)
Yamato, Yoko (2003) Education in the Market Place: Hong Kong's International Schools and their Mode of Operation. CERC Monograph Series No.1 Comparative Education Research Centre, the University of Hong Kong.

[중국어]
南華早報(2015년 4월 19일) http://www.nanzao.com/sc/h-macau-tw/1/4cc705b4e6739b/mytake-xiang-gang-zhong-xue-sheng-xuan-ke-cheng-ye-pin-die-[2015/04/25 접속].

2-6

〈주〉

1 글로벌인재육성추진회의 「글로벌인재육성전략(글로벌인재육성추진회의 심의 정리)グローバル人材育成戦略(グローバル人材育成推進会議 審議まとめ)」 2012년 6월 4일, p.8, p.13.

2 가토가쿠엔교슈고등학교(2000년 인정), 다마가와가쿠엔 고등부(2009년), AICJ고등학교(2009년), 리쓰메이칸우지고교(2009년), 군마국제아카데미(2011년)의 5개교였다.

3 일본경제단체연합회 「세계를 무대로 활약할 수 있는 인재의 양성을 위해-글로벌 인재육성을 위한 방법론에 대한 제언-(世界2を舞台に活躍できる人づくりのために―グローバル人材育成に向けたフォローアップ提言―)」(2013년 6월 13일) p.7.

"어학능력뿐 아니라 커뮤니케이션 능력과 다문화를 수용하는 능력, 논리적 사고력, 과제발견 능력 등을 키우는 IB학위과정(DP, 16~19세 대상 고교프로그램)은 글로벌 인재를 육성하는 데 유효한 수단 가운데 하나다.

고교졸업 시에 IB학위가 취득 가능한 학교(인정학교)를 국내에서 늘려나가는 일은 일본인학생들의 글로벌화를 촉진하고, 동시에 아주 우수한 외국인 인재들의 일본 수용을 확대하는 데도 기여한다. 문부과학성은 IB인정학교를 현재의 16개교에서 5년 이내에 200개교까지 늘리는 방침을 밝히고 있지만, 국내의 IB에 대한 인지도는 아직 낮은 편으로 정부와 지방자치단체는 IB의 인지·보급에 힘쓰는 등 목표 달성을 위해 더한층 노력해야 한다. 동시에 국내에서 IB를 가르칠 수 있는 인재의 육성과 확보도 반드시 필요하다. 또한 현재 IB학위과정은 원칙적으로는 영어, 프랑스어, 스페인어로 수업 및 시험을 실시하고 있지만, IB 교과 중에는 모어로 학습하는 것이 더 효율적인 경우도 있기 때문에 IBO에서 일본정부와 연계해 동 과정의 일부를 일본어로 실시하는 프로그램(2중언어 학위과정)의 개발에 착수한 만큼, 일본어 IB학위과정을 활용하는 것도 고려해볼 만하다. 그리고 IB학위과정 수료자에 대한 사회의 적절한 평가도 중요하며, 대학입시에서의 활용이나, 기업에서도 직원고용 및 인재활용 시에 적절히 평가되도록 하는 것이 중요하다."(pp.7~8)

4 교육재생실행회의 제3차 제언 「앞으로의 대학교육 등의 모습에 대해(これからの大学教育等のあり方について)」(2013년 5월 28일)

"국가는 글로벌 리더를 육성하는 선진적인 고교(가칭: 슈퍼글로벌하이스쿨)를 지정하여 외국어, 특히 영어를 사용할 기회의 확대, 폭넓은 교양과 문제해결 능력 등의 국제적 소양

함양을 지원한다. 국가는 IB인정학교에 대해 일부 일본어에 의한 IB학위과정의 개발, 도입을 추진하여 대폭적인 확대(16개교→200개교)를 도모한다. 국가 및 지방공공단체는 고교생의 해외교류 사업이나 단기유학 참가를 적극 지원한다. 일본인학교 등의 재외교육시설에서 현지 아이들을 적극 수용해 일본어교육 및 일본문화 이해 촉진에 힘쓴다."(p.4)

5 「일본부활전략(日本再興戦略)-JAPAN is BACK-」(2013년 6월 14일 각의결정)
"일부 일본어에 의한 IB교육프로그램의 개발, 도입 등을 통해 IB인정학교의 대폭적인 증가를 목표함(2018년까지 200개교)."(p.38)

6 나고야대학 교육학부부속중고등학교(국립), 아이치 현 아사히가오카고등학교(공립), 교토시립호리카와고등학교(공립), 삿포로성심여자학원고등학교(사립), 간사이가쿠엔센리국제고등부(사립)의 5개교가 지정되었다.

7 일본어로 실시 가능해지는 과목은 경제, 지리, 역사, 생물, 화학, 물리, 수학, 수학연구, 음악, 미술, 지식론(TOK), 과제논문(EE), 창조성·활동·봉사(CAS)(다만, 일본어 학위과정이라도 6과목 중 2과목(통상, 그룹2의 외국어 외에 추가 1과목)은 영어 등으로 이수할 필요가 있음). 문부과학성 IB에 대해 5. 국내의 움직임 등 〈http://www.mext.go.jp/a_menu/kokusai/ib/1352960.htm〉 [2017/6/6 접속].

8 리쓰메이칸우지고등학교 담당자 인터뷰에서(2012년 8월 6일).

9 최적의 자원 활용 방법을 모색하기 위해 주어진 환경을 SWAT 분석, 즉 강점·장점(Strengths), 약점·결점(Weaknesses), 기회(Opportunities), 위협(Threats)의 범주로 유형화해 요인을 분석하고 전략책정을 실시하는 수법.

10 도쿄 도 「아시아헤드쿼터특구비전(アジアヘッドクォーター特区域内ビジョン)」 p.32.

11 도쿄도교육위원회 『IB 도입을 위한 검토위원회 보고서(国際バカロレアの導入に向けた検討委員会報告書)』(2014년 3월), p.5. 보고서의 서두에는 IB 도입의 배경과 이유가 다음과 같이 기술돼 있다. "도쿄 도에서는 아시아를 비롯한 세계 각국의 도시 간 경쟁에서 승리하기 위해 도쿄에 외국기업 유치를 위한 아시아헤드쿼터특구구상을 추진하고 있는 바, 해외에서 오는 외국인자녀들의 취학 환경을 정비해나갈 필요가 있었다. 또한 2012년 2월에 책정한 '도립고교개혁추진계획 제1차 실시계획'에서 도립고교를 졸업한 학생이 해외 대학에 원활히 진학할 수 있도록 외국어로 진행되는 수업을 중심으로 하는 독자적 커리큘럼을 개발·실시함과 동시에 해외의 대학입학자격을 취득할 수 있는 도립고교 최초의 IB인정학교를 목표로 하게 되었다."

12 도쿄 도 「IB 검토위원회(国際バカロレア検討委員会)」 자료.

13 도쿄도교육위원회 『IB의 도입을 위한 검토위원회 보고서』

14 도쿄도립국제고등학교 IB 코스의 입시정보
〈http://www.kokusai-h.metro.tokyo.jp/ib/exam/index.html〉 [2017/06/29 접속].

15 삿포로 시의 출생자수는 2011년에 1만 4,491명으로, 정점을 찍었던 1974년의 2만 4,525명과 비교해 약 1만 명이 감소했다('삿포로 시 공표 인구동태통계조사 결과'[2011년 통계]) 〈http://www.city.sapporo.jp/hokenjo/f9sonota/toukeihyou.html〉 [2014/11/14 접속].

16 삿포로시교육위원회 「개성을 키우고, 풍요로운 인간성을 육성하는 교육을 목표로-삿포로시립고등학교교육개혁추진계획-(個性を伸ばし豊かな人間性をはぐくむ教育を目指して—札幌市立高等学校教育改革推進計画—)」2003년 2월, pp.12~13.

17 요코이 도시로 「자료: 새로운 세기를 전망한 매력적인 삿포로시립고등학교의 모습에 대

해, 제1차 답신(新世紀を展望した魅力ある札幌市立高等学校のあり方について第1次答申)삿포로시립고등학교교육개정추진협의회 2001년 5월」『공교육 시스템 연구(公教育システム研究)』 제2호, 2001년 7월, p.179.

18 삿포로시교육위원회「삿포로시 중고일관교육학교 설치 기본구상(札幌市中高一貫教育校設置基本構想)」 2011년 3월, p.7.

19 같은 책 p.7.

20 삿포로시교육위원회에서의 청취(2013년 11월 7일)

21 시립삿포로가이세중등교육학교에 대해서는 국립교육정책연구소 프로젝트연구「고등학교 정책 전반의 검증에 의거한 고등학교에 관한 종합적 연구(高等学校政策全般証に基づく高等学校に関する総合的研究)」(2012-2013년) 보고서 일부를 발췌해 가필, 수정했다.

2-7

〈주〉

1 UWC History & Founding Ideas 〈http://www.uwc.org/news/?pid=22&nid=23〉 [2017/6/27 접속].

2 커트 한에 대해서는 다음을 참조하라.

- Sutcliffe, D., Kurt Hahn and the United World Colleges with other Founding Figures. 2012.
- Knoll, Michael "School reform through experiential therapy: Kurt Hahn - an efficious educator." 〈http://mi-knoll.de/117401.html〉 [2017/5/27 접속].
- Peterson, Alec D.C. (1987), Schools Across Frontiers: The Story of the International Baccalaureate and the United World Colleges, Open Court, pp.1-3.

3 Mathews, J. & Hill, I. (2005), Super Test: How the International Baccalaureate can strengthen Our Schools, Open Court, pp.48-49.

4 피터슨은 1957년 NATO가 주최한 브뤼헤(Bruges)의 국제회의에서 한과 만났다. Peterson, Alec D.C., 앞의 책, p.1.

5 Mathews, J. & Hill, I., 앞의 책, pp.49-51.

6 Peterson, Alec D.C., 앞의 책, p.16-17.

7 Mathews, J. & Hill, I., 앞의 책, p.18.

8 Peterson, Alec D.C., 앞의 책, p.16.

9 International Baccalaureate, The IB Diploma Programme Statistical Bulletin, May 2016 Examination Session.

10 Mathews, J. & Hill, I., 앞의 책, p.108.

11 Peterson, Alec D.C., 앞의 책, p.131.

12 Mathews, J. & Hill, I., 앞의 책.

13 이와사키 구미코「IB의 향후 전망(国際バカロレアの今後の展開)」『문부과학교육통신(文部科学教育通信)』 No.402, 12월 26일호, pp.18-19.

14 영국의 학교 수 등의 수치는 아래의 사이트에서, 2017년 5월 기준이다.
The IB by country〈www.ibo.org/country/GB〉 [2017/5/28 접속]. 미국, 독일, 중국, 홍

콩, 일본도 동일하게 검색.

15 Gerald O. Grow (1991), "Teaching Learners to be Self-directed", Adult Education Quarterly Volume 41, Number 3, Spring, pp.125-149.

16 린다 그랜튼·앤드루 스콧 저 『라이프 시프트: 100년 시대의 인생전략(The 100-year life: living and working in an age of longevity)』 동양경제신보사, 2016년, pp.23-24.

3-1

1 조사표 및 단순집계는 장 마지막의 「3-자료: IB 교원 조사 결과」(2014년 말 현재)를 참조할 것. 설문조사 번호는 조사표와 일치함.

2 메일링리스트는 원래 IB학위과정 일본어A1의 정보 교환을 위해 프랑크푸르트 국제학교(FIS)의 사토 선생이 처음 만들었다. 선생이 돌아가신 후, 파리 국제학교(ISP)의 이시무라 선생이 이어받아 현재에 이른다. 최근엔 일본어B, 초급일본어 담당까지 합쳐져 전체 멤버는 200명이 넘는다.

3 2005년 9월 말에 13명의 IB 일본어교사들의 답변을 받아 분석한 결과, 교원의 나이와 '경력'에 대해 "일본 국내와 마찬가지로 여기서도 고령화의 파고가 들이닥치고 있다. 20대는 없고, 50대가 7명이다. 거기에 60대를 합치면 62퍼센트에 이른다. 중견층인 40대 2명과 30대 4명에 대한 기대가 있지만, 그럼에도 인원 수가 너무 적다. 앞의 62퍼센트가 퇴직할 경우를 고려하면 위기감이 고조된다. 즉, 젊은 층의 육성이 급선무다. 앞으로 10년 정도에 걸쳐서 젊은 교사를 양성할 필요가 있다"는 결론을 내렸다(하시모토 야에코 「IB 일본어A1 교사상 -설문 실태조사에서-」, 『IB: 세계가 인정하는 탁월한 교육프로그램』 178쪽).

4 EAL= English as an additional Language. 영어가 세 번째, 네 번째 언어인 경우도 있다.

5 OCC=Online Curriculum Centre

6 중학교프로그램(MYP) 『언어A 안내서(가이드)』 2010년 10월 발행.

3-2

1 본 조사는 일본학술진흥회과학연구비조성금·기반연구 C 「IB의 일본형 공립학교 모델 구축에 관한 실증연구(国際バカロレアの日本型公立学校モデルの構築に関する実証研究)」(연구대표: 이와사키 구미코, 과제번호 24531087. H24-H26)의 일환으로 실시되었다. 조사 개요는 다음과 같다.

1. 목적: 일본 및 세계 각지에서 IB를 가르치는 일본인교사의 현상과 과제 파악

2. 방법(회수 수):

①IB를 가르치는 일본인교사들의 임의 메일링리스트 웹사이트에 설문지를 게시하고 응답 의뢰, 메일로 반송(n=37)

②일시귀국한 일본인교사들의 연구회(2011.7.12.~14)에서 배포, 회수(n=11)

③연구회 참석자가 IB 워크숍에 참석한 일본인의 지인에게 의뢰(n=1)

합계 n=49

3. 조사 기간: 2014년 6월 9일(월)~2014년 8월 1일(금)

2 일본의 공립초등학교 교원을 대상으로 하는 조사는 일본학술진흥회과학연구비조성금

·도전적 맹아 연구 「학부모와 지역주민의 학교에 대한 지원이 교원의 직무수행에 미치는 영향에 관한 정량적 연구(保護者·地域住民の学校支援が教員の職務遂行に及ぼす影響に関する定量的k研究)」(연구대표: 가네후지 후유코, 과제번호 23653262. H23~H25)의 일환으로 실시되었다. 조사 개요는 다음과 같다.
1. 조사 기간: 2012년 9월 24일~10월 23일
2, 조사 방법: 우편에 의한 설문지조사
3. 표본 추출: 전국 공립초등학교 2만 1,121개교(2011년 5월 18일 시점) 가운데 지역 및 재적 아동 수에 따라 층화한 층별 2단 무작위추출법으로 추출.
합계 600개교를 추출, 각 학교에 5표의 교원조사표를 배포했다.

전국초등학교 교원조사 계획표본 수, 유효회수 수, 유효회수율

	계획표본 수	유효회수 수	유효회수율
전국 초등학교 교원조사	3,000명	1,213명	40.4%

3 TALIS란, OECD 국제교원지도환경조사(Teaching and Learning International Survey)를 의미하며, 학교의 학습 환경과 교원의 근무 환경에 초점을 맞춘 국제조사다. 제2회 조사는 2013년에 실시되었고, 일본을 포함한 34개국이 참가했다. 2013년의 조사 결과 요약은 국립교육정책연구소의 URL 참조. http://www.nier.go.jp/kenkyukikaku/talis/imgs/talis2013_summary.pdf [2017/11/15 접속].
국립교육정책연구소 『교육환경의 국제비교: OECD 국제교육지도환경조사(教育環境の国際比較：OECD国際教員指導環境調査) 2013년 조사 결과 보고』 아카시서점, 2014년.

3-3

1 IBO, Language A: Literature guide 참조.
2 하시모토 다케시 『전설의 나다교 국어교사의 「학문의 제안」(伝説の灘校国語教師の「学問のすすめ」)』 PHP문고, 2015년, p.33.
3 IB학위과정 「'언어A: 문학' 지도안 2015년 제1회 시험」 p.13.
http://www.ibo.org/globalassets/publications/dp-language-a-literature-jp.pdf [2017/07/30 접속]
4 이시무라 기요노리 「일본어A1의 실천과 커리어 의식」 『IB: 세계가 인정하는 탁월한 교육프로그램』 pp.175~176.
5 이와사키 구미코 「IB를 통해 생각하는 국어교육의 미래상(国際バカロレアから考える国語教育の未来像)」 『국어교실(国語教室)』 No.100, 2014년 11월, pp.30~31.

4-1

이 원고는 이와사키 구미코 「수강자 조사-IB학위과정 수강 전부터 졸업까지」, 『IB: 세계가 인정하는 탁월한 교육프로그램』의 내용을 가필, 수정한 후 재수록한 것이다.

4-2

1 2015년 7월 27일, IB학위과정을 경험한 본인이 대학을 마치고 대학원 진학 전 귀국했을 때 실시.

2 International General Certificate of Secondary Education: 영국 중등교육과정의 국제판. 9학년과 10학년에 걸쳐 이루어진다.

3 학교의 고교교육과정 안내, 2015~2015년판.
http://www.yis.ac.jp/uploaded/documents/Parents/2015-2016_Course_Catalog_updated.pdf

4 E씨의 출신학교는 쟁을 이수할 수 있어서 E씨와 같은 시기 IB를 이수한 음악 선택자 4명 전원이 쟁을 전공했다.

5 2015년 8월 현재의 학교 홈페이지 정보에 따름.

6 SAT(Scholastic Aptitude Test): 일반교양을 묻는 SATI(비평적 읽기, 수학, 작문으로 구성)과 교과별 시험인 SAT II의 3과목 점수를 필수로 하는 대학, 학부가 있다. 미국의 대학입학 신청에 필요한 것은 고교의 GPA와 SAT 성적, 그리고 대학별로 부과되는 에세이 과제다. E씨가 MIT의 입학 허가를 받은 것은 GPA가 높았고, SAT I과 SAT II의 성적이 모두 좋았으며, 에세이에서 좋은 평가를 받았기 때문이라고 할 수 있다.

7 AP(Advanced Placement): 미국에서 규정돼 있는 고교교육과정을 넘어선 교육과정. 원래는 영재들을 위한 수준 높은 교과별 과정이지만, 대학의 단위인정이 되기 때문에 최근에는 미리 대학 단위를 받는 차원에서 제공하는 학교도 있다. 이수를 하지 않고 시험만 보는 것도 가능.

8 Bachelor of Science: Brain and Cognitive Science는 MIT 특유의 전공.

9 E씨가 입학한 이듬해인 2012년부터 IB 영어A 혹은 IB 영어B(고급레벨)에서 평점 7을 획득한 경우, 동일 강좌의 이수가 면제된다. MIT 홈페이지. MIT Undergraduate Communication Requirement: URL http://web.mit.edu/commreq/faq.html.

10 홍콩에는 많은 국제학교가 있지만 영국령이었던 시절의 유산으로 영국식 교육을 제공하는 영국국제학교(English Schools Foundation)가 있어서 2000년까지 수업료는 징수하면서도 공립학교로 취급했다. 구체적으로는 본서 2-5를 참고할 것.

11 (International) General Certificate of Secondary Education: 영국의 중등교육자격시험. 5년간의 중등교육 수료 후에 진학에 필요한 선발 기능을 가진 O레벨(O-Levels) 시험이 있고 그 후 2년간의 후기중등교육과정(GCE)을 마치고 A레벨 시험을 본다. 'International'이 붙은 것은 그 국제판.

12 본문에 나오는 이 학교의 정보는 2015년 8월 현재의 학교 홈페이지 정보에 따름. 이 학교의 고교교육과정 안내 2015~2016년은 아래 홈페이지 참조.
http://www.saschina.org/data/files/gallery/ContentGallery/HSPX_Course_Catalog_20152016.pdf

13 UCAS(Universities and Colleges Admissions Services)

14 취업활동 중에 직접적으로는 아니지만 영어실력이 좋다는 이유로 면접관에게 조롱 섞인 발언을 듣는 괴로운 경험을 했다.

15 IBO 인터뷰. 2014년 9월 9일 Malcolm Nicolson: Head of Diploma Programme

development.

16 단순히 언어의 문제가 아니라 학생의 안전상의 문제 때문에 제한돼 있었다.

17 고교 교장이 학부모를 대상으로 학교 상황에 대해 매월 보고하는 자리로, 이른바 학부모 면담은 별도의 기회에 이루어졌다.

18 런던 교외의 공립 IB학교인 톤브리지그래머스쿨(Tonbridge Grammar School)과 다트포드그래머스쿨(Dartford Grammar School)을 견학했는데 TOK 견학은 다트포드만. 2014년 9월 10일.

19 홍콩 체류 당시 국제학교가 시장경쟁 하에 있음을 역설하는 논문을 작성한 것이 단행본으로 출간되었는데(Education in the Market Place: Hong Kong's International Schools and their Mode of Operation [2003] CERC, thc University of Hong Kong) 우연히 그것을 읽은 고교 교장 선생님이 소개한 듯하다.

20 미국의 대학입학시험인 SAT 및 AP 시험을 만들고 관리하는 칼리지보드(College Board)의 AP 점수에 관한 페이지: http://apscore.collegeboard.org/scores/about-ap-scores

21 IBO 홈페이지, IB학위과정 이수의 최소요건에 관한 Q&A: http://www.ibo.org/en/university-admission/recognition-of-the-ib-diploma-by-countries-and-universities/faqs/

22 IB는 교과별로 1~7 평점을 낼 뿐이며, 교과별 합격 여부는 판정하지 않는다. 어디까지나 총점이 24점 이상이면 학위 인정을 하는 것, 그리고 대학이 IB학위를 입학 허가의 참고 자료로 삼거나, 단위로 인정하는 것은 각 교과의 평가가 최소 4~5인 경우임이 홈페이지에 명기되어 있다.

23 E씨의 경우, 수학(고급레벨)과 물리(고급레벨)가 힘들었던 듯하며, 담당 교사도 문제를 푸는 데 고생한 적이 있다고 한다.

〈참고문헌〉

보고서 「일본의 IB도입 추진에 대한 제언」: http://www.mcxt.go.jp/a_menu/kokusai/ib/1326221.htm [2015/04/25 접속].

IB 일본자문위원회 보고서 참고자료집: http://www.mextgo.jp/a_menu/kokusai/ib/icsFiles/afieldfile/2014/04/15/1326221_06_1_1.pdf [2015/04/25 접속].

요코하마 국제학교 홈페이지: http://www.yis.ac.jp/ [2015/04/25 접속].

상해 아메리칸스쿨 홈페이지: http://www.saschina.org [2015/01/25 접속].

MIT 홈페이지: http://web.mit.edu/ [2015/04/25 접속].

4-3

본 원고는 이와사키 구미코 「수강자 조사-IBDP 수강 전부터 졸업까지-」(『IB: 세계가 인정하는 탁월한 교육프로그램』)의 일부를 가필하고, 새로 쓴 부분을 추가해 재수록한 것이다.

5-2

본 원고는 사가라 노리아키 「교육의 국내성과 국제성」(『IB: 세계가 인정하는 탁월한 교육프로그램』)을 가필, 수정하여 재수록한 것이다.

저자소개(집필순, *는 편저자)

*이와사키 구미코(岩崎久美子)
방송대학 교양학부 교수

이시무라 기요노리(石村清則)
파리국제대학 IB 일본어교론

니시고리 요시코(錦織嘉子)
분쿄대학 생활과학연구소 객원연구원

오쿠데 게이코(奥出桂子)
케이국제학교도쿄 대학진학 카운슬러

요시다 다카시(吉田孝)
뒤셀도르프국제학교 IB 일본어교사

황 단칭(黄 丹青)
목백대학 외국어학부 교수

야마토 요코(大和洋子)
아오야마학원대학 국제정치경제학부 강사

하시모토 야에코(橋本八重子)
전 암스테르담국제학교 IB 일본어교사

가네후지 후유코(金藤ふゆ子)
분쿄대학 인간과학부 교수

쓰보야 뉴웰 이쿠코(坪谷ニューウェル都子)
도쿄국제학교 창립자/이사장, IB 일본대사

사가라 노리아키(相良憲昭)
전 교토노트르담여자대학 학장

글로벌 사례에서 배운다
국제바칼로레아 도입과 실행

2020년 02월 07일 | 초판 1쇄 발행
2022년 12월 05일 | 초판 2쇄 발행

지은이 이와사키 구미코
옮긴이 장민주

펴낸이 이찬승
펴낸곳 교육을바꾸는사람들

편집 고명희
제작 류제양

출판등록 2012년 04월 10일 | 제313-2012-114호
주소 서울시 마포구 양화로 7길 76 평화빌딩 3층
홈페이지 http://21erick.org
이메일 gyobasa@21erick.org
포스트 post.naver.com/gyobasa_book
전화 02-320-3600
팩스 02-320-3609

ISBN 979-11-967446-2-5 93370

책값은 뒷면 표지에 적혀 있습니다.
잘못 만든 책은 구입하신 서점에서 바꾸어드립니다.
본 책의 수익금은 사회적 돌봄이 필요한 아동청소년을 위한 교육지원사업에 사용됩니다.

이 도서의 국립중앙도서관 출판예정도서목록(CIP)은 서지정보유통지원시스템 홈페이지(http://seoji.nl.go.kr)와 국가자료종합목록 구축시스템(http://kolis-net.nl.go.kr)에서 이용하실 수 있습니다. (CIP제어번호 : CIP2020003263)